Otfried Jarren
Heinz Bonfadelli
(Hrsg.)

Einführung in die Publizistikwissenschaft

Verlag Paul Haupt
Bern · Stuttgart · Wien

Otfried Jarren, Dr. phil., geb. 1953, Professor und Direktor des IPMZ – Institut für Publizistikwissenschaft und Medienforschung der Universität Zürich sowie Direktor des Hans-Bedrow-Instituts, Institut für Medienforschung, an der Universität Hamburg. Arbeitsgebiete: empirische Kommunikationsforschung, politische Kommunikation, Medienpolitik.

Heinz Bonfadelli, Dr. phil., geb. 1949, Professor am IPMZ – Institut für Publizistikwissenschaft und Medienforschung der Universität Zürich. Arbeitsgebiete: Medienforschung, Wissenskluft-Perspektive, Jugend und Medien.

Die Deutsche Bibliothek – CIP-Einheitsaufnahme

Einführung in die Publizistikwissenschaft /
Otfried Jarren ; Heinz Bonfadelli (Hrsg.) –
Bern ; Stuttgart ; Wien : Haupt, 2001
(UTB für Wissenschaft : Uni-Taschenbücher ; 2170 : Mittlere Reihe)
ISBN 3-258-06212-9 (Haupt)
ISBN 3-8252-2170-9 (UTB)

Printed in Germany

ISBN 3-8252-2170-9 (UTB-Bestellnummer)

www.haupt.ch

Vorwort

Es fehlt an Lehrbüchern, es fehlt an „Einführungen" – so hört man auf Fachtagungen und Kongressen unserer Disziplin. Doch schaut man genauer hin, betreibt man eine systematische Marktbeobachtung, so fällt auf: Zumindest in den letzten fünf Jahren ist die Zahl der Publikationen, die man zu den „Einführungen" zählen kann, markant angestiegen. Die Publizistik-, Kommunikations- oder Medienwissenschaft ist heute eben keine kleine Disziplin mehr, wenngleich sie an vielen Orten deutlich unterdotiert ist. Aber an den meisten Universitäten sind Kolleginnen und Kollegen in der medien- und kommunikationsbezogenen Lehre und Forschung tätig. Aus Vorlesungen entwickelten sich im Laufe der Zeit erste Skripte und dann vielfach eben auch Verlagspublikationen.

Die vorliegende „Einführung" versteht sich als Zürcher Beitrag zum größer werdenden Markt an derartigen Werken und ist auch so entstanden: Als „Diskussionspunkt 27" erschien 1994, unter der Ägide von Ulrich Saxer, das erste Mal die „Einführung in die Publizistikwissenschaft. Eine Textsammlung". 1996 erschien die zweite, bearbeitete und erweiterte Auflage. Und bereits zwei Jahre später (1998) wurde die dritte Auflage, ergänzt und aktualisiert, herausgegeben. Aufgrund der großen Nachfrage in Zürich, aber auch aus anderen Universitätsorten in der Schweiz, ging im vergangenen Jahr dann eine vierte Auflage in den Druck. Die Besonderheit dieser „Textsammlung": Die in Zürich lehrenden Wissenschaftlerinnen und Wissenschaftler haben sich vergleichsweise früh auf ein bestimmtes – interdisziplinär definiertes und sozialwissenschaftlich orientiertes – Fachverständnis verständigt und damit eine Art von fachwissenschaftlicher Gemeinsamkeit entwickelt. Assistierende wie Professoren haben von der ersten Auflage an gemeinsam das Werk konzipiert, die Beiträge wurden von allen Lehrenden erstellt und diskutiert. Die „Einführung" hat sich damit stets weiterentwickelt, sie konnte optimiert und verbessert werden, weil mit den Texten in Lehrveranstaltungen und bei Prüfungen Erfahrungen gesammelt wurden. Gesamtwerk und jeder Einzeltext – eine Evaluation fand beständig statt.

Die nun vorgelegte neue „Einführung" baut auf diesen Erfahrungen auf, wurde aber neu konzipiert und um einige Lehrgebiete erweitert. Erstmalig erscheint diese Zürcher Einführung nicht mehr im Institutsverlag und als „Diskussionspunkt", sondern in einem Buchverlag. Eine größere Verbreitung wird damit angestrebt. Wir begreifen unser Werk als einen Diskussionsbeitrag zur Weiterentwicklung des fachlichen Selbstverständnisses in unserer Disziplin Publizistik- und Kommunikationswissenschaft. Der Band enthält das, was wir in Zürich lehren und für unabdingbar halten für eine moderne sozialwissenschaftliche Ausbildung. Nun werden wir über den Buchmarkt erfahren, ob und wie dieser Ansatz Anerkennung findet. Wir sind dem in Bern ansässigen Verlag Haupt und seinem Verleger, Herrn Men Haupt, dankbar für die Bereitschaft, sich auf dieses Abenteuer mit uns einzulassen.

Zu danken haben wir allen beteiligten Autorinnen und Autoren für ihre anhaltende Mitwirkungsbereitschaft. Alle Beiträge wurden von Personen verfasst, die an unserem Studiengang lehren. Ein Großteil der Beiträge stammt von Assistierenden: Ihnen sind wir zu besonderem Dank verpflichtet, denn neben den großen Belastungen in der Lehre und durch die hohen Anforderungen an die Weiterqualifikation war und ist ihr Zeitbudget stets knapp. Besonders herzlich zu danken haben wir Frau Heike Scholten-Reichlin M.A., die das Projekt nicht nur nie aus den Augen verloren hat, sondern mit nachhaltiger Strenge dafür gesorgt hat, dass nicht alle Terminpläne platzten. Sie hat alle Beiträge gelesen, die Autorinnen und Autoren beraten und sie war für die redaktionellen Arbeiten an diesem Band verantwortlich. Bei den aufwendigen Text- und Redaktionsarbeiten wurde sie von Frau Saskia Röthlisberger unterstützt, der wir ebenso für ihr großes und professionelles Engagement zu danken haben.

Otfried Jarren
Heinz Bonfadelli

Zürich, Januar 2001

INHALT

Vorwort V

KAPITEL 1

ZUR EINFÜHRUNG

Publizistik- und Kommunikationswissenschaft – ein transdisziplinäres Fach

Heinz Bonfadelli/Otfried Jarren 3

KAPITEL 2

GRUNDLAGEN, THEORIEN UND MODELLE

Was ist (Massen-)Kommunikation? Grundbegriffe und Modelle

Heinz Bonfadelli 17

Mediengeschichte

Michael Schanne 47

Gesellschafts- und Medientheorien

Patrick Donges/Werner A. Meier 69

Öffentlichkeit im Wandel

Patrick Donges/Kurt Imhof 101

Kapitel 3

Mediensystem: Strukturen, Ökonomie, Regulierung

Medien als Organisationen – Medien als soziale Systeme

Otfried Jarren 137

Medienökonomie

Werner A. Meier/Josef Trappel 161

Medien- und Kommunikationsrecht

Rolf H. Weber 197

Medienpolitik und Medienethik

Heike Scholten-Reichlin/Otfried Jarren 231

Kapitel 4

Kommunikatoren: Journalismus und PR

Journalismusforschung

Vinzenz Wyss 259

Public Relations

Ulrike Röttger 285

Kapitel 5

Medien: Nutzung und Wirkung

Mediennutzungsforschung
Daniel Süss/Heinz Bonfadelli 311

Medienwirkungsforschung
Heinz Bonfadelli... 337

Kapitel 6

Medienleistungen und Medienrealität

Medieninhalte
Heinz Bonfadelli/Martina Leonarz/Daniel Süss.............. 383

Politische Kommunikation
Patrick Donges/Otfried Jarren 417

Risikokommunikation
Lucie Hribal 439

Das Internet als Untersuchungsgegenstand der Publizistikwissenschaft
Urs Dahinden 461

Kapitel 7

Medienforschung: Qualitative und quantitative Methoden

Forschungsmethoden in der Publizistikwissenschaft
Urs Dahinden/Walter Hättenschwiler 489

Autorenverzeichnis 529

Sachwortregister 533

Kapitel 1

Zur Einführung

Publizistik- und Kommunikationswissenschaft – ein transdisziplinäres Fach

Heinz Bonfadelli/Otfried Jarren

1 Zur Identität und Geschichte des Faches 5

2 Facetten des Gegenstands und Fachverständnisse 7

2.1 Material- vs. Formalobjekt 7

2.2 Perspektivenvielfalt 8

2.3 Verschiedene Analyseebenen 9

2.4 Unterschiedliche methodische Zugriffe 9

3 Publizistik- und Kommunikationswissenschaft 10

3.1 Integrationswissenschaft – Transdisziplinarität – Methodenpluralismus 10

3.2 Gegenstand, Fragestellungen und theoretische Perspektiven 11

Literatur 13

Dieses Überblickskapitel beschäftigt sich sowohl mit dem Fach Publizistik- und Kommunikationswissenschaft als auch mit dem Gegenstand bzw. dem Lehr- und Forschungsfeld Kommunikation bzw. Massenkommunikation, mit dem sich diese universitäre Disziplin befasst. Deutlich wird, dass es eine verwirrende Vielfalt an Fachbezeichnungen und auch keine einfache und eindeutige Antwort auf die Frage „Was ist (Massen-)Kommunikation?" gibt. Es bestehen eben verschiedenste Auffassungen über den Gegenstand der Publizistik- und Kommunikationswissenschaft und je nach der theoretischen Konzeption ihres Gegenstands variiert auch das darauf bezogene wissenschaftliche Selbstverständnis der Disziplin.

1 Zur Identität und Geschichte des Fachs

Vielzahl der Fachbezeichnungen

Die universitäre Verankerung und die Herausbildung der Identität der verhältnismässig jungen sozialwissenschaftlichen Disziplin Publizistik- und Kommunikationswissenschaft und die Bestimmung ihres Gegenstands sind sowohl im deutschen als auch im englischen Sprachraum mit Schwierigkeiten und Spannungen verbunden (gewesen). Sichtbar wird dies in der Vielzahl der bestehenden und sich konkurrenzierenden Fachbezeichnungen wie Publizistik, Kommunikations- und Medienwissenschaft oder gar Journalistik. Trotz dieser Schwierigkeiten geht die Deutsche Gesellschaft für Publizistik- und Kommunikationswissenschaft (DGPuK) als wissenschaftliche Fachgesellschaft davon aus, dass es sich um ein Fach handelt, das sich mit ähnlichen Problemen und Gegenständen beschäftigt, nämlich der öffentlichen Kommunikation.

Bindestrich-Wissenschaft

Aus der Außenperspektive erscheint das Fach jedoch als heterogen, bestenfalls als Bindestrich-Wissenschaft. Praktisch alle Disziplinen der Geistes- und Sozialwissenschaften beschäftigen sich nämlich, allerdings aus ihrer jeweiligen Fachperspektive heraus, mit Teilbereichen des Gegenstands (Massen-)Kommunikation, wie Mediengeschichte, Medienpsychologie, Mediensoziologie, Medienökonomie, Medienrecht etc., um nur einige zu nennen.

Abbildung 1 Lehr- und Forschungsfeld der Publizistik- und Kommunikationswissenschaft

Quelle: Pürer 1998: 29

Wurzeln deutschsprachiger Publizistikwissenschaft

Die Wurzeln der deutschsprachigen Publizistikwissenschaft (Saxer 1980; Rühl 1985; Glotz 1990; Bentele 1999) liegen zu Beginn des 20. Jahrhunderts in der historisch-biographischen und praxisorientierten „Zeitungskunde": erster Lehrstuhl für Zeitungswissenschaft in Leipzig 1916 (Pürer 1998: 9). Der Wandel des Mediensystems hatte aber notwendigerweise eine ständige Ausweitung und Entgrenzung des Gegenstands der Publizistikwissenschaft zur Folge, beispielsweise in Richtung Massenkommunikationswissenschaft mit dem Aufkommen der „neuen" Medien Radio und Fernsehen. Neben der Integration kam und kommt es zugleich auch zu Spezialisierungen, z.B. als Buch- (Universität Leipzig) oder Filmwissenschaft (Universität Zürich).

Entgrenzung des Gegenstands

Spezialisierungen

Ab den 1960er Jahren rückte als Folge der Rezeption des amerikanischen „communication research" (Kivikuru 1998) die sozialwissenschaftliche Perspektive ins Zentrum der deutschsprachigen Publizistikwissenschaft. Und Mitte der 1970er Jahre wurden in Deutschland erste berufsorientierte Diplomstudiengänge für das anwendungsorientierte Fach Journalistik an den Universitäten eingerichtet. In den 1990er Jahren kamen weitere spezialisierte Ausbildungsangebote (z.B. Public Relations (PR) oder Medienmanagement) hinzu.

Etwa zur selben Zeit entdeckte die Germanistik die Massenmedien als Forschungsgegenstand, und es etablierten sich seit den 1980er Jahren vermehrt unter der Bezeichnung Medienwissenschaft (Faulstich 1994: 9) neue sprach-, geistes- bzw. kulturwissenschaftlich orientierte Forschungsbereiche und Studienangebote an verschiedenen Universitäten (z.B. Universität-GH Siegen). Neben universitären Angeboten treten heute verstärkt auch Lehrangebote an Fachhochschulen oder an Künstlerischen Hochschulen (z.B. Hochschule für Neue Medien, Köln).

Medienwissenschaft

2 Facetten des Gegenstands und Fachverständnisse

2.1 Material- vs. Formalobjekt

Eine Bestimmung des Gegenstands des Fachs allein über ihr Materialobjekt, also durch Aufzählung von einzelnen (Massen-)Medien wie Presse, Buch, Radio, Fernsehen, Film oder Online-Medien genügt nicht, können doch an diese Medien aus verschiedenen Blickrichtungen ganz unterschiedliche Fragen – z.B. ökonomische vs. soziologische vs. psychologische – gerichtet werden (vgl. Abb. 1). Jede dieser Perspektiven führt zu einem je anderen Formalobjekt. Inter- oder transdisziplinäre Forschung ist dem Gegenstand vielfach angemessen, findet jedoch aufgrund von Fakultätsgrenzen und Fachinteressen selten statt.

Abbildung 2 Facetten der (Massen-)Kommunikations-, Medien- und Publizistikwissenschaft

<table>
<tr><td rowspan="2">Materialobjekte</td><td>Einzelne Medien</td><td colspan="3">Kommunikationsakte</td><td rowspan="2">Institution "Journalismus"</td></tr>
<tr><td>Presse, TV, Radio etc.</td><td colspan="3">interpersonale vs. Massenkommunikation</td></tr>
<tr><td>Formalobjekte</td><td>alle Kommunikationsprozesse</td><td colspan="2">für die Öffentlichkeit bestimmte Aussagen</td><td colspan="2">durch Medien hergestellte Öffentlichkeit</td></tr>
<tr><td>Analyseebene</td><td>Akteure (mikro)</td><td colspan="2">Organisationen (meso)</td><td colspan="2">Gesellschaft (makro)</td></tr>
<tr><td>Methodische Zugriffe</td><td colspan="2">quantifizierende sozialwissenschaftliche Methoden</td><td colspan="3">qualitative phänomenologisch-hermeneutische Verfahren</td></tr>
<tr><td>Fachbezeichnungen</td><td>Publizistikwissenschaft</td><td>(Massen-Kommunikationswissenschaft</td><td>Medienwissenschaft</td><td>Journalistik</td><td>Medien-Psychologie, Medien-Soziologie etc.</td></tr>
</table>

2.2 Perspektivenvielfalt

Unterschiedliche Fachverständnisse

Kommunikation als soziales Totalphänomen kann eben aus unterschiedlichsten Perspektiven heraus thematisiert werden, was sich in der je anderen Namensgebung und der je unterschiedlichen theoretischen wie auch empirisch-methodologischen Ausrichtung des Fachs spiegelt:

- Die Bestimmung des Fachs kann über die interpersonale (unvermittelte) Kommunikation als allgemeine Kommunikationswissenschaft erfolgen oder über die technisch vermittelte Kommunikation als Massenkommunikationswissenschaft.
- Im Unterschied zur Massenkommunikationswissenschaft, bei der sich die Bezeichnung am technischen Medium orientiert, liegt die Perspektive bei der Publizistikwissenschaft auf der durch Medien hergestellten Öffentlichkeit. Fragen der interpersonalen, der privaten Kommunikation werden hier nur am Rande thematisiert.

- Die Journalistik, erst im geringen Umfang universitär institutionalisiert, orientiert sich am Handlungssystem Journalismus, das Inhalte für die Öffentlichkeit her- und bereitstellt.

Journalistik (Weischenberg 1995) wie auch PR beziehen sich auf Institutionalisierungen des Fachs, die praxisorientiert sind und in denen die Journalisten- oder PR-Ausbildung im Zentrum steht, im Gegensatz zu den stärker wissenschaftlich orientierten Disziplinen bzw. Ausbildungsgängen wie Publizistik- oder Kommunikationswissenschaft: Hier steht die Reflexion öffentlicher Kommunikation aus sozialwissenschaftlicher Perspektive im Mittelpunkt.

2.3 Verschiedene Analyseebenen

Kommunikationsphänomene können nach unterschiedlichen disziplinären Aspekten, wie z.B. Psychologie oder Soziologie, und auf verschiedenen Ebenen untersucht werden: auf der Mikroebene Personen bzw. Medienakteure und Medienaussagen, auf der Mesoebene Medienorganisationen und -institutionen und auf der Makroebene Mediensysteme. In der Praxis ist zumeist eine disziplinäre Spezialisierung erkennbar (z.B. historische, linguistische, technologische, psychologische, pädagogische, soziologische, ökonomische, juristische Zugriffe), denn die unterschiedlichen Sichtweisen sind nicht ohne weiteres integrierbar. Zudem ist es vielfach aus erkenntnistheoretischen Problemen nicht möglich, Analysen sowohl auf der Mikro- wie auf der Makroebene (oder auch Handlungsebene und gesellschaftliche Ebene) durchzuführen.

2.4 Unterschiedliche methodische Zugriffe

Die Publizistik- und Kommunikationswissenschaft versteht sich heute mehrheitlich als empirisch orientierte Sozialwissenschaft und integriert dementsprechend theoretische Konzepte und Ansätze sowie methodische Verfahrensweisen beispielsweise aus der Soziologie, der Politologie oder Psychologie. In Abgrenzung dazu definieren sich die Medienwissenschaft im deutschen und die sog. Cultural Studies im englischen Sprachraum mehr als Geistes- bzw. Kulturwissenschaften mit einer stärkeren Betonung von qualitativen Methoden.

3 Publizistik- und Kommunikationswissenschaft

3.1 Integrationswissenschaft – Transdisziplinarität – Methodenpluralismus

Öffentliche Kommunikation

Die publizistik- und kommunikationswissenschaftliche Forschung befasst sich mit der öffentlichen Kommunikation, die durch (Massen-)Medien wie Presse, Radio, Fernsehen, Film, Neue Medien und Buch hergestellt wird. Im Zentrum des Fachs stehen die Deskription und Erklärung der verschiedensten Phänomene und Probleme der modernen Medien- oder Kommunikationsgesellschaft unter Berücksichtigung der daran beteiligten Akteure und diese beeinflussenden Faktoren (Strukturen) und Prozesse.

Integrationswissenschaft

Publizistik- und Kommunikationswissenschaft wird in den Beiträgen dieses Einführungsbandes als transdisziplinäres Fach verstanden und praktiziert. Es wird mit sozial-, aber auch kulturwissenschaftlichen Ansätzen gearbeitet, wobei diese Konzepte im Rahmen einer integrationswissenschaftlichen Perspektive gegenstandsbezogen verknüpft werden und Ausgangspunkt für eine eigenständige Theoriebildung sein sollen. Dabei werden Theorie- und Methodenpluralismus gepflegt. Unsere Aufmerksamkeit richtet sich insbesondere auf die strukturellen Eigenheiten und Probleme der Medienentwicklung sowie der öffentlichen Kommunikation im Vergleich verschiedener kultureller Kontexte (Unterschiede und Gemeinsamkeiten zwischen europäischen Ländern oder Europa und den USA) und unterschiedlicher Mediensysteme (öffentliche vs. privatwirtschaftliche Institutionalisierung).

Abbildung 3 Gegenstand „öffentliche Kommunikation“, Forschungsfelder und Forschungsprozess der Publizistikwissenschaft

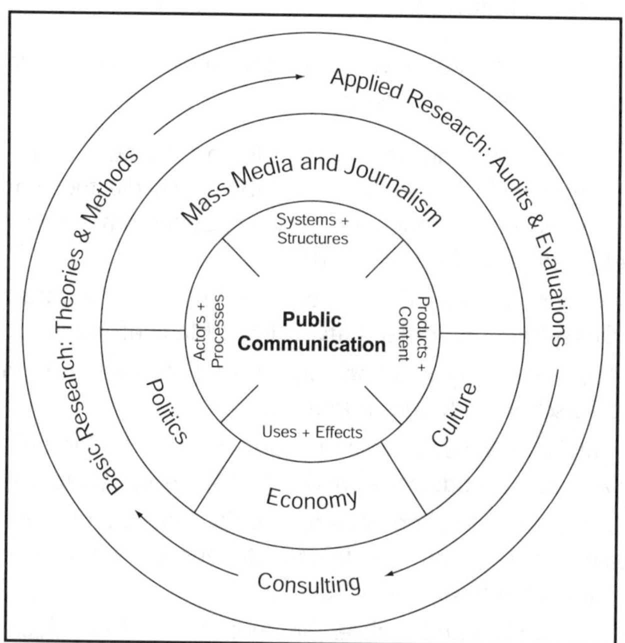

3.2 Gegenstand, Fragestellungen und theoretische Perspektiven

3.2.1 Gegenstand

Den zentralen Gegenstand der Publizistik- und Kommunikationswissenschaft bilden alle Formen der öffentlichen Kommunikation bzw. Massenkommunikation, deren wissenschaftliche Erhellung in Form von Definitionen, Modellen (vgl. Kapitel 2 i.d.B.) und Theorien geschieht. Der interpersonalen, d.h. der zwischenmenschlichen Kommunikation wird als Basisphänomen insoweit Beachtung geschenkt, wenn diese an öffentliche Kommunikationsprozesse gebunden ist (Bentele 1999: 5).

3.2.2 Fragestellungen

Originäre Fragestellungen

Das Fach hat eine Reihe von originären Frage- und Problemstellungen entwickelt. Dazu gehören:

- Die politischen und rechtlichen Rahmenbedingungen sowie ökonomischen Voraussetzungen, aber auch die medientechnische Basis, unter denen sich die Massenkommunikation vollzieht: Medien und Gesellschaft;
- die Organisationen des Mediensystems und Strukturen im Mediensystem und deren Entwicklung: Medienforschung;
- die Prozesse der Produktion von Medienbotschaften: Kommunikatorforschung (PR und Journalismus);
- die durch die Massenmedien in Form von manifesten und latenten Aussagen produzierte Medienrealität: Aussagenforschung;
- die Publika der Massenmedien, ihre Strukturen und Muster der Mediennutzung und die dahinterstehenden Wünsche und Erwartungen: Publikumsforschung;
- die individuellen und sozialen, intendierten und zufälligen, kurz- wie langfristigen, sozial erwünschten, aber auch schädlichen Effekte der Massenmedien auf Wissen, Einstellungen, Emotionen und Verhaltensweisen: Wirkungsforschung.

3.2.3 Theoretische Perspektiven

Theorienpluralismus

Wie in anderen sozialwissenschaftlichen Disziplinen auch, existiert in der Publizistik- und Kommunikationswissenschaft keine alles dominierende theoretische Perspektive. Das Fach ist eher durch einen Theorienpluralismus (Handlungs-, wie auch Systemtheorien) charakterisiert (Burkart 1997). Die meisten der verwendeten theoretischen Ansätze stellen Hypothesensysteme über relativ eng begrenzte Teilbereiche der öffentlichen Kommunikation dar – sog. Theorien mittlerer Reichweite – wie z.B. zu den Teilbereichen der Nachrichtenselektion oder der Medienwirkungsphänomene auf der Mikroebene. Am ehesten gibt es auf der Makroebene umfassende allgemeine Theorieentwürfe oder Paradigmen (vgl. Donges/Meier i.d.B.). In den 1970er und 1980er Jahren waren im deutschen Sprachraum der Strukturfunktionalismus und darauf aufbauend die Systemtheorie auf Basis der Arbeiten von Niklas Luhmann (1996) besonders erfolgreich. Ein neueres, aber sehr kontrovers diskutiertes Paradigma stellt der Konstruktivismus (vgl. Beiträge in Bentele/Rühl 1993; Schmidt/Zurstiege 2000) dar. Andere, in der Öffentlichkeit stark beachtete Entwürfe von medienphilosophischen und kulturkritischen Autoren wie Marshall McLuhan (1968), Neil Postman (1985) und Pierre Bourdieu (1998) oder neue postmoderne Autoren wie Paul Virilio, Jean Baudrillard oder Vilém Flusser (Kloock/Spahr 1997), welche Phänomene und Entwicklungen, wie Beschleunigung, Simulation und Vernetzung, ins Zentrum ihrer Überlegungen stellen, betrachtet man in der akademischen Disziplin als eher unergiebig, da sie nicht ohne weiteres empirisch überprüfbar sind (vgl. Bentele 1999: 7; vgl. Saxer 2000).

Literatur

*Bentele, Günter (1999): Gegenstands- und Problembereiche, Systematiken, Theorien und Methoden unseres Fachs. In: Aviso, H. 24, S. 4-8.

Bentele, Günter/Rühl, Manfred (Hg.) (1993): Theorien öffentlicher Kommunikation. Teil III: Konstruktivismus und Realismus in der Kommunikationswissenschaft. München, S. 103-171.

Bourdieu, Pierre (1998): Über das Fernsehen. Frankfurt/M.

Burkart, Roland (1997): Publizistikwissenschaftliche Basistheorien: Eine Annäherung aus drei Perspektiven. In: Bonfadelli, Heinz/ Rathgeb, Jürg (Hg.): Publizistikwissenschaftliche Basistheorien und ihre Praxistauglichkeit. Zürich, S. 51-66.

Faulstich, Werner (1994): Einführung: Zur Entwicklung der Medienwissenschaft. In: Faulstich, Werner (Hg.): Grundwissen Medien. München, S. 9-15.

Glotz, Peter (1990): Von der Zeitungs- über die Publizistik- zur Kommunikationswissenschaft. In: Publizistik 35, H. 3, S. 249-256.

Kivikuru, Ullamaija (1998): Communication Research. Is There Such a Thing? In: Nordicom Review 19, H. 1, S. 7-11.

Kloock, Daniela/Spahr, Angela (1997): Medientheorien. Eine Einführung. München.

Luhmann, Niklas (1996): Die Realität der Massenmedien. Opladen.

McLuhan, Marshall (1992 [1968]): Die magischen Kanäle. Düsseldorf, Wien.

Postman, Neil (1985): Wir amüsieren uns zu Tode. Urteilsbildung im Zeitalter der Unterhaltungsindustrie. Frankfurt/M.

Pürer, Heinz (1998): Einführung in die Publizistikwissenschaft. Systematik, Fragestellungen, Theorieansätze, Forschungstechniken. Konstanz.

Rühl, Manfred (1985): Kommunikationswissenschaft zwischen Wunsch und Machbarkeit. In: Publizistik 30, H. 2-3, S. 229-246.

Saxer, Ulrich (1980): Grenzen der Publizistikwissenschaft. Wissenschaftliche Reflexionen zur Zeitungs-/Publizistik-/Kommunikationswissenschaft seit 1945. In: Publizistik 25, H. 4, S. 525-543.

Saxer, Ulrich (2000): Mythos Postmoderne: Kommunikationswissenschaftliche Bedenken. In: Medien & Kommunikationswissenschaft 48, H. 1, S. 85-92.

Schmidt, Siegfried/Zurstiege, Guido (2000): Orientierung Kommunikationswissenschaft. Was sie kann, was sie will. Reinbek b. Hamburg.

Themenheft „Ferment in the Field" (1983). In: Journal of Communication 33, H. 3.

Weischenberg, Siegfried (1995): Journalistik. Theorie und Praxis aktueller Medienkommunikation. Bd. 2: Medientechnik, Medienfunktionen, Medienakteure. Opladen.

* Basisliteratur

KAPITEL 2

Grundlagen, Theorien und Modelle

Was ist (Massen-)Kommunikation? Grundbegriffe und Modelle

Heinz Bonfadelli

1 Grundbegriffe: Symbolische Interaktion, Kommunikation, Information 19

2 Dimensionen des Kommunikationsprozesses 23

3 Funktionen von (Massen-)Kommunikation 24

4 Kommunikationsmodelle 25

4.1 Was ist ein Modell? 25

4.2 Einzelne Kommunikationsmodelle 27

5 Massenkommunikation 32

5.1 Klassifikation von Kommunikationstypen 32

5.2 Einzelne Modelle der Massenkommunikation 34

5.3 Massenkommunikation und Gesellschaft 40

Literatur 44

1 Grundbegriffe: Symbolische Interaktion, Kommunikation, Information

Kommunikation und Interaktion als Grundphänomene

Symbolische Interaktion, Kommunikation und Information sind für das Leben jedes einzelnen Individuums und für das Funktionieren der Gesellschaft dermaßen grundsätzlich wie selbstverständliche Prozesse, dass man sich mit ihnen kaum je bewusst auseinandersetzt. Sie werden quasi als naturwüchsig und unverbrüchlich gegeben hingenommen. Höchstens sich gelegentlich einstellende Kommunikationsprobleme wie etwa Missverständnisse lassen uns die Komplexität der ihnen zugrunde liegenden Prozesse erahnen. Es erstaunt darum vielleicht, welche Schwierigkeiten diese Grundkategorien menschlichen Verhaltens einer wissenschaftlichen Analyse bereiten: Merten (1977) weist beispielsweise in seiner Definitionsanalyse auf 160 Definitionsversuche des Begriffs „Kommunikation" hin, und zwar von Autoren aus zwölf Wissenschaften.

Soziales Handeln – symbolische Interaktion:

Symbolische Interaktion

Mit dem Begriff der symbolischen Interaktion wird das soziale Handeln von Individuen oder Gruppen bezeichnet, die in wechselseitigen Beziehungen zueinander stehen. Damit ist gemeint, dass Verhaltenspläne und aktualisierte Verhaltensweisen jedes Interaktionspartners auf die Intentionen und das Verhalten des Gegenübers bezogen sind und man Reaktionsmöglichkeiten des anderen bereits als Erwartungen für das eigene Verhalten in Rechnung stellt: wechselseitige Beziehung und gegenseitige Beeinflussung.

Kommunikation

Eine solche Auffassung von sozialem Handeln und Interaktion weist darauf hin, dass Kommunikation untrennbar mit der Interaktion zwischen Menschen verknüpft ist. Und zwar im Zusammenhang mit der Bildung und Aufrechterhaltung der sozialen Beziehungen zwischen Individuen als wechselseitige Verschränkung der Perspektiven, die je schon auf Informationsaustausch beruht: Ohne Kommunikation keine Interaktion – ohne Interaktion keine Kommunikation.

Beziehungs- vs. Inhaltsebene

Die beiden Begriffe bezeichnen darum nicht unterschiedliche Dinge, sondern sind wie die beiden Seiten einer Münze: Es sind je andere Sichtweisen oder Perspektiven desselben Phänomens. Mit Interaktion bezieht man sich mehr auf die Beziehungsebene zwischen zwei Personen A und B, mit Kommunikation meint man die Inhaltsebene.

Abbildung 1

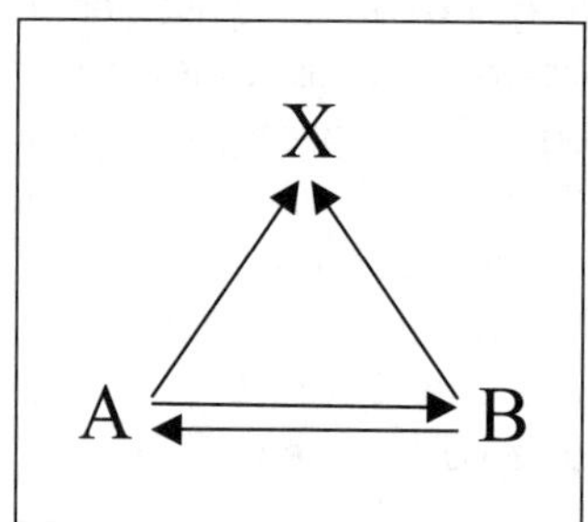

Quelle: Newcomb 1953

Beispiel: A befiehlt B, etwas Bestimmtes zu tun. Betrachte ich diesen Fall aus einer Interaktionsperspektive, dann interessiere ich mich für die spezifische Beziehung zwischen A und B, (A ↔ B), d.h. in diesem Fall, dass A das Verhalten von B u.U. zu beeinflussen vermag. Im Zentrum stehen dabei Fragen nach Macht, Kontrolle und Sanktionsmöglichkeiten einerseits, andererseits nach Belohnungs- und Austauschprozessen zwischen A und B. Interessiert mich jedoch der Inhaltsbezug, A → X und B → X, dann steht die Analyse dessen, was A in Form eines Befehls B mitteilt im Zentrum. Fragen des gegenseitigen Informationsaustausches und der gegenseitigen Verständigung müssen dann analysiert werden.

Diese komplexe Verschränktheit von Beziehungs- und Inhaltsebene macht eine knappe und einfache Definition von Kommunikation unmöglich. Die meisten Definitionen rücken darum nur einen mehr oder weniger zentralen Aspekt des Phänomens ins Zentrum.

Die verschiedenen Definitionen von Kommunikation können dennoch prinzipiell in zwei Gruppen unterteilt werden:

Kommunikation als einseitiger Prozess:
Eine erste Gruppe begreift Kommunikation als einseitigen Prozess, wobei je nach Definition Kommunikation als Informationsübermittlung, als Interpretation von Zeichen oder vorab als sozialer Einflussprozess im Zentrum steht (vgl. die Definitionen in Merten 1977):

- Transmission: Kommunikation heißt Transport von Mitteilungen (Maser 1971).
- Interpretation: Unter Kommunikation werde die Aufnahme und Verarbeitung von physikalisch und chemisch nachweisbaren Signalen durch ein Lebewesen verstanden (Meyer-Eppler 1969).
- Reiz-Reaktion: To define communication as the process by which an individual transmits stimuli to modify the behavior of another individual (Hovland 1948).

Kommunikation als zweiseitiger Prozess:
Eine zweite Gruppe geht von der Vorstellung aus, dass Kommunikation prinzipiell ein zweiseitiger Prozess zwischen Gesprächspartnern ist, und zwar als:

- Austausch: Die Interaktion oder Kommunikation zwischen Personen kann als Austausch von materiellen oder immateriellen Gütern verstanden werden (Homans 1958).
- Teilhabe: Communication comes from the Latin communis, commun. When we communicate, we are trying to establish a ‚commonness' with someone. That is, we are trying to share information, an idea, or attitude (Schramm 1954).
- Verständigung: Im engeren Sinn versteht man unter Kommunikation einen Vorgang der Verständigung, der Bedeutungsvermittlung zwischen Individuen (Noelle-Neumann 1971).
- Konvergenz: Communication is a process in which participants create and share information with one another in order to reach a mutual understanding (Rogers/Kincaid 1981).

Übertragungs- vs. Konstruktionsmetaphern

Zusammenfassend betrachtet spielen in den verschiedenen Definitionen zwei Grundkomponenten eine wichtige Rolle: der Prozess der Informationsübertragung und der Prozess der Bedeutungsvermittlung bzw. -konstruktion im Sinne von Kommunikation.

Grundbegriffe

Information:
Information („informare": „formen, bilden, mitteilen") ist in der Publizistikwissenschaft im Unterschied etwa zur Informatik keine ausschließlich technische Signalübertragung, sondern ein sinnhaftes soziales Handeln. In der Individualkommunikation bezieht sich die Information auf bekannte und in der Massenkommunikation meist auf gegenseitig unbekannte Empfänger (Rezipienten). Information kann beispielhaft definiert werden als Reduktion von Ungewissheit.

Kommunikation:
Kommunikation („communis": „gemeinsam") zwischen Menschen kann beispielhaft definiert werden als eine Form des sozialen Handelns, das mit subjektivem Sinn verbunden ist und auf das Denken, Fühlen und Handeln anderer Menschen bezogen stattfindet. Es handelt sich also um ein verbales und/oder nonverbales Miteinander-in-Beziehung-Treten von Menschen zum Austausch von Informationen.

Massenkommunikation:
Massenkommunikation, vom amerikanischen Begriff „mass communication" übernommen, bezieht sich auf die Verbreitung von Informationen über ein technisches Vermittlungssystem, nämlich die Massenmedien. Meist wird damit auch eine soziologische Theorie der Massengesellschaft verknüpft. Beispielhafte Definition von Massenkommunikation: Informationsverbreitung bzw. Verbreitung symbolischer Inhalte durch spezialisierte soziale Gruppen (Kommunikatoren) mittels technischer Systeme (Medien) an ein großes, heterogenes und weit verstreutes Publikum (Rezipienten).

2 Dimensionen des Kommunikationsprozesses

Dimensionen von Kommunikation

Die Definitionsanalyse macht deutlich, dass sich am Grundphänomen „Kommunikation" verschiedenste Dimensionen ausgrenzen lassen. Auf einige soll nachfolgend kurz eingegangen werden.

Interdependenz, Reziprozität und Intentionalität:
Kommunikation als Interdependenz basiert immer auf einer Beziehung zwischen verschiedenen Personen. In dieser Beziehung zwischen Sprecher und Zuhörer besteht in Form von Reziprozität immer ein gegenseitiger Bezug zueinander. Gleichzeitig nimmt man auf etwas Bezug, d.h. es gibt als Intentionalität eine Gerichtetheit auf einen Sachverhalt. Aufgrund der Prämissen der Reziprozität und der Intentionalität leiten Watzlawick/Beavin/Jackson (1969) die Unvermeidbarkeit von Kommunikation ab: „Es ist nicht möglich, nicht zu kommunizieren", weil selbst das Schweigen des Partners als intendierte Bedeutung interpretiert wird.

Codes und mediale Verfahren der Vermittlung:
Menschliche Kommunikation ist immer nur aufgrund gemeinsamer Erfahrung möglich. Dazu gehört auch ein Repertoire von Symbolen, deren Anwendung auf sozialen Regeln beruht. Das wichtigste Zeichensystem der menschlichen Verständigung ist die Sprache. Daneben gibt es aber auch nonverbale kulturelle Codes, wie z.B. Gebärden und Gesten. Diese Codes ermöglichen es, mittels symbolischen Zeichen als Verfahren der medialen Vermittlung zu kommunizieren (Fassler 1997).

Sozialer Kontext:
Kommunikation zwischen bestimmten Personen ereignet sich immer in spezifischen Situationen. Insofern verweist Kommunikation immer auf einen konkreten Kontext zurück.

Reflexivität:
Kommunikation selbst ist in der Kommunikation thematisierbar. Bei Kommunikationsstörungen kann darüber gesprochen werden. Kommunikation selbst kann also Gegenstand der Kommunikation werden.

Normativität:
Kommunikation zwischen Menschen impliziert normativ die Möglichkeit der Verständigung. Jürgen Habermas, einer der bekanntesten zeitgenössischen Sozialphilosophen, versucht in seiner „Normativen Theorie der kommunikativen Kompetenz" (1981) universale Bedingungen möglicher Verständigung zu identifizieren (vgl. Donges/Meier, Abschnitt 2.3 i.d.B.): Jeder Kommunikationsteilnehmer anerkennt selbst und unterstellt beim anderen die Ansprüche auf Verständlichkeit des Ausdrucks, Wahrheit des Inhalts, Wahrhaftigkeit der Selbstdarstellung und Richtigkeit von Werten bzw. Normen. Neben der „Normativen Theorie der Kommunikation" als Verständigungsmittel wird in der Systemtheorie Kommunikation normativ als Mittel sowohl der Adaption nach außen als auch der Verhaltenskoordination nach innen verstanden. Kommunikation dient so ganz allgemein der Integration der Gesellschaft.

3 Funktionen von (Massen-)Kommunikation

Multifunktionalität von Kommunikation

Für das Individuum, aber auch für die Gesellschaft übt Kommunikation verschiedene Funktionen aus. Der Begriff der Funktion bezieht sich dabei auf die Leistung von Kommunikation bezüglich der Lösung eines bestimmten Problems. Diese Leistung kann manifest oder latent sein. Folgende funktionalen oder dysfunktionalen Leistungen werden häufig erwähnt (vgl. Bonfadelli i.d.B.):

- Kognitive Funktionen: Kommunikation ermöglicht Information, Wissenserwerb und Lernen zur Daseinsorientierung, Selbstverwirklichung und Selbsterkenntnis. Sie kann aber auch zur Fehlinformation und Manipulation benützt werden.

- Affektive Funktionen: Kommunikation ermöglicht Entlastung oder gar Wirklichkeitsflucht (Eskapismus) durch Unterhaltung als Zerstreuung und Entspannung, aber auch durch die Erzeugung von „Spannung" („arousal"), etc. Rezipienten wählen oft gezielt spezifische Medienangebote aus, um ihre affektive Befindlichkeit zu beeinflussen.
- Interaktive bzw. parasoziale Funktionen: Kommunikation ermöglicht Kontakt zwischen verschiedenen Personen und den Austausch von Ideen. Unter dem Begriff der parasozialen Funktion wird die Möglichkeit verstanden, über Massenmedien indirekte Beziehungen zu Medienakteuren zu generieren.
- Integrative Funktionen: Kommunikation ermöglicht Sozialisation und Enkulturation in der Gesellschaft (vgl. Süss/Bonfadelli, Abschnitt 4 i.d.B.), aber auch Erziehung. Durch Kommunikation können Normen gesetzt und Werte vermittelt werden, was die soziale Integration der Individuen in die Gesellschaft ermöglicht. Das äußert sich auch in den rituellen Funktionen von Kommunikation. Eher negativ wird mit Kommunikation die Möglichkeit der sozialen Steuerung, Kontrolle und Machtausübung assoziiert.

4 Kommunikationsmodelle

4.1 Was ist ein Modell?

Modell als vereinfachte symbolische Repräsentation

Die oben vorgestellten Definitionen von Kommunikation implizieren unterschiedliche Vorstellungen bzw. Modelle oder theoretische Bezugsrahmen des Kommunikationsprozesses. Ein Modell kann als vereinfachte symbolische Repräsentation der Wirklichkeit definiert werden. Dabei soll ein Modell typische Strukturen oder Prozesse der Wirklichkeit abbilden: Isomorphie. Ein Modell erfasst und beschreibt die Realität aber immer aus einer ganz bestimmten

Perspektive. Es werden darin gewisse Sachverhalte oder Zusammenhänge betont, d.h. in den Vordergrund gerückt, während andere Strukturen oder Prozesse u.U. ganz ausgeblendet oder immerhin in den Hintergrund gerückt werden. Im Unterschied zu den Theorien können Modelle nicht an der Realität überprüft werden, sind also weder wahr noch falsch. Über die Güte eines Modells entscheidet vielmehr dessen Brauchbarkeit bzw. Fruchtbarkeit in Bezug auf das zu verstehende Problem.

Funktionen von Modellen

Im Erkenntnisprozess haben Modelle unterschiedliche Funktionen: Sie dienen der Vereinfachung und der Organisation eines Gegenstands bzw. Realitätsausschnitts. Sie ermöglichen dadurch einen Erkenntnisgewinn, leisten in erklärender Hinsicht Vorhersage und erlauben u.U. auch die Messung von Sachverhalten. Zudem gibt es unterschiedliche Typen von Modellen. Unterschieden werden kann einerseits zwischen verbalen bzw. Wort-Modellen und visuellen Bild-Modellen sowie andererseits zwischen Prozess-, Fluss- und Strukturmodellen.

Angesichts der oben diskutierten unterschiedlichen Definitionen von Kommunikation erstaunt es nicht, dass im Verlaufe der Entwicklung der Publizistik- und Kommunikationswissenschaft ganz unterschiedliche Kommunikationsmodelle entwickelt worden sind. Speziell unter den Kommunikationsmodellen kann wiederum unterschieden werden zwischen Übertragungs-, Empfangs-, Herstellungs- und Vermittlungsmodellen.

Nachfolgend werden selektiv einige Kommunikationsmodelle vorgestellt und erläutert (vgl. McQuail/Windahl 1993). Leitender Gesichtspunkt bei der Auswahl war, solche Modelle zu berücksichtigen, die in der Forschungsentwicklung eine wichtige Rolle gespielt haben. Darum werden sie in chronologischer Abfolge präsentiert.

4.2 Einzelne Kommunikationsmodelle

4.2.1 Die Lasswel-Formel (1948)

Harold Lasswell formulierte 1948 ein Wort-Modell, das nicht zuletzt wegen seiner Einfachheit auf die Entwicklung der amerikanischen Kommunikationswissenschaft einen großen Einfluss ausgeübt hat: Modell

Who	→	Kommunikatorforschung
Says What	→	Aussagenanalyse
In Which Channel	→	Medienforschung
To Whom	→	Publikumsforschung
With What Effect?	→	Wirkungsforschung

Der Vorteil des Modells besteht darin, dass es einfach ist und den Blick auf wichtige Elemente des Kommunikationsprozesses richtet. Nachteilig ist, dass es einseitig vom Kommunikator ausgeht und Kommunikation nur unter der Perspektive der intendierten Wirkung auf den (einzelnen) Rezipienten thematisiert. Es handelt sich um ein unidirektionales Modell, das Feedback nicht berücksichtigt. Die Differenzierung in fünf separate Forschungsbereiche verdeckt mögliche Beziehungen zwischen diesen. Ebenfalls nicht explizit erwähnt wird der Kontext, in dem der Kommunikationsakt situiert ist und die Realität, auf die der Kommunikator mit seiner Aussage Bezug nimmt. Bewertung

4.2.2 Die Informationstheorie von Shannon und Weaver

Claude Shannon und Warren Weaver (1949), Mathematiker bei der Bell-Telefon-Gesellschaft, formulierten eine statistisch-mathematische Theorie der Kommunikation als Prozess der Informationsvermittlung: Container-Modell. Zentral ist die Encodierung der Information in materielle Signale, die über ein Medium vom Sender zum Empfänger transportiert werden müssen. Der Empfän- Modell ger muss diese Signale dann wieder decodieren. Weitere Bezüge bestehen darin, dass der Informationsgehalt einer Nachricht als statistisches Maß der Unsicherheitsreduktion definiert wird und Redundanz als inhaltsgleiche Wiederholung den im Kanal vorhandenen Störquellen entgegenwirkt.

Abbildung 2 Shannon und Weaver-Modell

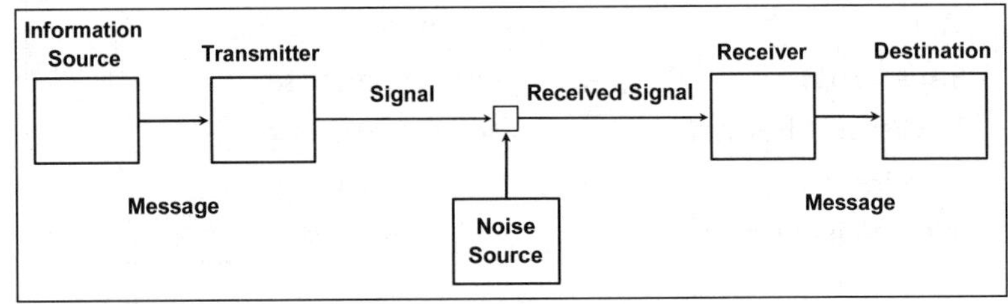

Quelle: Shannon/Weaver 1949

Bewertung

Die Stärken des Modells, präzise Begriffsdefinitionen und genaue Messbarkeit derselben, lassen sich auf die menschliche Kommunikation mit ihren semantischen und pragmatischen Komponenten nur im übertragenen Sinn anwenden. Dies weil die Prozesse der En- bzw. Decodierung im Modell ja nur als technische Signal-Übertragung (neutral und möglichst störungsfrei) konzipiert worden sind. Kommunikation wird zudem nur als linearer Einweg-Prozess thematisiert: kein Feedback. Positiv ist, dass auftretende Diskrepanzen zwischen en- und decodierter Botschaft integriert werden.

4.2.3 Das Kommunikationsmodell von Gerbner

Modell

George Gerbner erweiterte 1956 das Modell von Lasswell, indem er einige Aspekte der Wahrnehmungs- und Informationstheorie einbezog. Eine Person nimmt die primäre Wirklichkeit (E) wahr, und zwar in einer spezifischen Situation. Daraus resultiert ein ganz bestimmtes „Bild im Kopf" als wahrgenommene Wirklichkeit (E1).

Abbildung 3 Visualisiertes Gerbner-Modell

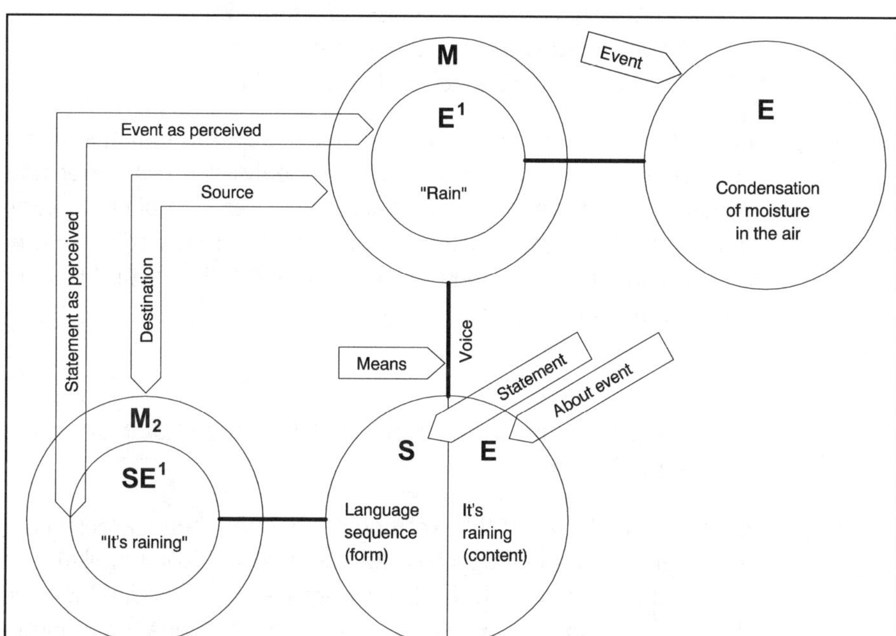

Quelle: Gerbner 1956

In einem Kommunikationsakt wird einer weiteren Person durch eine Mitteilung (S/E) über ein Medium (z.B. Sprache) darüber berichtet. Diese Person konstruiert aufgrund dieser sekundären Wirklichkeit (Medienwirklichkeit) wiederum ihr Bild (SE1) von der primären Wirklichkeit.

1.	**Someone**	Kommunikator/Publikumsforschung
2.	**Perceives** an Event	Wahrnehmungsforschung
3.	and **Reacts**	Nachrichtenwertanalyse
4.	in a **Situation**	Kontext-/Situationsanalyse
5.	through some **Media**	Medienanalyse
6.	to **Make Available** Materials	Produktionsforschung

7.	in some **Form**	Stil-/Mittelanalyse
8.	and **Context**	Kommunikationsumfeld
9.	Conveying **Content**	Inhaltsanalyse
10.	of some **Consequence**	Wirkungsforschung

Bewertung

Im Gegensatz zur Lasswell-Formel bzw. zur Informationstheorie von Shannon und Weaver ist das Gerbner-Modell komplexer und dynamischer. Es werden Unterschiede zwischen perzipiertem, kommuniziertem und rezipiertem Ereignis ins Zentrum gerückt. Kommunikation wird durch die Verknüpfung von S (Form) und E (Content) im Zeichen möglich.

4.2.4 Differenzierungen der Grundmodelle nach Bentele und Beck

Modell

Bentele und Beck (1994) kritisieren an den oben dargestellten Modellen, dass die möglichen Reaktionen des Kommunikationspartners (Feedback) nicht berücksichtigt werden. Erst die Rückmeldung des Empfängers an den Sender, dass das Signal empfangen und verstanden worden sei, mache aus dem linearen unidirektionalen Prozess einen zyklischen (kreisförmigen) bidirektionalen Austausch- bzw. Transaktionsprozess. Aufgrund dieser Überlegungen differenzieren sie vier Kommunikationskonstellationen und darauf bezogene Kommunikationsmodelle aus (Abb. 4):

Abbildung 4 Unterschiedliche Informationstransfer- bzw. Kommunikationskonstellationen

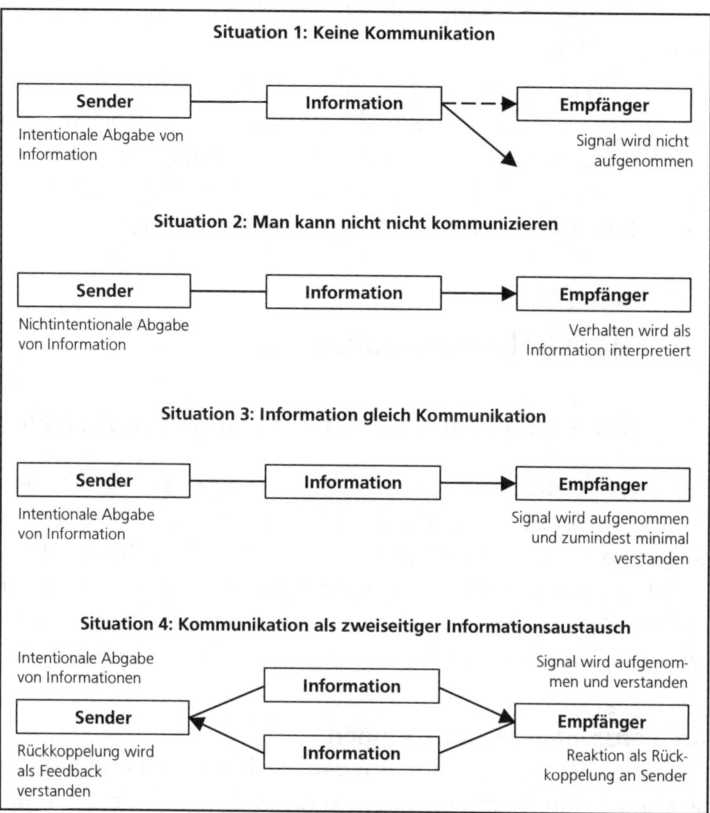

Quelle: Bentele/Beck 1994: 23

- Keine Kommunikation: Trotz intentionaler Abgabe von Information wird diese vom Empfänger nicht beachtet.
- Man kann nicht nicht kommunizieren: Der Sender intendiert mit seinem Verhalten zwar keine Kommunikation, aber selbst ein Schweigen kann vom Interaktionspartner als „Kommunikation" fehlinterpretiert werden (Watzlawick/Beavin/Jackson 1981).

- Informationsübermittlung gleich Kommunikation: Eine intendiert angegebene Information wird vom Empfänger aufgenommen und zumindest minimal verstanden. Dies wird häufig schon als Kommunikation bezeichnet, z.B. im Modell von Shannon und Weaver (1949).
- Kommunikation als zweiseitiger Informationsaustausch: Der Empfänger nimmt das Signal nicht nur auf und versteht es, sondern gibt sogar ein Feedback als Rückkoppelung an den Sender. Erst so hat dieser die Möglichkeit abzuschätzen, ob seine Information auch „richtig" verstanden worden ist.

5 Massenkommunikation

5.1 Klassifikation von Kommunikationstypen

Von der personalen Kommunikation zur Massenkommunikation

Bislang war immer nur von der Kommunikation an sich die Rede. In einem weiteren Schritt soll darauf hingewiesen werden, dass es vielfältigste Formen der Kommunikation gibt. Diese Vielfalt hat in der Publizistikwissenschaft zu mannigfaltigen Klassifikationen geführt, die Kommunikationsphänomene aufgrund je anderer Aspekte zu gruppieren versuchen.

Eindimensionale Klassifikationen:
Kommunikationsphänomene können nach den unterschiedlichen Teilnehmern an Kommunikationsprozessen klassifiziert werden: ein Mensch, viele Menschen, Tier, Maschine oder Systeme. Kombiniert man diese, so ergeben sich unterschiedlichste Formen der Kommunikation, wie z.B. Kommunikation zwischen Mensch und Maschine. Es gibt aber auch Klassifikationen aufgrund der Codes, wobei unter verbaler Kommunikation alle sprachlichen Formen des Sprechens zusammengefasst werden. Demgegenüber basiert die nonverbale Kommunikation auf nichtsprachlich artikulierte Zeichen, wie Gesten oder Mimik.

Mehrdimensionale Klassifikationen:
Weite Verbreitung hat ein Schema von Gerhard Maletzke (1963) gefunden, das Kommunikationsformen mehrdimensional, aufgrund von Unterschieden im Medium, in der Wechselseitigkeit, in der Öffentlichkeit und der Präsenz des Publikums klassifiziert. Die Kombination dieser vier polaren Dimensionen ergibt 16 verschiedene Kommunikationsformen. Neben der intrapersonalen Kommunikation (Selbstwahrnehmung, Selbstgespräch, innerer Monolog) steht die interpersonale Kommunikation (Gespräch) in der „Face-to-Face"-Situation an erster Stelle. Dem entgegengesetzt ist die Massenkommunikation.

Abbildung 5 Mehrdimensionale Taxonomie der Kommunikation nach Maletzke

direkt personal	gegenseitig symmetrisch	privat	Präsenz-Publikum
indirekt durch technische Medien vermittelt	einseitig asymmetrisch	öffentlich	disperses Publikum nach Ort und Zeit

Massenkommunikation:
Maletzke (1963) definiert Massenkommunikation als „jene Form der Kommunikation, bei der Aussagen öffentlich, durch technische Verbreitungsmittel, indirekt und einseitig an ein disperses Publikum vermittelt werden."

„Öffentlich" meint, dass die Kommunikation allgemein und potentiell für jeden zugänglich ist. „Indirekt" bezieht sich auf die dazwischengeschalteten Kommunikationsmittel. „Einseitig" bedeutet, dass in der Kommunikationssituation nur wenig Feedback möglich ist und eine starre Rollenteilung zwischen Kommunikator und Rezipient besteht. Die „technischen Verbreitungsmittel" verweisen auf Medien wie Radio, Tonträger, TV, Film, Buch, Presse etc. Und „disperses Publikum" meint, dass die Empfänger der Botschaften eine räumlich und zeitlich verstreute Vielzahl von Personen sind.

Neue Medien – Online-Kommunikation:

Grenzen zwischen personaler und Massenkommunikation verwischen sich

Neue Medien (Kabel-TV, CD-ROM, Computerspiele, Internet) führten ab Mitte der 1980er Jahre zu einer stärkeren Ökonomisierung, Internationalisierung und Beschleunigung der Medienproduktion, zur quantitativen Erweiterung des Medienangebots, zu einer stärker zielgruppenorientierten Kommunikation und zur Grenzaufhebung zwischen Print- und AV-Medien (Medienverbund). Mit ihren neuartigen Möglichkeiten für Feedback bzw. Interaktivität beginnen sich zudem die Grenzen zwischen personaler und Massenkommunikation zu verwischen. Diese Tendenzen legen zusätzliche Klassifikationskriterien nahe wie die Anzahl der Kommunikationspartner (wenige vs. viele), die Art der Kommunikationsebenen (interpersonal vs. kleine vs. große Gruppen vs. Massenpublika), die Möglichkeiten für Feedback (klein vs. groß) oder die „Lebhaftigkeit" („vividness") bzw. das Involvement (klein vs. groß) des Medienangebots.

5.2 Einzelne Modelle der Massenkommunikation

5.2.1 Das Maletzke-Modell

Modell

Obwohl das Feldmodell von Maletzke (1963) schon recht alt ist, besticht es nach wie vor durch die Vielfalt an berücksichtigten Aspekten. Betont werden insbesondere psychologische (Selbstbild, Persönlichkeit etc.) und sozialpsychologische (im Team, in der Institution etc.) Dimensionen des Kommunikators wie des Rezipienten, aber auch vielfältige Möglichkeiten für Feedback. Kritisiert wird, dass der institutionell-gesellschaftliche Hintergrund der Massenkommunikation weitgehend ausgeblendet bleibt. Dementsprechend vermittelt das Modell etwas irreführend das Bild eines Gleichgewichts zwischen Kommunikator und Rezipient.

Bewertung

Abbildung 6 Maletzke-Modell

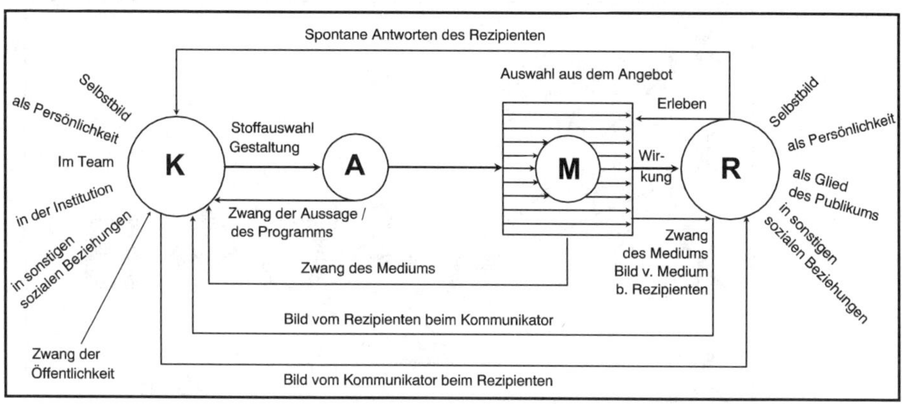

5.2.2 Das Westley und McLean-Modell

Ein weiteres einflussreiches Modell der Massenkommunikation wurde 1957 von Westley und McLean formuliert. Die Autoren gehen davon aus, dass bei der Massenkommunikation einerseits die Möglichkeiten für Feedback beschränkt sind, andererseits mannigfache Selektionsprozesse eine wichtige Rolle spielen: Ein Kommunikator als Quelle „A" („advocacy role") wählt selektiv aus möglichen Umweltereignissen aus. Ein Mediator „C" („channel role") gibt die Aussagen selektiv weiter, hat aber u.U. direkten Kontakt zur Umwelt z.B. via Korrespondenten/Reporter, was Feedback möglich macht. Der Rezipient „B" („behavioral role") wird durch die Botschaft erreicht; er wiederum hat vielleicht direkte Realitätserfahrungen oder kann Feedback geben. Modell

Das Modell lenkt die Aufmerksamkeit auf die der Massenkommunikation zugrunde liegenden Selektionsprozesse (vgl. Wyss, Abschnitt 1.1 i.d.B.). Zum einen werden die Feedback-Möglichkeiten überbetont, zum anderen aber die Abhängigkeit der Kommunikatoren bezüglich Medienorganisation und Gesellschaft nicht thematisiert. Bewertung

Abbildung 7 Westley und McLean-Modell

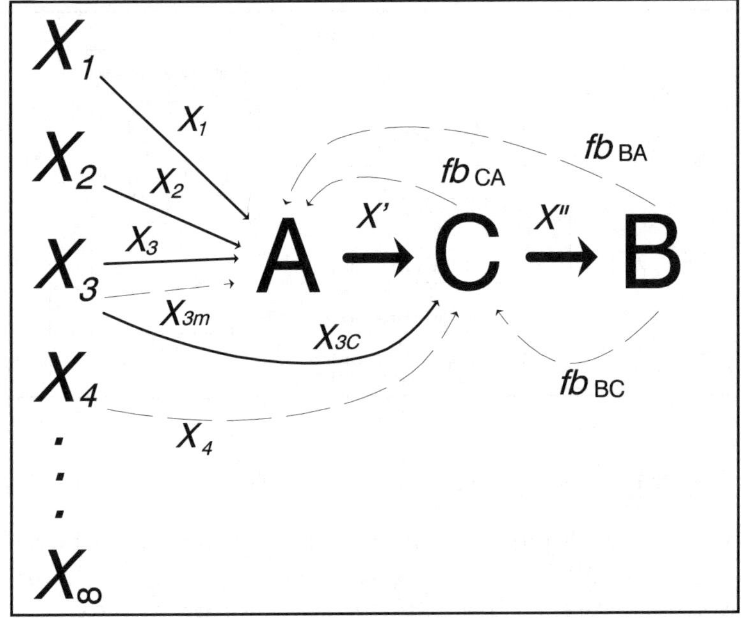

5.2.3 Das Schramm-Modell

Modell Bewertung

Das Modell von Schramm (1954) betont den zirkulären Charakter der gesellschaftlichen Kommunikationsprozesse. Im Gegensatz zu Maletzke wird aber schon visuell deutlich, dass bei der Massenkommunikation ein Ungleichgewicht zwischen Sender und Empfänger besteht. Hinzu kommt, dass das Publikum nicht als bloße Masse erscheint, sondern in soziale Gruppen integriert ist. Angedeutet ist so auch das 2-Stufen-Fluss-Modell der Massenkommunikation (vgl. Bonfadelli i.d.B.).

Abbildung 8 Schramm-Modell

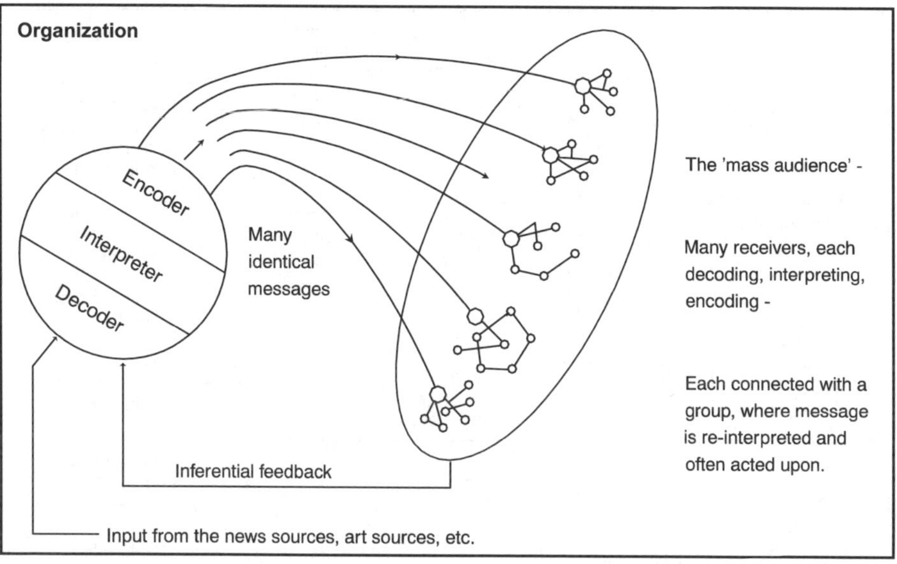

5.2.4 Das Modell des Massenkommunikationsprozesses von McQuail

In Ergänzung zu den behandelten Modellen der Massenkommunikation steht die soziale Mediatorfunktion der Medien im Zentrum des Modells von McQuail (1987). Massenmedien sind sozial ausdifferenzierte Subsysteme der Gesellschaft zur Vermittlung der durch die gesellschaftlichen Institutionen wie Politik, Wirtschaft, Recht etc. initiierten und auch mitkontrollierten Prozesse der gesellschaftlichen Kommunikation. Modell

Abbildung 9 Modell von McQuail

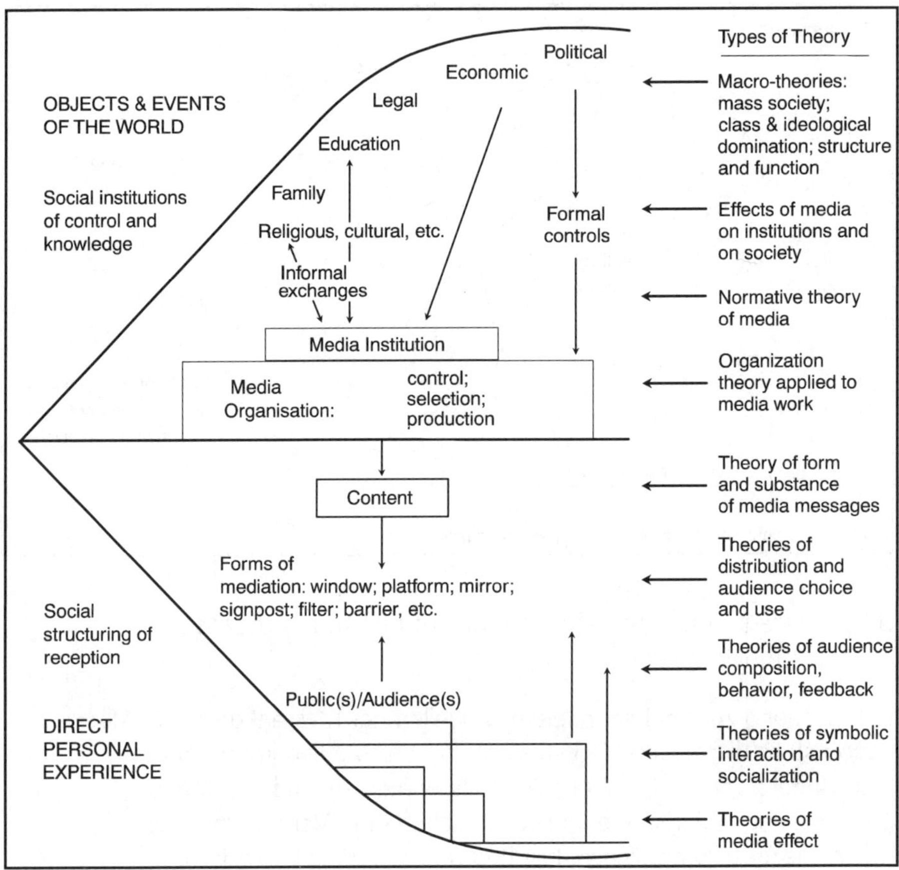

Die Medien üben nach McQuail (1994) als Mediatoren verschiedene Funktionen bezüglich des Publikums aus: Sie sind ein „Fenster" („window") zur Welt, indem sie den Menschen stellvertretend über Ereignisse berichten, zu denen diese sonst keinen Zugang hätten. Gleichzeitig liefern sie aber nicht immer eine „1:1"-Abbildung, sondern müssen als „Spiegel" („mirror") betrachtet werden, in dem die Welt aus einer ganz bestimmten und u.U. verzerrten Perspektive dem Publikum zugänglich gemacht wird. Medien wählen aus der Vielfalt möglicher Ereignisse via Selektionsprozesse immer nur gewisse Themen aus, über die dann berichtet wird; sie sind damit „Gatekeeper" („filter"). Sie fungieren mit ihren Kommentaren aber auch als „Wegweiser" („signpost"/„interpreter"), indem sie das Weltgeschehen interpretieren und bewerten. Die Massenkommunikation stellt zudem ein Forum („platform") für die verschiedenen gesellschaftlichen Meinungen zur Verfügung. Und schließlich wirken die Medien für bestimmte Anliegen und deren Vertreter in gewissen Fällen sogar als wenig zugängliche Barriere.

Abbildung 10 Gesellschaftliche Funktionen und Leistungen der Massenkommunikation

Politik	**Wirtschaft**	Kultur - **Soziales**
Monitoring: Herstellung von Öffentlichkeit	Warenzirkulation durch Werbung	Entspannung und Unterhaltung
Frühwarnfunktion: Identifikation von Themen	Kapitalverwertung und Wertschöpfung	Orientierung und Lebenshilfe
Forumsfunktion: Artikulation von Meinungen		Sozialisation von Werten und Normen
Kontroll-/Kritikfunktion: Transparenz und Aufklärung		Integration der Gesellschaftsmitglieder
Aktivierung: zur Partizipation anregen		

Massenkommunikation: sozial organisiert und gesellschaftlich institutionalisiert

Zusammenfassend betrachtet lassen sich die Spezifika der Massenkommunikation als sozial organisierte und gesellschaftlich institutionalisierte Kommunikation ausgesprochen schlecht visualisieren. Als Folge dominieren in den visualisierten Modellen mehr oder weniger einseitige Vorstellungen der Individual- bzw. Gruppenkommunikation. Ausgeblendet werden u.U. Aspekte wie die Journalisten als Kommunikatoren, welche in soziale Handlungssysteme mit Regeln und Normen eingebunden sind, die Redaktionen als

Organisationen und Rollenkontexte des journalistischen Handelns (Profession), die Medien als ökonomische Unternehmen und Organisationseinheiten, die Massenkommunikation als unterschiedlich organisierte und geregelte gesellschaftliche Institution mit ausdifferenziertem Leistungsvermögen.

5.3 Massenkommunikation und Gesellschaft

Gesellschaftlicher Kontext der Medien

Eine weitere Schwäche vieler Modelle und Konzeptionen der Massenkommunikation besteht darin, dass sie sich einseitig nur auf den Prozess der Massenkommunikation konzentrieren und den gesellschaftlichen Kontext, in den die Massenkommunikation eingebettet ist, zuwenig oder überhaupt nicht reflektieren.

Nach McQuail (1994: 61ff.) wie auch der Systemtheorie (z.B. Luhmann 1996) bestehen moderne Gesellschaften aus ausdifferenzierten Subsystemen, die spezialisiert sind und für die Gesamtgesellschaft bestimmte Funktionen erfüllen bzw. Leistungen erbringen. Für jedes Subsystem gelten ganz spezifische Codes: Das Wirtschaftssystem stellt Güter und Dienstleistungen zur Verfügung, das politische System sorgt für verbindliche Entscheidungen und das kulturelle System produziert Sinn. Die Massenmedien gehören neben Religion, Kunst, Bildung, Wissenschaft etc. zum kulturellen System. Sie ermöglichen durch ihre Ereignisselektion die Selbstbeobachtung der Gesellschaft. Nach Luhmann (1996: 41) produzieren sie als Output „Information", wobei umstritten ist, ob nun der zugrunde liegende Code „Information/Nichtinformation" oder „neu/alt" ist. Für die Gesellschaft jedenfalls besteht die Leistung der Medien darin, dass die von ihnen selektierten und öffentlich zugänglich gemachten Themen von den Gesellschaftsmitgliedern als bekannt vorausgesetzt werden: Agenda-Setting-Funktion (vgl. Bonfadelli, Abschnitt 3.3 i.d.B.).

Die Beziehung zwischen der Kultur bzw. dem Mediensystem und der Gesellschaft wird auf der Meta-Ebene je nach Denktradition unterschiedlich beurteilt (vgl. Donges/Meier, Abschnitt 1 i.d.B.).

Beziehung zwischen Medien und Gesellschaft

Materialismus:
Nach den marxistischen Ansätzen dominiert die Wirtschaft bzw. die sog. „herrschende Klasse" als „Basis" der Gesellschaft den Kulturbereich als sog. „Überbau". Kritiker stellen die Machtfrage und werfen den Medien vor, mit ihrer ideologischen Berichterstattung manipulativ das bestehende „repressive" System zu stützen; grundsätzliche Kritik sei nicht möglich. Relevante Forschungsfragen sind darum: Wer kontrolliert die Medien? Welche Interessen stehen hinter bzw. spiegeln sich in der Medienberichterstattung? Begünstigen die Medien mehr oder weniger Gleichheit in der Gesellschaft?

Idealismus:
Der Idealismus vertritt die zum Materialismus gegensätzliche Position. In dieser ist durch die Medienberichterstattung einerseits gesellschaftlicher Wandel durchaus möglich, andererseits können individuelle Medienwirkungen sowohl im gesellschaftlich erwünschten Sinn (z.B. öffentliche Informationskampagnen), als auch schädlicher Art (z.B. Effekte von Mediengewalt) auftreten. Hinzuweisen ist auch auf verschiedenste medienzentrische Ansätze (z.B. Marshall McLuhan oder Neil Postman), welche allein schon der Existenz einer bestimmten Medientechnologie (TV vs. Buch) weitreichende Auswirkungen etwa auf die Wahrnehmungsstrukturen der Menschen oder auf das soziale Gefüge einer Gesellschaft prognostizieren, und zwar unabhängig von den je konkreten Inhalten.

Interdependenz:
Da die ersten beiden Positionen in ihrer extremen Position eher selten vertreten werden, gehen die meisten Publizistik- und Kommunikationswissenschaftler davon aus, dass zwischen Medien und Gesellschaft komplexe Interdependenzen bestehen, weil sowohl die modernen Gesellschaften, als auch ihre Medien als pluralistisch

angenommen werden. Je nach untersuchtem Problem, der Fragestellung und dem spezifischen Kontext kann die Einflussrichtung aber unterschiedlich sein bzw. kann entweder das Mediensystem oder umgekehrt beispielsweise das politische System sich als eher dominant erweisen.

Autonomie:
Schließlich ist der Systematik halber noch auf die vierte Position hinzuweisen, wobei angesichts der zunehmenden Mediatisierung der Gesellschaft die Prämisse der Unabhängigkeit von Kultur und Medien von der Gesellschaft kaum noch vertreten wird.

Beeinflussen die Medien die Gesellschaft oder umgekehrt?

Dass diese makrotheoretischen Perspektiven der jeweiligen Validierung durch empirische Befunde auf der Mikro- und Mesoebene bedürfen, lässt sich an verschiedenen Beispielen zeigen: Noelle-Neumann (1982) versuchte mit der Theorie der Schweigespirale (vgl. Bonfadelli, Abschnitt 3.5 i.d.B.) im politischen und Kepplinger (1989) mit dem Konzept der „Instrumentellen Aktualisierung" sowohl im politischen Bereich als auch im Bereich der Technikrisiken zu belegen, dass mittels „verzerrter" Medienberichterstattung das gesellschaftliche Meinungsklima signifikant beeinflusst werden kann. Kontrovers ist auch der Bereich „Frauen und Medien". Während feministische Forscherinnen, wie z.B. Susan Faludi in ihrer Studie „Backlash" (1991), darzulegen versuchen, wie die Medien von der Männerwelt ideologisch reaktiv missbraucht werden, hoffen andere auf eine Veränderung der bestehenden gesellschaftlichen Geschlechterverhältnisse durch mehr Frauen im Journalismus (vgl. Wyss, Abschnitt 2.4 i.d.B.).

Wie müssen die gesellschaftlichen Leistungen der Medien bewertet werden?

Schließlich kombiniert McQuail (1994: 70) auf der gesellschaftlichen Ebene die Frage nach der Qualität der Medienleistungen mit deren Bewertung zu einer 4-Felder-Typologie.

Das Mediensystem kann, gesellschaftlich betrachtet, erstens eine Integrationsfunktion ausüben. In positiver Hinsicht erwartet man z.B. eine Verstärkung des Zusammenhalts zwischen verschiedenen Sprachgruppen oder sozialen Schichten im Sinne der Schaffung von gegenseitiger Solidarität. Integrationsansprüche können jedoch auch kritisch hinterfragt werden, etwa dann, wenn das Mediensystem z.B. von einem autoritären System mittels uniformer Botschaften zum Machterhalt einer dominierenden gesellschaftlichen Gruppe missbraucht wird.

Abbildung 11 Gesellschaftliche Leistungen der Medien

Bewertung der Medienleistungen	**Gesellschaftliche Qualität der Medienleistungen**	
	differenzierend	integrierend
optimistisch	Freiheit, Vielfalt, Pluralismus	Sozialisation, Integration und Solidarität
pessimistisch	Normzerfall, Verlust kultureller Identität	Uniformität, Dominanz und Manipulation

Quelle: nach McQuail 1994: 70

Die Medien können aber auch gesellschaftlich differenzierende Funktionen ausüben. Positiv betrachtet soll in demokratischen Gesellschaften durch die Sicherung von Medienfreiheit ein pluralistisches Mediensystem ermöglicht werden, das wiederum möglichst responsiv für die vielfältigen medienbezogenen Bedürfnisse der Rezipienten ist. Freilich können dadurch wiederum Probleme entstehen, indem bestehende Normen und Werte durch die Medien bedroht werden oder gar ein Verlust der kulturellen Identität durch die Dominanz ausländischer Medien droht.

Soziale Kontrolle vs. Freiheit und Vielfalt

Diese vier Perspektiven (vgl. Abb. 11) dürfen jedoch nicht als sich ausschließende Behauptungen missverstanden werden. Vielmehr handelt es sich um ergänzende Sichtweisen, aufgrund derer unterschiedliche Fragen formuliert werden können: Verstärken die Medien in einer bestimmten Situation und bezüglich eines bestimmten sozialen Problems die soziale Kontrolle und die Konformität? Stärken oder schwächen Medien die bestehenden sozialen Institutionen wie z.B. Familie oder Politik? Ermöglichen und begünstigen die Medien die Bildung von Subkulturen oder den Ausdruck von Minoritäten? Oder orientiert sich die Berichterstattung nur an ökonomisch interessanten Zielgruppen oder politisch mächtigen Interessengruppen?

Literatur

*Bentele, Günter/Beck, Klaus (1994): Information – Kommunikation – Massenkommunikation: Grundbegriffe und Modelle der Publizistik- und Kommunikationswissenschaft. In: Jarren, Otfried (Hg.): Medien und Journalismus 1. Opladen, S. 15-30.

Burkart, Roland (1995): Kommunikationswissenschaft. Grundlagen und Problemfelder. Wien, Köln, Weimar, S. 394-436.

Faludi, Susan (1991): Backlash. New York.

Fassler, Manfred (1997): Was ist Kommunikation? München.

Faulstich, Werner (1991): Medientheorien. Göttingen.

Gerbner, George (1956): Toward a General Model of Communication. In: Audio-Visual Communication Review, H. 4, S. 171-199.

Habermas, Jürgen (1981): Theorie des kommunikativen Handelns. Bd. 2. Frankfurt/M.

Homans, George Caspar (1958): Social Behavior as Exchange. In: American Journal of Sociology, 63, S. 597-606.

Hovland, Carl I. (1948): Social Communication. In: Proceed. Am. Phil. Soc. 92, S. 371-375.

Kepplinger, Hans-Mathias (1989): Instrumentelle Aktualisierung. Grundlagen einer Theorie publizistischer Konflikte. In: Sonderheft der Kölner Zeitschrift für Soziologie und Sozialpsychologie, Nr. 30, S. 199-220.

*Krippendorf, Klaus (1994): Der verschwundene Bote. Metaphern und Modelle der Kommunikation. In: Merten, Klaus/Schmidt, Siegfried/Weischenberg, Siegfried (Hg.): Die Wirklichkeit der Medien. Eine Einführung in die Kommunikationswissenschaft. Opladen, S. 79-113.

Lasswell, Harold D. (1948): The Structure and Function of Communication in Society. In: Bryson, Lyman (Hg.): The Communication of Ideas. New York, S. 37-52.

Luhmann, Niklas (1996): Die Realität der Massenmedien. Opladen.

Maletzke, Gerhard (1963): Psychologie der Massenkommunikation. Hamburg.

Maser, Siegfried (1971): Grundlagen der allgemeinen Kommunikationstheorie: Eine Einführung in ihre Grundbegriffe und Methoden. Stuttgart.

McQuail, Denis (1987): Mass Communication Theory. An Introduction. London u.a.

McQuail, Denis (1994): Mass Communication Theory. London, Thousand Oaks, New Delhi.

*McQuail, Denis/Windahl, Sven (1993): Communication Models for the Study of Mass Communication. London u.a.

Merten, Klaus (1977): Kommunikation. Eine Begriffs- und Prozessanalyse. Opladen.

Meyer-Eppler, Werner (1969): Grundlagen und Anwendungen der Informationstheorie. Berlin.

Noelle-Neumann, Elisabeth (1982): Die Schweigespirale. Öffentliche Meinung, unsere soziale Haut. Frankfurt/M.

Noelle-Neumann, Elisabeth/Schulz, Winfried (1971): Publizistik. Frankfurt/M.

Rogers, Everett M./Kincaid, Don Lawrence (1981): Communication networks: toward a new paradigm for research. New York.

Schramm, Wilbur (1954): The Process and Effects of Mass Communication. Urbana/I, Ill.

Shannon, Claude/Weaver, Warren (1949): The Mathematical Theory of Communication. Urbana/I, Ill.

Watzlawick, Paul/Beavin, Janet H./Jackson, Don D. (1969): Menschliche Kommunikation. Formen, Störungen, Paradoxien. Bern, Stuttgart, Wien.

Westley, Bruce H./McLean, Malcolm (1957): A Conceptual Model for Mass Communication Research. In: Journalism Quarterly 34, S. 31-38.

* Basisliteratur

Mediengeschichte

Michael Schanne

1 Schwach organisierter Erkenntnisgegenstand 49

2 „Gesetzesähnliche Aussagen" 52

2.1 „Medien sterben nicht" 52
2.2 Beschleunigung der Medienentwicklung 53
2.3 Gesellschaftlicher Bedarf nach Medien 53
2.4 Nicht jedes neue Medium setzt sich durch 54
2.5 Von der geselligen zur individuellen Mediennutzung? 56
2.6 Neue Medien – gleiche Fragen 57

3 Die Entwicklung der Zeitungen 57

4 Wandel und Konstanz? 60

5 Ausgewählte Daten zur Mediengeschichte 60

Literatur 65

1 Schwach organisierter Erkenntnisgegenstand

1986 unternahmen die publizistik- und kommunikationswissenschaftlichen Fachgesellschaften aus Deutschland, Österreich und der Schweiz den Versuch, „Wege zur Kommunikationsgeschichte" zu kartieren (Bobrowsky/Langenbucher 1987). Das überraschend große Interesse am Thema drückte sich anlässlich der Tagung in Wien in einer Vielzahl und Vielfalt von Beiträgen aus. Wissenschaftstheoretisch wurde allerdings eine kritische Bilanz gezogen. „Kommunikationshistoriographie" (Duchkowitsch 1985) erschöpfte sich einerseits in Denkmalsetzungen, andererseits in Spiegelungen. Mit Denkmalsetzungen sind Arbeiten gemeint, in denen eine bestimmte „publizistische Persönlichkeit" auf den Sockel gestellt wird, um ihre besondere Bedeutung glanzvoll zu beschreiben. Mit diesem oder jenem „geflügelten Wort" hatten Zeitung oder Person den entscheidenden Beitrag zur Veränderung ihrer kleinen oder großen Welt geleistet. Mit Spiegelungen sind solche Arbeiten gemeint, in denen verschiedene – politische – Zeiterscheinungen im Spiegel einer bestimmten journalistischen Berichterstattung beschrieben wurden. Autoren der Denkmalsetzungen und Spiegelungen wollten ihren Gegenstand mit einer gewissen Sympathie betrachten und verstehend interpretieren. Diese Arbeiten bedienten sich nicht der Methoden der empirischen Sozialforschung. Es interessierte vielmehr lediglich das Wort: Die wirtschaftlichen, technischen, sozialen, juristischen und anderen Bedingungen der Medienproduktion wurden weitgehend ausgeblendet. Gleichwohl wurden so zahlreiche Einzelheiten – mikroperspektivisch und atheoretisch – angehäuft. Eine verbindende, meta-analytische Bearbeitung all dessen stand aus. Eine theoretisch begründete, kulturell und gesellschaftlich vergleichende Forschungsperspektive fehlte.

Kommunikationshistoriographie

Denkmalsetzungen und Spiegelungen

Mikroperspektivisch und atheoretisch

Obwohl die Tagung in Wien verschiedene Diskussionen bündelte, ist weiterhin offen, worum es in einer Geschichte der publizistischen Kommunikation geht. Es ist offen, warum (Medien-)Geschichte betrieben und (Medien-)Geschichten erzählt werden sollen:

- Um Neugier zu befriedigen und zu unterhalten?
- Um Gegenwärtiges zu begreifen, weil es geschichtlich so Gewordenes ist? (Burkart 1985: 58f.) Um aktuelle Erkenntnisgegenstände vor einer historischen Folie zu vergegenwärtigen? (Duchkowitsch 1985: 40) (vgl. dazu auch Stöber 2000: 1-19)
- Geht es um „die Möglichkeiten und Realitäten menschlicher Kommunikation als Aktionsform in der Gesellschaft?" (Bohrmann 1987: 46f.)
- Geht es um allgemeine Entwicklungsprinzipien im Rahmen einer allgemeinen Theorie der Evolution von Kommunikation? (Bentele 1987: 90)
- Geht es um Entwicklungen kommunikativ-partizipatorischer Möglichkeiten, um gesellschaftliche „Emanzipationsprozesse als Folge ökonomischer Entwicklungen?" (Ludwig 1999: 341f.)
- Geht es um eine Abschätzung der Folgen der Implementierung von Informations- und Kommunikationstechnologien? (Giesecke 1998: 21) Mit anderen Worten: Ist Kommunikationsgeschichte als „historische Analyse der Konsequenzen von Kommunikationstechnologien zu betreiben?" (Saxer 1987: 73)
- Oder ist „Mediengeschichte" die Geschichte des „Hörens, Sehens, Tastens, Riechens und des Wahrnehmens, Überlegens, Reflektierens oder Entwerfens?" (Halbach/Fassler 1998: 32)

Unbestimmtheit des Erkenntnisgegenstandes; Grenzen der Erkenntnis

Die Liste der unterschiedlichen Ausrichtungen könnte – fast – nach Belieben verlängert werden. Je nachdem aber, welche Geschichten erzählt werden, entsteht unterschiedlich(e) Geschichte. Somit ist die Begrenztheit des Erkennens und die Unbestimmtheit des Erkenntnisstandes zu konstatieren. Und so kann die aktuelle Situation von Mediengeschichte(n) – auch – als eine Anhäufung von Anekdoten beschrieben werden, ohne dass ersichtlich ist, ob aus ihnen am Schluss etwas Geordnetes werden kann und werden soll.

Immerhin kann der Wunsch formuliert werden, wie eine zukünftige Geschichte der publizistischen Kommunikation sein soll:

- theoretisch angeleitet
- eher makroperspektivisch denn mikroperspektivisch orientiert
- interkulturell vergleichend angelegt
- methodisch vielfältig angelegt (historische Quellenforschung, hermeneutische Erschließung von Quellen in ihren Kontexten, Erstellung von Zeitreihen, Aufbau von Datensätzen, statistische Analysen von Datensätzen, interpretierende Erschließungen von Erzählungen zeitgeschichtlicher Zeugen, longitudinal angelegte Inhaltsanalysen von journalistischen Deutungsmustern, metaanalytische Überarbeitungen einer Vielzahl von historischen Fallstudien, metaanalytisch vergleichende Auswertungen von Monographien etc.).

Forderung nach ganzheitlich integrierter Sichtweise

Eine Geschichte der publizistischen Kommunikation soll die vielfältigen Bedingungen der Entwicklung und Differenzierung im historischen Kontext mitdenken. Dabei sind wirtschaftliche, technische, politische, soziale, kulturelle u.a. gesellschaftliche Entwicklungen zu beachten; also insgesamt die Bedingungen des individuellen und gesellschaftlichen Seins und Bewusstseins. Der „historische Kontext" verweist darauf, dass die verschiedenen Entwicklungen und Differenzierungen miteinander verbunden, aufeinander bezogen und rückbezogen sind. Das heißt, eine zukünftige Geschichte der publizistischen Kommunikation integriert medien- und kommunikationsgeschichtliche mit sozial- und alltagsgeschichtlichen Fragestellungen.

Forderung nach Interdisziplinarität

Dass dann am Ende ein gerütteltes Maß an Komplexität in einzelnen Studien jeweils auf ein forschungstechnisch handhabbares Maß reduziert werden muss, versteht sich von selbst. Die intendierte Kontextualisierung einer zukünftigen Geschichte der publizistischen Kommunikation verlangt nach gemeinsamen und koordinierten Forschungsanstrengungen der verschiedenen Disziplinen.

2 „Gesetzesähnliche Aussagen"

Auf der Basis der Vielzahl der angehäuften Einzelheiten können sechs „gesetzesähnliche Aussagen" (Schmolke 1997: 29), zumindest in Form von begründeten Vermutungen konstruiert werden.

2.1 „Medien sterben nicht"

Alte Medien fristen ihre Existenz in angepasster Weise

Das „Unverdrängbarkeitsgesetz" (ebd.) besagt, dass alte Medien ihre Existenz neben neuen Medien in angepasster Weise fristen. Meist wird in diesem Zusammenhang Wolfgang Riepls (1913 [1972]) „Das Nachrichtenwesen des Altertums" zitiert. Riepl argumentierte, dass hoch entwickelte technische Übertragungsmedien tradierte technische Übertragungsmedien keineswegs verdrängen und außer Gebrauch setzen. Das „Gesetz" wird über den engeren übertragungstechnischen Zusammenhang hinaus interpretiert. Dann geht es um Übergänge zwischen Medien- und Kommunikationssystemen. Die Übergänge sind durch Gleichzeitigkeiten, Unentschiedenheiten, durch routinierte Übertragungen („Computer als Schreibmaschine") und zunehmende Differenzierungen, v.a. aber durch – wenigstens theoretisch – zunehmende individuelle Wahl- und Entscheidungsmöglichkeiten zwischen den Medien bestimmt.

(K)ein Grundprinzip?

„Ob es sich hier um ein Grundprinzip der Geschichte der Medien generell handelt, das möglicherweise auch für den späteren Wandel von der Dominanz der Druckmedien zur Dominanz der elektronischen Medien und von diesen zu den digitalen Medien Geltung hat, muss noch dahingestellt bleiben" (Faulstich 1998: 301). Faulstich argumentierte also vorsichtig, was Reichweite und Allgemeingültigkeit des Rieplschen Gesetzes betrifft. Im strengen Sinn sind in der Tat alle „gesetzesähnlichen Aussagen" eher als Vermutungen zu handhaben. Nichtsdestotrotz unterstrich auch Faulstich, dass alte und neue Mediensysteme nebeneinander funktionieren. Die Etablierung des neuen Mediums leitet nach einiger Zeit zur

Spezifizierung und Relativierung über, um zwangsläufig schließlich zum Verlust von Funktionen der alten Medien zu führen.

2.2 Beschleunigung der Medienentwicklung

Das Beschleunigungsgesetz besagt, dass „neue" Medien in kürzer werdenden Abständen auftreten (Schmolke 1997: 29ff.). Wird die Evolution der Kommunikation in das Modell eines einzigen Tages (24 Stunden) übertragen, dann sind die Ereignisse der Medienentwicklung erst in wenigen Minuten, v.a. aber in wenigen Sekunden vor 24 Uhr, in immer kürzerer Abfolge zusammengedrängt.

2.3 Gesellschaftlicher Bedarf nach Medien

Sozialer Wandel stipuliert Kommunikation

Medien entstehen dann, „wenn gesellschaftlicher Bedarf erwachsen ist" (ebd.). Diese „gesetzesähnliche" Aussage muss in zweierlei Hinsicht ergänzt werden. Zunächst ist genauer zu bestimmen, was mit „gesellschaftlichem Bedarf" gemeint ist. Dann kann formuliert werden, dass gesellschaftlicher Wandel – Unrast und Umbruch, Revolution, Krieg – die gesellschaftliche Kommunikation stipuliert. Der Umbruch der gesellschaftlichen Formation korreliert mit dem Umbruch der gesellschaftlichen Kommunikation. „Die Feststellung, dass Revolutionen immer auch Kommunikations- und Medienereignisse sind, versteht sich fast von selbst. Eine „stumme" Revolution, eine Revolution ohne eine Veränderung öffentlicher Kommunikationsstrukturen ist kaum vorstellbar" (Requate 1998: 17). „Revolutionen intensivieren, ja dramatisieren die Kommunikation. Und sie generieren Massenmedien oder ermöglichen einen neuen Journalismus" (Blum 1998: 47). ,,Revolutionary crises coincide with sudden changes in the media system of the society in which they occur" (Popkin/Censer 1995: 4).

Dieser Zusammenhang hatte sich in der explodierenden Zahl der Einblattdrucke und Flugschriften zur Reformation und Gegenreformation gezeigt. Ebenso zeigte er sich in den Auseinandersetzungen um die Glaubensfreiheit, die Unversehrtheit des Individuums und die Gewaltenteilung in England (Koszyk 1995: 303). Der Zusammenhang zeigte sich in den Kriegswirren zwischen 1618 und 1648: In diesem Zeitraum kam es allein in deutschsprachigen Landen zu annähernd 100 Zeitungsgründungen; in den 50 Jahren der zweiten Hälfte des 17. Jahrhunderts waren es nur noch rund 50.

Die Auseinandersetzungen um die Befreiung des Menschen aus seiner Unmündigkeit ist ohne Zeitungen und Zeitschriften, Flugschriften und Bücher, Anschläge und Handzettel nicht zu denken. Die „Encyclopédie ou dictionnaire raisonné des sciences, des arts et des métiers" (1751-1772) von d'Alembert und Diderot hielt fest: „Tout pays où il n'est pas permis de penser et d'écrire ses pensées doit nécessairement tomber dans la stupidité, la superstition et la barbarie." Bis zum Beschluss Ludwigs XVI. am 5. Juli 1788, eine Debatte um Institutionalisierung, Kompetenzen und Aufgaben der Generalstände zu führen und diese auf einen noch unbestimmten Zeitpunkt einzuberufen, waren in einem knappen halben Jahr annähernd 700 – dokumentierte – Publikationen veröffentlicht worden. Diese Informationsflut wurde in den Monaten nach dem Beschluss bald exponentiell gesteigert. Am 5. Mai 1789 wurden die Generalstände in Versailles eröffnet. Mirabeau begann schon am 2. Mai täglich aus den Generalständen zu berichten. Eine Unzahl von „Le Point du Jour", „Lettre ...", „Bulletin ...", „Courrier ...", „Gazette ..." und „Journal ..." folgten. So markierte die französische Revolution schließlich auch den eigentlichen Beginn der täglichen Erscheinungsweise der Zeitungen.

2.4 Nicht jedes neue Medium setzt sich durch

Kein technologischer Determinismus

Die Entstehung neuer Medien folgt keineswegs einem technologischen Determinismus. Nicht jedes neue Medium wird sozial in der Weise genutzt, wie die Erfinder und Ingenieure sich das dachten. Auch in diesem Sinne ist die Vermutung von der Entstehung der

Medien bei gegebenem gesellschaftlichen Bedarf, wie auch die Vermutung von den progressiv kürzer werdenden Abständen, in denen die Medien die Bühne der gesellschaftlichen Kommunikation betreten, genauer zu bestimmen.

„Neue" Medien werden durch ihren sozialen Gebrauch bestimmt

Neue Medien werden, wie andere Technologien auch, durch ihren sozialen Gebrauch bestimmt. Sie können ganz anderen als den von den Erfindern und Ingenieuren gedachten Nutzungen und Zwecken zugeführt werden. So wurde das Telefon ursprünglich als einseitig gerichtetes Medium zur Live-Übertragung von Musikdarbietungen an verschiedene Präsenzpublika vorgestellt. Graham Bell spielte im Juli 1876 auf einer Orgel in Boston den „Yankee Doodle" und übertrug das Spektakel nach New York. Das Telefon wurde als Medium, um in die Ferne zu hören, nicht aber als Medium, um in die Ferne zu sprechen, gedacht. 1880 wurden von Basel nach Zürich erste öffentliche Musikübertragungen realisiert. Das „Radiokonzept des Telefons" wurde in Opern- und Theaterübertragungen, aber auch in Übertragungen von Gottesdiensten manifestiert. Theatrophone oder Elektrophone wurden, beispielsweise in Paris, in vornehmen Hotels oder in Clubräumen installiert. Gegen Entgelt konnten so für fünf oder zehn Minuten Vorstellungen an der Opéra, am Théatre Français oder aus diesem oder jenem Varieté mitgehört werden. In den 1920er Jahren liefen schließlich unterschiedliche Nutzungen von Hörfunk, einseitig gerichtetem und dialogischem Telephon im privaten oder im halböffentlichen Rahmen, parallel. Das Münchner Operntelefon z.B. erreichte 1928 ein Maximum von 3 500 Teilnehmern und gab erst am 31. August 1930 seinen Dienst auf (Höflich 1998: 191f.; vgl. auch Flichy 1994: 137ff.).

2.5 Von der geselligen zur individuellen Mediennutzung?

Erst gemeinsame, dann individualisierte Mediennutzung?

Könnte als erste Form der relevanten Nutzung neuer Medien die gesellige und halböffentliche Form bestätigt werden? Folgt dann eine zunehmende Individualisierung der Nutzung? Die Frageform macht darauf aufmerksam, dass hier große Vorsicht angebracht ist. Ob die relevante Nutzung neuer Medien als sich erweiternde soziale Zugänglichkeit und damit als Geschichte einer zunehmenden Demokratisierung der Publika beschrieben werden kann, ist erst noch zu analysieren.

Immerhin waren die frühen Druckereien oft Weinstuben und damit wie selbstverständlich Orte der gesellig geistigen Genüsse (Wittmann 1999: 35). Es darf deshalb angenommen werden, dass mit dem ersten „massenhaften" Lesen von gedruckten Texten Formen der geselligen Kommunikation verbunden waren. Hier wurden Texte einem Publikum vorgelesen, dort wurden Texte gemeinsam studiert.

Nach einem extremen Sprung über die Jahrhunderte darf daran erinnert werden, dass sich viele Menschen ihre erste Fernsehsendung im Wirtshaus anschauten. Die schweizerischen Wirte mussten für die kollektive soziale Nutzung sogar eine spezielle Konzessionsgebühr von CHF 120 bezahlen. Erst im Laufe der Jahre wurde das Fernsehen in den privaten Haushalten relevant und dort – noch später – zunehmend individualisiert rezipiert.

Zurück zur Vergangenheit, so kann gefragt werden: Wann wurde gelesen: Jeden Tag? Wann und wie wurden bestimmte Funktionen des Lesens differenziert? Wurde nur bei Tageslicht gelesen? Wer konnte sich Kerzen leisten, um im Dunkeln lesen zu können? Vergleichbar können – wieder moderne – Fragen gestellt werden: Wer konnte sich und zu welchem Zeitpunkt Radio- und Fernsehgeräte leisten?

Ausgehend von solchen und anderen Fragen kann die Einführung neuer Medien vergleichend und einigermaßen systematisch untersucht werden: Erstens: Wer beherrscht die notwendigen Kulturtechniken (Lesen; Hertz-Wellen empfangen; TV-Kanäle einstellen; Geräte programmieren etc.)? Zweitens: Wer hat die freie Zeit zur Nutzung neuer Medien? Drittens: Wer hat die Geldmittel, um die Nutzung der neuen Medien zu finanzieren? Viertens: Wer hat welche Erwartungen, was das neue Medium leisten bzw. welche Nutzen es bieten soll? Und schließlich fünftens: Löst das neue Medium die Erwartungen ein? Bietet es die erwarteten Nutzen? Werden neue Erwartungen geweckt?

2.6 Neue Medien – gleiche Fragen

„Ewiger" Diskurs: Sollen Medien aufklären oder zerstreuen?

Schon im 16. und 17. Jahrhundert wurde über Sinn und Unsinn, über Kosten und Nutzen der Einführung neuer Medien heftig gestritten. Die geplante Einführung des Fernsehens löste beispielsweise in der Deutschschweiz erregte Debatten aus (Ehnimb-Bertini 2000: 175-186). So kann formuliert werden, dass jede Einführung neuer Medien und die publizistische Kommunikation überhaupt von drei gesellschaftlichen Diskursen begleitet wird: Erstens: Muss die Nutzung der Medien pädagogisch begleitet und angeleitet werden? Zweitens: Sollten die Medien nicht besser erhellend und aufklärend als nur zerstreuend und unterhaltend wirken? Drittens: Wie soll der offensichtlich nicht kontrollierbaren Nutzung der Medien und den offensichtlich nicht kontrollierbaren gesellschaftlichen – im engeren Sinne politischen – Auswirkungen der Mediennutzung begegnet werden?

3 Die Entwicklung der Zeitungen

Die Entwicklung der Zeitungen kann auf verschiedene Weisen beschrieben werden. Hier sollen die historischen Einzelheiten systematisch gebündelt werden als

- Institutionalisierung der Nachrichtenbeschaffung
- Verselbständigung der Nachrichtenbeschaffung

- Verstetigung der Nachrichtenübermittlung
- Beschleunigung der Nachrichtenübermittlung
- Verstetigung der Produktion
- Herausbildung der Periodizität und der Verkürzung der Perioden
- Beschleunigung der Produktion
- Herausbildung und Verstetigung der Distribution
- Verbilligung der Produktion
- Formatierungen von Inhalten und Formen
- Öffnung des Zugangs für neue und andere Publika

Am Anfang der Entwicklung standen die handgeschriebenen Zeitungen (Zeitung im Sinne von Nachricht) im Dienste spezifischer Interessen der weltlichen („Kaiser"), kirchlichen („Papst"), kulturellen („Kloster"; „Universität") und wirtschaftlichen („Handelskapital") Macht. Dann folgten die Einblattdrucke, Flugschriften, Meßrelationen, Monatsschriften, Wochenzeitungen und Tageszeitungen. Allerdings soll so keine geordnete Abfolge von abgegrenzten Phasen, sondern die Gleichzeitigkeit alter und neuer Medien beschrieben werden.

Verstetigung der Produktion fördert Amortisierung der Investitionen

Wirtschaftliche Interessen, technologische Innovationen, gesellschaftliche und individuelle Deutungsmuster und andere Faktoren trieben diese Entwicklungen voran. „Neue Zeitungen" verhalfen der Druckerei zur Auslastung, trugen zu einer rascheren Amortisation des investierten Kapitals bei. Vor diesem Hintergrund bestand ein starkes Interesse an der Verstetigung der Produktion. Nicht zuletzt erklären sich so auch die periodischen Zusammenfassungen („Postreuter" und „Hinkende Boten") der „Neuen Zeitungen" vom je vorangegangen Jahr bzw. Halbjahr. Diese Zusammenfassungen wurden anlässlich der Frühjahrs- und Herbstmessen verkauft. Wenn die Leute vom Land zur Messe in die Stadt kamen, konnten sogar noch die „alten" Zeitungen – wie in einer modernen Verwertungs-Kaskade – abgesetzt werden. Dazu wurden Kalender, Einblattdrucke der Lieder und Moritaten, Bild-Erläuterungen, welche die blutigen Chirurgen-Späße und Zahnreißeten begleiteten, verkauft.

„Neue Zeitungen" bedeuteten aktuelle Nachrichten von einem Ereignis. Den großen Überschriften folgte eine kurze Zusammenfassung der wichtigsten Informationen und der Bericht wurde mittels Holzschnitt oder Kupferstich optisch aufgemacht. In diesem Sinne wurden frühe Elemente des Straßenverkaufs kombiniert. Die Bilder konnten auch von einer mehrheitlich analphabetischen Bevölkerung „gelesen" werden. Das Interesse wurde geweckt: Ab 1500 wurden die „Neuen Zeitungen" mehrheitlich in der Landessprache verfasst; und sie waren erschwinglich. Ludwig (1999: 346) vergleicht den „Preissturz" in der zweiten Hälfte des 16. Jahrhunderts mit „dem Absturz des Preisniveaus für Personalcomputer rund 500 Jahre später."

Frühe Elemente des Straßenverkaufs

Mit dieser Produktionsweise sind bereits die Probleme der Kommerzialisierung der publizistischen Kommunikation angesprochen. Winkler (1993: 9f.) akzentuierte dies in seiner exemplarischen und materialreichen Studie am Beispiel des „englischen Tagesschrifttums" im letzten Drittel des 17. Jahrhunderts. Er setzte die Produktion von publizistischen Medien in das Spannungsverhältnis zwischen Bedarfsweckung und Nachfragedeckung. Im „Tagesschrifttum" kamen die entsprechenden Bedingungen – Diktat des Marktes und Zwang zur rationellen Herstellung – zur Deckung. „Das Tagesschrifttum verkaufte sich in aller Regel nur in einer knapp bemessenen Zeitspanne. Herstellungszeiten mussten sich auf den kurzen Umschlag einstellen. In einer so großen und dicht bewohnten Stadt wie London verlangten die knappen Umschlagszeiten einen besonderen Gewerbezweig, der den Vertrieb unternahm und für den rechtzeitigen Verkauf einer vom Inhalt her rasch verderblichen Ware sorgte. Handwerk und Markt gingen im Tagesschrifttum eine auf beide Seiten rückwirkende Verbindung ein. Insofern stellt sich die Frage nach dem Verhältnis von Handwerk und Wirtschaftlichkeit immer auch als Frage nach der Art des Marktes und der Nachfrage, für die produziert wird" (Winkler 1993: 9f.).

Spannung zwischen Bedarfsweckung und Nachfragedeckung

4 Wandel und Konstanz?

Schließlich soll eine zentrale Spannung der Kommunikationsgeschichte aufgegriffen werden, die sich zwischen Bewegtem und Unbewegtem, zwischen Unveränderlichem und Veränderlichem ergibt. Wilke (1984: 230) hielt fest, dass sich in der Geschichte der Nachrichtenauswahl „im ganzen mehr Wandel als Konstanz feststellen" lässt. Schröders (1995) Untersuchung der Textgestaltung und Nachrichtenauswahl der ersten Zeitungen gibt allerdings Hinweise darauf, dass unter fortwährenden Veränderungen der äußeren Formen vergleichsweise ultrastabile Struktur- und Bewegungsprinzipien erkannt werden können. Vorgänge des Wandels laufen mit Vorgängen der Konstanz offensichtlich gleichzeitig ab. Sie können sich in bestimmten Situationen und unter bestimmten Umständen gegenseitig beeinflussen, das muss aber nicht sein. Rückwirkungen können sich erst sehr viel später oder auch gar nicht einstellen. Wenn also Wandel und Konstanz der journalistischen Formate untersucht werden, dann kann darauf hingewiesen werden, dass z.B. das Selbstverständnis der Zürcher „Montäglichen Wochenzeitung" im Jahr 1673 oder auch die Ausführungen Kaspar Stielers am Ende des 17. Jahrhunderts durchaus modern und aktuell anmuten. Und so kann in der Geschichte der publizistischen Kommunikation die Vergegenwärtigung eines historisch so Gewordenen erkannt werden.

5 Ausgewählte Daten zur Mediengeschichte

Die ersten Zeitungen:

Vor und nach Gutenberg

Nachfolgend wird auf wenige wichtige Daten der Mediengeschichte, insbesondere auch der schweizerischen Mediengeschichte, in Stichworten verwiesen. Mediengeschichte kann zunächst in eine Zeit vor und nach Gutenberg eingeteilt werden. Um 1450 „erfand" Johannes Gensfleisch zur Laden, genannt zum Gutenberg (1397 [1400] bis 1468), den mechanischen Druck.

Bis zu diesem Zeitpunkt arbeitete man mit Zeichenträgern wie Papyrus, Pergament, Papier. Bestimmte Schriften („Antiqua") waren bereits gestaltet; die Schreibweisen waren einigermaßen vereinheitlicht und kodifiziert. Bestimmte Druckverfahren wie Blockdruck, Hoch- und Tiefdruck waren technisch erprobt. Um 1490 wurden regelmäßige, zusammenhängende, für die Allgemeinheit zugängliche, pünktliche und sichere Postdienste eingerichtet. Vorläufer davon waren Übermittlungen mittels Sprechrohr, Trommeltelegraphie, Fackeltelegraphie und Rufposten; der „cursus publicus" des Kaisers Caesar Octavian Augustus (31 v.Chr. bis 14 n.Chr.) war ein System von Stafettenreitern und Zwischenstationen entlang der römischen Fernstraßen. Die Botendienste übermittelten Nachrichten („geschriebene Zeitungen") im Auftrag von weltlicher, kirchlicher, kultureller und wirtschaftlicher Macht.

Nach Gutenberg wurde die Arbeitsteilung organisiert: Um 1500 entstanden graphische Großbetriebe (z.B. beschäftigte Anton Koberger in Nürnberg 100 Setzer und Drucker und setzte 24 Druckerpressen ein). Im deutschsprachigen Raum waren insgesamt ca. 300 Druckereien in mehr als 60 Städten und um die 50 Papiermühlen in Betrieb.

Verstetigung und Periodisierung der Druckerzeugnisse

Nach Gutenberg wurde die Erscheinungsweise der Druckerzeugnisse verstetigt und periodisiert: Einblattdrucke und Flugschriften waren die Massenmedien der Reformation und Gegenreformation (Martin Luther 1483-1546; Ulrich Zwingli 1484-1531; Jean Calvin 1509-1564). 1583 und 1588-1599 erschienen anlässlich der Frühlings- und Herbstmessen regelmässig und periodisch die sog. Mess-Relationen (vgl. Abschnitt 3). Leonhart Straub und Samuel Dilbaum produzierten 1597 in Rorschach am Bodensee die Monatsschrift „Annus Christi. Historische Erzälung der fürnembsten Geschichten und Handlungen so in diesem 1597. Jahr fast in ganzem Europa denckwürdig abgelaufen. Durch Samuel Dilbaum Burgern zu Augsburg auf das treulichst monatweis der Gestalt beschrieben dass jeder Monat unter seinem eigenen Titel besonders gedruckt worden und ausgegangen ist. Gedruckt bei Leonhart Straub – Rorschach am Bodensee". In Straßburg erschien 1609 wöchentlich die „Relation" des Johann Carolus. In Wolfenbüttel druckte Julius von Söhne eine Wochenzeitung. Und 1610 erschien in Basel erstmals die Ordinari-Zeitung.

Eine der ältesten Zeitungen der Welt ist die heutige „Neue Zürcher Zeitung". 1672 gab David Gessner in Zürich eine Ordinari-Wochenzeitung heraus, die bis 1678 als montägliche Wochenzeitung erschienen. Bis 1687 lautete ihr Titel „D.G. Montägliche Wochenzeitung", von 1687 bis 1699 „Montags-Zeitung". Dieser Titel wurde ab 1699 in Majuskeln gesetzt. Diese Ordinari können als Vorläufer der „Zürcher Zeitung" gesehen werden, die erstmals am 12. Januar 1780 erschien. Am 2. Juli 1821 erhielt sie den bis heute beigehaltenen Namen „Neue Zürcher Zeitung" und erschien ab 1. Januar 1843 täglich. 1869 wurde die Zahl der Ausgaben auf 13, ab 1894 auf 18 Ausgaben pro Woche gesteigert (dreimal werktäglich, am Samstag zwei- und am Sonntag einmal). Erst im September 1969 wurde die Zahl der Ausgaben von drei auf zwei und im September 1974 schließlich auf eine Ausgabe wochentags reduziert.

Grundtypen früher Periodika

Unter den frühen Periodika können drei Grundtypen unterschieden werden: Ordinari-Zeitungen oder Nachrichtenblätter; Intelligenz-Zeitungen oder Anzeigenblätter; Gelehrte Zeitungen. Aus diesen Grundtypen wurden verschiedene Zeitungs- und Zeitschriftentypen differenziert.

Intelligenz-Zeitungen oder Anzeigen-Blätter:

- 1630 Bureau d'Adresses et de Rencontre, Paris, Théophraste Renaudot: Inventaire des addresses du Bureau de rencontre où chacun peut donner et reçevoir avis de toutes les nécessitéz et commoditéz de la vie et société humaines
- 1637 Office of Intelligence, London
- 1730 Donnstags-Nachrichten, Zürich
- ab 1897 Tagblatt der Stadt Zürich, der heutige Zürich Express

Gelehrte Zeitungen, Zeitschriften:

- 1665 Journal des Sçavans, Paris
- 1665 Philosophical Transactions, Royal Society, London
- 1668 Giornal de' Letterati, Rom
- 1688 „Die Monatsgespräche", Leipzig
- 1693 Dépêches du Parnasse ou la Gazette des Savants, Genf

Boulevard-Zeitungen, Penny Papers:

- 1831 Journal des connaissances utiles, Paris
- 1833 The Sun, New York
- 1941 Actualis, Zürich
- 1959 Blick, Zürich

Generalanzeiger:

- 1886 Generalanzeiger für Leipzig und Umgebung
- 1893 Tages-Anzeiger für Stadt und Kanton Zürich. Unparteiisches Organ für Jedermann und Hauptanzeigenblatt für die Nordostschweiz.

Technische Fortschritte:

Technisierung und Industrialisierung

Im 19. Jahrhundert wurden Druck und Nachrichtenübermittlung technisiert und industrialisiert: Maschinen-Druck, Schnell-Druck, Rotations-Druck. Maschinensatz und automatische Papierzuführung wurden etabliert. Ab 1792 wurde Tachygraph, der Flügel-Telegraph von Claude Chappe eingesetzt, wodurch eine gesteigerte Geschwindigkeit der Nachrichtenübermittlung möglich wurde. 1814 wurde ein Patent für die „Komplettmaschine" durch Friedrich G. König und Andreas F. Bauer eingereicht. 1837 erfand Samuel F. B. Morse den Schreib-Telegraphen in New York. Elektromagnetische Telegraphenlinien. 1866 wurde die erste See-Kabel-Verbindung zwischen Europa und Nordamerika eingesetzt. 1860 wurde das Telephon von Alexander Graham Bell entwickelt und 1880 fand die erste öffentliche Musikübertragung von Basel nach Zürich statt (vgl. Abschnitt. 2.4). Schließlich gelang 1901 die erste drahtlose Übermittlung über den Nordatlantik.

Die Entwicklung des Journalismus:

Journalismus als Beruf

Im 19. Jahrhundert wurde der Journalismus „verberuflicht" und professionalisiert. Um 1850 entstand der hauptberufliche Journalismus in der Schweiz. Nachrichtenagenturen entwickelten sich: 1848 wurde die Associated Press (AP), 1850 Agence Havas [...] Agence France Presse (AFP), 1851 Reuters und 1895 die Schweizerische Depeschenagentur gegründet.

Entwicklung des Rundfunks:

Ausdifferenzierung der Medienlandschaft

Bis zur Wende vom 19. zum 20. Jahrhundert war eine differenzierte Printmedien-Landschaft entstanden. Das 20. Jahrhundert aber ist das Jahrhundert des Hörfunks und des Fernsehens (Rundfunk). Die wissenschaftlich-technischen Voraussetzungen für Hörfunk-Veranstaltungen waren um 1910, für Fernseh-Veranstaltungen um 1925 gegeben. Zwischen 1910 und 1920 fanden erste, noch vereinzelte, Radio-Übertragungen statt; ab 1920 dann liefen regelmäßige Radiosendungen. In der Schweiz entstanden Radio-Genossenschaften. Diese schlossen sich in einer gemeinsamen Dach-Organisation, der „Schweizerische(n) Rundspruchgesellschaft" (SRG), zusammen. Die konstituierende Sitzung mit der Wahl des Präsidenten und des Geschäftsführers fand am 24. Februar 1931 statt, die erste Generalversammlung der Delegierten am 21. März 1931. Die erste Konzession des Bundesrates datiert vom 1. März 1931. Die Landessender Sottens (am 29. März 1931), Beromünster (am 17. Mai 1931) und Monte Ceneri (am 28. Oktober 1933) nahmen den Betrieb auf.

1928 strahlte General Electric in den USA erste Fernsehsendungen aus. 1929 begann die British Broadcasting Corporation (BBC) mit regelmäßigen Übertragungen von Fernsehbildern. 1929 liefen die ersten Fernsehversuche in Deutschland. In der Schweiz wurden erste Fernsehübertragungen anlässlich der Landesausstellung 1939 realisiert. Die schweizerischen PTT-Betriebe und die Eidgenössischen Technischen Hochschulen führten wissenschaftlich-technische Experimente durch. Diese Arbeiten waren u.a. relevant für die Normierung von 625 Bildzeilen, der sog. Gerber-Norm.

1953 wurde der Fernseh-Versuchsbetrieb aufgenommen. 1954 wurden innerhalb der „Eurovisions"-Wochen der Blumenkorso des Narzissenfests in Montreux und die Spiele der Fussball-Weltmeisterschaft direkt übertragen. Nach heftigen politischen Auseinandersetzungen in der Deutschschweiz („Kein Radiofranken für das Fernsehen") wurde das Fernsehen zum 1. Januar 1958 definitiv eingeführt. Mit der damit verbundenen Reorganisation kam schließlich am 5. Juli 1960 auch die „Schweizerische(n) Rundspruchgesellschaft" als „Schweizerische Radio- und Fernsehgesellschaft" zu ihrem neuen Etikett. Insbesondere mit der „Verordnung über lokale Rundfunk-Versuche (RVO)" vom 7. Juni 1982 wurde in der Schweiz privater werbefinanzierter Rundfunk ermöglicht.

Literatur

Bellanger, Claude/Godechot, Jacques/Guiral, Pierre/Terrou, Fernand (1969-1976): Histoire Générale de la Presse Française, Bd. 5. Paris.

Bentele, Günter (1987): Evolution der Kommunikation – Überlegungen zu einer kommunikationstheoretischen Schichtenkonzeption. In: Bobrowsky, Manfred/Langenbucher, Wolfgang R. (Hg.): Wege zur Kommunikationsgeschichte. München, S. 79-94.

Blühm, Elger (Hg.) (1977): Presse und Geschichte. Beiträge zur historischen Kommunikationsforschung. München.

Blühm, Elger/Gebhardt, Hartwig (Hg.) (1987): Presse und Geschichte II. Neue Beiträge zur historischen Kommunikationsforschung. München, London, New York, Oxford, Paris.

Blum, Roger (1998): Mediale und interpersonale Kommunikation während der Basler Revolution von 1798. In: Imhof, Kurt/Schulz, Peter (Hg.): Kommunikation und Revolution. Zürich, S. 47-55.

Bobrowsky, Manfed/Langenbucher, Wolfgang R. (Hg.) (1987): Wege zur Kommunikationsgeschichte. München.

Bohrmann, Hans (1987): Methodenprobleme einer Kommunikationsgeschichtsschreibung. In: Bobrowsky, Manfred/Langenbucher,Wolfgang R. (Hg.): Wege zur Kommunikationsgeschichte. München, S. 44-48.

Boyce, George/Curran, James/Wingate, Pauline (Hg.) (1978): Newspaper History from the Seventeenth Century to the Present Day. London, Beverly Hills.

Burkhart, Roland (1985): Zur Zukunft der Kommunikationsgeschichte. In: Duchkowitsch, Wolfgang (Hg.): Mediengeschichte. Forschung und Praxis. Wien, Köln, Graz, S. 51-59.

Chartier, Roger/Cavallo, Guglielmo (Hg.) (1999): Die Welt des Lesens. Von der Schriftrolle zum Bildschirm. Frankfurt/M., New York.

Duchkowitsch, Wolfgang (1985): Mediengeschichte zwischen Historie und Soziologie. Auf dem Weg von innen nach außen. In: Duchkowitsch, Wolfgang (Hg.): Mediengeschichte. Forschung und Praxis. Wien, Köln, Graz, S. 37-50.

Ehnimb-Bertini, Sonia (2000): Jahre des Wachstums: Die SRG vor neuen Herausforderungen, 1950 - 1958. In: Drack, Markus T. (Hg.): Radio und Fernsehen in der Schweiz. Geschichte der Schweizerischen Rundspruchgesellschaft SRG bis 1958. Baden, S. 153-194.

Eisenstein, Elizabeth L. (1997): Die Druckerpresse. Kulturrevolutionen im frühen modernen Europa. Wien, New York.

*Faulstich, Werner (Hg.) (1994): Grundwissen Medien. Daraus: Kap. „Medientheorie" und „Mediengeschichte". München, S. 19-40.

Faulstich, Werner (1996): Medien und Öffentlichkeiten im Mittelalter: 800-1400. Die Geschichte der Medien, Bd. 2. Göttingen.

Faulstich, Werner (1997): Das Medium als Kult: von den Anfängen bis zur Spätantike (8. Jahrhundert). Die Geschichte der Medien, Bd. 1. Göttingen.

Faulstich, Werner (1998): Medien zwischen Herrschaft und Revolte. Die Medienkultur der frühen Neuzeit (1400-1700). Die Geschichte der Medien, Bd. 3. Göttingen.

Faulstich, Werner/Rückert, Corinna (1993): Mediengeschichte im tabellarischen Überblick von den Anfängen bis heute, Bd. 1+2. Bardowick.

Flichy, Patrice (1994): Tele. Geschichte der modernen Kommunikation. Frankfurt/M., New York.

Giesecke, Michael (1998): Der Buchdruck in der frühen Neuzeit. Eine historische Fallstudie über die Durchsetzung neuer Informations- und Kommunikationstechnologien. Frankfurt/M.

Halbach, Wulf R./Fassler, Manfred (1998): Einleitung in eine Mediengeschichte. In: Fassler, Manfred/Halbach, Wulf (Hg.): Geschichte der Medien. München, S. 17-53.

Hiebel, Hans H. (Hg.) (1997): Kleine Medienchronik. Von den ersten Schriftzeichen zum Mikrochip. München.

Höflich, Joachim R. (1998): Telefon: Medienwege – von der einseitigen Kommunikation zu mediatisierten und medial konstruierten Beziehungen. In: Fassler, Manfred/ Halbach, Wulf (Hg.): Geschichte der Medien. München, S. 187-225.

http://www.mediahistory.com/time (27.11.2000).

Koszyk, Kurt (1989): Kommunikationsgeschichte als Sozialgeschichte. In: Kaase, Max/Schulz, Winfried (Hg.): Massenkommunikation. Theorien, Methoden, Befunde. Opladen, S. 46-56.

Koszyk, Kurt (1995): Stationen deutsch-englischer Medienbeziehungen. Eine Gedankenskizze. In: Erbring, Lutz (Hg.): Kommunikationsraum Europa. Konstanz, S. 303-312.

Langenbucher, Wolfgang R. (1985): Von der Presse- über die Medien- zur Kommunikationsgeschichte? Notizen zur Konstitution einer kommunikationswissenschaftlichen Teildisziplin. In: Duchkowitsch, Wolfgang (Hg.): Mediengeschichte. Forschung und Praxis. Wien, Köln, Graz, S. 11-24.

Lerg, Winfried B. (1977): Pressegeschichte oder Kommunikationsgeschichte. In: Blühm, Elger (Hg.): Presse und Geschichte. Beiträge zur historischen Kommunikationsforschung. München, S. 9-24.

*Ludwig, Johannes (1999): Vom Buchdruck zum Internet. Gesellschaftliche Emanzipationsprozesse als Folge ökonomischer Entwicklungen. In: Rundfunk und Fernsehen 47, H. 3, S. 341-367.

Popkin, Jeremy D./Censer, Jack R. (1995): Lessons from a symposium. In: Popkin, Jeremy D. (Hg.): Media and revolution: comparative perspectives. Lexington, S. 1-11.

Requate, Jörg (1998): Medien und Öffentlichkeitsstrukturen in revolutionären Umbrüchen: Konstanten und Veränderungen zwischen der Französischen Revolution und dem Umbruch von 1989. In: Imhof, Kurt/Schulz, Peter (Hg.): Kommunikation und Revolution. Zürich, S. 17-34.

Riepl, Wolfgang (1972 [1913]): Das Nachrichtenwesen des Altertums. Mit besonderer Rücksicht auf die Römer. Leipzig, Berlin.

Saxer, Ulrich (1987): Kommunikationsinstitutionen als Gegenstand von Kommunikationsgeschichte. In: Bobrowsky, Manfred/Langenbucher, Wolfgang R. (Hg.): Wege zur Kommunikationsgeschichte. München, S. 71-78.

*Schmolke, Michael (1997): Kommunikationsgeschichte. In: Senger, Rudi/ Siegert, Gabriele (Hg.): Kommunikationswelten. Wissenschaftliche Perspektiven zur Medien- und Informationsgesellschaft. Innsbruck, Wien, S. 19-44.

Schröder, Thomas (1995): Die ersten Zeitungen. Textgestaltung und Nachrichtenauswahl. Tübingen.

Stieler, Kaspar (1969 [1695]): Zeitungs Lust und Nutz. Vollständiger Nachdruck der Originalausgabe von 1695. Hrsg. von Gert Hagelweide. Bremen.

Stöber, Rudolf (2000): Deutsche Pressegeschichte: Einführung, Systematik, Glossar. Konstanz.

Stöber, Rudolf (2000): Martin Luthers „Passional Christi und Antichristi". Ein Plädoyer für die historisch-systematische Kommunikationswissenschaft. In: Publizistik 45, H. 1, S. 1-19.

Wilke, Jürgen (1984): Nachrichtenauswahl und Medienrealität in vier Jahrhunderten. Eine Modellstudie zur Verbindung von historischer und empirischer Publizistikwissenschaft. Berlin, New York.

Wilke, Jürgen (1989): Geschichte als Kommunikationsereignis. Der Beitrag der Massenkommunikation beim Zustandekommen historischer Ereignisse. In: Kaase, Max/Schulz, Winfried (Hg.): Massenkommunikation. Theorien, Methoden, Befunde. Opladen, S. 57-71.

Winkler, Karl Tilman (1993): Handwerk und Markt. Druckerhandwerk, Vertriebswesen und Tagesschrifttum in London 1695-1750. Stuttgart.

Wittmann, Reinhard (1999): Geschichte des deutschen Buchhandels. München.

* Basisliteratur

Gesellschafts- und Medientheorien

Patrick Donges/Werner A. Meier

1 Der Begriff der Theorie 71

2 Sozialwissenschaftliche Basistheorien in der Publizistikwissenschaft 75

2.1 Funktionalismus 75
2.2 Systemtheorie 77
2.3 Theorie des kommunikativen Handelns 81
2.4 Kritische Theorie 83
2.5 Politische Ökonomie 88
2.6 Cultural Studies 92

Literatur 97

1 Der Begriff der Theorie

Der Begriff der Theorie leitet sich aus dem griechischen „theoria" („anschauen", „betrachten", „Erkenntnis") ab. In einer allgemeinen Definition bezeichnet eine Theorie einen Zusammenhang wissenschaftlich begründeter Aussagen zur Erklärung bestimmter Tatsachen oder Erscheinungen und den ihnen zugrunde liegenden Gesetzmäßigkeiten.

Unterschiedliche Tiefen und Reichweiten von Theorien

Theorien können ganz unterschiedliche Tiefen und Reichweiten aufweisen. Je höher die Reichweite einer Theorie und ihre Komplexität, desto schwieriger lässt sie sich empirisch überprüfen.

1. Es kann sich auf der untersten Stufe um die Beobachtung empirischer Regelmäßigkeiten handeln, d.h. um die deskriptive Feststellung von Erscheinungen, ohne deren Zusammenhang erklären zu können.
2. Theorien, die nur zeitlich und räumlich begrenzte Aussagen zulassen, bezeichnet man als Ad-hoc-Theorien (z.B. Aussagen über die Fernsehnutzung in der Schweiz in den 1990er Jahren).
3. Auf der nächsten Stufe finden sich Theorien mittlerer Reichweite, die dann beispielsweise Aussagen über die Fernsehnutzung generell zulassen.
4. Die größte Reichweite erreichen die sog. Theorien hoher Komplexität, wie beispielsweise die Systemtheorie oder die Theorie des kommunikativen Handelns.
5. Als Metatheorien werden jene Standpunkte innerhalb der Sozialwissenschaften bezeichnet, die sich damit beschäftigen, was eine Theorie ist und welche Ziele mit der Theoriebildung verfolgt werden. Metatheorien sind unterschiedliche Antworten auf die Frage, wie Erkenntnis möglich ist und was das Ziel von Erkenntnis sein soll. Metatheorien enthalten somit Annahmen über das Menschenbild eines Wissenschaftlers, über das grundlegende Verständnis von Gesellschaft, die Rolle der Wissenschaft und die Erkennbarkeit der Welt.

Klassischerweise lassen sich drei Metatheorien unterscheiden, die man als normativ-ontologisch, empirisch-analytisch und kritisch-dialektisch bezeichnet. Dabei sind in Handbüchern auch andere Typologien und Systematiken zu finden. Die folgende orientiert sich an Alemann/Forndran 1990:

Normativ-ontologische Metatheorie

Die normativ-ontologische Metatheorie (Ontologie: Lehre vom Sein und dem Wesen des Seins) geht von der Vorstellung aus, dass es ein „Wesen des Seins" gibt, eine „gute Ordnung", die durch Betrachtung zugänglich ist. Ziel von Wissenschaft ist es demnach, das Wesen und den Sinn realer Phänomene zu erkennen, um dann Werturteile („gut", „schlecht") abgeben zu können.

Empirisch-analytische Metatheorie

Demgegenüber lehnt die empirisch-analytische Metatheorie jede Orientierung an normativen Erkenntnisabsichten ab. In ihrem Verständnis ist eine Theorie zunächst eine Hypothese, die mit Mitteln der empirischen Sozialforschung überprüft werden kann.

Abbildung 1 Idealtypische Trias von Metatheorien

	Normativ-ontologisch	Empirisch-analytisch	Kritisch-dialektisch
Erkenntnisziel	„Gute Ordnung"	Allgemein gültige Aussagen	Historische Gesetze, Gesellschaftskritik
Erkenntnis-interesse	Praktisch-philosophisch	Technisch, szientistisch	Emanzipatorisch
Gegenstand	Wesen und Sinn der Gesellschaft	Soziale Handlungen	Gesellschaftliche Totalität
Tätigkeit der Wissenschaft	Nachdenken, Vordenken	Beschreiben, erklären, Hypothesen prüfen	Kritisch konfrontieren und politisch wirken
Verfahrens-technik	Historisch-philosophische Argumentation	Regeln und Techniken empirischer Sozialforschung	Historisch-ökonomische und ideologiekritische Analyse

Quelle: nach Alemann/Forndran 1990: 58, gekürzt und überarbeitet

Kritisch-dialektische Metatheorie

Vertreter einer kritisch-dialektischen Metatheorie werfen der empirisch-analytischen Metatheorie vor, eine „Halbierung der Rationalität" vorzunehmen, da die empirisch-analytische Theorie keine Aussage zur Relevanz ihrer Aussagen und die gesellschaftlichen Grundlagen der Wissenschaft treffen könne. Die kritisch-dialektische Metatheorie versucht, die Gesellschaft als Ganzes zu ihrem Gegenstand zu machen. Dabei verfolgen Vertreter dieser Metatheorie auch den Anspruch, soziale Wirklichkeit zu verändern.

Konstruktivismus als Erkenntnistheorie

Eine vierte Metatheorie bildet der Konstruktivismus, der im Unterschied zu den drei vorher genannten aber nicht auf das Ziel und Interesse von Erkenntnis abhebt, sondern auf deren prinzipielle Möglichkeit. Der Konstruktivismus ist eine Erkenntnistheorie, die kein einheitliches Theoriegebäude darstellt, sondern einen Diskurs, an dem sich ganz unterschiedliche Wissenschaftsdisziplinen beteiligen. Seine Kernaussage besteht darin, dass das erkennende Subjekt, etwa ein Wissenschaftler, über keinen direkten Zugang zu der „objektiven Realität" verfügt. Realität werde vielmehr immer vom Betrachter konstruiert und liefere einen Anstoß für eigene, subjektive Konstruktionen. Die Wurzeln des Konstruktivismus liegen in der Neurobiologie. In den vergangenen Jahren hat die Theorie aber auch innerhalb der Sozialwissenschaften Verbreitung gefunden.

Induktives Vorgehen

Bei der Analyse der Beziehungen von Theorie und Gegenstand lassen sich zwei Vorgehensweisen differenzieren: induktive und deduktive Theoriebildung. Beim induktiven Vorgehen wird ohne Vorstellungen über theoretische Zusammenhänge „voraussetzungslos" mit dem Beobachten eines Gegenstandes begonnen. Die Beobachtungen werden systematisiert und in Hypothesen formuliert, bei deren Bestätigung dann Gesetze und Theorien gebildet werden können. Das wissenschaftstheoretische Problem besteht darin, dass wir nicht sicher sein können, ob wir von bestimmten Regelmäßigkeiten in einem bestimmten Kontext auf andere schließen können. Induktiv gewonnene Theorien können daher immer nur Postulate, nur theorie-entdeckend, aber nicht theorie-prüfend sein.

Deduktives Vorgehen

Beim deduktiven Vorgehen wird von einer bereits vorliegenden Theorie ausgegangen und versucht, diese empirisch zu überprüfen. Das deduktive Vorgehen bezweifelt die Möglichkeit, als reiner

Beobachter voraussetzungslos an die Wirklichkeit heranzutreten. Schon die Auswahlkriterien eines Wissenschaftlers, mit denen er sein Forschungsobjekt erfasst, basieren auf bestimmten Interessen und Perspektiven. Deduktives Vorgehen bedeutet deshalb von vornherein die Aufstellung allgemeiner, generalisierter Hypothesen, die dann in überprüfbare Bestandteile umgesetzt (operationalisiert) und an der Wirklichkeit getestet werden können.

Abbildung 2 Induktives und deduktives Vorgehen

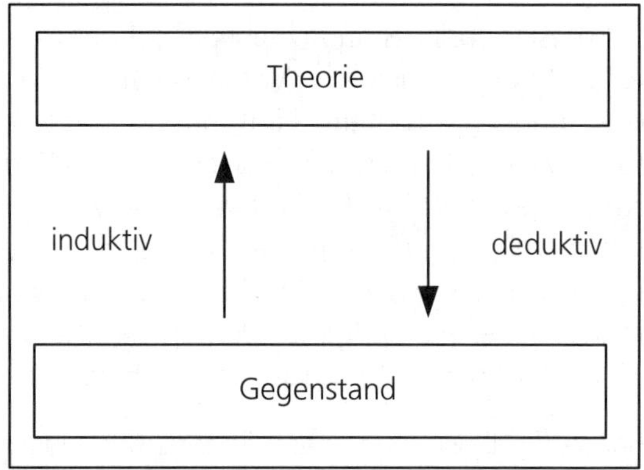

Bezugsebenen von Theorien

Ferner lassen sich Theorien danach differenzieren, ob sie eine Makro-, Meso- oder Mikroebene als Bezugsebene wählen.

- Die Makroebene bezeichnet die Bezugsebene Gesamtgesellschaft. Gegenstand von Theorien sind die Gesellschaft an sich und ihre unterschiedlichen Teilsysteme (Politik, Wirtschaft, Medien, Kultur etc.).
- Mit der Mesoebene ist die Bezugsebene der Institutionen und Organisationen angesprochen. Untersuchungsgegenstand sind hier Organisationen als Ergebnis sozialer Handlungen (kollektive oder korporative Akteure), also z.B. die Medienunternehmen oder das Bundesamt für Kommunikation (BAKOM) als schweizerische Regulierungsbehörde.

- Die Mikroebene schließlich bezeichnet die soziale Handlungsebene. Untersuchungsgegenstand sind Individuen und Gruppen bezüglich ihrer Einstellungen, Werthaltungen oder ihres sozialen Verhaltens (z.B. Mediennutzung). Vielfach wird in diesem Kontext von individuellen Akteuren gesprochen.

Unterschiedliche Ziele von Theorien

Theorien verfolgen unterschiedliche Ziele bezüglich des sozialen Gegenstandes, über den sie Aussagen treffen. Sie können deskriptive Aussagen darüber treffen, wie der Gegenstand beschaffen ist: Was ist? Sie können normative Aussagen über wünschenswerte Entwicklungen treffen: Was soll sein? Und sie können prognostische Aussagen darüber treffen, wie sich der Gegenstand weiter entwickeln wird: Was wird sein? Das Problem bei der Analyse von Theorien besteht darin, dass meist deskriptive und normative Aussagen nicht getrennt werden (können), die normativen Aussagen dabei jedoch nicht explizit ausgewiesen werden.

2 Sozialwissenschaftliche Basistheorien in der Publizistikwissenschaft

Dieser Beitrag konzentriert sich auf jene Theorien, auf deren Basis auf der Makroebene Aussagen über das Verhältnis von Medien und Gesellschaft gemacht werden können und Publizistik vorrangig als gesellschaftliches Phänomen wahrgenommen wird.

2.1 Funktionalismus

Funktion als Aufgabe oder Wirkung

Unter dem Begriff des „Funktionalismus" oder auch „Funktionen der Massenmedien" werden jene theoretischen Ansätze zusammengefasst, die den Medien bestimmte Leistungen für den Bestand der Gesellschaft und ihrer Teile attestieren oder dies als Aufgabe normativ von ihnen erwarten. Anders als in der funktional-strukturellen Systemtheorie (vgl. Abschnitt 2.2) wird der Begriff der Funktion dabei häufig in einem kausalen Verständnis als Wirkung einer bestimmten Ursache begriffen.

Die zahlreichen Ansätze, die Funktion der Massenmedien zu bestimmen, sind von Burkart (1998: 368-400) zusammengefasst worden. Er unterscheidet soziale, politische und ökonomische Funktionen der Massenmedien, die jeweils für das soziale, politische und ökonomische System einer Gesellschaft erbracht werden. Besonders hebt er dabei die Informationsfunktion hervor, die für alle gesellschaftlichen Teilsysteme erbracht wird.

Abbildung 3 Funktionen der Massenmedien

soziale	politische	ökonomische
	Informationsfunktion	
Sozialisationsfunktion	Herstellen von Öffentlichkeit	kapitalökonomische Funktion
soziale Orientierungsfunktion	Artikulationsfunktion	warenzirkulierende Funktion
Rekreationsfunktion (Unterhaltung, Eskapismus)	politische Sozialisations- bzw. Bildungsfunktion	regenerative Funktion
Integrationsfunktion	Kritik- und Kontrolle	herrschaftliche Funktion
soziales	politisches	ökonomisches
	gesellschaftliches System	

Quelle: nach Burkart 1998: 368 und eigenen Ergänzungen

An diesem Schema wird ersichtlich, dass sich Funktionszuweisungen an Massenmedien auf unterschiedlichen Ebenen bewegen: Neben einer allgemeinen Funktionszuweisung wie der Informationsfunktion, die die Massenmedien für alle sozialen Teilsysteme erbringen, finden sich auch stark normative Funktionszuweisungen, wie etwa die Kritik und Kontrolle. Eine solche Funktionszuweisung an die Massenmedien vermischt sich mit rechtlichen Zuweisungen, wenn etwa Aufgaben der Medien in Verfassungen, Mediengesetzen etc. festgeschrieben werden. Daher stammen viele Autoren, die sich mit der Funktion der Medien auseinander setzen, aus dem rechtswissenschaftlichen Bereich.

2.2 Systemtheorie

Hinter der Bezeichnung Systemtheorie steht eine Vielzahl unterschiedlicher theoretischer Ansätze, deren gemeinsames Ziel es ist, in theoretisch abstrakter Form integrierte und generalisierte Begriffe, Hypothesen und Annahmen zu entwickeln, die für alle gesellschaftlichen Teilsysteme – und damit für die Gesellschaft insgesamt – Gültigkeit haben. Systemtheorie ist eine Theorie hoher Komplexität, die den Anspruch hat, für alle sozialen Phänomene Erklärungen liefern zu können.

2.2.1 Darstellung der Theorie

Nach Luhmann, dem führenden Systemtheoretiker seit den 1970er Jahren im deutschsprachigen Raum, kann man von einem System sprechen, „wenn man Merkmale vor Augen hat, deren Entfallen den Charakter eines Gegenstandes als System infrage stellen würde" (Luhmann 1984: 15). Was man als System auffasst, hängt im Wesentlichen vom jeweiligen Erkenntniszweck ab (vgl. Saxer 1992: 91). Ob Journalismus, Publizistik oder die Massenmedien als System konzipiert werden (vgl. Abschnitt 2.2.2), ist aus Sicht der Systemtheorie keine Frage empirischer Evidenz, sondern interner Plausibilität.

Systeme bestehen aus Elementen, wobei diese je nach theoretischer Lesart aus Handlungen oder Kommunikation bestehen. Diese Elemente sind durch sog. Relationen miteinander verbunden. Alles, was nicht zum System gehört, wird als Umwelt des Systems bezeichnet.

Ausgangspunkt: Problem der Systemerhaltung

Ausgangspunkt des heute führenden funktional-strukturellen Ansatzes innerhalb der Systemtheorie ist die These, dass jedes System in einer Umwelt existiert, die komplexer ist als das System selbst und von der es sich unterscheiden muss (Problem der System-Umwelt-Differenz). Systeme konstituieren und erhalten sich durch Erzeugung und Erhaltung einer Differenz zur Umwelt (Grenzerhaltung = Systemerhaltung). Der zentrale Mechanismus dabei ist die Reduktion von Komplexität. Nur durch die Reduktion von Komplexität sind Systeme in der Lage, gegenüber ihrer komplexeren Umwelt zu bestehen.

Funktion als Problemlösung

Funktionen sind im funktional-strukturellen Ansatz definiert als denkbare Alternativen, die ein System zur Lösung von Problemen zur Verfügung hat. Das Kernproblem jedes Systems ist die Reduktion von Komplexität, Funktionen sind die möglichen Alternativen der Problemlösung und Strukturen die Art und Weise, wie das Problem der Reduktion von Komplexität gelöst wird. Strukturen lassen sich beschreiben als „generalisierte Verhaltenserwartungen" (Rühl 1969: 197). Dadurch, dass sie Verhaltenserwartungen selektionieren, tragen sie zur Reduktion gesellschaftlicher Komplexität bei. Funktionen erbringt ein Teilsystem immer für das ganze System, für andere Teilsysteme werden Leistungen erbracht. Diese Vorgehensweise, von der Funktion auf die Struktur zu schließen, gab diesem Ansatz seinen Namen.

Strukturen

Die funktional-strukturelle Systemtheorie begreift Gesellschaft als funktional differenziert. Systemdifferenzierung ist nichts weiter als die Wiederholung von Systembildung in Systemen, indem es innerhalb von Systemen zur Ausdifferenzierung weiterer System-Umwelt-Differenzen kommt. Das bedeutet: Die Gesellschaft gliedert sich in eine Vielzahl von Teilsystemen, in denen jeweils unterschiedliche gesellschaftliche Funktionen erfüllt werden.

Mit Luhmanns Paradigmenwechsel zur sog. Autopoiesis radikalisierte sich die funktional-strukturelle Systemtheorie. Zwei Theorieentscheidungen Luhmanns waren dafür verantwortlich: Zum einen definierte er nicht mehr Handlungen, sondern Kommunikation als Element sozialer Systeme. Die Konsequenz aus diesem Theorieentscheid ist, dass Kommunikation nicht direkt beobachtet wird, sondern nur über den Umweg von Handlungen erschlossen werden kann (vgl. Luhmann 1984: 226). Da nur Handlungen einer empirischen Analyse zugänglich sind, verschließt sich die autopoietische Systemtheorie damit weitgehend der empirischen Forschung.

Zum anderen bildet der zweite Theorieentscheid die Annahme, dass soziale Systeme selbstreferentiell geschlossen sind und sich selbst reproduzieren. Hierbei geht Luhmann wieder von der Problematik der System-Umwelt-Differenz aus: Um sich als System von seiner Umwelt abzugrenzen, muss ein System etwas „für sich selbst" sein (= Selbstreferenz), das unabhängig von Beobachtungen anderer ist (= Fremdreferenz). Ein System ist dann selbstreferentiell, wenn es die Elemente, aus denen es besteht, als Einheiten selbst konstituiert und in allen seinen Operationen Verweisungen auf diese Selbstkonstitution mitlaufen lässt (vgl. Luhmann 1984: 59). Selbstreferentielle Systeme sind nach Luhmann also geschlossen in dem Sinne, dass ihre Operationen immer auf das System selbst verweisen, zugleich sind sie offen in dem Sinne, dass sie Kommunikationen aus ihrer Umwelt aufnehmen und verarbeiten können. Der Begriff der Autopoiesis verweist somit darauf, dass Systeme sich selbst reproduzieren, indem sie die Elemente, aus denen sie bestehen, mit Hilfe der Elemente, aus denen sie bestehen, selbst herstellen.

Autopoiesis: Systeme reproduzieren sich selbst

Die Aufnahme von Informationen aus der Umwelt erfolgt auf der Basis des binären Codes der einzelnen Systeme. Der binäre Code fixiert, unter Ausschluss weiterer Möglichkeiten, einen positiven und einen negativen Wert. Der positive Wert bezeichnet die im System gegebene Anschlussfähigkeit, das, womit das System etwas anfangen kann. Der binäre Code dient daher – als eine Art Leitdifferenz – der Selbstbestimmung des Systems. Mit Hilfe des binären Codes und entsprechender Programme als Entscheidungsregeln bestimmt das System, welche Operationen zum System gehören und welche in der Umwelt des Systems stattfinden. Erst mit Hilfe dieser Unterscheidung kann das System sich überhaupt selbst beobachten, d.h. System und Umwelt selbstreferentiell unterscheiden.

Binäre Codes als Leitdifferenz von Systemen

2.2.2 Publizistikwissenschaftliche Anwendung der Systemtheorie

Bereits vor dem Paradigmenwechsel von der funktional-strukturellen hin zu einer autopoietischen Systemtheorie wurden systemtheoretische Ansätze auch in der Publizistikwissenschaft angewandt, so von Rühl (1969; 1992) und Saxer (1992). Ausgehend vom Paradigma selbstreferentieller Systeme wurde u.a. sowohl Publizistik (Marcinkowski 1993), Journalismus (Blöbaum 1994) als auch die Massenkommunikation (Luhmann 1996) als autopoietisches System vorgeschlagen (vgl. auch die Überblicksdarstellungen Gehrke/Hohlfeld 1995: 228-248; Görke/Kohring 1996; Görke/Kohring 1997).

Publizistik als System: Marcinkowski

Aus einem autopoietischen Ansatz heraus beschrieb Marcinkowski die Publizistik als autopoietisches System mit der Funktion, „Nicht-Öffentliches aus allen Arkan- und Privatbereichen der Gesellschaft in Öffentliches zu verwandeln" (Marcinkowski 1993: 147). Der Code der Publizistik ist hier öffentlich/nicht-öffentlich, ihre Leistung für andere Teilsysteme besteht darin, „Umwelt in abgrenzbare Sinnprovinzen zu zerlegen (sog. Themen), solche bereits verdichteten Sinnkomplexe in der Umwelt zu beobachten und für öffentliche Kommunikation bereitzustellen und Kommunikationsbeiträge zu solchen Komplexen zu liefern" (ebd.). Eine Besonderheit dieses Ansatzes liegt darin, dass Marcinkowski das aktuelle Publikum innerhalb des Systems der Publizistik verortet und von einem Leistungssystem des Journalismus abgrenzt. Bei der Frage, ob Publizistik ein selbstreferentielles System darstellt, geht Marcinkowski davon aus, dass sich Publikationsentscheidungen immer an Erwartungen des Publikums orientieren: „Publizistik ist selbstreferentiell, weil sich ihre Operationen und Prozesse auf sich selbst beziehen, also redaktionelle Entscheidungsprämissen des Journalismus auf Erwartungsstrukturen des Publikums und diese wiederum rekursiv auf erwartbare publizistische Outputs bezogen sind" (Marcinkowski 1993: 149).

Luhmann identifiziert ein autopoietisches System der Massenmedien. Der binäre Code ist für ihn die Unterscheidung von Information und Nichtinformation. Da Informationen sich nicht wiederholen lassen und nach ihrer Veröffentlichung zur Nichtinformation mutieren, erzeugen Massenmedien unmittelbar einen anschließenden Bedarf nach neuer Information. Die Funktion der Massenmedien besteht „im Dirigieren der Selbstbeobachtung des Gesellschaftssystems" (Luhmann 1996: 173), indem die Massenmedien „allen Funktionssystemen eine gesellschaftsweit akzeptierte, auch den Individuen bekannte Gegenwart [garantieren], von der sie ausgehen können" (ebd.: 176). Massenmedien dienen daher als Gedächtnis der Gesellschaft, die gesellschaftliche Kommunikation überhaupt erst ermöglichen.

Massenmedien als System: Luhmann

Mit systemtheoretischen Ansätzen steht ein Instrument zur Verfügung, das auf der Makroebene theoretische Aussagen über die Gesellschaft möglich macht. Kritisch lässt sich gegen die Anwendung der Theorie selbstreferentieller Systeme insgesamt einwenden, dass sie vorrangig auf der Ableitung von Begriffen basiert und nicht empirisch zugänglich ist. Gerade für die Massenmedien wäre es aber sicher sinnvoll, nicht von vornherein von einer Selbstreferentialität auszugehen, sondern dies zu einer empirischen Frage zu machen. Massenmedien sind nicht nur publizistische Güter, sondern auch ökonomische, und welche Systemzugehörigkeit bei ihnen stärkeres Gewicht findet, wäre dann empirisch zu prüfen.

Kritik der Systemtheorie

2.3 Theorie des kommunikativen Handelns

Die Theorie des kommunikativen Handelns (TkH) von Habermas ist eine Handlungstheorie, die versucht, Gesellschaft über ihr zentrales Verständigungsmittel zu beschreiben: die Sprache. Habermas' Grundthese lautet, dass Verständigung als Ziel der menschlichen Sprache innewohnt (vgl. Habermas 1988a: 387). Handlungen, die in sozialen Situationen auf Verständigung abzielen, nennt Haber-

Verständigung als Ziel von Sprache

mas kommunikativ: „Im kommunikativen Handeln sind die Beteiligten nicht primär am eigenen Erfolg orientiert; sie verfolgen ihre individuellen Ziele unter der Bedingung, dass sie ihre Handlungspläne auf der Grundlage einer gemeinsamen Situationsdefinition aufeinander abstimmen können" (ebd.: 385). Dies ist im Fall des kommunikativen Handelns jedoch nur dann möglich, wenn die einzelnen Beteiligten ihre Äußerungen auch begründen können. Diese Begründungen sind ggf. wiederum von anderen kritisierbar und müssen neu begründet werden, so dass im Prozess der Annäherung unterschiedlicher Standpunkte (sog. Diskurse) ein immer höheres Niveau an Rationalität erreicht wird.

Lebenswelt als Hintergrundwissen

Ein verständigungsorientiertes Handeln ist jedoch nur dann möglich, wenn die Kommunikationsteilnehmer über ein gemeinsames Hintergrundwissen und einen Grundbestand gemeinsam geteilter kultureller Normen und Werte verfügen. Dieses implizite, nicht zur Disposition stehende Wissen wird als Lebenswelt bezeichnet. Die Lebenswelt ist der Vorrat an Wissen, aus dem sich Kommunikationsteilnehmer mit Interpretationen versorgen (Kultur), die legitime Ordnung, über die die Kommunikationsteilnehmer ihre Zugehörigkeit zu sozialen Gruppen regeln und damit Solidarität sichern (Gesellschaft) sowie die Kompetenz, die ein Subjekt sprach- und handlungsfähig macht (Persönlichkeit) (vgl. Habermas 1988b: 209). Ohne eine gemeinsame Lebenswelt ist Verständigung nicht möglich.

Abgrenzung System und Lebenswelt

Habermas übernimmt aus der Systemtheorie den Begriff des Systems, grenzt ihn jedoch von der Lebenswelt ab. Seine These lautet, dass Systeme, wie Recht und Verwaltung, die Lebenswelt bedrohen. Steuerungsmedien, wie etwa Recht und Geld, ersetzen die kommunikative Verständigung über gemeinsame Ziele und zerstören somit soziale Integrationsmechanismen, ohne diese ersetzen zu können („Kolonialisierung der Lebenswelt"). Habermas fordert daher, dass an die Stelle des Rechts Verfahren der Konfliktregelung treten müssen, die den Strukturen verständigungsorientierten Handelns angemessen sind – diskursive Willensbildungsprozesse und konsensorientierte Verhandlungs- und Entscheidungsverfahren. Lebensbereiche, die funktional notwendig auf eine soziale Integration über Werte, Normen und Verständigungsprozesse angewiesen sind, müssen davor bewahrt werden, den Systemimperativen der eigendynamisch wachsenden Subsysteme Wirtschaft und Verwaltung zu verfallen und über das Recht auf ein Prinzip der Vergesellschaftung umgestellt zu werden, dass für sie dysfunktional ist.

Relevanz für Öffentlichkeit

Die Bedeutung der TkH für die Publizistikwissenschaft liegt v.a. darin, dass sie einen Zugang zum Phänomen der Öffentlichkeit liefert (vgl. Donges/Imhof i.d.B.). Mit Hilfe der TkH lassen sich normative Anforderungen an die Öffentlichkeit und die Medien formulieren.

2.4 Kritische Theorie

2.4.1 Die Frankfurter Schule

Unter der Bezeichnung Frankfurter Schule versteht man eine von Max Horkheimer und Theodor W. Adorno begründete, stark sozialphilosophisch, soziologisch und psychoanalytisch ausgerichtete Denkperspektive. Dieser Ansatz integriert die Elemente des Idealismus, des Marxismus und der Freud'schen Psychoanalyse und verdichtet diese zu einer kritischen Theorie kapitalistischer Gegenwartsgesellschaften. Sie hat die Aufgabe, die Reproduktionsbedingungen der herrschenden Gesellschaft rücksichtslos zu kritisieren. Der als Gesellschaftskritik verstandene Theoriezugang schöpft seine Kraft aus dem Widerspruch zwischen dem Oberflächlichen – der reinen Beobachtung – und dem Wesentlichen, das sich hinter der bloßen Beschreibung versteckt. Der Ansatz erfasst neben der Analyse der Entstehungs- und Funktionsbedingungen moderner Industriegesellschaften auch das Potential für gesellschaftliche Alternativen, für eine gesellschaftliche Umgestaltung mit Hilfe der Leitlinien Freiheit, Emanzipation, Humanität, Aufklärung und Gerechtigkeit. Neben der Dialektik zwischen Beschreibung und Wesen, zwischen Analyse und gesellschaftlicher Praxis, ergibt sich eine weitere dialektische Spannung zwischen dem Vergleich, was die Menschen in gemeinsamen Anstrengungen anstreben und dem, was tatsächlich daraus wird. Sind die gesellschaftlichen Verhältnisse so, wie sie sein sollten? Aus dem Spannungsfeld des Möglichen und des Wirklichen entwickelt sich Kritik als zentrales Element zur Analyse der Gesellschaft als Totalphänomen. Der Frankfurter Schule geht es demnach darum, nicht nur die Unstimmigkeiten oder sogar krassen Widersprüche zwischen Gesellschaftsentwurf und den herrschenden Gesellschaftsstrukturen aufzudecken, sondern auch die Kluft zwischen Sein, Sollen und Können zu schließen.

Kritik: Zentrales Element zur Gesellschaftsanalyse

Historisch gesehen reflektierte die Frankfurter Schule – in erster Linie Mitarbeiter am Institut für Sozialforschung an der Universität Frankfurt und später auch im Exil in Nordamerika – auf der Basis von gesellschaftlich erwünschten bzw. anerkannten, aber auch subjektiven ideellen Wertmaßstäben der 1930er und 1940er Jahre und prangerten folgende gesellschaftlichen Entwicklungen an:

- die neuen Formen der gesellschaftlichen Kontrolle durch den aufkommenden Totalitarismus (Faschismus und Stalinismus);
- den fortgeschrittenen Monopol- und Staatskapitalismus (Planwirtschaft, Monopolisierung der Branchen, Profitmaximierung der Unternehmen);
- die konformistischen und autoritaristischen Neigungen einer immer stärker bürokratisch verwalteten Gesellschaft;
- die Durchsetzung der technischen Rationalität, d.h. Natur- und Geisteswissenschaft fördern das Denken von Herrschaft über Menschen und Natur im Dienste der herrschenden Klasse;
- die zunehmende Verdinglichung der Kultur, die sich in der Dominanz des Tauschprinzips und des Warencharakters manifestiert;
- die Beherrschung und Marginalisierung des Individuums und die sich abzeichnende Ausbeutung und Verelendung der Arbeiterklasse;

- das grundsächlich destruktive Potential menschlicher Vernunft und menschlicher Aktivitäten.

Die Rückkehr der führenden Mitglieder der Frankfurter Schule nach Deutschland Ende des Zweiten Weltkrieges ermöglichte eine Popularisierung der kritischen Theorie, die von Leo Löwenthal, Erich Fromm und Herbert Marcuse übernommen wurden, deren Schriften die gesellschaftlichen Auseinandersetzungen im Rahmen der Studentenbewegungen Ende der 1960er Jahre maßgeblich beeinflussten.

2.4.2 Kritische Theorie und populäre Massenkultur

Kritische Medien-, Kommunikations- und Kulturwissenschaft

Die Bedeutung der Frankfurter Schule für die Publizistikwissenschaft liegt v.a. darin, dass sie im Rahmen einer gesellschaftskritischen Sozialtheorie Kommunikation, Medien und Kultur ins Zentrum rückte und damit die Basis für eine kritische Medien-, Kommunikations- und Kulturwissenschaft legte. Adorno und Horkheimer als die prominentesten Vertreter der kritischen Theorie verarbeiteten dabei nicht nur ihre konkreten historischen und gesellschaftlichen Erfahrungen, sondern sie wurden im amerikanischen Exil auch Zeitzeugen der sich rasch entwickelnden kommerziellen Radio- und Filmindustrie.

Kritik an Kulturindustrie: Massenhaftigkeit, Standardisierung, Trivialisierung und Konformismus

Im Rahmen ihres Buches „Dialektik der Aufklärung" (1969 [1947]) beschäftigten sich die beiden Autoren in einem längeren Abschnitt kritisch mit dem Phänomen der Kulturindustrie. Dabei interessierte sie nicht so sehr die wachsende Popularität von Radio und Kino an sich, sondern vielmehr deren partei- und gesellschaftspolitisches Potential. Sie versuchten daher, die politische Ökonomie der Massenmedien mit ihren populärkulturellen Inhalten sowie mit deren Auswirkungen durch die Rezeption der Publika zu verbinden. Die beiden Soziologen analysierten die populären Produkte der Massen- und Medienkultur im Kontext kapitalistisch-industrieller Produktionsweise und behaupteten, die kulturellen Artefakte seien auf Massenhaftigkeit, Standardisierung, Trivialisierung und Konformismus ausgerichtet und würden auf den Warencharakter und den Tauschwert reduziert. Auf der Grundlage einer fundamentalen Kultur- und Medienkritik entstand dabei eine Gesellschaftstheorie.

Horkheimer und Adorno beschäftigten sich mit diesen massenkulturellen Phänomenen, weil sie annahmen, dass die Kultur- und Medienindustrien für die Reproduktion der kapitalistischen Wirtschafts- und Gesellschaftssysteme von zentraler Bedeutung wären. Einerseits würde die Massenkultur der Legitimation der herrschenden Gesellschaft dienen, andererseits die nahtlose Integration der Individuen in die Gesellschaft ermöglichen.

Profitmaximierung und Rechtfertigung herrschender Verhältnisse

Welches ist das Ziel der Kulturindustrie? Bei der Kulturindustrie steht nicht die individuelle Opposition zu Politik und Wirtschaft, zur Industrie und Arbeit und zum Alltag, kurz: die Befreiung von gesellschaftlichen Zwängen im Vordergrund, sondern die Profitmaximierung und die ideologische Apologie, die Rechtfertigung der bestehenden Gesellschaftsverhältnisse. Kulturindustrie repräsentiert und steht für das Gegenteil von Aufklärung, Befreiung und Authentizität. In authentischen Kunstwerken spiegeln sich stets die Widersprüche und Probleme der herrschenden Gesellschaft. Echte Kunstwerke zeigen Originalität, Einzigartigkeit, Komplexität, Dissonanz und Negativität und stehen damit in einem spannungsgeladenen Verhältnis zur Gesellschaft bzw. zur dominanten Interpretation von Gesellschaft. Echte Kunst ist ein Instrument der Kritik und des Widerstandes. Echte Kunst entideologisiert und entmythologisiert, wirkt demnach aufklärerisch, humanisierend, kultivierend und emanzipatorisch.

In all den Sparten der Kulturindustrie (Sport, Medien und Freizeit) werden solche Produkte mehr oder minder planvoll hergestellt, die auf den Konsum durch Massen zugeschnitten sind und in weitem Maße diesen Konsum strukturieren. Durch die Mittel der Technik und der Wirtschaft erfolgt willentlich eine Integration ihrer Abnehmer von oben. Während die Kulturindustrie nach Horkheimer/Adorno dabei auf den Bewusstseins- und Unbewusstseinsstand der Millionen spekuliert, denen sie sich zuwendet, sind die Massen nicht das Primäre, sondern lediglich ein Anhängsel der Maschinerie. Es kommt zum Massenbetrug durch die hintergründige ideologische wie finanzielle Ausbeutung und die vordergründige Anpassung. „Was an der Kulturindustrie als Fortschritt auftritt, das unablässig Neue, das sie offeriert, bleibt die Umkleidung eines Immergleichen; überall verhüllt die Abwechslung ein Skelett, an dem so wenig sich änderte wie am Profitmotiv selber, seit es über Kultur die Vorherrschaft gewann" (Adorno 1999: 203). Der kategorische Imperativ hat nach Adorno mit der Freiheit nichts mehr gemein. „Er lautet: du sollst dich fügen, ohne Angabe worein; fügen in das, was ohnehin ist, und in das, was, als Reflex auf dessen Macht und Allgegenwart, alle ohnehin denken. Anpassung tritt kraft der Ideologie der Kulturindustrie anstelle von Bewusstsein" (ebd.: 207).

Ausbeutung und Anpassung

Horkheimer und Adorno kritisieren die Auswirkungen der Kulturindustrie als Anti-Aufklärung. Dabei wird die fortschreitende technische Naturbeherrschung zum Massenbetrug, zum Mittel der Fesselung des Bewusstseins: Die Kulturindustrie „verhindert die Bildung autonomer, selbständiger, bewusst urteilender und sich entscheidender Individuen. Die aber wären die Voraussetzung einer demokratischen Gesellschaft, die nur in Mündigen sich erhalten und entfalten kann" (ebd.: 208). Aus dieser Perspektive entpuppt sich die Vergnügungs- und Freizeitindustrie als aggressiv, monolithisch, totalitär und manipulativ. Die Folgen sind ebenso eindeutig: Die Massengesellschaft ist träge, passiv, apathisch, konformistisch, unkritisch, narkotisiert und demoralisiert. Mit dieser niederschmetternden Beurteilung beschränkt die Frankfurter Schule die subversive und emanzipatorische Wirkung auf Artefakte der Hochkultur und entlarvt die Populärkultur als umfassenden Betrug.

Populärkultur als umfassender Betrug

2.5 Politische Ökonomie

Aus einer kritischen, empirisch-sozialwissenschaftlichen Perspektive heraus, die sowohl die Makro- als auch die Meso- und Mikroperspektive ausreichend zu berücksichtigen hat, ergibt sich die Forderung nach einem kritisch-dialektischen, metatheoretischen und multiperspektivischen Ansatz. In Anlehnung an den amerikanischen Kommunikationswissenschaftler Kellner (1997) wird hier für die Verbindung von drei unterschiedlichen Zugängen der Kommunikations- und Medienkulturforschung plädiert. Der erste fokussiert die Produktionsbedingungen von Kommunikation, Medien und Kultur im Rahmen kapitalistischer, demokratischer Gesellschaften (politische Ökonomie). Der zweite und dritte beinhalten Textanalyse und Textkritik sowie die Analyse der Medienrezeption (Cultural Studies).

Gefahr des Reduktionismus

Auch wenn in den jeweiligen konkreten Projekten aus forschungsökonomischen Gründen nicht das ganze Spektrum von Metatheorien und Perspektiven zur Anwendung gelangen kann, so führt umgekehrt die exklusive Konzentration auf eine einzige Perspektive zu einem verhängnisvollen Reduktionismus; dies gilt nicht nur für die Publizistikwissenschaft als Disziplin, sondern auch für die kritische Theorie, die politische Ökonomie und die Cultural Studies als Denkansätze und Forschungsperspektiven.

Die politische Ökonomie als Denkansatz und Forschungsperspektive ist im Rahmen der traditionellen Publizistikwissenschaft wenig verankert. Dies hängt damit zusammen, dass viele Repräsentanten dieses Theorie-Ansatzes sich auf die Makro- und Mesoebene beschränken und gleichzeitig politische Alternativen zur herrschenden Gesellschafts- und Medienentwicklung formulieren (Schiller 1989; Smythe 1981; Golding und Murdock 1991, 1997; Mosco 1996; Garnham 1992; McChesney 2000; Schiller 2000 etc.). Auch in Deutschland entwickelte sich anfangs der 1970er Jahre eine ideologiekritische Medien-Kommunikationsforschung, die marxistisch geprägte polit-ökonomische Einsichten und Elemente der kritischen Gesellschaftstheorie der Frankfurter Schule verarbeitete

Ideologiekritische Medien-Kommunikationsforschung

(u.a. von Negt und Kluge 1972; Holzer 1994; Dröge 1972; Prokop 2000; Hund und Kirchhoff-Hund 1980). Sowohl im angloamerikanischen als auch im deutschsprachigen Wissenschaftsbetrieb konnte sich bis heute keine breite und nachhaltige universitäre Verankerung durchsetzen.

Politische Ökonomie, die Begriffe, Methoden und Instrumente v.a. aus der Soziologie, der Politikwissenschaft und der Ökonomie verwendet, hat in den letzten Jahren stark an Bedeutung zugenommen. Dies, weil viele Trends wie Globalisierung und Konvergenz in der immer stärker vernetzten Medienwirtschaft eine strukturelle und institutionelle Betrachtungsweise nötig machen. Politische Ökonomie verkörpert eine eher vielfältige Denk- und Forschungsperspektive, deren Erkenntnisziele und Methoden sich sowohl auf der Ebene des theoretischen Diskurses als auch im Forschungsalltag stark unterscheiden können (vgl. Mosco 1996).

Strukturelle und institutionelle Betrachtungsweise nötig

Marxistisch geprägte politische Ökonomie hat ihren Ursprung in der Kritik an der klassischen „bürgerlichen" Ökonomie. Dieser als „kritische politische Ökonomie" bezeichnete Denkansatz will die Mängel der traditionellen Wirtschaftswissenschaft (Modellplatonismus, Immunisierung der Theorie, Rechfertigungslehre für die Unfehlbarkeit des Marktes, Enthistorisierung der ökonomischen Theorie und der ökonomischen Gesetze, Verschleierung von Macht und Herrschaft etc.) überwinden und thematisiert in erster Linie die Bildung und Ausübung von (wirtschaftlicher) Macht in allen Erscheinungsformen. Darüber hinaus analysiert sie schwergewichtig das Verhältnis von Wirtschaft, Gesellschaft und Staat sowie das gegenseitige Interventionspotential. Gegenstand der politischen Ökonomie sind die historisch unterscheidbaren gesellschaftlichen Produktions-, Verteilungs- und Steuerungssysteme, die kritisch im Hinblick auf eine gestaltbare Zukunft analysiert werden. Mögliche gesellschaftliche Alternativen zu den herrschenden Strukturen und deren Überwindungsmöglichkeiten werden aufgezeigt. Politische Ökonomie beschränkt sich daher nicht nur auf die Analyse gesellschaftlicher Verhältnisse, auf deren Erhaltung und Rechtfertigung. Zusätzlich zur Analyse kommt die Kritik zur Anwendung, die die

Kritik der klassischen Ökonomie

Verhältnis von Wirtschaft, Gesellschaft und Staat

vorherrschende Struktur gemäß normativen Theorien und Maßstäben beurteilt. So werden schwergewichtig moralische, ethische und politische Problemstellungen, d.h. Fragen nach Eigentum, Vielfalt, Zugang, Teilnahme etc. berücksichtigt. Dies hat zur Folge, dass auch die politische Ökonomie – analog zur kritischen Theorie – vielen Erscheinungsformen kapitalistischer Medienproduktion kritisch-distanziert gegenübersteht.

Wenn angenommen wird, dass die kapitalistische Institutionalisierung bzw. die marktwirtschaftliche Logik zentral für die Art und Weise der Medienproduktion, -distribution und -konsumtion sind, so kommt der politischen Ökonomie der Medien die Aufgaben zu, Medienproduktion und Kommunikationsprozesse als spezifisch gesellschaftlich zu analysieren, d.h. herauszuarbeiten, auf welche Weise marktwirtschaftliche Produktionsverhältnisse die über Massenmedien vollzogene gesellschaftliche Kommunikation beeinflussen. So wird versucht, Beziehungen zwischen Eigentumsverhältnissen, Unternehmensstrukturen, Finanzkapital und Marktstrukturen herzustellen. Politische Ökonomie geht davon aus, dass in erster Linie die wirtschaftlichen Strukturen das Verhalten aller zentralen Akteure steuern, dass die Medienindustrie als Gesamtes und Medienunternehmen im Einzelnen ganz bestimmte Leistungen hervorbringen, die ganz bestimmte Folgen für die Gesamtgesellschaft hinterlassen (vgl. Meier/Trappel, Abschnitt 2 i.d.B.).

Wirtschaftsstrukturen steuern Akteursverhalten

Übereinstimmend wird festgestellt, dass wenige global und international agierende Medien-, Unterhaltungs- und Dienstleistungskonzerne aus Nordamerika und Europa die Qualität der Industrialisierung und Kommerzialisierung der Medienproduktion auf regionaler und nationaler Ebene maßgeblich strukturieren sowie gleichzeitig die Entstehung einer globalen kapitalistischen Netzwerkgesellschaft modellieren (vgl. Garnham 1990; Castells 1996). Besonders die Markt- und Machtkonzentration in der Medienindustrie, deren Abhängigkeit bezüglich Kapitalverwertung von anderen Schlüsselindustrien sowie das wachsende Profitstreben der Kapitaleigner durch Privatisierung werden als Ursache einer zunehmenden Entdemokratisierung der Gesellschaft betrachtet, die durch

Markt- und Machtkonzentration

politische Apathie, Eskapismus und postmoderner Beliebigkeit aufgefüllt werde. Die zunehmende Kommerzialisierung von Medienproduktion, Kultur und Politik und die stark unter ökonomischen Prämissen sich vollziehende Ordnungspolitik bis zur selbstinszenierten (Selbst-)Regulierung unter streng marktwirtschaftlichen Prämissen werden für die Leistungsdefizite verantwortlich gemacht. Die damit verbundene Medien- und Systemkritik kann zugespitzt folgende Elemente umfassen:

Gefährdung von Demokratie

- Kommerzielle Medien handeln in der Regel strukturkonservativ, d.h. kapital- und gesellschaftsverträglich, indem sie hohe unternehmerische Gewinne erzielen, ein allgemeines Konsumklima schaffen sowie permanent konkrete Kaufanreize für Konsumgüter und Dienstleistungen ermöglichen, die herrschenden gesellschaftlichen Institutionalisierungs- und Organisationsprinzipien legitimieren und gleichzeitig den regenerativen Bedürfnissen der Endverbraucher nachzukommen versuchen.
- Öffentliche Kommunikation, d.h. die publizistisch-politischen Interessen gesellschaftlicher Gruppen und aufklärerische Bedürfnisse der Bevölkerung, werden systematisch der Nachfrage der werbetreibenden Wirtschaft und den privaten Interessen der Kapitaleigner, untergeordnet.
- Bedingt durch Gewerbefreiheit, Marktwirtschaft und indirekter Finanzierung sind herrschende wirtschaftliche und politische Machtgruppen sowie die führenden Medienunternehmen in der Lage, ihre wirtschaftlichen und gesellschaftspolitischen Interessen fallweise auch publizistisch durchzusetzen – z.B. durch entsprechenden Konzern-, Marketing- und Gefälligkeitsjournalismus.
- Aus Gründen der Kapitalverwertung und der Rentabilität folgen ständig Konzentrationsprozesse, die den publizistischen Wettbewerb und die Medienvielfalt verringern und die Demokratie insgesamt gefährden.

2.6 Cultural Studies

Auch wenn die – sich als kritisch bezeichnenden – Ansätze durch die zunehmende Entpolitisierung der Sozialwissenschaft einen schweren Stand haben, können in vielen publizistikwissenschaftlichen Darstellungen Elemente der kritischen Medien- und Kommunikationstheorien, der politischen Ökonomie der Medien und Anleihen aus den Cultural Studies identifiziert werden. Auf dem Wege zu einer rekonstruierten kritischen Kultur- und Medientheorie scheint es deshalb folgerichtig, nicht nur eine empirisch ausgerichtete politische Ökonomie der Kommunikation zu forcieren, sondern auch die in England entstandenen Cultural Studies in die Analyse zu integrieren (vgl. Kramer 1997).

2.6.1 Cultural Studies als Kritik an der kritischen Theorie

Kontextualität

Der Doppelcharakter medialer Produktion als Kultur- und als Wirtschaftsgut sowie die Abwertung kultureller und politischer Manifestationen zugunsten wirtschaftlicher Zielsetzungen hat zu einer weiteren Ausdifferenzierung „kritischer" Theorien geführt. Die Vertreter der Cultural Studies (CS) gehen vom Primat der Kultur aus und betrachten die Kulturindustrie weit weniger totalitär und manipulativ als die Frankfurter Schule. Sie wollen bewusst die unterschiedlichen Lebensbedingungen und sozialen Erfahrungen der Rezipienten in die Analyse einbeziehen. Die CS stehen zwar ebenfalls mehrheitlich kritisch-distanziert der populären Unterhaltungsindustrie gegenüber, betrachten allerdings die Medienkonsumenten nicht nur als passive Opfer, sondern gleichsam als „Täter", die sich ihrer Klassenlage bewusst sind und fallweise Widerstand gegen einen dominanten, meist konservativen Herrschaftsanspruch leisten zu können. Mit anderen Worten: Die gesellschaftlich benachteiligten Arbeiter, Jugendlichen und Frauen würden die Medienbotschaften nicht nur im Sinne des „herrschenden Systems lesen und verstehen", sondern auch aufgrund individueller Interessen und spezifischer gesellschaftlicher Rollen und sozialen Kontexten.

2.6.2 Genese und Kern der Cultural Studies

Die CS entstanden nicht im Umfeld der Disziplin „Publizistik- und Kommunikationswissenschaft", sondern im Rahmen der englischen Literaturwissenschaft in den 1960er Jahren. Dabei waren die CS zu Beginn keine ausschließlich akademische Disziplin, sondern vielmehr ein politisches und pädagogisches Projekt, das von der Handlungsfähigkeit jeder Person ausging, auch und gerade wegen des Konsums von Populärkultur. Richard Hoggart, Raymond Williams und Edward P. Thompson, die Gründerväter der britischen CS, suchten einen konstruktiven Umgang mit alltäglicher Medien- und Freizeitkultur (vgl. Bromley u.a. 1999, Hörning/Winter 1999). Dazu hatten die CS, ähnlich wie die kritische Theorie und die politische Ökonomie, die disziplinären Grenzen zu überschreiten, indem sie Kulturanalyse, Kulturkritik, Politik und Sozialtheorie in einem transdisziplinären Projekt zusammenzubringen versuchten.

Überschreitung disziplinärer Grenzen als Programm

Das Zentrum der britischen CS befand sich lange Zeit im 1964 in Birmingham gegründeten Center for Contemporary Cultural Studies (CCCS). Hier wurde Stuart Hall, der dem CCCS von 1969 bis 1979 als Direktor vorstand, zur zentralen Figur in Großbritannien und seine Aufsätze „Cultural Studies. Zwei Paradigmen" (1999b) und „Kodieren/Dekodieren"(1999a) gehören zu den wichtigsten Grundlagentexten. Während im erstgenannten Text die Entwicklung der CS thematisiert wird, steht im letzgenannten das Kodier-Dekodier-Modell im Zentrum. Der aus Jamaika stammende Hall versucht, die gesellschaftliche Wirkung der Medien zu berücksichtigen und gleichzeitig die Eigenaktivität des Publikums einzubauen. Die Medien als Reproduktion gesellschaftlicher Herrschaftsverhältnisse definieren zwar Diskurse, Themen und Weltbilder, aber die Rezipienten wählen aus, gewichten und interpretieren auch nach ihren eigenen sozialkontextuellen Bedingungen. Hall (1999a) unterscheidet dabei drei idealtypische Konstellationen:

1. Die „dominant-hegemonic position" setzt sich dann durch, wenn Kodierung und Dekodierung der Texte vollständig

übereinstimmen. In diesem Fall gelingt es den Kommunikatoren, solche Codes zu verwenden, die so selbstverständlich geworden sind, dass sie nicht mehr als klassenspezifisch bzw. interessensspezifisch betrachtet werden.

2. Die „negotiated position" stellt sich als ausgehandelter Kompromiss dar, wo sowohl hegemonistische gesellschaftliche Interessen als auch kontextspezifische, individualistische Erfahrungen Platz finden. Die Dekodierung erfolgt in Form einer Mediation mit komplexen Annahme- und Rückweisungsprozessen.
3. Die „oppositional position" drückt sich dadurch aus, dass eine vollständige Uminterpretation der Ereignisse oder Aussagen durch die Rezipienten erfolgt.

Anpassung und Widerstand

Mit der Betonung der Unterschiede zwischen vorherrschenden, ausgehandelten und oppositionellen Lesarten von Texten geraten die determinierenden Kräfte gesellschaftlicher Strukturen in Form dominierender Medienkonzerne in den Hintergrund. Verstärkt betont wird nicht mehr die Abhängigkeit, sondern die Autonomie der Publika. Aufgrund der Polysemie, der Mehr- oder Vieldeutigkeit von Texten und der Vielfalt von Nutzungsmöglichkeiten, werden die Chancen von Widerstandsmöglichkeiten gegenüber ideologischer Vereinnahmung als intakt eingeschätzt.

Verbindung von Kultur und Politik

Der Kulturbegriff der CS ist grundsätzlich politisch dimensioniert. Das gilt sowohl für eher polit-ökonomisch ausgerichtete Analysen als auch für diejenigen Positionen, welche die Freiräume der Mediennutzung betonen und das Hauptaugenmerk auf die mikropolitischen Effekte medialer Kommunikation richten. Das Politische und Kulturelle durchdringen sich gegenseitig. Kultur wird nicht als freischwebende Sphäre genialer Intuition verstanden, sondern als Forum des Konflikts und als Terrain und Plattform des Kampfes.

Obwohl CS in einer Vielzahl von Disziplinen und in vielen Spielarten betrieben werden und offen bezüglich Gegenständen, Methoden und Theorien konzipiert sind, hat Grossberg (1999) den

Versuch unternommen, die für ihn zentralen Charakteristiken von CS zu erfassen: Demnach haben CS nur dann diesen Namen verdient, wenn rigorose Ausbildung betrieben, die intellektuelle Argumentation gefördert, die Analyse von empirischer Forschung nach bestimmten Regeln vollzogen, die Interdisziplinarität als kontradisziplinäre Logik vorangetrieben und die Selbstreflexivität als Form diskursiver Praxis gepflegt werden. Grossberg versteht CS als die Disziplin der radikalen Kontextualität, d.h. der Kontext ist alles und alles ist kontextuell. Dabei ist Artikulation die methodologische Form dieser radikal kontextuellen Theorie. Für Grossberg sind CS immer theoretisch und politisch, jedoch konsequent in einer kontextuellen Weise. Dabei ist Theorie auf zwei Arten kontextspezifisch. Zum ersten ist Theorie, bzw. eine theoretische Intervention immer eine intellektuelle Antwort auf spezifische Fragen und spezifische Kontexte. Zum zweiten werden CS niemals von einer Theorie dominiert, sondern dienen als Instrument zur politischen Intervention. CS können demnach als interventionistisch bezeichnet werden, weil sie versuchen, die besten verfügbaren intellektuellen Ressourcen zu verwenden, um zu einem besseren Verständnis der Machtbeziehungen zu gelangen. Damit werden die betroffenen Personen in die Lage versetzt, den konkreten Kontext und damit die Machtbeziehungen zu verändern. In diesem Sinne sind CS immer auch politisch und parteiisch, wobei die Politik kontextuell definiert und legitimiert wird. Für Grossberg müssen CS immer daran interessiert sein, nachzuspüren, wie Macht in das Potential der Menschen eindringt, wie sie dieses beschneidet und sich der Menschen bemächtigt. Dabei sollen nicht nur die Machtstrukturen erfasst, sondern auch die Möglichkeiten des Kampfes, des Widerstandes aufgezeigt werden.

Kontext ist alles und alles ist kontextuell

Für die CS ist Kultur die gesamte symbolische Welt, d.h. der Raum, in dem Menschen denken, nach Sinn und Bedeutung fragen, handeln und fühlen, in dem über Symbole wie Worte und Gesten und Bewegungen kommuniziert wird. Alle Symbole und die damit verbundenen Handlungspraktiken werden in den CS als Text bezeichnet. Zugespitzt heißt das, dass jede Form menschli-

Interpretation von Texten

chen Handelns, jedes erzeugte Artefakt einen Beitrag zur „Textproduktion" insgesamt leistet. Allerdings werden diese Texte erst relevant – und auch erst forschungsrelevant – wenn sie von den Betroffenen interpretiert werden. Die CS haben deshalb zu analysieren, unter welchen gesellschaftlichen Bedingungen Texte entstehen, wer sie produziert und mit Bedeutungen versieht (codiert) und wer sie unter welchen Bedingungen veröffentlicht. Und schließlich soll analysiert werden, wer diese Texte unter welchen Bedingungen empfängt, rezipiert, versteht (dekodiert) und was wer damit macht. Soll das Ziel der CS allerdings darin liegen, die Produktion von Texten, den Text und seine Interpretationskontexte und die damit verbundenen kulturellen bzw. gesellschaftspolitischen Aktivitäten als Einheit zu untersuchen, so sind neben Inhalts- und Diskursanalysen zusätzlich wirtschaftliche, soziologische und semiotischen Analysen notwendig.

2.6.3 Cultural Studies und Publizistikwissenschaft

Vertreter der CS betreiben Medienforschung mit hermeneutischen, semiotischen und ethnografischen Methoden. Bei den sozialwissenschaftlich ausgerichteten CS steht die ethnografische Analyse im Vordergrund. Die Forscher tauchen in die zu beobachtende Subkultur ein, um die spezifischen Handlungsweisen und Bedeutungszuweisungen kennen und verstehen zu lernen.

Resonanz, Kritik und Populismus

Die CS stoßen im deutschsprachigen Raum v.a. in der Medienwissenschaft auf Resonanz, während im Rahmen traditioneller Publizistik- und Kommunikationswissenschaft die Verankerung noch vergleichsweise gering ist. Betrachtet man die Zahl der Publikationen, die sich in jüngster Zeit mit CS beschäftigen, so kann allerdings ein Aufschwung beobachtet werden. Dies ist insofern verständlich, als die britischen CS sowohl eine Bereicherung als auch eine Herausforderung für die traditionell mikrotheoretisch orientierte Publizistikwissenschaft darstellen. Da die CS explizit als theoretisch wie methodisch offen konzipiert sind, wird die Anschlussfähigkeit an die Publizistikwissenschaft in der Regel mit der Preisgabe der Makro- und Mesoebene und mit dem Verlust der kritischen Distanz zur Kulturindustrie erkauft. Die CS laufen Gefahr, ihre kritische Perspektive zugunsten einer zwar populistischen, aber zugleich auch reaktionären Verklärung des Publikums aufzugeben. Die bewusste Ausblendung der gesellschaftlichen Zusammenhänge, der Rückzug auf Texte und Rezeptionsformen haben dazu geführt, dass die jeweiligen Publika zu alleinigen Produzenten von Bedeutung erkoren werden. Die Folgen sind offensichtlich: Einerseits wird der Fetischisierung des Widerstandspotentials durch Leser, Zuhörer und Zuseher massiv Vorschub geleistet und andererseits geraten auch alle manipulativen und reaktionären Leistungen massenmedialer Artefakte aus dem Blickfeld. Damit wird der Bogen zur klassischen Publikumsforschung geschlossen, die systematisch ignoriert, dass die Bildung von Publika ein Produkt gesellschaftlicher Interessengegensätze darstellt.

Literatur

Adorno, Theodor W. (1999): Résumé über Kulturindustrie. In: Engell, Lorenz u.a. (Hg.): Kursbuch Medienkultur: die maßgeblichen Theorien von Brecht bis Baudrillard. Stuttgart, S. 202-208.

Alemann, Ulrich von/Forndran, Erhard (1990): Methodik der Politikwissenschaft. Eine Einführung in Arbeitstechnik und Forschungspraxis. (4., überarb. und erw. Aufl.) Stuttgart, Berlin, Köln.

Blöbaum, Bernd (1994): Journalismus als soziales System. Geschichte, Ausdifferenzierung und Verselbständigung. Opladen.

Bromley, Roger/Göttlich, Udo/Winter, Carsten (Hg.) (1999): Cultural Studies. Grundlagentexte zur Einführung. Lüneburg.

Burkart, Roland (1998): Kommunikationswissenschaft. Grundlagen und Problemfelder. Umrisse einer interdisziplinären Sozialwissenschaft. (3., überarb. und akt. Aufl.) Wien, Köln, Weimar.

Castells, Manuel (1996): The Rise of the Network Society. Padstow, Cornwall.

Dröge, Franz W. (1972): Wissen ohne Bewusstsein. Frankfurt/M.

Garnham, Nicholas (1992): Capitalism and Communication. Global Culture and the Economics of Information. London.

Gehrke, Gernot/Hohlfeld, Ralf (1995): Wege zur Theorie des Rundfunkwandels. Fernsehorganisationen zwischen publizistischen Zielvorstellungen und systemischem Eigensinn. Opladen.

Golding, Peter/Murdock, Graham (1991): Culture, Communications and Political Economy. In: Curran, James/Gurevitch, Michael (Hg.): Mass Media and Society. London, S. 15-32.

Golding, Peter/Murdock, Graham (Hg.) (1997): The Political Economy of the Media, Bd. 1+2. Cheltenham.

*Görke, Alexander/Kohring, Matthias (1996): Unterschiede, die Unterschiede machen: Neuere Theorieentwürfe zu Publizistik, Massenmedien und Journalismus. In: Publizistik 41, H. 1, S. 15-31.

Görke, Alexander/Kohring, Matthias (1997): Worüber reden wir? Vom Nutzen systemtheoretischen Denkens für die Publizistikwissenschaft. In: Medien Journal, H. 1, S. 3-14.

Grossberg, Lawrence (1999): Was sind Cultural Studies? In: Hörning, Karl/ Winter, Rainer (Hg.): Widerspenstige Kulturen. Cultural Studies als Herausforderung. Frankfurt/M., S. 43-83.

Habermas, Jürgen (1988a): Theorie des kommunikativen Handelns. Bd. 1. Frankfurt/M.

Habermas, Jürgen (1988b): Theorie des kommunikativen Handelns. Bd. 2. Frankfurt/M.

Hall, Stuart (1999a): Kodieren/Dekodieren. In: Bromley, Roger/Göttlich, Udo/Winter, Carsten (Hg.): Cultural Studies. Grundlagentexte zur Einführung. Lüneburg, S. 92-112.

Hall, Stuart (1999b): Cultural Studies. Zwei Paradigmen. In: Bromley, Roger/Göttlich, Udo/Winter, Carsten (Hg.): Cultural Studies. Grundlagentexte zur Einführung. Lüneburg, S. 113-138.

Holzer, Horst (1994): Medienkommunikation. Einführung in handlungs- und gesellschaftstheoretische Konzeptionen. Opladen.

Horkheimer, Max/Adorno, Theodor W. (1969[1947]): Dialektik der Aufklärung. Frankfurt/M.

Hörning, Karl H./Winter, Rainer (Hg.) (1999): Widerspenstige Kulturen. Cultural Studies als Herausforderung. Frankfurt/M.

Hund, Wulf D./Kirchhoff-Hund, Bärbel (1980): Soziologie der Kommunikation. Hamburg.

Kellner, Douglas (1997): Overcoming the Divide: Cultural Studies and Political Economy. In: Ferguson, Majorie/Golding, Peter (Hg.): Cultural Studies in Question. London, S. 102-120.

Kramer, Jürgen (1997): Britisch Cultural Studies. München

Luhmann, Niklas (1984): Soziale Systeme. Grundriss einer allgemeinen Theorie. Frankfurt/M.

*Luhmann, Niklas (1996): Die Realität der Massenmedien. (2., erw. Aufl.) Opladen.

Marcinkowski, Frank (1993): Publizistik als autopoietisches System. Politik und Massenmedien. Eine systemtheoretische Analyse. Opladen.

McChesney, Robert W. (2000): The political economy of communication and the future of the field. In: Media, Culture & Society 22, H. 1, S. 109-116.

Mosco, Vincent (1996): The Political Economy of Communication. London.

*Müller-Doohm, Stefan (2000): Kritische Medientheorie – die Perspektive der Frankfurter Schule. In: Neumann-Braun, Klaus/Müller-Doohm, Stefan (Hg.): Medien- und Kommunikationssoziologie. Weinheim, München, S. 69-92.

Negt, Oskar/Kluge, Alexander (1972): Öffentlichkeit und Erfahrung: Zur Organisationsanalyse von bürgerlicher und proletarischer Öffentlichkeit. Frankfurt/M.

Prokop, Dieter (2000): Der Medienkapitalismus. Das Lexikon der neuen kritischen Medienforschung. Hamburg.

Rühl, Manfred (1969): Systemdenken und Kommunikationswissenschaft. In: Publizistik 14, H. 2, S. 185-206.

Rühl, Manfred (1992): Theorie des Journalismus. In: Burkart, Roland/ Hömberg, Walter (Hg.): Kommunikationstheorien. Ein Textbuch zur Einführung. Wien, S. 117-133.

Saxer, Ulrich (1992): Systemtheorie und Kommunikationswissenschaft. In: Burkart, Roland/Hömberg, Walter (Hg.): Kommunikationstheorien. Ein Textbuch zur Einführung. Wien, S. 91-110.

Schiller, Dan (2000): Digital Capitalism. Networking the Global Market System. Cambridge, Mass.

Schiller, Herbert (1989): Culture. New York.

Smythe, Dallas (1981): Dependency Road: Communications, Capitalism, Consciousness, and Canada. Norwood, New Jersey.

* Basisliteratur

Öffentlichkeit im Wandel

Patrick Donges/Kurt Imhof

1 Definition und Problemstellung 103

2 Differenzierungen der Öffentlichkeit 106

2.1 Ebenen von Öffentlichkeit 106

2.2 Akteure und Rollen in der Öffentlichkeit 108

3 Theorien von Öffentlichkeit 110

3.1 Funktionen von Öffentlichkeit 110

3.2 Systemtheoretische Spiegelmodelle 111

3.3 Diskursmodelle 112

3.4 Differenzierungstheoretischer Zugriff 114

4 Strukturwandel der Öffentlichkeit 118

4.1 Der Strukturwandel der Öffentlichkeit bei Jürgen Habermas 118

4.2 Mediensystem und Medialisierung 121

4.3 Wandel der öffentlichen Kommunikation 123

Literatur 129

1 Definition und Problemstellung

Öffentlichkeit als zentrale Kategorie zum Verständnis von Gesellschaft

Der Begriff der Öffentlichkeit ist eine der zentralsten Kategorien zum Verständnis von Gesellschaft. Häufig wird der Begriff synonym mit dem engeren Begriff der politischen Öffentlichkeit gebraucht, auch wenn man in einzelnen Teilbereichen der Gesellschaft auch andere Formen von Öffentlichkeit unterscheiden kann, z.B. eine Kunst-, Wissenschafts- oder auch eine Stadtteilöffentlichkeit. In der Literatur wird Öffentlichkeit häufig mit den Metaphern eines Forums oder Netzwerkes umschrieben:

Öffentlichkeit als Netzwerk

„Die Öffentlichkeit lässt sich am ehesten als ein Netzwerk für die Kommunikation von Inhalten und Stellungnahmen, also von Meinungen beschreiben; dabei werden die Kommunikationsflüsse so gefiltert und synthetisiert, dass sie sich zu themenspezifisch gebündelten öffentlichen Meinungen verdichten" (Habermas 1992: 436).

Öffentlichkeit als Forum

„(Politische) Öffentlichkeit besteht aus einer Vielzahl von Kommunikationsforen, deren Zugang prinzipiell offen und nicht an Mitgliedschaftsbedingungen gebunden ist und in denen sich individuelle und kollektive Akteure vor einem breiten Publikum zu politischen Themen äußern. Das Produkt der Kommunikationen in der Öffentlichkeit bezeichnet man als öffentliche Meinung, die man von den aggregierten Individualmeinungen der Bürger unterscheiden kann" (Gerhards 1998: 694).

Die Herausbildung und Geschichte demokratischer politischer Systeme ist durchzogen von Auseinandersetzungen um die Grenzziehung zwischen öffentlichen und privaten Handlungsbereichen: Was soll durch die Öffentlichkeit im Sinne einer politischen Gemeinschaft verbindlich geregelt und entschieden werden, was soll dem privaten Bereich an Handlungsfreiheit überlassen bleiben? Für demokratische Gesellschaften ist zudem konstitutiv, dass staatliche Institutionen der öffentlichen Kontrolle unterliegen müssen und politische Handlungen weitestgehend öffentlich erfolgen, also für alle Gesellschaftsmitglieder transparent und nachvollziehbar sein sollen. Die Legitimität demokratischer Herrschaft ist mit Anforderungen an Öffentlichkeit auf das Engste verknüpft.

Normative als auch empirisch-analytische Verwendung

In den Sozialwissenschaften wird der Begriff Öffentlichkeit sowohl normativ als auch empirisch-analytisch verwendet. Aber auch empirisch-analytische Verwendungszusammenhänge enthalten meist normative Elemente, denn normative Vorstellungen können vom Begriff der Öffentlichkeit nicht getrennt werden, sondern liegen ihm meist implizit auch in wissenschaftlichen Studien zugrunde. Außerdem sind die Grundlagen und der Wandel der normativen Gehalte des Öffentlichkeitsverständnisses selbst eine empirische Frage. Aus den daraus hervorgehenden Ansprüchen leiten sich die Forderungen an die Bedingungen und Formen öffentlicher Kommunikation ab und durch sie unterscheiden sich publizistische Produkte von anderen Waren und Dienstleistungen. Das erfordert eine Auseinandersetzung mit den normativen Prämissen des modernen Öffentlichkeitsverständnisses.

Ein normativer Zugriff auf den vielfältig konnotierten Begriff der Öffentlichkeit setzt an der politisch-normativen Bedeutung des Terminus an, d.h. setzt ihn in Beziehung zu den prinzipiell legitimationsbedürftigen politischen Institutionen der modernen demokratischen Gesellschaft. Eine solche Bezugnahme auf den normativen Gehalt des modernen Öffentlichkeitsverständnisses ist notwendig, weil der Begriff selbst unauflösbar mit politisch-rechtlichen, sozialintegrativen und deliberativen Ansprüchen in der Moderne verbunden ist. In politischer Hinsicht wird dadurch die Meinungs- und Redefreiheit zur Bedingung der Vernunft und diese wiederum adelt das Prinzip der Publizität. Öffentlichkeit wird so zur zentralen Forderung der Aufklärung gegenüber der Staatsgewalt der Anciennes Regimes und durch diesen normativen Gehalt wird Öffentlichkeit zum Schlüsselterminus der modernen Staats-, Staatsrechts- und Gesellschaftstheorie: Vernunft und Rationalität, Grundrechte und Gerechtigkeit, Souverän, Demokratie und auch Privatheit verweisen allesamt auf Öffentlichkeit.

Empirisch äußert sich die Wirkmächtigkeit dieses Verweisungszusammenhangs an der Kritik an seinen uneingelösten Potentialen, die die ganze Moderne kennzeichnet. Der kritische Gehalt des aufklärungsliberalen Öffentlichkeitsverständnisses äußert sich an den Legitimitätsanforderungen, denen staatliche Institutionen ausgesetzt sind (vgl. Habermas 1990 [1962], 1992; Kohler 1999). Traditionale Herrschaftsordnungen negieren das Prinzip Öffentlichkeit, indem sie die Legitimität von Machtpositionen und allgemeinverbindlichen Entscheidungen auf Herkunft und traditionales Recht abstützen; moderne totalitäre Herrschaftsordnungen setzen die Grundrechte politischer Partizipation außer Kraft und eliminieren das Öffentlichkeitsprinzip zum Zwecke der Informationssteuerung und der Organisation von Akklamation. Politische Herrschaft in modernen demokratischen Gesellschaften ist dagegen auf Grundrechte abgestützt, zustimmungsabhängig und begründungspflichtig.

Öffentliche Meinung unterschiedlich definiert

Wie für den Begriff der Öffentlichkeit gilt auch für ihr Ergebnis – die „öffentliche Meinung" – dass eine Vielzahl von Definitionen und Begriffsverwendungen nebeneinander existieren. Als öffentliche Meinung werden sowohl die durch Umfragen oder Wahlen gewonnene Summe von Einzelmeinungen (Aggregationsprinzip), die Meinung der Mehrheit (Majoritätsprinzip) oder das Ergebnis rationaler und kritischer Diskussionen in der Öffentlichkeit (Diskursprinzip) bezeichnet. Öffentliche Meinung wird auch als Fiktion verstanden, da sie erst durch den Versuch ihrer Messung hergestellt werde und eher ein rhetorisches Instrument politischer Akteure sei (Projektionsprinzip) (vgl. Herbst 1993: 439f.). Träger der öffentlichen Meinung können je nach Konzept die Medien, politische Eliten oder die mittels Demoskopie ermittelte Mehrzahl der Bürger sein.

Auf dieser Basis lassen sich nun die Ebenen von Öffentlichkeit, die wesentlichen Akteure und Rollen in der Öffentlichkeit differenzieren (vgl. Abschnitt 2). Darauf folgt die Skizzierung einiger zentraler Öffentlichkeitstheorien, die mit den zuvor erläuterten Differenzierungen von Öffentlichkeit arbeiten. Diese Öffentlichkeitstheorien münden in einen Ansatz, der die Öffentlichkeit in ihrer Gliederung in unterschiedliche Ebenen, als Produkt von Akteuren unterschiedlicher Teilsysteme und sozialer Bewegungen sowie mit Interesse für ihre normativen Ladungen und ihre historische Genese analysiert (vgl. Abschnitt 3). Dies mündet dann in eine Auseinandersetzung mit dem Strukturwandel der Öffentlichkeit, insbesondere des jüngsten Ausdifferenzierungsprozesses in Gestalt eines gegenüber dem politischen System zunehmend autonomen Mediensystems (vgl. Abschnitt 4).

2 Differenzierungen der Öffentlichkeit

2.1 Ebenen von Öffentlichkeit

In der Literatur werden häufig, wenn auch mit unterschiedlichen Bezeichnungen, drei Ebenen von Öffentlichkeit unterschieden:

1. Encounter-Ebene (oder auch „Kommunikation au trottoir")
Bei der Encounter-Ebene handelt es sich um die z.T. spontane öffentliche Kommunikation auf der Straße, am Arbeitsplatz oder im Wohnbereich. Auf dieser Ebene ist Öffentlichkeit ein einfaches Interaktionssystem ohne eine Differenzierung in Leistungs- oder Publikumsrolle, d.h. jeder Teilnehmer einer solchen Form von Öffentlichkeit kann zugleich als Sprecher oder als Publikum auftreten. Die Rolle des Vermittlers ist auf dieser Ebene nicht vorhanden. Die Encounter-Ebene ist meist räumlich, zeitlich und sozial beschränkt und gekennzeichnet durch fließende Übergänge zwischen privater Kommunikation mit wechselseitigen, hoch selektiven Publikumsbezügen und öffentlicher Kommunikation gegenüber einem prinzipiell unbegrenzten Publikum.

2. Themen- oder Versammlungsöffentlichkeit
Die zweite Ebene stellen Themen- oder Versammlungsöffentlichkeiten dar. Darunter sind thematisch zentrierte Interaktions- oder

Handlungssysteme zu verstehen, beispielsweise in Form von Veranstaltungen oder Demonstrationen. Diese können sowohl spontan entstehen (etwa in Form spontaner, nicht organisierter Demonstrationen) oder einen hohen Organisationsgrad aufweisen. Die Differenzierungen von Leistungs- und Publikumsrollen ist in der Themen- oder Versammlungsöffentlichkeit ausgeprägter als auf der Encounter-Ebene, d.h. Sprecher, Vermittler und Publikum wechseln seltener die Rollen. Themenöffentlichkeiten weisen ferner gegenüber der Encounter-Ebene eine größere innere Stabilität auf und erlangen eher allgemeine Aufmerksamkeit.

3. Medienöffentlichkeit

Am folgenreichsten vollzieht sich öffentliche Kommunikation auf der dritten Ebene, der Medienöffentlichkeit. Die Medien sind als Organisationen auf Dauer existent, die Differenzierung von Leistungs- und Publikumsrollen ist hier am ausgeprägtesten. Die Bereitstellung und Herstellung von Themen erfolgt von spezialisierten Personen (z.B. Journalisten), die dauerhaft und auf Basis spezifischer Berufsregeln arbeiten. Im Unterschied zu den anderen Formen der Öffentlichkeit verfügt die Medienöffentlichkeit über ein mehr oder minder dauerhaft vorhandenes Publikum, da Medien potentiell alle Mitglieder der Gesellschaft erreichen. Innerhalb der Medienöffentlichkeit lassen sich die sog. Leitmedien differenzieren, die in einzelnen Arenen der Öffentlichkeit eine führende Stellung einnehmen und Anschlusskommunikation ermöglichen. Welche Medien als Leitmedien fungieren, ist dabei von der jeweiligen Arena abhängig. Während in einigen Arenen überregionale Qualitätszeitungen, wie z.B. die Neue Zürcher Zeitung, als Leitmedium fungieren, können es in anderen Arenen z.B. auch Boulevardblätter sein. Folgemedien orientieren sich dann an der Berichterstattung der Leitmedien.

Selektionsstufen zwischen Ebenen

Zwischen den einzelnen Ebenen der Öffentlichkeit finden sich Selektionsstufen: Von der Vielzahl der Themen, die auf der Encounter-Ebene verhandelt werden, gelangt nur ein Bruchteil auf die Ebene der Themen- oder Versammlungsöffentlichkeit und ein noch geringerer Teil hiervon auf die Ebene der Medienöffentlichkeit. In der Publizistik- und Kommunikationswissenschaft sind auch die Interaktionsbeziehungen zwischen diesen Stufen von Interesse und damit die Bedingungen von Anschlusskommunikation in beiden Richtungen über die Selektionsstufen hinweg.

Abbildung 1 Ebenen der Öffentlichkeit

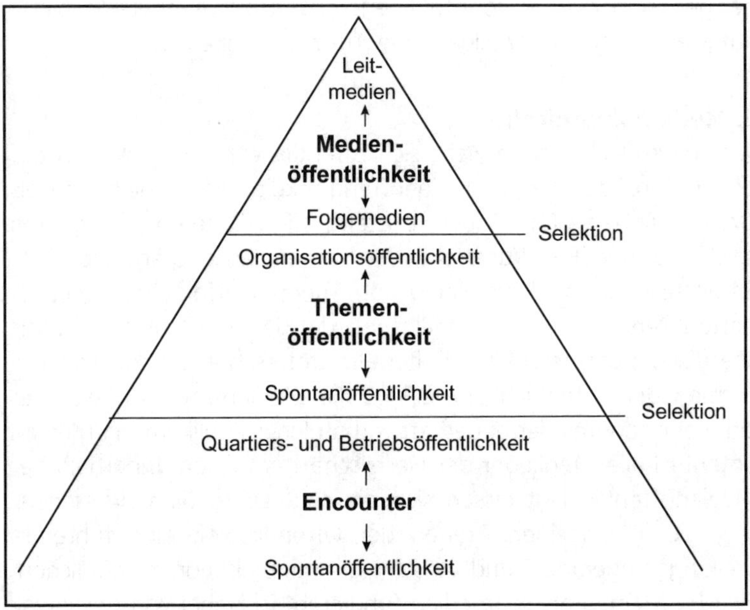

Leitmedien
↑
Medienöffentlichkeit
↓
Folgemedien

Selektion

Organisationsöffentlichkeit
↑
Themenöffentlichkeit
↓
Spontanöffentlichkeit

Selektion

Quartiers- und Betriebsöffentlichkeit
↑
Encounter
↓
Spontanöffentlichkeit

Quelle: nach Donges/Jarren 1998 (überarbeitet)

2.2 Akteure und Rollen in der Öffentlichkeit

Unterscheidung Akteure und Rollen

Öffentlichkeit als ein im Prinzip allen gleichermaßen zugängliches Kommunikationsforum kann nach verschiedenen Akteursgruppen und Rolleninhabern differenziert werden: Sprecher, Vermittler und das Publikum. Die Unterscheidung von Akteuren und Rollen ist deshalb wichtig, da nur Akteure ihre Rollen wechseln können, das

Publikum hingegen nicht. Akteure in der Öffentlichkeit können – zumindest teilweise und phasenweise – zugleich in Rollen als Sprecher auftreten, sie können als Mitglieder des Publikums zu den Zuhörern zählen und sie können sich als Vermittler zwischen Sprechern und Publikum betätigen. Das Publikum hingegen bleibt immer Publikum, da es als Kollektiv nicht strategisch handlungsfähig ist. Öffentlichkeit erweist sich dann als ein sozialer Raum, in dem sich Akteure in spezifischen Rollen bewegen können.

Sprecher

Sprecher sind Angehörige kollektiver oder korporativer Akteure, die sich in der Öffentlichkeit zu bestimmten Themen zu Wort melden. Dabei können Sprecher unterschiedliche Rollen wahrnehmen (vgl. Neidhardt 1994: 14). Sie können in der Öffentlichkeit auftreten als

1. Repräsentanten, indem sie sich als Vertreter gesellschaftlicher Gruppierungen und Organisationen äußern.
2. Advokaten, die ohne politische Vertretungsmacht im Namen von Gruppierungen auftreten und deren Interessen vertreten.
3. Experten mit wissenschaftlich-technischen Sonderkompetenzen.
4. Intellektuelle, die sozialmoralische Sinnfragen aufnehmen.
5. Kommentatoren. Als solche bezeichnet Neidhardt Journalisten, die sich zu öffentlichen Angelegenheiten nicht nur berichtend, sondern auch mit eigenen Meinungen zu Wort melden.

Vermittler

Als Vermittler oder „Kommunikateure" werden v.a. die Journalisten bezeichnet. Auch sie sind zunächst einmal Personen, aber sie wirken in ihrer überwiegenden Mehrzahl innerhalb von Organisationen. Sie arbeiten in Redaktionen und sind für Medienunternehmen auf Basis eines redaktionellen und publizistischen Programms tätig. Aufgrund dieser „Programmorientierung" beobachten sie die soziale Entwicklung auf allen Öffentlichkeitsebenen, wenden sich an Sprecher, greifen Themen auf und kommentieren diese. Kontinuierlich und entsprechend ihrer jeweiligen Umsetzung eines redaktionellen und publizistischen Programms verfolgen sie systematisch gesellschaftliche Bereiche.

Publikum

Das Publikum ist Adressat der Äußerungen von Sprechern und Vermittlern, die Aufmerksamkeit erhalten wollen und letztlich die Zustimmung des Publikums bei der politischen Kommunikation der Bürger zu einer Maßnahme oder für eine getroffene Entscheidung erzielen müssen. Erst durch die Anwesenheit eines Publikums wird Öffentlichkeit konstituiert. Die Präsenz des Publikums und seine Zusammensetzung schwankt in Abhängigkeit von Themen, Meinungen, Sprechern und Medien, die in der Öffentlichkeit verhandelt werden. Allgemeine Merkmale des Publikums sind jedoch, dass sich das Publikum vorwiegend aus Laien zusammensetzt, und zwar um so mehr, je größer das Publikum ist, dass es sozial heterogen ist und einen schwachen Organisationsgrad aufweist. Da das Publikum nicht organisiert ist, kann es auch nicht als Akteur handeln: es kann weder Ziele formulieren, noch diese strategisch verfolgen. Die Sprecher stehen damit vor dem Problem, sich der Laienorientierung des Publikums anpassen zu müssen, wobei sie im Einzelfall gar nicht wissen, wer ihr Publikum ist.

3 Theorien von Öffentlichkeit

3.1 Funktionen von Öffentlichkeit

Drei mögliche Funktionsbestimmungen

Theorien von Öffentlichkeit unterscheiden sich in ihren normativen Ansprüchen an deren Funktionen. Neidhardt (1994) hat auf drei mögliche Funktionsbestimmungen von Öffentlichkeit hingewiesen: Er definiert Öffentlichkeit als ein Kommunikationssystem, „in dem Themen und Meinungen (A) gesammelt (Input), (B) verarbeitet (Throughput) und (C) weitergegeben (Output) werden" (Neidhardt 1994: 8f.). Für diese drei Prozesselemente lassen sich nach Neidhardt unterschiedliche normative Ansprüche formulieren:

1. Transparenzfunktion
„Öffentlichkeit soll offen sein für alle gesellschaftlichen Gruppen sowie für alle Themen und Meinungen von kollektiver Bedeutung."

2. Validierungsfunktion
„Öffentlichkeitsakteure sollen mit den Themen und Meinungen anderer diskursiv umgehen und ihre eigenen Themen und Meinungen unter dem Druck der Argumente anderer gegebenenfalls revidieren."

3. Orientierungsfunktion
„Öffentliche Kommunikation, die von den Öffentlichkeitsakteuren diskursiv betrieben wird, erzeugt 'öffentliche Meinungen', die das Publikum als überzeugend wahrnehmen und akzeptieren kann."

Die folgenden Modelle von Öffentlichkeit – das systemtheoretische Spiegelmodell und das Diskursmodell – unterscheiden sich darin, welche der normativen Ansprüche innerhalb der drei Prozesselemente sie übernehmen.

3.2 Systemtheoretische Spiegelmodelle

Normativ „anspruchslos" sind sog. Spiegelmodelle von Öffentlichkeit, wie sie in systemtheoretischen Ansätzen herausgearbeitet wurden. Öffentlichkeit ermöglicht demnach die Selbstbeobachtung und die Herstellung einer Selbstbeschreibung von Gesellschaft mittels Veröffentlichung von Themen (vgl. Marcinkowski 1993: 118; Gerhards 1994: 87). Wie durch einen Spiegel sieht ein Beobachter der Öffentlichkeit nicht nur, wie er selbst in der öffentlichen Meinung abgebildet wird, sondern er „sieht auch die Konkurrenten, die quertreibenden Bestrebungen, die Möglichkeiten, die nicht für ihn, aber für andere attraktiv sein könnten" (Luhmann 1990: 181). Dies ist v.a. für jene Akteure relevant, die auf ein breites Publikum angewiesen sind, beispielsweise weil sie durch Wahlen Legitimation erhalten müssen. Insbesondere politische Akteure nutzen die Medien. Einerseits um zu erfahren, welche Themen in der Gesellschaft relevant und wichtig sind. Zudem erfahren sie über die Medien, was andere Akteure für Positionen vertreten. Sie benötigen diese Informationen, um politisch selbst handeln zu können. Zum anderen benutzen politische Akteure die Medien, um beabsichtigte Entscheidungen vorzubereiten, die Bürger quasi einzustimmen, oder um getroffene Entscheidungen so zu begründen, dass sie eine allgemeine Zustimmung erhalten. Politische Akteure lösen in gewisser Weise die mit jedem sozialen Handeln, und natürlich auch mit dem politischen Handeln, verbundenen Ungewissheitsprobleme ein Stück weit durch die „Nutzung" und „Beobachtung" der Öffentlichkeit. Daher wird politische Öffentlichkeitsarbeit für Akteure des politischen Systems immer wichtiger (vgl. Donges/ Jarren i.d.B.).

Normativ betrachtet lässt sich in diesem Modell nur die Forderung nach Offenheit auf der Input-Seite ableiten (Transparenzfunktion), während über die diskursive Validierung und Orientierung durch überzeugende Argumente keine Aussagen gemacht werden. Entscheidend ist aus systemtheoretischer Sicht nur, dass in dem „Spiegel Öffentlichkeit" alle Akteure und Meinungen abgebildet werden, und nicht durch Ausschluss einzelner Gruppen oder Meinungen die Selbstbeobachtung beeinträchtigt wird.

3.3 Diskursmodelle

Normativ anspruchsvoller sind Diskursmodelle öffentlicher Meinungsbildung, wie sie v.a. von Habermas (1988, 1990) entwickelt wurden. Habermas betont die Relevanz aller drei normativen Funktionen von Öffentlichkeit. Zur Transparenzfunktion schreibt er: „Die bürgerliche Öffentlichkeit steht und fällt mit dem Prinzip des allgemeinen Zugangs. Eine Öffentlichkeit, von der angebbare Gruppen eo ipso ausgeschlossen wären, ist nicht etwa nur unvollständig, sie ist vielmehr gar keine Öffentlichkeit" (Habermas 1990: 156). Für Habermas gehört daher die Möglichkeit, als Bürger am öffentlichen Diskurs teilzunehmen (Mitgliedschaftsrechte), zu den Grundrechten von Individuen. Dazu zählen für ihn auch materielle Lebensbedingungen, die die chancengleiche Wahrnehmung der Mitgliedschaftsrechte gewährleisten.

Die Validierungsfunktion ist nach Habermas dann erfüllt, wenn die Akteure in der Öffentlichkeit kommunikativ handeln (vgl. Donges/Meier, Abschnitt 2.3 i.d.B.). Handlungen sind dann kommunikativ, „wenn die Handlungspläne der beteiligten Aktoren nicht über egozentrische Erfolgskalküle, sondern über Akte der Verständigung koordiniert werden. Im kommunikativen Handeln sind die Beteiligten nicht primär am eigenen Erfolg orientiert; sie verfolgen ihre individuellen Ziele unter der Bedingung, dass sie ihre Handlungspläne auf der Grundlage gemeinsamer Situationsdefinitionen aufeinander abstimmen können" (Habermas 1988: 385). Kommunikatives Handeln setzt also auf Verständigung und Einverständnis. An den Akt der Verständigung knüpft Habermas hohe Erwartungen: Der Äußerung eines Sprechers liegen im kommunikativen Handeln immer auch Begründungen zugrunde. Zum Einverständnis eines Hörers kommt es erst dann, wenn dieser nicht nur der Äußerung des Sprechers zustimmen kann, sondern auch den Gründen.

Auf der Output-Seite geht es nach diskurstheoretischen Vorstellungen darum, das politische System und seine Entscheidungsträger möglichst eng an die öffentliche Meinung zu binden, wobei öffentliche Meinung hier verstanden wird als das Ergebnis freier, kommunikativer Beratungen, zu denen alle Staatsbürger Zugang haben. Habermas bezeichnet dies als „Prinzip der Volkssouveränität, wonach alle Staatsgewalt vom Volke ausgeht, [... und] sich das subjektive Recht und die chancengleiche Teilnahme an der demokratischen Willensbildung mit der objektiv-rechtlichen Ermöglichung einer institutionalisierten Praxis staatsbürgerlicher Selbstbestimmung" trifft (Habermas 1992: 209).

Gerhards (1997) hat in einer empirischen Auseinandersetzung mit Habermas' Ansatz die diskursive Öffentlichkeit einem eher systemtheoretischen Modell gegenübergestellt und verdeutlicht damit die unterschiedlichen normativen Erwartungen beider Sichtweisen innerhalb der Prozesselemente von Öffentlichkeit:

Abbildung 2 Idealtypische Gegenüberstellung des Spiegelmodells und des diskursiven Modells von Öffentlichkeit

	Spiegelmodell	Diskursives Modell
I. Input Akteure	Kollektive Akteure	Individuelle Akteure oder bürgernahe kollektive Akteure der Zivilgesellschaft
Akteursrepräsentanz	Zugangschancen für alle Akteure/ Abbildung der Akteurspräferenzen der Bürger	Dominanz der Akteure der Zivilgesellschaft
II. Kommunikation in der Öffentlichkeit	Alle Kommunikationen und Handlungen sind zugelassen bei gleichzeitigem Respekt vor Akteuren mit anderen Meinungen	Kommunikation mit Bezug auf die anderen Akteure Kommunikation mit Begründungen Kommunikation auf einem hohen Rationalitätsniveau
III. Resultate	Öffentliche Meinung als kommunizierte Mehrheitsmeinung bestimmt durch die Aggregation der Individualkommunikationen Ausklammerung nicht-konsensfähiger Fragen aus der Kommunikation	Konsens oder argumentativ gestützte Mehrheitsmeinung Legitimität der Entscheidung Gemeinschaftsbildung durch Diskurs

Gerhards verwendet für das systemtheoretische Modell den Begriff der „liberalen Öffentlichkeit", der hier aufgrund unterschiedlicher historischer Verwendungen des Begriffs „liberal" als nicht zweckmäßig erachtet wird/P.D., K.I.

Quelle: nach Gerhards 1997: 12

3.4 Differenzierungstheoretischer Zugriff

Öffentlichkeit als Aggregatsprodukt

Vor dem Hintergrund der erläuterten normativen Konnotationen des modernen Öffentlichkeitsverständnisses sowie der Ebenen und Theorien von Öffentlichkeit lässt sich Öffentlichkeit in ihrer Gliederung in unterschiedliche Ebenen und als Produkt von Akteuren unterschiedlicher Teilsysteme sowie nicht-etablierter, „zivilgesellschaftlicher" Akteure als zentrales Element moderner Gesellschaften beschreiben. Um Öffentlichkeit als Aggregatsprodukt zunächst von Aufklärungssozietäten, später von Akteuren wichtiger Teilsysteme sowie nicht-etablierter Akteure moderner Gesellschaften sozialwissenschaftlich analysieren zu können, ist ein differenzierungstheoretischer Zugriff notwendig, der auch erlauben muss, die Bedingungen, Formen und Inhalte der Aufmerksamkeitsgenerierung in der öffentlichen Kommunikation in ihrem sozialen Wandel zu erfassen.

Auf der Basis der normativen Gehalte, die dem Öffentlichkeitsbegriff eingeschrieben sind, wird klar, dass Öffentlichkeit weder im Hinblick auf ihre politisch-rechtlichen (Transparenzfunktion) und sozialintegrativen (Orientierungsfunktion) noch auf ihre deliberativen Bedeutungsfelder (Validierungsfunktion) in den Medien aufgeht (vgl. Kohler 1999). Es ist deshalb zweckmäßig, einen diesen Bedeutungsfeldern gegenüber offenen Öffentlichkeitsbegriff zu verwenden, in dem Öffentlichkeit als gegliedertes Netzwerk von Kommunikationen beschrieben wird (vgl. Habermas 1992: 435f.). Dieses Netzwerk von Kommunikationen ist vertikal und funktional differenziert. In der vertikalen Dimension gilt es, neben den verschiedenen Kommunikationsebenen (vgl. Abschnitt 2.1) auch unterschiedliche Definitionsmacht und Partizipationschancen zu berücksichtigen. Empirisch ist dies in einer Forschungsperspektive von Interesse, die nach den Formen und Bedingungen fragt, unter denen nicht-etablierte Akteure auf Kosten etablierter Akteure v.a. in der Medienöffentlichkeit Resonanz erzielen.

Differenzierungstheoretische Beschreibung

Insbesondere im Hinblick auf medienvermittelte Kommunikation ist auch eine Perspektive notwendig, die die funktionale Differenzierung moderner Gesellschaften im Blick hat. An der medienvermittelten Kommunikation partizipieren funktional differenzierte Akteure in ihren Leistungsrollen gegenüber verschiedenen Publikumsrollen. In dieser differenzierungstheoretischen Beschreibung ist die Öffentlichkeit das Produkt eines Ausdifferenzierungsprozesses, der mit der Moderne beginnt (vgl. Habermas 1990 [1962]; Imhof 1996b; Gerhards 1994; Neidhardt 1994). In ihrer „Urform" nimmt die Öffentlichkeit zunächst die Gestalt der Versammlung an, während den Periodika der Aufklärungssozietäten die Aufgabe zufällt, diese Versammlungsöffentlichkeiten zu integrieren. Neben der Neubegründung der Legitimationsgrundlagen der politischen Institutionen unter dem Druck neuer politischer Akteure – insbesondere dem Aufklärungsliberalismus – und der Entstehung neuer, nun politischer Medien, ist für die Öffentlichkeit auch die Ausdifferenzierung einer freien Marktwirtschaft konstitutiv. Mit der Entkoppelung der Ökonomie von der Politik an der Schwelle zur Moderne ist auch die Bedingung für die spätere Ausdifferenzierung des Mediensystems vom politischen System gegeben. Damit etablieren sich neben politischen Organisationen auch kommerziell orientierte Unternehmen und die Medien, die sich je auf unterschiedliche Publikumsrollen beziehen:

Politische Organisationen

- Bei den politischen Organisationen (Regierung, Behörden, Parteien und Verbände) handelt es sich – neben dem Parlament – um Bestandteile des politischen Systems, welche über die Parteien und Verbände gegenüber der Zivilgesellschaft offen sind. Das Kommunikationsobjekt der politischen Organisationen ist, neben der eigenen Klientel, das Staatsbürgerpublikum in seiner politischen Rolle als Souverän. Zu diesem Zweck haben diese Organisationen spezialisierte Kommunikatorrollen ausdifferenziert und sie interagieren mit Marketingorganisationen, die sich auf Politik spezialisiert haben.

Ökonomische Organisationen

- Die ökonomischen Organisationen bzw. die Unternehmen sind Bestandteile des Wirtschaftssystems. Im Wettbewerb um Aufmerksamkeit und Sozialprestige kann keine privatwirtschaftliche Organisation auf öffentliche Kommunikation verzichten. Das Kommunikationsobjekt ist neben den Mitgliedern in der Regel das nach Kaufkraft-, Bildungs- und Lebensstilgruppen gegliederte Publikum in seiner Konsumentenrolle. Es lässt sich jedoch auch beobachten, dass die Organisationen des Wirtschaftssystems insbesondere in der direkten Demokratie und im Rahmen von „Krisenkommunikation" auch das Staatsbürgerpublikum direkt ansprechen. Zu diesem Zweck haben auch diese Organisationen spezialisierte Kommunikatorrollen bzw. Teilorganisationen ausdifferenziert (Personalabteilungen, Marketing-, PR-Agenturen und Corporate Communications-Abteilungen).

- Die öffentlich-rechtlichen und privaten Medienorganisationen schließlich entwickelten sich im Strukturwandel der Öffentlichkeit zu einem ausdifferenzierten Mediensystem, das die Funktion der Beobachtung der Gesellschaft für ihre Teilnehmer und Teilsysteme mitsamt ihren Organisationen sichert. Im Zuge des Autonomiegewinns der Medien von ihren politischen oder religiösen Bindungen transformierte sich das primäre Kommunikationsobjekt der Medien sukzessiv vom Staatsbürgerpublikum und der Klientel der Parteien und Verbände hin zu einem Publikum, das ebenfalls nach Kaufkraft, Bildung und Zugehörigkeit zu Lebensstilgruppen gegliedert, in seiner Medienkonsumentenrolle angesprochen wird. Die Medienorganisationen haben sich auf die öffentliche Kommunikation spezialisiert. Sie operieren ausgesprochen selbstreferentiell und lassen sich daher mit arenatheoretischen Ansätzen analysieren.

Medienorganisationen

Die am Staatsbürgerpublikum orientierten politischen Organisationen, die am Konsumenten interessierten Unternehmen und die Medien befinden sich in einem spannungsreichen Abhängigkeitsverhältnis. Sie sind ökonomisch sowie bezüglich der Herstellung von legitimen Entscheidungen, Bekanntheitsgrad, Sozialprestige und Prominenz voneinander abhängig. Das Kommunikationsnetz Öffentlichkeit wird maßgeblich im historisch variablen Interdependenzverhältnis der auf Publizität angewiesenen Organisationen aus den Teilsystemen Politik, Medien und Wirtschaft generiert (vgl. Imhof 1996a).

Nicht-etablierte Akteure

Von diesen etablierten und am Prinzip Öffentlichkeit orientierten Organisationen gilt es nicht-etablierte Akteure in Form von sozialen Bewegungen und Protestparteien zu unterscheiden. Sie sind an den Verfahren der Machtallokation innerhalb des politischen Systems in der Regel nicht beteiligt, weder an das ökonomische noch an das Mediensystem gekoppelt und verfügen über kein traditionelles Sozialprestige. Resonanzchancen können sie nur über Aktionsformen realisieren, die ihre Themen medienwirksam in die politische Kommunikation einbringen. Die Aufmerksamkeitschancen solcher nicht-etablierter politischer Akteure sind jedoch über die Zeit ungleich verteilt.

Das historisch variable Interdependenzverhältnis der auf Publizität angewiesenen Organisationen aus den Teilsystemen Politik, Medien und Wirtschaft und die unterschiedlichen Aufmerksamkeitschancen „zivilgesellschaftlicher" Akteure verweisen auf eine Entwicklungsdynamik der Bedingungen und Formen öffentlicher Kommunikation. Dies wird unter dem Begriff „Strukturwandel der Öffentlichkeit" diskutiert.

4 Strukturwandel der Öffentlichkeit

4.1 Der Strukturwandel der Öffentlichkeit bei Jürgen Habermas

Tradition der kritischen Theorie

„Strukturwandel der Öffentlichkeit" ist weit über die Publizistik- und Kommunikationswissenschaft hinaus zu einem zentralen Terminus für die Veränderung der Bedingungen öffentlicher Kommunikation geworden. Der Begriff geht auf die gleichnamige Habilitationsschrift von Jürgen Habermas zurück (1990 [1962]). Diese fügt sich ein in die Tradition der „kritischen Theorie" und ist stark inspiriert durch die Kulturindustriethesen der „Dialektik der Aufklärung" von Max Horkheimer und Theodor W. Adorno (1981 [1944]: 141-181) (vgl. Donges/Meier Abschnitt 2.4 i.d.B.). Horkheimer und Adorno hatten, unter dem Eindruck des Nationalsozialismus in Deutschland, eine Standardisierung der Kultur („Heute schlägt Kultur alles mit Ähnlichkeit") und eine Vorherrschaft des „Amusements" beklagt, das als „Verlängerung der Arbeit unterm Spätkapitalismus" von demjenigen gesucht werde, der „dem mechanisierten Arbeitsprozess ausweichen will, um ihm von neuem gewachsen zu sein." Habermas orientiert sich in Anlehnung an die idealtypisierende Methode Max Webers am „Idealtypus" bürgerlicher Öffentlichkeit, d.h. an einem analytisch herausgearbeiteten, prototypischen Öffentlichkeitsverständnis der Aufklärungsbewegung (vgl. Abschnitt 1). Damit gewinnt er sowohl eine analytische als auch eine normative Ausgangsbasis, um die Veränderung der Bedingungen der öffentlichen Kommunikation – und damit die Veränderungen der Gesellschaft insgesamt – beobachten zu können.

Sozialer Strukturwandel

Im Wesentlichen unterscheidet Habermas einen sozialen Strukturwandel und einen politischen Funktionswandel der Öffentlichkeit. Bezüglich ersterem postuliert Habermas eine Verschränkung der im bürgerlichen Öffentlichkeitsverständnis konstitutiven Trennung der öffentlichen und der privaten Sphäre durch die wachsenden staatlichen Eingriffspotentiale in die Wirtschaft sowie durch die Entwicklung des Sozialrechts und – damit verbunden – einen sukzessiven Bedeutungsverlust der orientierungsstiftenden Wirkung der Klassenschranken (Habermas 1990: 225-274): Die Öffentlichkeit entgrenzt sich vom (Bildungs-)Bürgertum, damit verliert der bildungsbürgerliche Diskurshabitus an Bedeutung. Entsprechend gilt es, eine Entwicklung vom kulturraisonnierenden zum kulturkonsumierenden Publikum im Zuge seiner quantitativen Erweiterung und Heterogenisierung (insbesondere durch Wahlrechtsreformen) zu konstatieren.

Politischer Funktionswandel

Korrelativ zu dieser Verschränkung der Sphären Öffentlichkeit und Privatheit bestimmt Habermas den politischen Funktionswandel der Öffentlichkeit als Entwicklung von den Versammlungsöffentlichkeiten der Aufklärungsbewegung und den diese Versammlungsöffentlichkeiten integrierenden (Aufklärungs-)Periodika hin zu einer massenmedial „hergestellten" Öffentlichkeit. Diese löst sich vom Publikum ab und wird in der Perspektive Habermas' durch Staat, Parteien und insbesondere durch die organisierten Privatinteressen der Wirtschaft okkupiert und „vermachtet". Dieser Vermachtungsprozess bedeutet die Elimination des im Idealtypus bürgerlicher Öffentlichkeit angelegten emanzipativen Gehalts, d.h. des herrschaftsfreien Diskurses und seiner Rationalitätspotentiale (ebd.: 275-342). Publizität wird von oben entfaltet, kritische Publizität durch manipulative verdrängt. In Anlehnung an die Ausdifferenzierung der bürgerlichen Öffentlichkeit aus der „repräsentativen Öffentlichkeit" (ebd.: 58-67) der Anciennes Regimes deutet Habermas diese Vermachtung als Refeudalisierungsvorgang (ebd.: 292, 337).

Revision

Auch wenn Habermas' Gesamtargument aus der Fallhöhe des Öffentlichkeitsverständnisses seines idealtypischen Öffentlichkeitsbegriffs und in der ideologiekritischen Tradition der kritischen Theorie der Frankfurter Schule die Bedingungen der Deliberation in modernen Gesellschaften an den utopisch-politischen Maßstäben von Teilen der Aufklärungsbewegung beurteilt, verweist der „Strukturwandel der Öffentlichkeit" ertragreich auf ein zentrales und zuvor zu wenig beachtetes Phänomen des sozialen Wandels. Habermas' Konzeption dieses Strukturwandels hat außerordentlich viele Debatten ausgelöst und ist inzwischen – auch durch Habermas selbst – revidiert worden (1990: 11-50). Dies gilt erstens für den Ausgangspunkt seiner Analyse, dem Idealtypus der bürgerlichen Öffentlichkeit. Der Überstilisierung dieses Idealtypus und seiner Rationalitätspotentiale entging die Heterogenität des bürgerlichen Publikums der Aufklärungsära und die verschiedenen Formen von Gegenöffentlichkeiten, die sich in der zweiten Hälfte des 18. Jahrhunderts abzeichneten (vgl. Imhof 1996b). Zweitens unterschätzte Habermas die dann allerdings erst im Verlauf der 1960er Jahre evident gewordene Bedeutung „zivilgesellschaftlicher Assoziationen" bzw. sozialer Bewegungen und Protestparteien für Themen und Inhalte der medienvermittelten politischen Kommunikation. Noch versperrte Adornos Theorie der Massenkultur den Blick auf ein vielfältiges Publikum, das sich keineswegs ausschließlich auf sein konsumierendes Verhalten reduzieren lässt. Drittens wurde der Strukturwandel der Öffentlichkeit den eigenlogischen Differenzierungsprozessen zwischen den „Vermachtungsinstanzen", d.h. dem politischen, dem ökonomischen System und dem Mediensystem, nicht gerecht (vgl. Abschnitt 3.4).

4.2 Mediensystem und Medialisierung

Die Ausdifferenzierung des Mediensystems vom politischen System und die Koppelung der Medien an die Marktlogik ist mit einer sozialen, politischen und ökonomischen Ablösung der Medienorganisationen von ihren herkömmlichen, sozialräumlich gebundenen Trägern (Parteien, Verbänden, Verlegerfamilien, öffentlich-rechtlichen Trägerschaften) verbunden (vgl. Jarren 1994). Die Medienorganisationen werden dadurch zu marktorientierten Dienstleistungsorganisationen und können Kapital aus beliebigen Quellen akquirieren, wenn sie die entsprechenden Renditeerwartungen freisetzen. In organisationaler Hinsicht unterliegen sie dadurch einem intensiven Wachstums- und Konzentrationsprozess, in dem die Informationsindustrie die ökonomische Bedeutung beispielsweise der Automobilindustrie bereits überholt hat (vgl. Münch 1995: 107f.; Müller-Doohm 1998). In technischer Hinsicht ermöglicht eine hohe Kapitalversorgung eine rasche Entwicklung, insbesondere die Nutzung der Konvergenzpotentiale der Massen- und Individualkommunikation, und in ideologischer Hinsicht werden die Medien offener und flexibler (vgl. Kepplinger 1992; Jarren 1996). Auf dieser Basis generieren die Medien ihr eigenes Publikum und richten ihre Selektions- und Interpretationslogiken nach dessen Aufmerksamkeitsbedürfnissen aus.

Ablösung der Medienorganisationen von ihren Trägern

Dieser „Strukturwandel der Öffentlichkeit" hat einen verschärften Wettbewerb um Aufmerksamkeit zur Folge. Er setzt insbesondere die politischen Organisationen einer äußeren und inneren, strukturverändernden Medialisierung aus. Mit diesem Begriff wird implizit oder explizit ein grundsätzlicher Wandel der Sozialintegration moderner Gesellschaften postuliert, in dessen Verlauf die klassischen, norm- und wertsetzenden sowie Zugehörigkeit definierenden Institutionen (Schule, Religion, Armee, Parteien, soziokulturelle Milieus, Unternehmen etc.) im Zuge der funktionalen Differenzierung und Individualisierung an Bedeutung verlieren und durch sinn(re)produzierende Medien überformt werden. Die zuvor auf lebensweltlicher Integration basierende Gemeinschaftsbildung

Verschärfter Wettbewerb um Aufmerksamkeit

muss demzufolge über den Umweg medialer Orientierungsangebote substituiert werden. Die Medien sind in dieser Perspektive beides: Mitursache und Lösung des Problems der Sozialintegration moderner Informationsgesellschaften. In diesem Kontext bezeichnet der Begriff des Strukturwandels der Öffentlichkeit eine fortschreitende Medialisierung der Gesellschaft auf Kosten sozialmoralisch integrierter Institutionen (vgl. Giddens 1992; Imhof 1990; 1996a; Pfetsch 1998).

Medialisierung

Mit Bezug auf politische Akteure bezeichnet Medialisierung die generelle Bedeutungssteigerung der medienvermittelten Kommunikation für etablierte politische Akteure infolge der Erosion der klassischen Parteimilieus (vgl. Sarcinelli 1986; Kriesi 1994; Ladner 1999) und des Absterbens der versammlungsdemokratischen Institutionen (vgl. Geser u.a. 1994; Wilke 2000) sowie der zunehmenden Bedeutung des medialen Aktualitätsdrucks auf die temporale Ordnung der Entscheidungsfindungsprozesse im politischen System (vgl. Sarcinelli 1994). In diesem Zusammenhang beschreibt der Begriff Medialisierung insbesondere auch die Versuche der politischen Akteure, sich den Erfordernissen des Mediensystems anzupassen. Im Wettbewerb um die mediale Aufmerksamkeit kommen weder die politischen Organisationen, noch die Behörden, noch die Unternehmen an medienwirksamen Darstellungsformen vorbei.

Vermittlungslogiken stehen quer zu den Vermittlungsbedürfnissen

Als Quintessenz kann festgehalten werden, dass die eigenständigen Vermittlungslogiken der Medien auf vier Dimensionen quer zu den Vermittlungsbedürfnissen der traditionellen politischen Akteure stehen:

- In der Sozialdimension verlieren die Parteien, parlamentarischen Fraktionen und Verbände mit ihren direkten Vermittlungsorganen auch ihre jeweils eigenen Publikumssegmente, während Regierung und Behörden mit einer Medienarena konfrontiert werden, die sich den Agenden der politischen Willensbildung und Entscheidung höchst selektiv annimmt bzw. diese Agenden beeinflusst.

- In der Sachdimension müssen sich die politischen Organisationen der Produktionslogik der Medien, dem „Siegeszug" der Visualität auf Kosten des Argumentativen und Narrativen und den Modezyklen der Medienprodukte verstärkt anpassen.
- In der Zeitdimension gerät die auf interne Koordinations- und fixierte Prozessfristen geeichte Politik unter „Reaktionsstress" gegenüber dem medialen Aktualitätstempus.
- In der sozialräumlichen Dimension entkoppeln sich die medial neu erschlossenen Räume von den Geltungsräumen der territorial gebundenen politischen Institutionen. Dies gilt insbesondere auf nationalstaatlicher Ebene und schafft gerade in der Schweiz „entöffentlichte" Gemeinden. Auf europäischer Ebene verhält es sich freilich umgekehrt: Europa ist in der medienvermittelten Kommunikation nur das Kaleidoskop nationalstaatlicher Bezüge. Politik und medienvermittelte Öffentlichkeit treten also auseinander, einer zunehmend wichtiger werdenden politischen Entscheidungsinstanz wie der EU steht keine Europäische Öffentlichkeit gegenüber (vgl. Gerhards 1993).

Insgesamt wird mit diesem „Strukturwandel der Öffentlichkeit" insbesondere die Beziehung zwischen Politik und Medien grundlegend neu gestaltet. Die Durchsetzungsfähigkeit politischer Akteure sowie der ökonomische Erfolg privatwirtschaftlicher Organisationen werden noch enger als zuvor an das vorhandene Sozialprestige geknüpft, dessen Verletzlichkeit durch die Deregulation traditioneller Einflusspotentiale auf die Medien sprunghaft zugenommen hat.

4.3 Wandel der öffentlichen Kommunikation

Für die Schweiz gilt es zu beachten, dass der „Strukturwandel der Öffentlichkeit" zu einer im Vergleich mit den meisten anderen europäischen Ländern radikaleren Umgestaltung der medienvermittelten Kommunikation führte, weil diese in der Schweiz in weit stärkerem Maße bis in die 1960er Jahre durch Parteiorgane geprägt wurde. Die Effekte dieses jüngsten Strukturwandels wurden bisher noch zu wenig in Form von aussagekräftigen Zeitreihenanalysen und in Bezug auf die Anpassungsleistungen der politischen (aber auch der ökonomischen) Organisationen erforscht. Generell mangelt es der Publizistik- und Kommunikationswissenschaft an langfristigen diachronen Untersuchungen, die es erlauben, die Konsequenzen dieses Strukturwandels in der Medienarena einerseits und die damit verbundenen Medialisierungseffekte für die Akteure verschiedener gesellschaftlicher Teilsysteme andererseits herauszuarbeiten.

Indikatoren des Strukturwandels in der Schweiz

Anhand der vorhandenen Forschungsergebnisse lassen sich nun aber trotzdem eine Reihe von Indikatoren gewinnen, die – deutlich seit den 1960er, noch deutlicher seit den 1980er Jahren – Veränderungen in den Formen der medienvermittelten Kommunikation anzeigen. In ihnen widerspiegeln sich Differenzierungsdynamiken, welche die Allokation von Aufmerksamkeit, Definitionmacht und Sozialprestige in modernen Gesellschaften neu organisieren:

Soziale Bewegungen und Protestparteien

Erstens kann von den 1960er Jahren bis zum Beginn der 1990er Jahre eine Verstetigung des Phänomens sozialer Bewegungen und Protestparteien beobachtet werden. Die Lebensdauer dieser nicht-etablierten politischen Akteure war erstaunlich lang und sie eroberten phasenweise ganze politische Themenbereiche, wie Umwelt und Technikfolgeprobleme, Sicherheitspolitik, Geschlechterdifferenz, Migrations- und Asylpolitik für sich. In der Katastrophen- und Risikokommunikation etwa gelang es ihnen, eine neue Mensch-Umwelt-Beziehung normativ wie moralisch zu implementieren, die sich sowohl im Alltagshandeln als auch im Rechtssetzungsprozess folgenreich niederschlug. Diese im diachronen Vergleich sprunghaft erhöhte Resonanz kann nur für die späten 1960er und frühen 1970er Jahre (vgl. die Beiträge in Imhof/ Kleger/Romano 1999) mit der in sozialen Umbruchperioden beobachtbaren Bedeutungssteigerung nicht-etablierter politischer Akteure erklärt werden. Die Konstanz dieses Phänomens muss auch auf einen Strukturwandel zurückgeführt werden, der den medienwirksamen Aktionsformen nicht-etablierter Akteure bessere Resonanzchancen vermittelte als die noch verstärkt durch politische Selektions- und Interpretationslogiken gesteuerte mediale Kommunikation zuvor (vgl. Kriesi 1994; Rucht 1994; McAdam 1994; Imhof 1996; Eisenegger 1999).

Rückgang der Resonanz nicht-etablierter Akteure

Inzwischen lässt sich gleichzeitig ein deutlicher Rückgang der Resonanz nicht-etablierter Akteure und ein Institutionalisierungsprozess in etablierte Parteien oder NGOs (Non-Governmental Organizations) konstatieren. Die These vom Eintritt in die Bewegungsgesellschaft erwies sich als falsch (vgl. Neidhardt/Rucht 1993). Die nicht nur, aber prominent bei Habermas damit verbundenen, demokratietheoretischen Erwartungen an freie, zivilgesellschaftliche Assoziationen, welche der Deliberation eine neue Qualität verleihen (vgl. Habermas 1992: 368), sind zumindest verfrüht. Die Gründe für diese Veränderung in den Aufmerksamkeitsbezügen der medienvermittelten Kommunikation werden in der Literatur noch wenig diskutiert – in Bezug auf die Schweiz wird die Integration der sozialen Bewegungen ausschließlich mit der Assimilationskraft des politischen Systems begründet (vgl. Giugni/Passy 1999). Es gilt jedoch, deutliche Veränderungen der Formen der politischen Kommunikation von Seiten der etablierten Akteure zu konstatieren. Zu beobachten sind eine Zunahme medienwirksamer Eventmanagements, eine ausgesprochene Personenzentrierung und eine gestiegene Bedeutung von Konfliktinszenierungen (vgl. Schmitt-Beck/Pfetsch 1994; Imhof/Eisenegger 1999: 195-218). Die etablierten politischen Akteure haben sich mit anderen Worten an die Selektionslogiken der Medien angepasst und einen Vorteil der nicht-etablierten Akteure im Wettbewerb um Aufmerksamkeit egalisiert.

Neue Formen moralischer Subpolitik

Ferner zeichnet sich in der öffentlichen Kommunikation substitutiv eine neue Form moralischer Subpolitik ab, die dadurch gekennzeichnet ist, dass sie das politische System nicht tangiert, an höchst verallgemeinerten moralischen Werten orientiert ist, die zu einem guten Teil ursprünglich Bewegungsmilieus entstammen und nun in der Unternehmenskommunikation umgesetzt werden. Indizien hierfür sind die moralische Aufladung des Marketings und des Konsums weit über die Klientel der Dritte-Welt-Läden hinaus und kommerzielle Kulturevents mit moralischen Messages (vgl. Baringhorst 1998).

Intensivierung der Skandalkommunikation

Zweitens zeigen zeitreihenanalytische Untersuchungen von Skandalierungen in der öffentlichen Kommunikation eine Zunahme des Phänomens. Bei dieser Intensivierung der Skandalkommunikation ist auch eine Veränderung der tripolaren Struktur des Skandals beobachtbar: Während sich der klassische Skandal durch einen Skandalierer, ein Skandalmedium und einen Skandalierten zusammensetzt, übernimmt beim modernen Skandal das Skandalmedium auch die Rolle des Skandalierers (vgl. Neckel 1986: 581-605; Ebbighausen/Neckel 1989; Kepplinger 1996; Looser u.a. 1995; Imhof 2000). Seit den 1980er Jahren hat sich auch in den schweizerischen Medien aufgrund des Aufmerksamkeitswettbewerbs eine effiziente Expertenkultur der Skandalierung ausdifferenziert, die medienexterne Skandalierer substituiert und damit auch eine zentrale Funktion nicht-etablierter politischer Akteure übernimmt.

Nach wie vor überwiegen mit Abstand Skandalierungen gegenüber Vertretern des politischen Personals, insbesondere gegenüber den Verantwortlichen von Politikbereichen, die, wie etwa die Sicherheitspolitik, eine hohe Affinität zur Staatsraison aufweisen (vgl. Imhof 2000). Dennoch lässt sich auch feststellen, dass die Skandalierung von ökonomischen Organisationen und ihrem Führungspersonal deutlich zunimmt. Zudem erweitern sich die skandalierungsfähigen Themen. Moralische Verfehlungen, die der privaten Sphäre entstammen, wurden öffentlichkeitsfähig und Mittel zur Selbstinszenierung (vgl. Hitzler 1987).

Privatisierung des Öffentlichen und Personalisierung der politischen Kommunikation

Drittens ist im historischen Überblick eine beispiellose Privatisierung des Öffentlichen und eine Personalisierung der politischen Kommunikation zu konstatieren. Beobachtbar ist eine Zunahme von Human-Interest-Stories, Betroffenheitsjournalismus und die Etablierung neuer boulevardisierender Nachrichtenformate in Radio und Fernsehen. Zentral manifestiert sich die „Tyrannei der Intimität" (Senett 1983) im Hörfunk. Er bildet die Speerspitze einer Entwicklung, in der das Publikum als Hörerfamilie – also als Gemeinschaft – angesprochen wird, so dass selbst der Wetterbericht ohne Gefühlsäußerungen über die kommenden Hochs und Tiefs nicht mehr auszukommen scheint (vgl. Imhof 1999). Die Personalisierung des Politischen findet hingegen im Fernsehen ihr wichtigstes Medium: Politikdarstellung gleicht sich strukturell der Unterhaltung an und politische Argumente werden durch Charakterdarstellungen im privaten Lebensraum und medienattraktive Konfliktinszenierungen ergänzt (vgl. Hitzler 1996; Münch 1995; Sarcinelli 1987; Jarren 1998; Schmitt-Beck/Pfetsch 1994: 106-138). Damit manifestiert sich im historischen Vergleich ein Wandel in der medialen Kreation von Prominenz. Die Darstellung von Vertretern des politischen Personals gleicht sich der Darstellung der Gesellschaftsprominenz an: Neben dem Machtstatus entscheidet die telegene Inszenierung privater Lebensstile und Selbstdarstellungskompetenzen über mediale Resonanz (vgl. Wilke 1996). Durch Ereignisproduktion, z.B. in Form von Home-Stories, wirken die medialen Inszenierungsmuster auf die Personalselektion des politischen Systems ein und schaffen auch in der Politik ein Starsystem (vgl. Peters 1994). Entsprechend hat die Betonung von Gruppenpositionen auf Seiten der Medien wie auf Seiten der Vertreter des politischen Personals stark abgenommen. Politische Positionen werden kommunikativ immer mehr Individuen, nicht Parteien oder Verbänden zugeordnet.

Es muss davon ausgegangen werden, dass diese neuen Formen der Politikvermittlung angesichts der Erosion der Parteimilieus und des korrelativen Zerfalls der interpretativen Kraft der Großideologien der Moderne eine notwendige Komplexitätsreduktion darstellen. Allerdings erhöht sich dadurch die Kontingenz politischer Entscheide und charismatische Beziehungen gewinnen auch in der an sich charismafeindlichen politischen Kultur der Schweiz an Bedeutung.

Verschiebung in der intramedialen Themen- und Meinungsresonanz

Als vierten Indikator des Strukturwandels lässt sich eine deutliche Verschiebung in der intramedialen Themen- und Meinungsresonanz feststellen. Die Ära der Parteipresse war gekennzeichnet durch ausgeprägte wechselseitige Themen- und Meinungsresonanz, weil der Kampf um die öffentliche Meinung durch Weltanschauungsorgane bestritten wurde. Mit der Erosion dieses publikumsoffenen Streits zwischen den Parteiorganen verkürzt sich die Themen- und Meinungsresonanz auf eine bloße Themenresonanz (vgl. die Beiträge in Imhof/Kleger/Romano 1993; 1996; 1999). Auch die Kommentarspalten finden kaum Anschlusskommunikation in anderen Medien. Mit diesem Schwund des Meinungsstreits in und zwischen politisch profilierten Medien erodiert die Deliberation und verschiebt sich in die Talkmagazine.

Bedeutungszunahme der Selektionsregeln des Mediensystems

Schließlich zeichnet sich fünftens eine Umkehrung der Vermittlungslogik der politischen Kommunikation ab. Für die Prioritätenordnung politischer Probleme werden die Selektionsregeln des Mediensystems zunehmend wichtiger. Die Aufmerksamkeitsregeln symbolischer, resonanzorientierter Politik drücken auf die Entscheidungspolitik durch (vgl. Sarcinelli 1994). Dies bedeutet, dass die Medien selbst und das politische Personal über die Medien Einfluss auf die Agenda des politischen Systems gewinnen. Die Schweiz ist hierfür ein gutes Forschungsfeld: Vor dem Hintergrund der direktdemokratischen Institutionen lässt sich diese Einflussdimension etwa bei den asylpolitischen Auseinandersetzungen der 1990er Jahre verfolgen (vgl. Schranz 2000). Dabei haben wir es mit einer mediendramaturgischen Umwertung – zumeist über die Selektion politischer Konflikte und ihre Akzentuierung – und darüber hinaus mit einer intensiven Ereignisproduktion von Seiten der Medien zu tun. Jede Beschreibung der medienvermittelten Kommunikation, die nur die Selektionsleistungen im Blick hat, zielt an der aktuellen medialen Konstruktion der Wirklichkeit vorbei (vgl. Schmolke 1996). Der Begriff des medialen Agenda-Settings wird dieser eigenständigen Ereignisproduktion insbesondere in emotional sensiblen Politikfeldern nicht mehr gerecht (vgl. Münch 1997).

Literatur

Baringhorst, Sigrid (1998): Politik als Kampagne. Zur medialen Erzeugung von Solidarität. Opladen.

Donges, Patrick/Jarren, Otfried (1998): Öffentlichkeit und öffentliche Meinung. In: Bonfadelli, Heinz/Hättenschwiler, Walter (Hg.): Einführung in die Publizistikwissenschaft. (3. Aufl.) Zürich: IPMZ, S. 95-110.

Ebbighausen, Rolf/Neckel, Sighard (Hg.) (1989): Anatomie des politischen Skandals. Frankfurt/M.

Eisenegger, Mark (1999): Zur Nationalisierung eines regionalen Konflikts. Die Jura-Frage an den Grenzen der schweizerischen Willensnation. Das Framing des Jura-Konflikts in der Deutschschweizer Presseöffentlichkeit 1947 bis 1968. In: Imhof, Kurt/Romano, Gaetano/Kleger, Heinz (Hg.): Vom Kalten Krieg zur Kulturrevolution. Analyse von Medienereignissen in der Schweiz der 50er und 60er Jahre. Zürich, S. 121-158.

Gerhards, Jürgen (1993): Westeuropäische Integration und die Schwierigkeit der Entstehung einer europäischen Öffentlichkeit. In: Zeitschrift für Soziologie 22, H. 2, S. 96-110.

*Gerhards, Jürgen (1994): Politische Öffentlichkeit. Ein system- und akteurstheoretischer Bestimmungsversuch. In: Neidhardt, Friedhelm (Hg.): Öffentlichkeit, öffentliche Meinung, soziale Bewegungen. (= Kölner Zeitschrift für Soziologie und Sozialpsychologie, Sonderheft 34) Opladen, S. 77-105.

Gerhards, Jürgen (1997): Diskursive versus liberale Öffentlichkeit. Eine empirische Auseinandersetzung mit Jürgen Habermas. In: Kölner Zeitschrift für Soziologie und Sozialpsychologie 49, H. 1, S. 1-34.

Gerhards, Jürgen (1998): Öffentlichkeit. In: Jarren, Otfried/Sarcinelli, Ulrich/Saxer, Ulrich (Hg.): Politische Kommunikation in der demokratischen Gesellschaft. Ein Handbuch mit Lexikonteil. Opladen, Wiesbaden, S. 694-695.

Geser, Hans u.a. (1994): Die Schweizer Lokalparteien. Zürich.

Giddens, Anthony (1992): Kritische Theorie der Spätmoderne. Wien.

Giugni, Marco/Passy, Florence (1999): Zwischen Konflikt und Kooperation. Die Integration der sozialen Bewegungen in der Schweiz. Zürich.

Habermas, Jürgen (1988): Theorie des kommunikativen Handelns, Bd. 1: Handlungsrationalität und gesellschaftliche Rationalisierung. Frankfurt/M.

*Habermas, Jürgen (1990 [1962]): Strukturwandel der Öffentlichkeit. Frankfurt/M.

*Habermas, Jürgen (1992): Faktizität und Geltung. Beiträge zur Diskurstheorie des Rechts und des demokratischen Rechtsstaats. Frankfurt/M.

Herbst, Susan (1993): The meaning of public opinion: citizens' constructions of political reality. In: Media, Culture & Society 15, S. 437-454.

Hitzler, Ronald (1987): Skandal. Karrierebremse oder Karrierevehikel? Inszenierungsprobleme Bonner Parlamentarier. In: Sozialwissenschaftliche Informationen 16, H. 1, S. 22-27.

Hitzler, Ronald (1996): Die Produktion von Charisma. Zur Inszenierung von Politikern im Medienzeitalter. In: Imhof, Kurt/Schulz, Peter (Hg.): Politisches Raisonnement in der Informationsgesellschaft. Zürich, S. 265-288.

Horkheimer, Max/Adorno, Theodor W. (1981 [1944]): Dialektik der Aufklärung. Philosophische Fragmente. Frankfurt/M.

Imhof, Kurt (1990): Mythos und Moderne. Zur Fragilität der posttraditionalen Gesellschaft. In: Bornschier, Volker u.a. (Hg.): Zur Diskontinuität des sozialen Wandels. Frankfurt/M., S. 55-90.

Imhof, Kurt (1996a): Intersubjektivität und Moderne. In: Imhof, Kurt/Romano, Gaetano (Hg.): Die Diskontinuität der Moderne. Zur Theorie des sozialen Wandels. Frankfurt/M., S. 200-292.

Imhof, Kurt (1996b): Übergänge. In: Imhof, Kurt/Romano, Gaetano (Hg.): Die Diskontinuität der Moderne. Zur Theorie des sozialen Wandels. Frankfurt/M., S. 68-129.

*Imhof, Kurt (1999): Die Privatisierung des Öffentlichen: Zum Siegeszug der Primärgruppenkommunikation in den Medien. In: Honegger, Claudia/Hradil, Stefan/Traxler, Franz (Hg.): Grenzenlose Gesellschaft? Verhandlungen des 29. Kongresses der Deutschen Gesellschaft für Soziologie in Freiburg i.Br. 1998, Teil 1. Opladen, S. 717-732.

*Imhof, Kurt (2000): Öffentlichkeit und Skandal. In: Neumann-Braun, Klaus/Müller-Doohm, Stefan (Hg.): Einführung in die Medien- und Kommunikationssoziologie. Juventus.

Imhof, Kurt/Eisenegger, Mark (1999): Inszenierte Politik: Resonanz von „Events" in den Medien. In: Szyszka, Peter (Hg.): Öffentlichkeit. Diskurs zu einem Schlüsselbegriff der Organisationskommunikation. Opladen, S. 195-218.

Imhof, Kurt/Kleger, Heinz/Romano, Gaetano (Hg.) (1993): Zwischen Konflikt und Konkordanz. Analyse von Medienereignissen in der Schweiz der Vor- und Zwischenkriegszeit. Zürich.

Imhof, Kurt/Kleger, Heinz/Romano, Gaetano (Hg.) (1996): Konkordanz und Kalter Krieg. Analyse von Medienereignissen in der Schweiz der Zwischen- und Nachkriegszeit. Zürich.

Imhof, Kurt/Kleger, Heinz/Romano, Gaetano (Hg.) (1999): Vom Kalten Krieg zur Kulturrevolution. Analyse von Medienereignissen in der Schweiz der 50er und 60er Jahre. Zürich.

*Jarren, Otfried (1994): Mediengewinne und Institutionenverluste? – Zum Wandel des intermediären Systems in der Mediengesellschaft. Theoretische Anmerkungen zum Bedeutungszuwachs elektronischer Medien in der politischen Kommunikation. In: Jarren, Otfried (Hg.): Politische Kommunikation in Hörfunk und Fernsehen. Elektronische Medien in der Bundesrepublik Deutschland. Opladen, S. 23-34.

Jarren, Otfried (1996): Auf dem Weg in die „Mediengesellschaft"? Medien als Akteure und institutionalisierter Handlungskontext. Theoretische Anmerkungen zum Wandel des intermediären Systems. In: Imhof, Kurt/Schulz, Peter (Hg.): Politisches Raisonnement in der Informationsgesellschaft. Zürich, S. 79-96.

Jarren, Otfried (1998): Medien, Mediensystem und politische Öffentlichkeit im Wandel. In: Sarcinelli, Ulrich (Hg.): Politikvermittlung und Demokratie in der Mediengesellschaft. Opladen, S. 74-96.

Kepplinger, Hans Mathias (1992): Ereignismanagement. Wirklichkeit und Massenmedien. Zürich, Osnabrück.

Kepplinger, Hans Mathias (1996): Skandale und Politikverdrossenheit – ein Langzeitvergleich. In: Jarren, Otfried/Schatz, Heribert/Wessler, Hartmut (Hg.): Medien und politischer Prozess. Politische Öffentlichkeit und massenmediale Politikvermittlung im Wandel. Opladen, S. 41-58.

Kohler, Georg (1999): Was ist Öffentlichkeit? In: studia philosophica 58/100, S. 197-217.

Kriesi, Hanspeter (1994): Akteure – Medien – Publikum. Die Herausforderung direkter Demokratie durch die Transformation der Öffentlichkeit. In: Neidhardt, Friedhelm (Hg.): Öffentlichkeit, öffentliche Meinung, soziale Bewegungen. (= Kölner Zeitschrift für Soziologie und Sozialpsychologie, Sonderheft 34) Opladen, S. 234-260.

Ladner, Andreas (1999): Das Schweizer Parteiensystem und seine Parteien. In: Klöti, Ulrich u.a. (Hg.): Handbuch der Schweizer Politik. Zürich, S. 213-260.

Looser, Heinz u.a. (Hg.) (1995): Die Schweiz und ihre Skandale. Zürich.

Luhmann, Niklas (1990): Gesellschaftliche Komplexität und öffentliche Meinung. In: Luhmann, Niklas (Hg.): Soziologische Aufklärung 5. Konstruktivistische Perspektiven. Opladen, S. 170-182.

Marcinkowski, Frank (1993): Publizistik als autopoietisches System. Politik und Massenmedien. Eine systemtheoretische Analyse. Opladen.

McAdam, Doug (1994): Taktiken von Protestbewegungen. Das „Framing" der amerikanischen Bürgerrechtsbewegung. In: Neidhardt, Friedhelm (Hg.): Öffentlichkeit, öffentliche Meinung, soziale Bewegungen. (= Kölner Zeitschrift für Soziologie und Sozialpsychologie, Sonderheft 34) Opladen, S. 393-412.

Müller-Doohm, Stefan (1998): Medienkultur und Globalität. In: Imhof, Kurt/Schulz, Peter (Hg.): Kommunikation und Revolution. Zürich, S. 471-486.

Münch, Richard (1995): Dynamik der Kommunikationsgesellschaft. Frankfurt/M.

Münch, Richard (1997): Mediale Ereignisproduktion: Strukturwandel der politischen Macht. In: Hradil, Stefan (Hg.): Differenz und Integration. Die Zukunft moderner Gesellschaften. Verhandlungen des 28. Kongresses der Deutschen Gesellschaft für Soziologie in Dresden. Frankfurt/M., S. 696-709.

Neckel, Sighard (1986): Das Stellhölzchen der Macht. Zur Soziologie des politischen Skandals. In: Leviathan 14, H. 4, S. 581-605.

Neidhardt, Friedhelm (1994): Einleitung. In: Neidhardt, Friedhelm (Hg.): Öffentlichkeit, öffentliche Meinung, soziale Bewegungen. (= Kölner Zeitschrift für Soziologie und Sozialpsychologie, Sonderheft 34) Opladen, S. 7-41.

Neidhardt, Friedhelm/Rucht, Dieter (1993): Auf dem Weg in die Bewegungsgesellschaft? Über die Stabilisierbarkeit sozialer Bewegungen. In: Soziale Welt 44, H. 3, S. 305-326.

Peters, Birgit (1994): Öffentlichkeitselite – Bedingung und Bedeutung von Prominenz. In: Neidhardt, Friedhelm (Hg.): Öffentlichkeit, öffentliche Meinung, soziale Bewegungen. (= Kölner Zeitschrift für Soziologie und Sozialpsychologie, Sonderheft 34) Opladen, S. 191-213.

Pfetsch, Barbara (1998): Bürger – Publikum. In: Jarren, Otfried/Sarcinelli, Ulrich/Saxer, Ulrich (Hg.): Politische Kommunikation in der demokratischen Gesellschaft. Ein Handbuch mit Lexikonteil. Opladen, Wiesbaden, S. 406-413.

*Rucht, Dieter (1994): Öffentlichkeit als Mobilisierungsfaktor für soziale Bewegungen. In: Neidhardt, Friedhelm (Hg.): Öffentlichkeit, öffentliche Meinung, soziale Bewegungen. (= Kölner Zeitschrift für Soziologie und Sozialpsychologie, Sonderheft 34) Opladen, S. 337-358.

Sarcinelli, Ulrich (1986): Wahlkampfüberlegungen als symbolische Politik. Überlegungen zu einer theoretischen Einordnung der Politikvermittlung im Wahlkampf. In: Klingemann, Hans-Dieter/Kaase, Max (Hg.): Wahlen und politischer Prozess: Analysen aus Anlass der Bundestagswahl 1983. Opladen, S. 180-200.

Sarcinelli, Ulrich (1987): Symbolische Politik. Zur Bedeutung symbolischen Handelns in der Wahlkampfkommunikation der Bundesrepublik Deutschland. Opladen.

Sarcinelli, Ulrich (1994): Mediale Politikdarstellung und politisches Handeln: analytische Anmerkungen zu einer notwendigerweise spannungsreichen Beziehung. In: Jarren, Otfried (Hg.): Politische Kommunikation in Hörfunk und Fernsehen. Opladen.

Schmitt-Beck, Rüdiger/Pfetsch, Barbara (1994): Politische Akteure und die Medien der Massenkommunikation. Zur Generierung von Öffentlichkeit in Wahlkämpfen. In: Neidhardt, Friedhelm (Hg.): Öffentlichkeit, öffentliche Meinung, soziale Bewegungen. (= Kölner Zeitschrift für Soziologie und Sozialpsychologie, Sonderheft 34) Opladen, S. 106-138.

Schmolke, Michael (1996): Von der Parteipresse zur Medienpartei: ein fragwürdiges Verhältnis unter dem Druck der real existierenden Politik. In: Imhof, Kurt/Schulz, Peter (Hg.): Politisches Raisonnement in der Informationsgesellschaft. Zürich, S. 187-200.

Schranz, Mario (2000): Die Debatte über die Asyl- und Flüchtlingsproblematik in der öffentlichen politischen Kommunikation der Schweiz. Zur Thematisierung des Fremden im Fernsehen DRS und in zentralen Printmedien der deutschen Schweiz von 1985-1996. Lizentiatsarbeit. Universität Zürich.

Sennett, Richard (1983 [1976]): Die Tyrannei der Intimität. Frankfurt/M.

Wilke, Jürgen (1996): Status und Medienprominenz. In: Imhof, Kurt/ Schulz, Peter (Hg.): Politisches Raisonnement in der Informationsgesellschaft. Zürich, S. 99-106.

Wilke, Jürgen (2000): Auf langem Weg zur Öffentlichkeit: Von der Parlamentsdebatte zur Mediendebatte. In: Jarren, Otfried/Imhof, Kurt/ Blum, Roger (Hg.): Zerfall der Öffentlichkeit. Opladen.

* Basisliteratur

KAPITEL 3

Mediensystem: Strukturen, Ökonomie, Regulierung

Medien als Organisationen – Medien als soziale Systeme

Otfried Jarren

1 Medienforschung als Organisations- und Strukturanalyse ... 139

2 Medienorganisation – eine vergessene Kategorie in der Kommunikationswissenschaft ... 140

3 Medien und Organisationen: Verständnis und Definitionen ... 142

3.1 Medien ... 142

3.2 Organisationen, Strukturen und soziale Systeme ... 143

4 Medienorganisationen und Medienstrukturen als Forschungsgegenstand ... 147

4.1 Organisationskonzept und Stand der Forschung: Typen von Medienorganisationen ... 147

4.2 Medienstrukturen als Forschungsgegenstand ... 149

5 Die Organisation von Medienunternehmen und Redaktionen: Analysebeispiele 151
5.1 Beispiel: Innere Organisation von Rundfunkunternehmen 152
5.2 Beispiel: Redaktionelle Organisation bei Medienunternehmen 156

6 Schlussbemerkung 158

Literatur 158

1 Medienforschung als Organisations- und Strukturanalyse

Paul F. Lazarsfeld und Robert K. Merton haben in einem frühen Aufsatz drei relevante Fragestellungen für die Medienforschung benannt:

- die Wirkung der Existenz von Massenmedien;
- die Wirkung einer bestimmten Eigentums- und Organisationsform der Massenmedien;
- die Wirkung der von den Medien verbreiteten Inhalte (vgl. Lazarsfeld/Merton 1957).

Während die Wirkungsfragestellung innerhalb der Publizistik- und Kommunikationswissenschaft intensiv bearbeitet wird (vgl. Bonfadelli i.d.B.), gilt dies weniger für die beiden ersten Aspekte. Wirkungen allein aufgrund der Existenz von bestimmten Medien (z.B. des Internets) anzunehmen, ist zwar plausibel, doch lassen sich mögliche Effekte aus dieser isolierten Betrachtungsweise nur schwer empirisch erfassen. Stark vernachlässigt hat die Disziplin die Organisationsperspektive und damit die Analyse der Mesoebene (Medienorganisation und -strukturen). Konkrete Medienleistungen und bestimmte Programmqualitäten sind von der Medieninstitutionalisierung (Systemebene), von der rechtlichen Verfasstheit, der ökonomischen Ausrichtung von Medienunternehmen sowie von redaktionellen Organisationsformen abhängig (vgl. Theis 1993). Die Handlungsbedingungen der Kommunikatoren sind von redaktionellen Strukturen, diese wiederum von den durch die Unternehmung zugewiesenen Ressourcen und Aufträgen abhängig. Handeln, Organisation und Struktur können in einem systematischen Zusammenhang betrachtet werden: Erst durch Handlungen von Individuen entstehen soziale Formen wie Organisationen und aus ihnen bilden sich Strukturen. Sie wirken auf die weitere Organisationsbildung und -entwicklung und damit auf die gesellschaftlichen Handlungsmöglichkeiten zurück. Strukturen können als das (intendierte wie nicht intendierte) Ergebnis von indivi-

Organisationsperspektive: Mesoebene

Handeln, Organisation und Struktur als systematischer Zusammenhang

duellen und kollektiven Handlungen begriffen werden. Strukturen sind also vorgegeben, zugleich begrenzen und ermöglichen sie menschliches Handeln (vgl. Giddens 1984).

2 Medienorganisation – eine vergessene Kategorie in der Kommunikationswissenschaft

Die moderne Welt besteht aus Organisationen, Strukturen und komplexen Systemen. Organisations- und Strukturfragen aber finden in der Alltags- wie der Wissenschaftspraxis nur partiell Aufmerksamkeit. Was die Medien betrifft ist dies erklärlich, wenn auch nicht verständlich: Die Rezipienten stören sich an bestimmten Medieninhalten und fallweise protestieren sie öffentlich gegen Sex oder Gewalt im Programm oder sogar gegen einen bestimmten Sender. Dass aber Rezipienten für bestimmte Organisationsformen, Medienstrukturen oder gegen Fusionen argumentieren, gibt es selten. Qualitätsdefizite im Rundfunk, wie beispielsweise die beklagten Sex- und Gewaltsendungen, sind aber keine Zufälle. Sie sind nicht allein auf individuelle Fehlleistungen einzelner Kommunikatoren, sondern zumeist auch auf spezifische Organisationen und in ihnen vorherrschende dominante Handlungsmuster zurückzuführen: Ist ein Sender auf hohe Publikumsquoten zur Akquisition von Werbekunden angewiesen, weil er sich ausschließlich aus Werbeeinnahmen finanziert, so muss ein „attraktives" Programm angeboten werden. Andere Regeln gelten für den aus Rundfunkgebühren finanzierten öffentlichen Rundfunk (z.B. SRG, BBC), der nicht Aufmerksamkeit und Quoten um jeden Preis erzielen muss und der zudem einer gesellschaftlichen Kontrolle unterworfen ist. Bestimmte Programmleistungen und -qualitäten können also typisierend auf bestimmte Medienstrukturen zurückgeführt und von bestimmten Organisationstypen erwartet werden (vgl. McQuail 1994).

Organisationen und Handlungsmuster

Die Organisationsdimension wird in der publizistikwissenschaftlichen Forschung vielfach nicht hinreichend berücksichtigt. In Teilen dominiert eine individualistische Denkweise. Dies hat mit der Geschichte des Faches und den vorherrschenden Paradigmen zu tun, in denen es v.a. um Wirkungsfragen, und damit um Einzelne und allenfalls Gruppen (und somit um die Mikro-, nicht die Mesoebene), geht. Die industrielle Produktionsweise im Medienbereich ist zwar erkannt, aber es wurden weder theoretisch noch begrifflich Konsequenzen daraus gezogen. Organisationsfragen werden eher vereinzelt behandelt, so in der Journalismus-Forschung (vgl. Rühl 1969, 1989; Weischenberg 1992; Altmeppen 1999) und seit kurzem in der PR-Forschung (vgl. Röttger 1999). Theis (1993: 309) spricht deshalb von einer „vernachlässigten Größe". Zwar wird in vielen einführenden Darstellungen von Medienorganisation oder sogar Mediensystem gesprochen, doch bleiben die damit bezeichneten Gegenstände eigentümlich blass. Das, obwohl bereits das Feldschema von Maletzke (1963) das Medium als Organisation, gleichsam aber nur als einen den Kommunikationsprozess beeinflussenden Faktor, vorsieht. Letztlich ist auch dieses Modell der Paar- oder Individualkommunikation nachempfunden. Ein Blick in die vorliegenden Fachlexika bestätigt diesen Eindruck bis heute: Stichworte wie Organisation oder Struktur finden wir kaum.

Organisationsfragen: vernachlässigte Größe

Ebenso wie Organisation ist der Begriff Medium zwar vielfach im Gebrauch, aber unklar definiert. Es muss deshalb von einer Art Sammelbegriff gesprochen werden. Die begriffliche Unschärfe zeigt sich besonders deutlich, wenn von „Neuen Medien" gesprochen wird, v.a., wenn damit lediglich neue technische Vertriebswege gemeint sind (vgl. Meier/Bonfadelli 1997). Vielfach steht, wenn von Medien gesprochen wird, die Materialität oder Technizität im Mittelpunkt, weniger die spezifischen sozialen Eigenschaften von Medien wie z.B. die Schrift. Vor allem aber wird der Zusammenhang zwischen technischen Aspekten und sozialen Organisationsweisen nicht hinreichend erfasst: Medien werden erst durch ihre soziale Form, durch ihre organisatorische Verfasstheit und den daraus resultierenden Bedingungen (Arbeitsmöglichkei-

Begriff Medium

ten für Kommunikatoren; inhaltliche Angebotsformen etc.) zu einem relevanten Gegenstand der Medienforschung.

3 Medien und Organisationen: Verständnis und Definitionen

3.1 Medien

Soziales Potential von Medien

Medien können nicht nur als technische Mittel oder Mittler verstanden werden. Der Medienbegriff ist also nicht zu trennen von technischen und sozialen Bedingungen sowie der Organisationsform, denn sie bestimmen die soziale Kommunikationspraxis. Vor allem Saxer (1999) hat auf die Doppelnatur von Medien hingewiesen und dabei zwischen dem kommunikationstechnischen (z.B. beim Buch: Materialität, Druck, Schrift, Schreib- und Lesefähigkeit) und dem sozialen Potential von Medien (z.B. beim Buch: Autoren, Verlage, Lesezirkel) unterschieden. Nach Saxer sind die Kommunikationstechniken selbst eher als aussagenneutral anzusehen. Erst durch ihre Institutionalisierung, also durch die gewählte Organisationsform und den damit verbundenen rechtlichen, ökonomischen und kulturellen Regeln, erhalten Medien ihre soziale Bedeutung.

Saxer definiert: „Medien sind komplexe institutionalisierte Systeme um organisierte Kommunikationskanäle von spezifischem Leistungsvermögen" (1999: 6) und er unterscheidet:

- Medien als Kommunikationskanäle (Transportsysteme für bestimmte Zeichensysteme);
- Medien als (komplexe) Organisationen (arbeitsteilig organisierte Produktions- und Distributionsstätten);
- Medien als Institutionen (Normen- und Regelsysteme) zur Stabilisierung moderner Gesellschaften.

Hier interessieren die Medien als komplexe soziale Organisationen: Wie sind sie verfasst? Welche Leistung erbringen unterschiedliche Organisationsformen? Was sind die Gründe für Unterschiede?

Medien als komplexe soziale Organisationen

3.2 Organisationen, Strukturen und soziale Systeme

Organisationen sind soziale Gebilde, die für bestimmte Zwecke und auf relative Dauer etabliert werden. In ihnen wird zielgerichtet und in der Regel arbeitsteilig gehandelt. Der Organisationsbegriff wird mehrdeutig benutzt:

- Organisation als Tätigkeit (Organisieren); — Organisieren
- Organisation als Merkmal/Eigenschaft sozialer Gebilde (Organisiertheit); — Organisiertheit
- Organisation als Resultat des Organisierens und damit als soziales Gebilde (Organisat). — Organisat

Organisationen als soziale Gebilde oder Systeme, die sich beschreiben lassen und für die bestimmte Regeln auszumachen sind, sind hier relevant (vgl. Kieser/Kubicek 1992). Damit unterscheiden wir von systemtheoretischen Definitionen, die Organisationen abstrakter definieren und von Organisationen als Entscheidungen sprechen (vgl. Marcinkowski 1993: 98ff.; vgl. Luhmann 2000). Da aber Organisationen mehr als Entscheidungssysteme sind, reicht diese Definition hier nicht aus, weil wir damit Entwicklung und Wandel von Organisationen nicht empirisch erfassen können.

Organisation als Ergebnis von gesellschaftlichen Differenzierungsprozessen

Die moderne Gesellschaft ist von Organisationen geprägt. Organisationen sind ein Ergebnis des gesellschaftlichen Differenzierungsprozesses. Wir sind zeitlebens in unterschiedliche Organisationen eingebunden (Kindergarten, Schule, Betrieb, Verein, Altenclub etc.). Sie dienen uns dazu, Berechenbarkeit, Planbarkeit und Zuverlässigkeit in unsere unterschiedlichen sozialen Rollen und Handlungen zu bringen. Organisationen haben eine entlastende Funktion:

bestimmte soziale Aufgaben werden an sie delegiert. Zudem setzen sie Grenzen, schränken also durch Angebotsformen und Regeln Handlungsmöglichkeiten ein. Organisationen treten Individuen als weitgehend verselbständigte Sozialsysteme (mit Mitgliedschafts- und Entscheidungsregeln) entgegen. Die spezifischen Logiken und Gesetzmäßigkeiten von Organisationen können zwar prinzipiell durch die Handlungen Einzelner oder von Gruppen geändert werden, das ist aber eher Ausnahme und nicht die Regel.

Organisationen als soziale Systeme

Organisationen können dann als soziale Systeme aufgefasst werden, wenn sich dauerhafte Rollen- und Interaktionsstrukturen in ihnen ausprägen und sie über einen bestimmten Grad an Eigenkomplexität verfügen. Von Organisationsautonomie spricht man, wenn Organisationen relativ unabhängig von Einflüssen aus unterschiedlichen Umwelten, z.B. bei der Zielfindung oder Personalauswahl, entscheiden können.

Merkmale von Organisationen:

- Sie sind bewusst, planvoll und dauerhaft auf die Erreichung bestimmter Ziele ausgerichtet.
- Sie besitzen eine geschaffene und anerkannte Ordnung und Struktur (Festlegung von Leitungs- und Anordnungsbefugnissen mit Kommunikations- und Entscheidungswegen).
- Die Aktivitäten und die verfügbaren Ressourcen werden so koordiniert, dass die Erreichung des Ziels auf Dauer gewährleistet werden kann.

Organisationen weisen gewisse Formen von Hierarchien mit horizontalen wie vertikalen Aufgaben- und Kompetenzverteilungen auf. Sie geben sich eine formale Struktur, weil sich die Handlungen der Organisationsangehörigen auf den Zweck der Organisationsziele ausrichten sollen (vgl. Hahne 1998). Der Grad an formellen Regelungen ist desto ausgeprägter, je zweckgerichteter, größer und damit arbeitsteiliger eine Organisation ist.

Organisationen mit ähnlichen Aufgaben, so im Bereich der Medien, können insgesamt als spezifischer Organisationskomplex beschrieben werden, weil für alle Organisationen ähnliche Bedingungen und Regeln gelten. Vielfach wird, um den Zusammenhang unterschiedlicher Organisationen in einem Sektor deutlich zu machen, von einer Branche (z.B. Medienwirtschaft) gesprochen (vgl. Kübler 1994: 107f.). Sozialwissenschaftlich angemessener ist hingegen die Bezeichnung derartiger Organisationskomplexe als a) Struktur oder b) als soziales System.

Struktur oder System

a) Aus handlungstheoretischer Perspektive bestehen Strukturen aus Elementen (Organisationen) und deren Interaktionsbeziehungen. Strukturen sind die Gesamtheit der relativ dauerhaften Grundlagen und Wirkungszusammenhänge sozialer Gebilde (wie Gruppen und Organisationen) und deren soziale Beziehungen in einem bestimmten Bereich. Sie ermöglichen und begrenzen individuelles als auch organisationales Handeln. Strukturen sind also institutionelle, mehr oder minder dauerhafte Gegebenheiten, mit denen sozial Handelnde konfrontiert sind, in denen sie sich bewegen, und die sie verstehen müssen, wenn sie etwas verändern wollen. Strukturen sind nicht Zwang, weil Strukturen nicht extern vom Handelnden existieren, wohl aber setzen sie Grenzen. Strukturen können deshalb als „constraints" („Beschränkungen") begriffen werden. In der Strukturanalyse wird nicht nur nach dem Vorhandensein von Elementen gefragt, sondern es interessiert auch die Anordnung und die Beziehung dieser Elemente zueinander (z.B. die unterschiedlichen Beziehungen zwischen Organisationen der Werbewirtschaft und dem öffentlichen oder dem privaten Rundfunk). Durch die Analyse wird die jeweils vorherrschende Ordnung sichtbar. Durch den Vergleich zu verschiedenen Zeitpunkten oder zwischen verschiedenen Ländern können Unterschiede in den Strukturen erkannt werden (vgl. Kleinsteuber 1993).

Handlungstheoretische Perspektive: Strukturen bestehen aus Elementen und Interaktionsbeziehungen

constrains

Systemtheoretische Perspektive: spezialisierte soziale Einheiten als (Teil-)System

b) Aus der Sicht der Systemtheorie (vgl. Donges/Meier, Abschnitt 2.2 i.d.B.) können alle mit Kommunikationsaufgaben befassten Organisationen als spezialisierte soziale Einheiten zu einem (Teil-)System zusammengefasst werden. Dauerhafte Beziehungen zwischen sozialen Einheiten führen zur Herausbildung eines sozialen Systems, in dem bestimmte Rollen-, Interaktions- und Kommunikationsstrukturen auszumachen sind. Bei (Teil-) Systemen handelt es sich dabei zumeist um Organisationskomplexe in einem Sektor, die zur Lösung spezieller Aufgaben untereinander in einer Beziehung stehen. In ihnen wird arbeitsteilig, spezialisiert und bezogen aufeinander an der Lösung gesellschaftlicher Probleme operiert. Innerhalb der Organisationskomplexe, aus denen (Teil-)Systeme hervorgehen oder die als vernetzte Strukturen mit systemischem Charakter begriffen werden können, gelten spezifische Formen der Problemlösung, Fachsprachen, Codes etc. (Teil-)Systeme – Ergebnis funktionaler Differenzierung und Spezialisierung – setzen einzelnen Organisationen gleichsam den (Handlungs-, Entscheidungs- oder Kommunikations-)Rahmen. Von (Teil-)Systemen zu sprechen setzt allerdings klare Definitionen hinsichtlich der dazugehörigen Elemente, ihrer Merkmale und Eigenschaften voraus. Darüber wird innerhalb der unterschiedlichen systemtheoretischen Ansätze debattiert (vgl. Görke/Kohring 1996).

Soziale Systeme: raum-zeitlich verfestigte Interaktionsmuster

Unter sozialen Systemen verstehen wir, unter Rückgriff auf Giddens (1984), raum-zeitlich verfestigte Interaktionsmuster (also Organisationen und Strukturen), die empirisch analysiert werden können. Soziale Systeme sind durch spezifische Strukturmomente und Integrationsmuster kennzeichenbar. Sie sind – und hier liegt der entscheidende Unterschied zu systemtheoretischen Denkmodellen – nicht als abgeschlossene Gebilde zu verstehen, sondern es wird von fließenden Grenzen zwischen Systemen ausgegangen. Der Grad an Systemhaftigkeit ist variabel und so können auch Netzwerke zu sozialen Systemen gezählt werden (vgl. Giddens 1984: 204ff.).

Organisation als „reflexive Strukturation"

Giddens Idee, Organisation als „reflexive Strukturation" zu begreifen, ist insbesondere für die Analyse von Medienorganisationen fruchtbar, weil diese bislang systemtheoretisch noch nicht überzeugend als autonomes Sozialsystem gefasst werden konnten. Zudem bietet insbesondere die Systemtheorie Luhmanns kein Denkwerkzeug und kein methodisches Instrumentarium für empirische Analysen.

4 Medienorganisationen und Medienstrukturen als Forschungsgegenstand

4.1 Organisationskonzept und Stand der Forschung: Typen von Medienorganisationen

Medien als organisierte soziale Handlungssysteme

Medienorganisationen fassen wir als „organisierte soziale Handlungssysteme" (Siegert 1993: 13) auf, in denen sinnhaft und strategisch agiert wird und die wiederum als Elemente der Medienstruktur aufzufassen sind. Medienleistungen sind somit nicht allein das Ergebnis von Handlungen innerhalb einer oder zwischen Medienorganisationen, sondern sie sind auch abhängig von den im Medienbereich agierenden Verbänden, gesellschaftlichen wie staatlichen Akteuren. Letztere machen durch rechtliche Entscheidungen, durch Gesetze oder Rundfunkkonzessionen Vorgaben für Medienorganisationen. Verbände und gesellschaftliche Akteure fordern von Organisationen bestimmte Programmleistungen wie auch -qualitäten und sie wirken damit – alle zusammen – in vielfältiger Weise auf Medienorganisationen ein.

Formen von Organisationen

Für die Analyse ist eine Unterscheidung zwischen drei unterschiedlichen Formen von Organisationen im Medienbereich relevant:

- Betriebe bzw. Unternehmen
- Verbände und Akteure
- Staatliche Akteure

Betriebe bzw. Unternehmen

Betriebe bzw. Unternehmen dienen wirtschaftlichen Zwecken und geben sich zur Erreichung dieser Ziele eine entsprechende Organisation. Medien sind zumeist als Betriebe organisiert. Zweck eines Medienbetriebs ist die kostengünstige Her-, Bereitstellung und Distribution von Informations- und Kommunikationsangeboten oder die Erbringung von dazu notwendigen Dienstleistungen. Der Mediensektor setzt sich aus verschiedenen Teilbereichen (z.B. Verlags-, Rundfunk-, Werbewirtschaft oder Filmproduktion etc.) mit zahlreichen Unternehmen zusammen. Innerhalb dieser Teilbereiche finden wir wiederum eine Vielzahl unterschiedlicher, spezialisierter Organisationen.

Verbände, gesellschaftliche und staatliche Institutionen

Verbände sowie gesellschaftliche und staatliche Einrichtungen begreifen wir als Akteure. Diese Organisationen verfügen über einen Akteursstatus, weil in ihnen strategisch, koordiniert und bezogen auf bestimmte Ziele agiert wird. So versuchen gesellschaftliche Organisationen, wie Verbraucherverbände oder Kirchen, bestimmte inhaltliche Ziele gegenüber Medienorganisationen durchzusetzen, Verbände verfolgen zudem auch ökonomische Interessen.

Akteure

Wir können nach Akteuren und Zielen unterscheiden: Parteien, Kirchen oder weltanschauliche Gruppen wirken auf die Medien eher indirekt ein, so durch Tätigkeiten in Aufsichtsgremien beim öffentlichen Rundfunk oder durch die Bildung von oder die Beteiligung an medienpolitischen Foren. Zu den auf die Medien direkt einwirkenden Akteuren sind Organisationen zu zählen, die bestimmte Teilbereiche repräsentieren (z.B. Verband der Filmproduzenten) oder Interessen bestimmter Gruppen organisieren (z.B. Journalisten). Ihr Interesse ist es, ihre Ziele direkt innerhalb des Medienbereichs selbst oder gegenüber der den Medienbereich regulierenden Politik durchzusetzen. Es existieren zahlreiche Verbände (z.B. Mediengewerkschaften, Verlegerorganisationen, Verbände privater Rundfunkunternehmen oder der Werbewirtschaft), die durch ihre Handlungen auf einzelne Entscheidungsprozesse, Medienunternehmen und die Medienstruktur insgesamt Einfluss nehmen.

Staatliche Akteure

Unter staatlichen Akteuren werden hier v.a. hoheitlich agierende Organisationen wie Regierungen, Parlamente, Wettbewerbsbehörden, Internationale Einrichtungen (z.B. EU-Kommission) oder Regulierungsbehörden (BAKOM: Bundesamt für Kommunikation) bezeichnet, die durch rechtliche Entscheide (Gesetze, Verordnungen, Konzessionen) oder wirtschaftspolitische Maßnahmen (Subventionen, Zölle, Programmquoten etc.) auf die Medienorganisationen einwirken und deren Handlungsmöglichkeiten beeinflussen.

4.2 Medienstrukturen als Forschungsgegenstand

Aus Medienunternehmen, Verbänden und den spezifischen gesellschaftlichen wie politischen Akteuren setzt sich das zusammen, was wir als Medienstruktur bezeichnen können. Am Beispiel der deutschen Medienstruktur hat Theis-Berglmair (1994: 39) zum einen die Elemente (Akteure) und zum anderen die Beziehungen (Interaktionen) zwischen diesen aufgezeigt und damit die Struktur benannt. Anhand graphischer Darstellungen können Veränderungen im Zeitablauf, z.B. durch das Hinzutreten von neuen Akteuren oder Veränderungen in der Interaktionsintensität, festgestellt werden. Theis-Berglmair konnte so beispielsweise die Entwicklung von einer rein öffentlich-rechtlich geprägten hin zu einer dualen Rundfunkstruktur dokumentieren und den Wandel sichtbar machen (vgl. für die Schweiz Scholten-Reichlin/Jarren, Abschnitt 2.5 i.d.B.).

Medienstruktur

Medienstrukturen werden in den Teildisziplinen Mediengeschichte und -ökonomie, Medienpolitik und -recht betrachtet. Medienrechtliche Entscheidungen sind deshalb relevant, weil damit Leitvorstellungen für Medienordnungen (z.B. duale Rundfunkordnung) sowie Organisationsregeln definiert werden. In historischer und ökonomischer Analyse wird versucht, unterschiedliche Medienleistungen auf organisationale Bedingungen, die auf rechtlichen Entscheiden basieren, zurückzuführen. Die „Problemaufteilung in einzelne Teildisziplinen" (Haas 1987: 1) wirft bei der Organisations- und Strukturanalyse aber Probleme auf, weil es keinen eigentlichen disziplinären Ort für die Behandlung dieser Fragen

Medienordnungen und Organisationsregeln

gibt. In vielen Darstellungen finden wir eine Auseinandersetzung mit Medienorganisationen vorrangig unter normativen Aspekten. „Die politologische Analyse der Kommunikationswirklichkeit kann das Kommunikations- und Medienrecht („Legalverfassung") sowie den Massenkommunikations- und Medienzugang (Teil der „Realverfassung") nicht losgelöst von den Medienorganisationsformen sehen, unter die auch die wirtschaftlichen und technischen Zwänge der Massenkommunikationsmittel fallen. [...] Die Analyse der Organisationsstrukturen zielt darauf ab, das Massenkommunikationswesen eines politischen Systems exakt zu beschreiben und bestehende, die politische Öffentlichkeit mitbeeinflussende und mitbestimmende (Macht-)Faktoren transparent zu machen" (Pürer 1990: 65). In dieser Perspektive stellen Organisationen keine Eigengebilde dar, sondern sie sind lediglich das Ergebnis politischer und rechtlicher Entscheidungen und Bedingungen. Zugleich werden Ökonomie und Politik als äußere Zwänge angesehen, obwohl sie Bestandteile der Ordnung, der Struktur und auch jeder Organisation selbst sind. Der Eigensinn und die Eigenlogik jeder Organisation, sei sie nun politisch oder ökonomisch begründet, fehlt in dieser Sichtweise. Der normativ geprägte Blick auf Medienorganisationen ist auf historische Faktoren zurückzuführen. Dies gilt insbesondere für den Rundfunk, für den lange Zeit restriktive staatliche Vorgaben galten.

Analyse der Organisationstrukturen

Unterschiedliche Ordnungen

Komparative Studien

Unterschiedliche Herrschaftsformen führen zu unterschiedlichen Ordnungen für Organisation und Arbeitsweise von Medien (vgl. Kepplinger 1982: 12f.). Diese Sichtweise ist v.a. für komparative Studien – z.B. den internationalen Vergleich von Rundfunkorganisationen oder Medienstrukturen – relevant. Für die Betrachtung nationaler Medienstrukturen reicht dieser Blick nicht aus, weil die Medien zu sehr im Kontext des politischen Systems betrachtet, marktrelevante Faktoren aber vernachlässigt werden. Vor allem bleiben damit die Organisationen mit ihren spezifischen Merkmalen und ihrem unterschiedlichen publizistischen Leistungspotential außerhalb des Sichtfeldes. Statt von Normen oder Idealvorstellungen auszugehen, sind konkrete Organisationen zu betrachten –

deren interne Struktur sowie die Ergebnisse des Organisationshandelns. Was sind Voraussetzungen für qualitativ hochstehende Programmleistungen?

5 Die Organisation von Medienunternehmen und Redaktionen: Analysebeispiele

Ziel- und Zweckorientierung von Medienunternehmen

Das Wirtschaftssystem ist durch Organisationsformen gekennzeichnet, die darauf angelegt sind, dauerhaft und effizient ökonomische Ziele zu erreichen. Die ökonomische Ziel- und Zweckorientierung steht im Mittelpunkt von Medienunternehmen und die Ziele sollen durch bestimmte Aufgaben-, Ressourcen- und Verantwortungszuweisungen erreicht werden. In der Regel erfolgt dies auf Basis einer formalen Organisation und der Bildung hierarchischer Strukturen. Im Medienbereich kann im Wesentlichen zwischen Linienorganisation und Funktionaler Organisation unterschieden werden:

Linienorganisation und Funktionale Organisation

Abbildung 1 Organisationsformen im Medienbereich

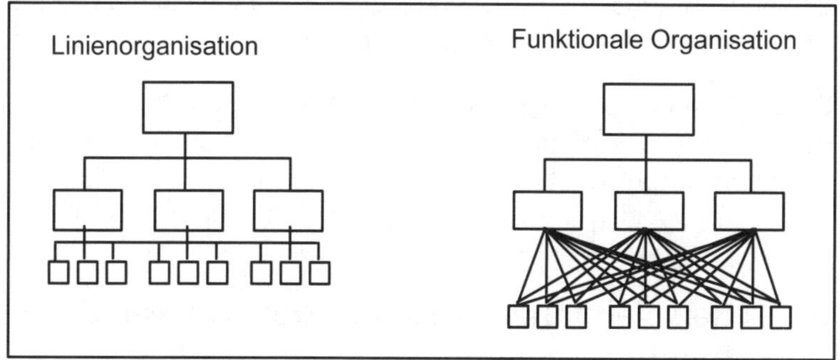

Quelle: Röttger 1999: 167

In der Linienorganisation, z.B. üblich bei einer Tageszeitungsredaktion, hat jede Stelle oder jedes Ressort einen direkten Vorgesetzten. Die Ressortleiter haben die Chefredaktion als vorgesetzte Stelle, die Ressortleiter stehen ihrerseits den Ressorts und damit den ihnen zugewiesenen Journalisten als Vorgesetzte vor. In größeren Einheiten können Planungs- und Koordinationsaufgaben an Inhaber von Stabsfunktionen (Chef vom Dienst, Textchef, Planungsredakteur) gegeben werden. In der funktionalen Organisation hingegen gilt das Prinzip der Mehrfachunterstellung, verbunden mit einer fachlichen Spezialisierung einzelner Stellen. Diese Form finden wir beispielsweise bei Fachzeitschriften, wo verantwortliche Ressortleiter auf unterschiedliche Fachkompetenzen zurückgreifen müssen.

Fragestellungen

Organisationsformen können zu höchst unterschiedlichen Fragestellungen empirisch analysiert werden, so indem Strukturen innerhalb einer Organisation betrachtet oder Organisationen miteinander verglichen werden. Mögliche Fragestellungen sind: Werden bestimmte Ziele durch die gewählte Organisationsform effektiv und effizient erreicht? Stimmen formale und informelle (oder nicht formale) Strukturen überein? Ergeben sich aufgrund der gefundenen Organisationsform Vor- oder Nachteile bezogen auf bestimmte Ziele (wie Fähigkeit zur Produktinnovation, thematische Offenheit, journalistische Unabhängigkeit von Redakteuren, Zufriedenheit der Redaktionsmitglieder etc.)?

Organisations- und Produktvergleich

Durch Organisations- und Produktvergleich kann festgestellt werden, ob eine bestimmte redaktionelle Organisation zu einem bestimmten Output führt.

5.1 Beispiel: Innere Organisation von Rundfunkunternehmen

Für Rundfunkorganisationen gelten spezifische Ziele, die sich aus normativen Vorgaben (Gesetz, Verordnung, Konzession), der dominanten Finanzierungsform (Werbe- vs. Gebührenfinanzierung), der jeweiligen Marktposition (Monopol- vs. Wettbewerbsposition) und aus den selbstgesetzten Unternehmenszielen ergeben. Zu den Zwecken und Zielen von Rundfunkunternehmen können bei einer idealtypischen Betrachtung gehören:

Idealtypische Betrachtung von Rundfunkunternehmen

- Eigenständige Erstellung oder Zusammenstellung eines Programms,
- Ausrichtung des Programms auf ein allgemeines oder auf ein spezielles Publikum,
- Finanzierung des Programms durch Gebühren oder nur durch Werbung.

Die unterschiedliche publizistische Ausrichtung von Rundfunkunternehmen – hier wurde zwischen öffentlichen und privaten kommerziellen unterschieden – führt zum Aufbau unterschiedlicher Organisationseinheiten. Dies lässt sich formal an den verschiedenen Organigrammen der beiden Organisationstypen ablesen (vgl. Pantenburg 1996: 131, 188). Organisationsformen des Rundfunks sind aufgrund ihrer großen Bedeutung für die Programmleistung Ansatzpunkte für die rundfunkrechtliche Regulierung wie auch für Qualitätssicherungsansätze (vgl. Wyss 2000).

Organigramm

Die Unterschiede zwischen öffentlich-rechtlichen und privaten Rundfunkanbietern lassen sich an den beiden Organigrammen exemplarisch ablesen: Während die Programmdirektion bei VOX für Planung, Logistik und Programmeinkauf zuständig ist, gehören in den Bereich der Chefredaktion bestimmte, konkrete Sendungen. Bei der SRG ist der publizistische Bereich anders strukturiert, und zwar nach Sendern. Diese verfügen wiederum über Programmdirektionen und Chefredakteure. Bei dem Sender VOX ist auch die unmittelbare Anbindung von Werbung, Merchandising oder Vertrieb an die Geschäftsleitung auffällig.

Differenzen zwischen öffentlich-rechtlichen und privaten Rundfunkanbietern

Abbildung 2 Organisationsorganigramm VOX Film- und Fernseh-GmbH und Co. KG

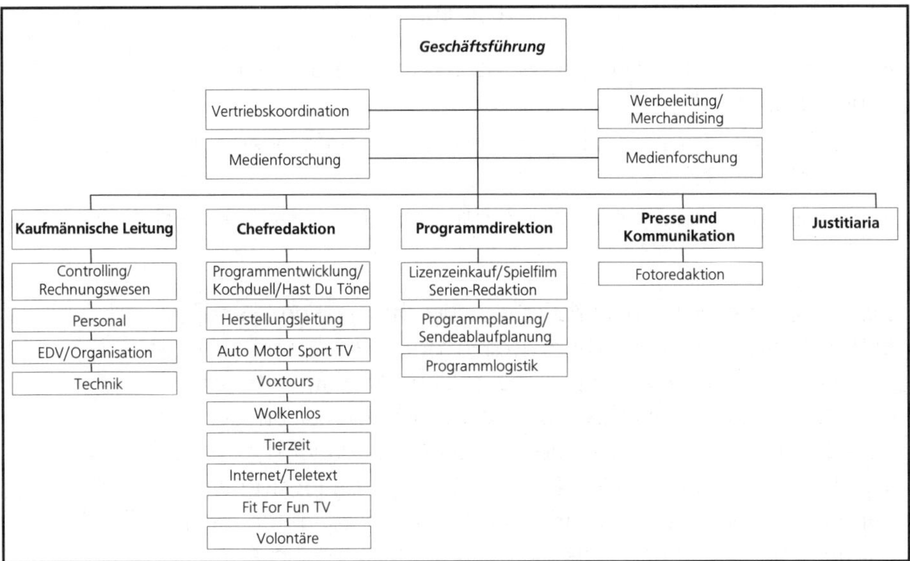

Quelle: VOX, Stand 18.07.2000

Organisationen sind entsprechend ihrer jeweiligen Kernziele strukturiert, woraus sich ein Unterschied zwischen Unternehmen, die sich beispielsweise auf unterschiedliche Weise finanzieren oder solchen die unterschiedliche Aufgaben zu erfüllen haben (öffentlicher Rundfunk: Leistungsauftrag, Service public) ableiten lässt. Aus der Betrachtung und Analyse von Organigrammen kann also auf die Zielsetzung eines (Rundfunk-)Unternehmens geschlossen werden. Es mangelt allerdings in der Medienforschung noch an solchen empirischen Analysen.

Abbildung 3 Unternehmensstruktur Schweizerische Radio- und Fernsehgesellschaft SRG SSR idée suisse

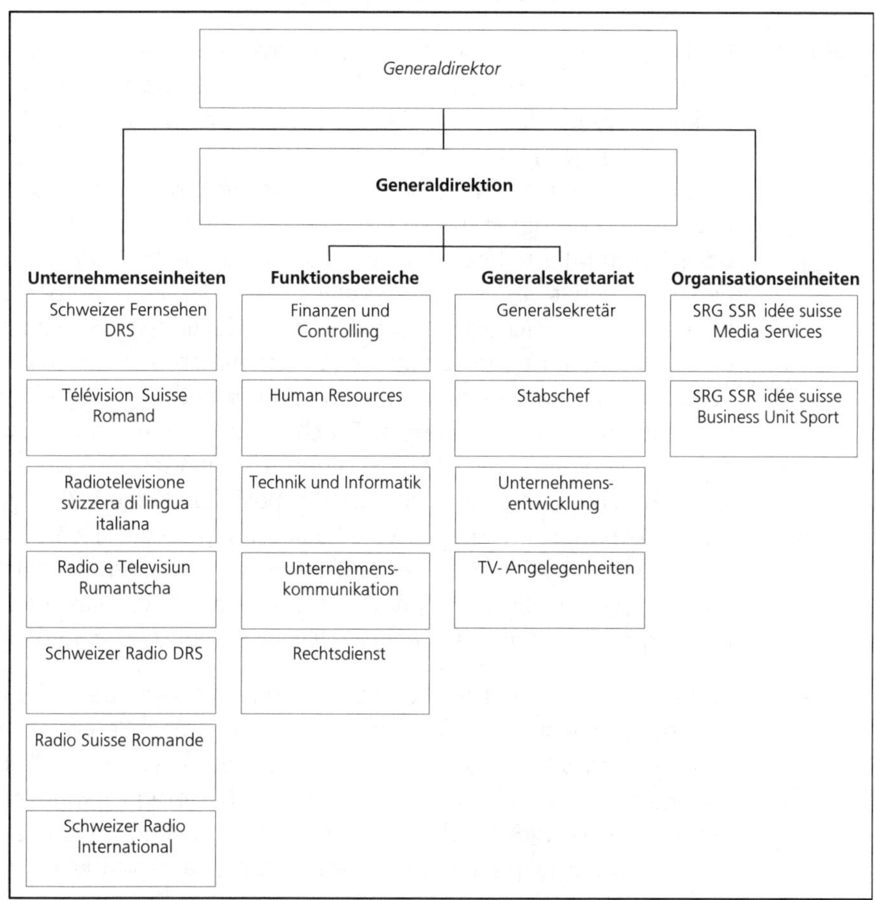

Quelle: SRG SSR idée suisse 2000

5.2 Beispiel: Redaktionelle Organisation bei Medienunternehmen

Redaktionen als umwelt-offene Systeme

Rühl (1969) hat Redaktionen als umweltoffene Systeme begriffen, die zumeist Ressorts ausprägen. Ressorts können nach räumlichen (Lokales, Nationales etc.) oder sachlichen Kriterien (Politik, Wirtschaft etc.) gebildet werden. Sie ermöglichen den Journalisten spezifische Leistungen aufgrund entsprechender journalistischer Entscheidungsprogramme zu erbringen (vgl. Rühl 1969). Ressorts bei Medienunternehmen können als journalistische Organisationen und damit als Systeme organisierten Handelns aufgefasst werden. Die Entscheidung, bestimmte redaktionelle Strukturen herauszubilden, ist zum einen vom Unternehmen und seinen ökonomischen Zielen und zum anderen von der Redaktion und ihren publizistischen Zielen abhängig. Durch derartige Strukturentscheidungen wird das gesamte redaktionelle Organisations- wie das journalistische Entscheidungsprogramm beeinflusst. Jarren/Donges (1996) konnten am Beispiel von Radiosendern zeigen, dass das Vorhandensein oder Nicht-Vorhandensein von bestimmten redaktionellen Strukturen in quantitativer wie qualitativer Hinsicht für die Programmleistung der Sender relevant ist (vgl. Abb. 4 und 5).

Programm-leistung

Redaktions-struktur

Im Falle der Ausbildung einer als traditionell bezeichneten Redaktionsstruktur war die Bearbeitung von bestimmten Bereichen erkennbar und sie erfolgte auf Basis eines spezialisierten, fachlich qualifizierten journalistischen Personals. Im Falle von gering entwickelten Redaktionsstrukturen, wie sie bei privaten kommerziellen Radiounternehmen vorgefunden wurden, fand sich keine systematische Bearbeitung einzelner Bereiche. Dort existiert beispielsweise keine auf Politik spezialisierte Redaktion (Ressort Politik) sowie keine fachlich einschlägig tätigen Journalisten und folglich auch kein auf Dauer gestelltes und spezialisiertes Entscheidungsprogramm (vgl. auch Altmeppen 1999: 43ff.).

Keine spezialiserte Redaktion

Abbildung 4 Traditionelle redaktionelle Strukturierung

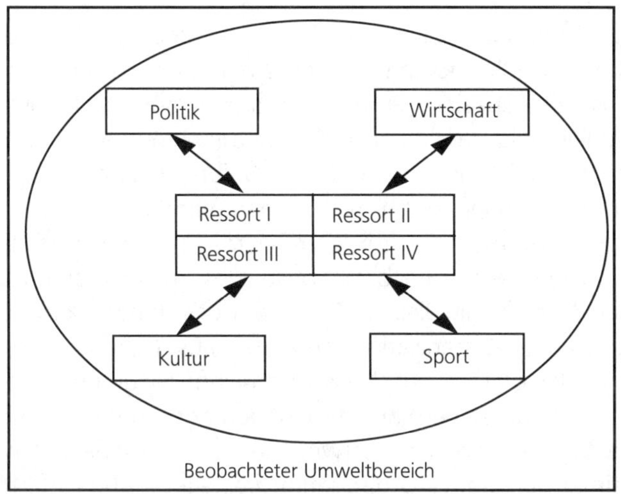

Abbildung 5 Redaktionelle Strukturen nach neuem Organisationstyp

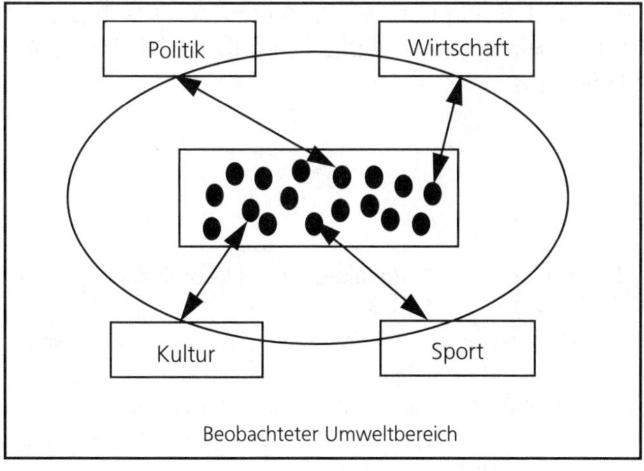

Quelle: Jarren/Donges 1996: 183f.

6 Schlussbemerkung

Redaktionelle Strukturen, journalistische Rollen und der Aufbau journalistischer (Fach-)Kompetenz wirken zusammen und erst auf dieser Basis ist eine spezielle Programmleistung möglich. Empirische Folgestudien über redaktionelle Organisation, journalistisches Handeln und Qualifikation haben diesen Befund bestätigt (vgl. Altmeppen/Donges/Engels 1999). So sprechen Altmeppen, Donges und Engels im Zusammenhang mit dem Journalismus beim privaten Rundfunk von einem Transformationsprozess im Journalismus generell, auch weil sich in diesem Teilsystem des Rundfunks nur noch geringe formale Organisationsstrukturen ausmachen lassen. „In keinem Sender gibt es eine klassische Ressortgliederung, die redaktionelle Struktur ist permanenten Änderungen unterworfen [...]. [...] die tagesaktuelle Arbeit [wird] in hohem Maße durch informelle, situativ geprägte Organisation gestaltet" (ebd.: 262). Derartig strukturierte Organisationen sind nur zu bestimmten publizistischen Leistungen fähig. Die ökonomische Logik innerhalb dieses Mediensektors wirkt also auf die Ausbildung konkreter Organisationsstrukturen ein und die Organisationsweise bestimmt das journalistische Handeln und wirkt sich auf das inhaltliche Angebot der Medien aus.

Strukturierte Organisationen, publizistische Leistungen

Literatur

*Altmeppen, Klaus-Dieter (1999): Redaktionen als Koordinationszentren. Opladen, Wiesbaden.

Altmeppen, Klaus-Dieter/Donges, Patrick/Engels, Kerstin (1999): Transformation im Journalismus. Berlin.

Giddens, Anthony (1984): The Constitution of Society. Camebridge.

Görke, Alexander/Koring, Matthias (1996): Unterschiede, die Unterschiede machen: Neuere Theorieentwürfe zu Publizistik, Massenmedien und Journalismus. In: Publizistik 41, H. 1, S. 15-31.

Haas, Hannes (Hg.) (1987): Mediensysteme. Struktur und Organisation der Massenmedien in den deutschsprachigen Demokratien. Wien.

Hahne, Anton (1998): Kommunikation in der Organisation. Opladen, Wiesbaden.

Jarren, Otfried/Donges, Patrick (1996): Keine Zeit für Politik? Berlin.

Kepplinger, Hans Mathias (1982): Massenkommunikation. Rechtsgrundlagen, Medienstrukturen, Kommunikationspolitik. Stuttgart.

Kieser, Alfred/Kubicek, Herbert (1992): Organisation. Berlin, New York.

Kleinsteuber, Hans J. (1993): Mediensysteme in vergleichender Perspektive. Zur Anwendung komparativer Ansätze in der Medienwissenschaft: Probleme und Beispiele. In: Rundfunk und Fernsehen 41, H. 3, S. 317-338.

Kübler, Hans-Dieter (1994): Kommunikation und Massenkommunikation. Münster, Hamburg.

Lazarsfeld, Paul F./Merton, Robert K. (1957[1948]): Mass Communication, Populare Taste and Organized Social Action. In: Rosenberg, Bernard/White, David M. (Hg.): Mass culture: the popular art in America. New York, S. 457-473.

Luhmann, Niklas (2000): Organisation und Entscheidung. Opladen, Wiesbaden.

Maletzke, Gerhard (1963): Psychologie der Massenkommunikation. Hamburg.

Marcinkowski, Frank (1993): Publizistik als autopoietisches System. Opladen.

McQuail, Denis (1994): Mass communication theory. (3. Aufl.) London, Thousand Oaks, New Delhi.

Meier, Werner A./Bonfadelli, Heinz (1987): "Neue Medien" als Problem der Publizistikwissenschaft. In: Rundfunk und Fernsehen 35, H. 4, S. 169-184.

Pantenburg, Ursula (1996): Die Organisation der Leitungsspitze von Rundfunkanstalten. Mannheim.

Pürer, Heinz (1990): Einführung in die Publizistikwissenschaft. (4. Aufl.) München.

*Röttger, Ulrike (1999): Public Relations – Organisation und Profession. Dissertation. Universität Zürich.

Rühl, Manfred (1969): Die Zeitungsredaktion als organisiertes soziales System. Fribourg.

Rühl, Manfred (1989): Organisatorischer Journalismus. Tendenzen der Redaktionsforschung. In: Kaase, Max/Schulz, Winfried (Hg.): Massenkommunikation. Theorien, Methoden, Befunde. Opladen, S. 253-269.

Saxer, Ulrich (1999): Der Forschungsgegenstand der Medienwissenschaft. In: Leonard, Joachim-Felix u.a. (Hg.): Medienwissenschaft. Berlin, New York, S. 1-14.

Schweizerische Radio- und Fernsehgesellschaft SRG SSR idée suisse (Hg.) (2000): Schweizerische Radio- und Fernsehgesellschaft. Geschäftsbericht 1999. Bern.

Siegert, Gabriele (1993): Marktmacht Medienforschung. München.

*Theis, Anna Maria (1993): Organisationen – eine vernachlässigte Größe in der Kommunikationswissenschaft. In: Bentele, Günter/Rühl, Manfred (Hg.): Theorien öffentlicher Kommunikation. München, S. 309-313.

Theis-Berglmair, Anna Maria (1994): Medienwandel – Modellwandel? In: Jarren, Otfried (Hg.): Medienwandel – Gesellschaftswandel? Berlin, S. 35-50.

Weischenberg, Siegfried (1992): Journalistik. Medienkommunikation: Theorie und Praxis. Opladen.

Wyss, Vinzenz (2000): Qualitätsmanagement in der Redaktion. In: Held, Barbara/Russ-Mohl, Stephan (Hg.): Qualität durch Kommunikation sichern. Frankfurt/M., S. 221-232.

* Basisliteratur

Medienökonomie

Werner A. Meier/Josef Trappel

1 Überblick 163

2 Theoretische Zugänge 165

2.1 Wirtschaftswissenschaftliche Zugänge 165
2.2 Publizistik- und sozialwissenschaftliche Zugänge 170

3 Spannungsfelder marktwirtschaftlicher Medienproduktion 172

3.1 Kommerzielle Ziele und gesellschaftliche Aufgaben der Medienunternehmen 173
3.2 Produkte, Dienstleistungen und Marktpräsenz der Medienunternehmen 174
3.3 Finanzierung der Medienunternehmen 175
3.4 Souveränität der Medienkonsumenten 176
3.5 Konzentrationsprozesse auf den Medienmärkten 178

4 Aktuelle Entwicklungen 182

4.1 Trend zur Ökonomisierung 182

4.2 Wettbewerbsausprägung auf Unternehmensebene 187

4.3 Wettbewerbsausprägung auf Medienmärkten 188

4.4 Wettbewerbsausprägung auf Produktebene 192

5 Schlussfolgerungen 193

Literatur 194

Werner A. Meier/Josef Trappel

1 Überblick

In modernen Demokratien erfolgt die Produktion und der Vertrieb von Medien in der Regel unter den Bedingungen der Handels- und Gewerbefreiheit. Dies gilt in besonderem Maße für Zeitungen und Zeitschriften, die meist von gewinnorientierten Verlagsunternehmen herausgegeben und deren Dienstleistungen auf regionalen, nationalen oder sogar internationalen bzw. sprachregionalen Werbe- und Lesermärkten verkauft werden. Bei den elektronischen Medien Radio und Fernsehen hingegen wirken nicht nur die Märkte als Steuerungsinstanzen, sondern auch ordnungspolitische Grundsätze und Mediengesetze versuchen unternehmerischen Spielraum von Radio- und Fernsehveranstaltern einzugrenzen.

Fundamentaler Widerspruch

Mit der Institutionalisierung der Medien als wirtschaftsliberale und unternehmerische Gegenposition zum absolutistischen Herrschafts- und Kontrollstaat im 19. Jahrhundert hat sich jede moderne Demokratie einem grundlegenden fundamentalen Widerspruch eingehandelt:

- Inwieweit sind kommerzielle, d.h. profitorientierte Medien, in der Lage, neben den klaren wirtschaftlichen Vorgaben von Investoren und Eigentümern gleichzeitig auch die von Staat und Gesellschaft erwarteten und eingeforderten politischen und kulturellen Ziele zu erreichen?
- Inwieweit untergräbt nicht gerade das wirtschaftsliberale Modell freier Massenmedien die eigenen Ideale, wenn der Zugang zu Presse, Radio und Fernsehen durch politische und wirtschaftliche Macht sowie durch Eigentumsrechte derart eingeschränkt wird, dass oligopolistische Märkte und die Vermachtung der Öffentlichkeit zu den regelhaften Strukturmerkmalen moderner Demokratien gehören?

Kein oder ein Gewerbe?

Das spannungsgeladene Verhältnis zwischen privatwirtschaftlicher Institutionalisierung und den in sich widersprüchlichen gesellschaftlichen Aufgaben aktueller publizistischer Medien ist aus einer sozialwissenschaftlichen Perspektive schon früh erkannt worden. So postulierten Marx und Engels Mitte des 19. Jahrhunderts, dass die erste Freiheit der Presse darin bestünde, kein Gewerbe zu sein. Auch Max Weber zweifelte an der Unabhängigkeit der Medien und fragte in seiner Skizze zu einer Soziologie des Zeitungswesens nach den Auswirkungen kapitalistischer Medienunternehmen auf die öffentliche Meinung. Weber nahm dabei den „geschäftlichen Charakter" eines Presseunternehmens als gesellschaftliches Problem wahr, weil seiner Ansicht nach schon damals nicht mehr die Belehrung und Aufklärung der Öffentlichkeit im Vordergrund stand, sondern der Verkauf des „Annoncenraums als Ware" an die werbetreibende Wirtschaft unter Zuhilfenahme eines redaktionellen Teils. Damit büßten die profitorientierten Medien die für den Meinungs- und Willensbildungsprozess notwendige publizistische und wirtschaftliche Unabhängigkeit ein.

Die Spannung zwischen der Befriedigung kommerzieller Interessen und der Erfüllung von Aufgaben und Leistungen für demokratische Entscheidungsprozesse bzw. die gesellschaftliche Selbstverständigung kann als der zentrale Ausgangspunkt für die publizistik- und sozialwissenschaftliche Theoriebildung ökonomischer Bedingungen von Medien und öffentlicher Kommunikation bzw. medienökonomischer Theoriebildung betrachtet werden. Allerdings geht der Anspruch an eine sozialwissenschaftlich fundierte Medienökonomie weiter. Diese hat nicht nur die Beschreibung und Analyse zentraler wirtschaftlicher Aspekte des Mediensystems zu leisten, sondern muss auch die Konsequenzen der zunehmenden Ökonomisierung, Privatisierung und Globalisierung sowohl für das Mediensystem als auch für die Gesamtgesellschaft erforschen und evaluieren. Wenn es darum geht, die strukturellen Spannungen und konfliktreichen Auswirkungen zwischen Medien als Wirtschaftsunternehmen und Medien als zentrale gesellschaftliche Institution zu analysieren, genügen keineswegs ausschließlich wirtschaftswissenschaftliche Ansätze, vielmehr müssen diese durch sozialwissenschaftliche ergänzt werden.

Sozial- und publizistikwissenschaftlich fundierte Medienökonomie

2 Theoretische Zugänge

2.1 Wirtschaftswissenschaftliche Zugänge

Wirtschaftswissenschaftlich fundierte Medienökonomie

Medienökonomische Analysen können grundsätzlich aus unterschiedlichen disziplinären und theoretischen Perspektiven durchgeführt werden. Naheliegend erscheint der Rückgriff auf die Wirtschaftswissenschaften, die sich in Betriebs- und Volkswirtschaft unterteilen lässt. Eine wirtschaftswissenschaftlich ausgerichtete Medienökonomie verwendet zentrale wirtschaftliche Prinzipien für die Analyse von Märkten, Medienindustrien, Medienunternehmen und Medienprodukten. In der Regel fallen dabei außerökonomische Gesichtspunkte weg.

Neoklassischer Ansatz als dominantes Paradigma

Bei den wirtschaftswissenschaftlichen Zugängen kann der neoklassische Ansatz als dominantes Paradigma betrachtet werden. Dabei geht es darum, die wirtschaftlichen Bedingungen der Medienproduktion, d.h. die ökonomischen Grundfunktionen Produktion, Distribution und Konsumtion, auf den verschiedenen Medienmärkten zu erfassen. Die so fokussierte Medienökonomie analysiert, wie die Industrie als Ganzes und wie einzelne Unternehmen unter Marktbedingungen ihre knappen Ressourcen einsetzen, um Waren und Dienstleistungen (Information/Unterhaltung) zu produzieren. Im Zentrum steht also das Problem der optimalen Allokation der Ressourcen, d.h. die Frage nach der optimalen Organisation von Märkten, Unternehmen und Produkten. „Neoklassische Medienökonomie untersucht, wie die Güter Information, Unterhaltung und Verbreitung von Werbebotschaften in aktuell berichtenden Massenmedien produziert, verteilt und konsumiert werden" (Heinrich 1994a: 19).

Jürgen Heinrich, Autor des bisher einzigen Standardwerks zur Medienökonomie aus volks- und betriebswirtschaftlicher Perspektive im deutschen Sprachraum (Heinrich 1994a, 1999), geht davon aus, dass der Markt sowohl in der Wirtschaftswissenschaft

(Ökonomik) als auch in der Wirtschaft (Ökonomie) als das beste Verfahren gilt, um

- die produktive Effizienz zu sichern (kostenminimale Produktion),
- die Güter und Dienstleistungen effizient zu verteilen (optimale Allokation),
- die Einkommen nach Leistung zu verteilen („gerechte" Verteilung),
- die wirtschaftliche Macht zu kontrollieren (effektive Kontrolle) (vgl. Heinrich 1999: 22).

Mit anderen Worten: Der ökonomische Wettbewerb, das Streben nach Gewinn, nach Steigerung von Marktanteilen und Umsätzen dominiert das medienunternehmerische Handeln. „Die Bewertung der Marktergebnisse erfolgt nach der grundlegenden Norm der Ökonomie, dem individuellen ökonomischen Nutzen, gleichbedeutend mit individueller ökonomischer Wohlfahrt" (Heinrich 1999: 23). Stillschweigend wird davon ausgegangen, dass der Markt nicht nur den individuellen Nutzen maximiert, sondern auch das Gemeinwohl fördert. Damit Märkte und der ökonomische Wettbewerb ihre vielfältigen Aufgaben (produktive und allokative Effizienz, Einkommensverteilung, Kontrolle etc.) tatsächlich erfüllen, müssen allerdings bestimmte minimale Strukturbedingungen gegeben sein. Unter anderem sollten alle Marktteilnehmer über ausreichende Informationen bezüglich der Anbieter und der „Qualitäten, des Nutzens und der Preise der gehandelten Güter und Dienstleistungen" (ebd. 22) verfügen. In Anbetracht der festgestellten strukturellen Defizite geht Heinrich zu Recht nicht nur vom Paradigma „Markt", sondern auch vom Paradigma „Marktversagen" aus und stellt fest, dass Medienmärkte aufgrund spezifischer Kennzeichen nur sehr unvollkommen funktionieren und entsprechend auch Mängel aufweisen bzw. suboptimale Ergebnisse produzieren. Als Ursachen für Marktinsuffizienzen können in erster Linie die mangelnde Durchsetzung von Eigentumsrechten, gravierende Informationsmängel für die Rezipienten und Strukturprobleme des Wettbewerbs angeführt werden.

Markt und Marktversagen

Matthias Karmasin (1998, 2000), ebenfalls Verfasser einer Einführung in die Medienökonomie, geht von einer transdisziplinären Konzeption der Kommunikationsökonomie aus. Er versucht, den Medien als Kultur- und Wirtschaftsgut gerecht zu werden. Karmasin beschreibt die Medien aus einer betriebswirtschaftlich fundierten Stakeholder-Theorie als öffentlich exponierte Organisation und gesellschaftliche Institution, die sich gegenüber einer Vielzahl von unternehmensinternen und -externen Anspruchsgruppen zu bewähren hat. Eine derart fokussierte Betriebswirtschaftslehre der Medienunternehmung als Teildisziplin der Publizistik- und Kommunikationswissenschaft sollte sich nicht auf die Erklärung und Rechtfertigung von Gewinnmaximierungszusammenhängen konzentrieren. Karmasin plädiert für eine Medienökonomie, die sich nicht damit begnügt, ökonomische Prinzipien und Paradigmen auf kommunikationswissenschaftlich relevante Objekte oder Problembereiche anzuwenden, sondern die eine kritische und normative Reformulierung der kommunikationswissenschaftlichen Problemfelder leistet. Im Verständnis von Karmasin hat Medienökonomie als Wirtschaftsethik die Integration kommunikativer, ethischer und ökonomischer Rationalität zu vollziehen, um das Spannungsfeld ökonomischer „Sachzwänge", publizistischer Qualität und journalistischer Verantwortung erfassen zu können.

Betriebswirtschaftlich fundierte Medienökonomie

Wirtschaftsethisch fundierte Medienökonomie

Eine dritte Spielart wirtschaftswissenschaftlich geprägter Medienökonomie bringen Marie-Luise Kiefer (1997a, 1997b, 2001)) und Christian Steininger (2000) ins Spiel. Vor dem Hintergrund der neuen politischen Ökonomie plädieren sie für eine Analyse der strukturellen Einbindung der Medien in das Wirtschaftssystem. Kiefer und Steininger machen sich stark für eine Verbindung von publizistik- und wirtschaftswissenschaftlicher Betrachtungsweisen. Marie-Luise Kiefer übernimmt zentrale Ansätze, Methoden und Untersuchungsziele der neuen politischen Ökonomie als Teildisziplin der Wirtschaftswissenschaften und überwindet damit die traditionelle Nichtberücksichtigung außerökonomischer Zielsetzungen. Forschungsgegenstand einer so verstandenen politischen Ökonomie ist die Analyse von Steuerungsmechanismen, von institutio-

Neue politische Ökonomie

nellen Arrangements und die Abklärung der Frage, inwieweit diese Mechanismen und Arrangements das Erreichen eines gesellschaftlich definierten Ziels ermöglichen oder behindern: „Ist z.B. der Steuerungsmechanismus Markt geeignet, dass die mit den Medien verbundenen gesellschaftlichen Ziele erreicht werden oder bieten andere institutionelle Arrangements einen höheren Grad an Zielerreichung?" (Kiefer 1997b: 187).

Industrieökonomische Betrachtungsweise

Ähnlich argumentiert der amerikanische Kommunikationswissenschaftler und Medienökonom Douglas Gomery (1989; 1993). Er versucht mit einem industrieökonomisch ausgerichteten Ansatz der Frage nach der Performanz der Medien nachzugehen: Was leisten die Medien und wie reagiert das politische System darauf? Können oder müssen Qualität, Medienvielfalt und -pluralismus mit bestimmten Maßnahmen gesichert werden? Diese neue Perspektive konzentriert sich auf die wirtschaftlichen und politischen Bedingungen sowie auf die publizistischen Leistungen von Medien.

Douglas Gomery stützt sich bei seiner Analyse auf das Instrumentarium der Industrieökonomik, nämlich auf den „Workable-Competition-Approach". Dieses Vorgehen erlaubt es, wettbewerbs- und kommunikationspolitische Ordnungsvorstellungen bzw. Regulierungsaktivitäten miteinander zu verbinden und damit zum Ausdruck zu bringen, dass ökonomische Wettbewerbsbedingungen und Kommunikationspolitik untrennbar zusammen gehören. In Analogie zu bestimmten soziologischen Ansätzen, wo Strukturen die Handlungsspielräume von Akteuren begrenzen und bestimmen, wird durch die Perspektive der industriellen Organisation das Verhalten der Unternehmen auf Märkten in Abhängigkeit zur jeweiligen Struktur analysiert. Es geht in erster Linie um den Zusammenhang zwischen Marktstruktur, Marktverhalten und Marktergebnis. Das Modell der industriellen Organisation kann als analyseleitender Rahmen für eine solche medienindustrieökonomische Analyse verwendet werden. Der Vorteil dieser Perspektive liegt darin, dass die publizistischen Leistungen als Marktergebnis herangezogen werden können, deren Erfüllung von Staat und Gesellschaft erwartet und benötigt werden (McQuail 1992). Darüber

Marktstruktur, Marktverhalten und Marktergebnis

hinaus werden auch Marktinsuffizienzen aufgedeckt, die ungenügende publizistische Leistungen zur Folge haben.

Abbildung 1 Marktstruktur – Marktverhalten – Marktergebnis – Paradigma

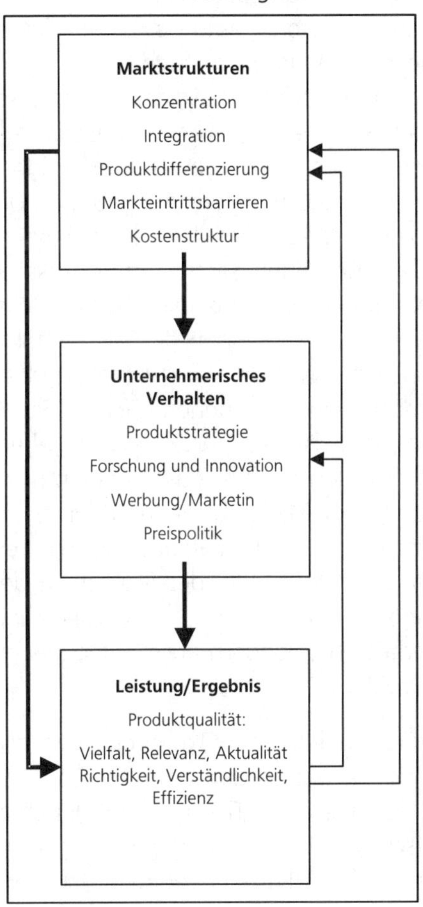

Quelle: nach McQuail 1992: 87 und eigenen Ergänzungen

2.2 Publizistik- und sozialwissenschaftliche Zugänge

Analyse- und Forschungsperspektiven, die sowohl „Marktversagen" als auch „Regulierungsversagen" bei der Steuerung der Medienunternehmen durch Management, Behörden, Parlamente und Zivilgesellschaft als strukturelle und nicht bloß aktuelle Problemfelder begreifen, finden sich v.a. in polit-ökonomisch fundierten Zugängen (vgl. Donges/Meier, Abschnitt 2.5 i.d.B.). Solche Makrotheorien umfassen – allerdings auch mit einer gewissen Unschärfe – weit größere gesellschaftliche Zusammenhänge als eine lediglich wirtschaftswissenschaftlich ausgerichtete Medienökonomik. Die Integration von Mediensoziologie, Medienpolitik und Medienökonomie hat den Vorteil, dass auf der einen Seite zentrale Ansätze der klassischen politischen Ökonomie als Teildisziplin der Sozialwissenschaft und auf der anderen Seite diejenigen der neuen politischen Ökonomie als Teildisziplin der Wirtschaftswissenschaft übernommen und fruchtbar gemacht werden können. Für die Publizistikwissenschaft ausschlaggebend ist der Vorteil – v.a. gegenüber der klassischen Wirtschaftwissenschaft –, dass dadurch nicht bloß einseitige Effizienzkriterien als Maßstab Geltung erlangen, sondern auch die im gesellschaftspolitischen Raum formulierten und gerechtfertigten Zielvorgaben (z.B. Rolle der Medien in der Demokratie, Leistungsaufträge an die Medien). Im Vordergrund stehen dann nicht nur wirtschaftliche, sondern auch publizistische bzw. gesellschaftspolitische Probleme.

Integration von Mediensoziologie, Medienpolitik und Medienökonomie

Ausgangspunkt der klassischen politischen Ökonomie sind die Arbeiten von Adam Smith und David Ricardo. Aus dieser Auseinandersetzung heraus kann eine allgemeine Theorie der politischen Ökonomie und eine (spezifische) politische Ökonomie der Kommunikation und/oder der Medien entwickelt werden. Im Kern geht es um soziale Machtbeziehungen rund um die Produktion, Distribution und Konsumption von knappen, aber für die Gesellschaft wertvollen Ressourcen. Während die neoklassische Ökonomie vor gut 100 Jahren begonnen hat, die Politik und die poli-

Klassiche politische Ökonomie

tischen Institutionen auszuklammern, stützt sich die klassische politische Ökonomie auf vier charakteristische Elemente, nämlich auf den gesellschaftlichen Wandel, das soziale Universum, die Moral und die gesellschaftliche Praxis. Aufgabe der politischen Ökonomie ist es, den gesellschaftlichen Transformationsprozess in seiner ganzen Totalität zu erfassen. Dazu gehört in erster Linie die Analyse des Verhältnisses von Wirtschaft und Politik. Die Betrachtungsweise erfolgt normativ, d.h. bestimmte Werte wie Gerechtigkeit, Partizipation und Zugang für alle etc. werden favorisiert. Dabei haben die Wissenschaftler aktiv in den gesellschaftlichen Transformationsprozess, in die gesellschaftliche Praxis einzugreifen. Darüber hinaus sind polit-ökonomisch ausgerichtete Ansätze (vgl. McQuail 2000) in der Lage, umfassende Analyse- und Forschungszusammenhänge zu etablieren.

Aufgaben der politischen Ökonomie

Für McChesney (2000) hat die politische Ökonomie der Kommunikation grundsätzlich zwei unterschiedliche Aufgaben zu erfüllen. Erstens hat sie zu analysieren, wie ein Mediensystem mit seinen Inhalten auf die bestehenden Gesellschaftsstrukturen einwirkt: Welche wirtschaftlichen Faktoren steuern in welcher Weise die politischen Beziehungen zwischen den mächtigen gesellschaftlichen Akteuren? Zweitens hat sie sich im speziellen mit den herrschenden Eigentumsstrukturen, Unternehmensstrategien, Finanzierungsinstrumenten (Werbung, Sponsoring, Pay-per-View, Konzessionsgebühren etc.) in der Medienindustrie auseinanderzusetzen sowie das staatliche bzw. gesellschaftliche Handeln der Medienunternehmen und der Medienschaffenden zu analysieren, um deren Einfluss auf die Produktionsbedingungen der Medien zu erfassen. Dabei stehen die marktwirtschaftlich-kapitalistischen Bedingungen im Zentrum, weil sie als vorherrschend, eben mächtig, betrachtet werden. Marktwirtschaft/Kapitalismus auf der einen und Demokratie auf der anderen Seite sind die wichtigsten zwei Bezugspunkte für die politische Ökonomie der Kommunikation. Im Unterschied zur Medienökonomie, die eine Mikroanalyse „rein" wirtschaftlicher Vorgänge bei Unternehmen und auf Märkten liefert, erfasst die politische Ökonomie der Kommunikation die wirtschaftlichen und politischen Strukturmerkmale von Medien sowie deren Beziehungen untereinander aus einer Makroperspektive.

Ökonomisierung

Im Rahmen der Ökonomisierungsdebatte kommt der politischen Ökonomie der Kommunikation die Aufgabe zu, nicht bloß deren Ursachen zu identifizieren, sondern auch die Formen der Kommerzialisierung zu beschreiben und deren Auswirkungen auf den Journalismus und die Demokratie zu ergründen und aufzuzeigen.

Eine so konzipierte Medienökonomie kann problemlos die Anschlussfähigkeit zur Publizistikwissenschaft unter Beweis stellen, während die traditionellen wirtschaftswissenschaftlichen Ansätze den sozialwissenschaftlichen, institutionellen und makrosoziologischen Strukturwandel von Medien und Gesellschaft nur sehr verkürzt ins Blickfeld bekommen. Auf diese Weise bleiben die Zusammenhänge zwischen marktwirtschaftlich geprägter Medienentwicklung und einem wirtschaftlich induzierten Gesellschaftswandel im Dunkeln.

Aus publizistikwissenschaftlicher Sicht ist es wichtig, neben betriebs- und finanzwirtschaftlichen Perspektiven auch einen gesellschaftspolitischen Zugang zu erschließen, der das Potential hat, die Auswirkungen einer Reihe aktueller Vorgänge, wie unternehmerische Konvergenz, Eigentumskonzentration, Konglomerate und publizistische Vermachtung, Deregulierung, Privatisierung und Globalisierung etc. tiefgreifend zu analysieren.

3 Spannungsfelder marktwirtschaftlicher Medienproduktion

Vier Spannungsfelder

In Anlehnung an strukturelle Spannungen auf der Markroebene zwischen Wirtschaft, Medien/Publizistik und Demokratie werden nachfolgend eine Reihe von Spannungsfeldern auf der Mesoebene thematisiert. Im Zentrum stehen die Produktionsbedingungen von Medienunternehmen. Das erste Spannungsfeld thematisiert das kaufmännische Gewinnstreben bei der Erfüllung publizistischer Leistungen unter marktwirtschaftlichen Bedingungen. Das zweite Spannungsfeld betrachtet die Medien als Kuppelprodukte, die sich auf unterschiedlichen Märkten durchzusetzen haben. Das dritte Spannungsfeld widmet sich den unterschiedlichen Finanzierungsarten, die einen maßgeblichen Einfluss auf die publizistischen Leistungen ausüben. Das vierte Spannungsfeld setzt sich mit den Produktions- und Marktstrukturen und deren Folgen auseinander.

3.1 Kommerzielle Ziele und gesellschaftliche Aufgaben der Medienunternehmen

Medien zwischen Wirtschaftsfreiheit und politischer Verantwortung

Medienunternehmen gelten als Teil des Dienstleistungssektors. Sie unterliegen marktwirtschaftlichen und gesellschaftspolitischen Bedingungen im Spannungsverhältnis von Profitmaximierung einerseits und der Wahrnehmung zentraler öffentlicher und gesellschaftlicher Aufgaben (Orientierung am Gemeinwohl) andererseits. Medienproduktion, -distribution und -konsumtion genießen hohe Freiheitsrechte. Im Gegenzug wird durch die Freiheitsrechte der Spielraum öffentlicher und staatlicher Regulierung eingeschränkt, die ökonomischen Prinzipien zu steuern und gezielt Einfluss auf die publizistischen und ökonomischen Leistungen auszuüben. Weil die traditionelle Pressefreiheit v.a. gegen den Staat bzw. die staatliche Zensur gerichtet ist, kommt der publizistischen Verantwortung des Medienunternehmens bzw. des Managements umso größere Bedeutung zu. Diese Verantwortung erstreckt sich aber auch auf die werbetreibende Wirtschaft, die Medienschaffenden und schließlich auf die Mediennutzer. Allerdings sind die Möglichkeiten, diese erhöhte Verantwortung wahrzunehmen, ungleich verteilt. Generell gilt: Je größer die unternehmerische oder staatliche Macht, desto mehr Verantwortung kommt den jeweiligen Entscheidungsträgern zu (vgl. Karmasin 1998: 361).

Konfliktivität zwischen Wirtschaft und Publizistik

Die Frage nach dem Grad der Konfliktivität zwischen Wirtschaft und Publizistik fällt je nach Standpunkt unterschiedlich aus. Aus medienökonomischer Perspektive lassen sich die vielfältigen strukturellen Spannungen aufgrund von vier Unterschieden verorten (vgl. Heinrich 1993: 267; 1994a: 91ff.)

- Im Normensystem: Die Norm in der Marktwirtschaft ist die Maximierung des individuellen Nutzens (ökonomische Qualität). Publizistische Qualität oder publizistische Vielfalt als herausragende Normen in der Publizistik spielen dabei eine untergeordnete Rolle.
- Im Verfahren: Der ökonomische Wettbewerb wird in erster Linie durch Geld ausgedrückt, meist in Form von Gewinn, Umsatz oder Marktanteilen. Der publizistische Wettbewerb demgegenüber orientiert sich an politischen bzw. publizistischen Kriterien, wie Relevanz, Aktualität, Richtigkeit, Vielfalt, Verständlichkeit etc. von medial vermittelten Themen und Ereignissen.
- Im relevanten Wirkungsbereich: Die Akzeptanz und der finanzielle Erfolg eines publizistischen Produktes auf dem Werbemarkt sagt noch nichts über die politisch-publizistische Leistung auf dem Publikumsmarkt aus.
- Im Kontrollsystem: Während die Kontrolle der Wirtschaft mittels eines ausreichenden Wettbewerbs strukturell und ohne inhaltliche Zielsetzung sichergestellt wird, zielt der medienpolitisch ausgerichtete staatliche Kontrollversuch in der Regel auf die Verbesserung publizistischer Vielfalt und Qualität.

3.2 Produkte, Dienstleistungen und Marktpräsenz der Medienunternehmen

Präsenz auf zwei Märkten

Grundsätzlich sind Medienunternehmen auf zwei unterschiedlichen Märkten tätig. Auf der einen Seite versuchen die Anbieter von Medienprodukten die potentiellen Leser, Zuhörer und Zuschauer mit möglichst attraktiven Programmen zu bedienen. Diese Medienangebote haben sich gegenüber anderen (Freizeit-)Angeboten durchzusetzen, und zwar sowohl hinsichtlich der verfügbaren Zeit als auch des aufgewendeten Haushaltsbudgets. Auf der anderen Seite benützt die werbetreibende Wirtschaft die Medien als Werbeträger, um Produkte und Dienstleistungen der potentiellen Kundschaft anzubieten. Die beiden Märkte sind eng miteinander verbunden. So versetzen beispielsweise höhere Werbeeinnahmen aufgrund einer wachsenden Nachfrage die Medienunternehmen in die Lage, attraktivere Programme für das Publikum herzustellen oder einzukaufen und damit die Medienleistung gegenüber möglichen Konkurrenzangeboten zu steigern.

Unterschiedliche Produkte auf verschiedenen Märkten

Die meisten Medienunternehmen operieren darüber hinaus mit einer Vielzahl unterschiedlicher Produkte (Tageszeitungen, Wochenzeitungen, Publikumszeitschriften, Radio- und TV-Programme etc.) auf einer Vielzahl von räumlich-geografisch begrenzten Märkten (Regionen, Länder, Sprachräume etc.). Sachlich kann weiter zwischen Presse- (Zeitungen, Zeitschriften) und Rundfunkmärkten unterschieden werden. Zusätzlich ist eine Unterscheidung zwischen Beschaffungsmärkten (Nachrichten- und Bildagenturen, Film- und Übertragungsrechte etc.) und Verteilmärkten (Distribution über Kioske, Verträge organisatorischer Telekommunikationsinfrastrukturen terrestrischer Frequenzen, Satellitennetze etc.) erforderlich.

3.3 Finanzierung der Medienunternehmen

Mischfinanzierung ist die Regel

Das frei empfangbare kommerzielle Radio und Fernsehen, aber auch Gratiszeitungen und die meisten Online-Medien werden fast ausschließlich durch Werbeerträge finanziert. Eine Mischfinanzierung aus Anzeigenentgelten und Verkaufserlösen prägt die Printbranche. Größere regionale Abonnementzeitungen und Kaufzeitungen im Boulevardsegment beziehen über zwei Drittel ihrer Einnahmen aus Anzeigen; kleinere Regional- und Lokalzeitungen finanzieren sich umgekehrt zum größeren Teil aus Verkaufserträgen. Ebenfalls eine Mischfinanzierung aus Werbeeinnahmen einerseits und Teilnehmerentgelten (Gebühren) andererseits charakterisiert die Mehrheit der öffentlichen Fernsehveranstalter in Europa. Viele kleinere Länder wie die Schweiz (SRG/SSR Idée suisse) oder Österreich (ORF), aber auch Deutschland (ARD, ZDF), Frankreich (France Télévision) und Italien (RAI) haben diese Finanzierungsform gewählt. Ganz auf Werbung verzichten mehrere öffentliche Fernsehveranstalter in Europa (z.B. die schwedische SVT, die britische BBC, die norwegische NRK). Werbefrei sind auch die meisten Community-Medien (Lokalradios, Kleinmedien), die ihre Kosten durch Spenden und Mitgliederbeiträge decken.

Indirekte Finanzierung charakteristisch

Wenn im Unterschied zu den meisten anderen Gütern und Dienstleistungen die Leistungen der Medien in der Regel nicht direkt, sondern indirekt über Erträge aus der Werbung refinanziert werden, bleibt dies nicht ohne Folgen. Die Kaufentscheidung durch das Publikum beeinflusst nur indirekt die Qualität und den Inhalt der Medien, da die Medienunternehmen ihre Gewinne nur zu einem kleinen Teil aus dem entrichteten Entgelt für den Konsum der Medienprodukte erzielen. Durch die zunehmenden Werbe- und Anzeigenerlöse wächst das Steuerungspotential der Werbetreibenden beträchtlich, da sie bloß an Zielpublika interessiert sind, die als kaufkräftige und kauffreudige Kundschaft ihrer Produkte in Frage kommen.

3.4 Souveränität der Medienkonsumenten

Eingeschränkte Konsumentensouveränität

Die Souveränität der Publika wird zudem durch den Umstand eingeschränkt, dass Konsumenten die Qualität der angebotenen Medienleistungen kaum überprüfen können, weil ihnen dazu die Voraussetzungen fehlen. Die mangelnde Beurteilungsmöglichkeit der Produktqualität (Medien als Vertrauensgüter) durch die Endverbraucher führt dazu, dass das Medienmanagement dazu tendiert, mit möglichst geringen Kosten eine optimale Nachfrage zu generieren. „Das bewirkt, dass nur die schlechtere = billigere Qualität auf den Markt kommt, die Produkte mit höherer Qualität verlassen den Markt" (Heinrich 1996: 167). Medien zeichnen sich also auch durch mangelnde Qualitätstransparenz aus.

Ungenügende Nachfrage nach meritorischen Medienleistungen

Eine dritte Schwäche auf der Nachfrageseite liegt darin, dass Medien als ein meritorisches Gut zu betrachten sind. Als meritorisch werden Güter bezeichnet, deren Produktion, Distribution und Konsumtion zwar gesellschaftlich wünschenswert sind, aber von den Rezipienten unterdurchschnittlich nachgefragt werden, oder die durch den Markt aus Rentabilitätsgründen nicht bereitgestellt werden. Die unterdurchschnittliche Nachfrage rührt u.a. daher, dass der mit der Konsumtion verbundene Nutzen durch die Individuen nicht genügend eingeschätzt werden kann. Besonders Informationsleistungen der Medien können vielfach als meritorisch angesehen werden – ihre Rezeption wäre gesellschaftlich erwünscht (z.B. zur aufgeklärten Teilnahme an demokratischen Entscheidungen), sie werden aber meist im Vergleich zu den attraktiven Unterhaltungsangeboten weniger nachgefragt.

Höhere Zahlungsbereitschaft der Werbewirtschaft gegenüber Publikum

Schließlich spielt auch die Tatsache eine Rolle, dass Medien als kollektives Gut bezeichnet werden können. Kollektive Güter werden durch die zwei Merkmale „Nichtrivalität" und „Nichtausschließbarkeit" bestimmt. Nichtrivalität bedeutet, dass der Konsum dieses Gutes den Konsum durch andere Personen nicht einschränkt. Die gelesene Zeitung ist nicht verbraucht, sie steht anderen zur Verfügung, der Fernsehkonsum eines Haushaltes verunmöglicht anderen das Fernsehen nicht. Nichtausschließbarkeit bedeutet, dass ein Gut prinzipiell zum Konsum offen steht und niemand vom Konsum ausgeschlossen werden soll und kann. Frei empfangbare Radio- und Fernsehprogramme stehen jedermann zur Verfügung. Für die Medienunternehmen bedeuten diese beiden Merkmale, dass Konsum und Zahlungsbereitschaft nicht zwingend kongruieren. Dieser Umstand lässt Werbe- und Anzeigenkunden als verlässlichere Erlösquelle erscheinen als das Publikum.

Unter all diesen Bedingungen erhalten die unterschiedlichen Finanzierungs- und Business-Modelle eine zentrale Bedeutung bei der Evaluierung publizistischer Leistungen. Besonders bei der vorherrschenden indirekten Finanzierung der Medien spielt die Werbewirtschaft eine dominierende Rolle. Anstelle der Endverbraucher tritt die werbetreibende Wirtschaft, die ihrerseits ihren Werbeaufwand auf die Produkte schlägt und die Konsumentenschaft (zusätzlich) zur Kasse bittet. Werbung verbilligt zwar die Medien, verteuert aber viele der beworbenen Produkte, weil nicht alle Werbemaßnahmen zu einer ausreichenden Verkaufssteigerung mit anschließender Verbilligung der Produkte führen. Jedenfalls kann davon ausgegangen werden, dass eine komplexe Abhängigkeit zwischen der Finanzierungsart eines Medium und deren publizistischem Leistungsvermögen besteht, die es systematisch zu analysieren gilt.

3.5 Konzentrationsprozesse auf den Medienmärkten

Wachsende Konzentration

Zur Begründung der wachsenden Konzentration in der Medienbranche lassen sich eine Reihe von Erklärungen anfügen: Erstens sind bei der Medienproduktion die Fixkosten sehr hoch, während die variablen Kosten gegen Null tendieren. Zweitens sind Medienmärkte durch hohe Eintrittsbarrieren gekennzeichnet. Drittens beschleunigt die „Anzeigen-Auflage-Spirale" oligopole oder sogar monopole Marktstrukturen.

Fixkosten und variable Kosten:

Stückkostendegression

Die Produktion und Verbreitung von Medien zeichnen sich durch hohe Fixkosten aus (Kosten für Infrastruktur, Studios, Druckmaschinen, Sendebetrieb etc.). Der Produktions- und Marketingprozess verursacht Kosten, die von der Menge der hergestellten Exemplare oder Kontakte losgelöst sind. Die Kosten pro Stück sinken daher mit steigender Menge (Stückkostendegression). Im Bereich des frei empfangbaren Fernsehens sind die Kosten pro zusätzlichem Zuschauerkontakt im Verbreitungsgebiet gleich Null. Medienunternehmen streben daher nach einer möglichst großen

Marktpenetration, um die hohen Fixkosten auf möglichst viele Exemplare oder Kontakte umlegen zu können.

Hohe Eintrittsbarrieren:
Abgesehen von medienspezifischen Knappheiten (z.B. Frequenzen) behindern v.a. die hohen Fixkosten den Marktzutritt von neuen Wettbewerbern. Diese müssen nicht nur die erforderliche Infrastruktur finanzieren und Personal rekrutieren, sondern auch über einen längeren Zeitraum hinweg Ihr Publikum aufbauen. Da die meisten Medienmärkte einen hohen Sättigungsgrad aufweisen, kann dieser Aufbau nur durch die Abwerbung von Konsumenten bestehender Medien gelingen. Diese Marketingaufwändungen bilden zusätzlich eine bedeutende Barriere für neu in den Markt eintretende Medienunternehmen. Scheitert der Versuch des Markteintritts, ist der größte Teil der Investitionen unwiderruflich verloren.

Hohe finanzielle Risiken

Anzeigen-Auflage-Spirale:
Die Herausbildung einer Anzeigen-Auflagen-Spirale begünstigt die marktführenden Titel und benachteiligt alle anderen Titel im selben Markt. Diese Anzeigen-Auflagen-Spirale verknüpft den Zuschauer- bzw. Lesermarkt mit dem Anzeigen- bzw. Werbemarkt. In der Regel kann der Marktführer seiner Kundschaft das beste Preis-Leistungs-Verhältnis anbieten. Die auflagenstärkste Zeitung ist für die Werbekunden im Verbreitungsgebiet das attraktivste Medium mit der höchsten Kontaktwahrscheinlichkeit und übt eine Sogwirkung auf die gesamte werbetreibende Wirtschaft aus. Die Marktführerposition im Anzeigenmarkt führt zu erhöhten Anzeigenumsätzen und ermöglicht diesem Titel Investitionen in publizistische Leistungen und ins Lesermarketing. Damit steigen in aller Regel die Reichweite und die Auflage des Titels und damit deren Attraktivität für neue Anzeigenkunden, während die übrigen Zeitungen auf dem Leser- und Anzeigenmarkt Einbußen erleiden und immer weiter zurückfallen bis sie aus dem Markt aussteigen müssen. Für alle Anbieter – mit Ausnahme des Marktführers – wirkt

Marktführer genießen Vorteile

sich die Spirale nachteilig aus, so dass Zweit- oder Drittzeitungen (oder reichweitenschwache Fernsehsender) langfristig den Markt zu verlassen haben, sofern sich diese nicht unterdessen zusammengeschlossen haben.

Die gesteigerte Bedeutung des Werbeaufkommens für die Sicherung der wirtschaftlichen Lebensfähigkeit von aktuellen Medien und die in der Regel hohen Fixkosten bei der Produktion von Medien führen zu Konzentrationsprozessen, die sich in vier unterschiedlichen Formen manifestieren:

- Horizontale Konzentration bezeichnet den Zusammenschluss von vergleichbaren Medienunternehmen (z.B. ein Zeitungsverlag übernimmt einen anderen Zeitungsverlag).
- Vertikale Konzentration – die Verbindung zwischen Unternehmen auf vorgelagerten oder nachgelagerten Märkten – zielt auf die Kontrolle des Produktions- und Distributionsprozesses eines bestimmten Mediums. Es ist der Versuch, verschiedene Aktivitäten unternehmerisch so miteinander zu verknüpfen, dass geschlossene Wertschöpfungsnetzwerke entstehen und die Koordination über Märkte entfällt.

Cross Promotion

- Multimediale Konzentration entsteht, wenn die Produktion und Distribution verschiedener Medien unter einem Konzerndach gebündelt werden. Traditionelle Zeitungs- und Zeitschriftenverlage versuchen bei den elektronischen Medien Fuß zu fassen, weil dort die Wachstumschancen als größer eingeschätzt werden als auf gesättigten Printmedienmärkten. Multimediale Konzentration erlaubt die konzerninterne Vermarktung bzw. Verwertung der Produkte über Mediengrenzen hinweg („Cross Promotion").

Konzerne aus anderen Branchen übernehmen Medienunternehmen

- Diagonale Konzentration bezeichnet den Vorgang, geschäftliche Aktivitäten über den Mediensektor hinaus unter einem Konzerndach zu bündeln (Bildung von Mischkonzernen). Auf diese Weise lassen sich die Marktstärken von Medien (Marketing, Promotion) für andere Geschäftsbereiche nutzbringend einsetzen. Vorteilhaft erscheint eine branchenübergreifende Diversifizierung auch beim Ausgleich potentieller Wachstumsrisiken in einem Geschäftsbereich.

Cross Marketing

Auch wenn Integration und Konzentration aus Sicht der Medienunternehmen angestrebt werden, so problematisch sind sie aus Sicht der Gesellschaft. Hoch integrierte Medien- und Mischkonzerne reduzieren den Wettbewerb zwischen selbstständigen Unternehmen auf den vor- und nachgelagerten Wertschöpfungsstufen (z.B. Filmproduktion, Ausstrahlungsrechte, Zugang zu den Haushalten via Kabel/Satellit). Durch „Cross Marketing" können marktverzerrende Wettbewerbsvorteile entstehen. Konzentrationsprozesse insgesamt verstärken die Tendenz, dass Missbrauch aufgrund publizistischer und ökonomischer Markt- und Machtpositionen erfolgt (Konzern- und Gefälligkeitsjournalismus) sowie die Inhalte homogener und die Vielfalt eingeschränkt werden.

Effizienzsteigerung und Machtzuwachs

Umgekehrt kann die Bündelung der vorhandenen Kräfte und meist knappen Ressourcen in kleinräumigen Märkten zu qualitativ besseren Leistungen führen. Einerseits ermöglicht die gesteigerte Ertragskraft den Ausbau der publizistischen Leistungen, die kontinuierliche Weiterbildung und eine überdurchschnittliche Entlöhnung der Medienschaffenden. Andererseits wächst die Autonomie der Medienunternehmen gegenüber mächtigen Akteuren und „Pressure Groups" aus Politik, Wirtschaft und Kultur mit der Größe des Unternehmens. Ebenso nimmt die Wettbewerbsfähigkeit gegenüber der Konkurrenz aus dem Ausland zu.

Markt- und Wettbewerbsinsuffizienzen

Zusammenfassend ist festzuhalten, dass Medien auf zwei unterschiedlichen Märkten operieren, dass der ökonomische Wettbewerb und die hohen Fixkosten die Herausbildung von Konzentrationstendenzen begünstigen und die Markteintrittsbarrieren erhöhen. Darüber hinaus ist die Souveränität der Medienkonsumenten durch die indirekte Finanzierung der Medien stark eingeschränkt, ebenso wie die Qualitäts- und Leistungstransparenz. Medienmärkte weisen unter marktwirtschaftlichen Bedingungen strukturelle Marktinsuffizienzen auf, die ohne gesellschaftliche Steuerung für Demokratien problematische Auswirkungen und Risiken beinhalten.

4 Aktuelle Entwicklungen

4.1 Trend zur Ökonomisierung

Wer aufmerksam die Nachrichten verfolgt, stößt nahezu täglich auf Meldungen aus der Medienwirtschaft. Unternehmenszusammenschlüsse, geplante Kooperationen und die Performance von Medienunternehmen an den einschlägigen Börsen der Welt sind Gegenstand von Schlagzeilen und eingehender Berichterstattung.

Der Grund für das wachsende Interesse der Medien an der Medienwirtschaft liegt in der steigenden Bedeutung dieser Branche für die Entwicklung von Volkswirtschaften und der gesamten Weltwirtschaft. Schließlich bildet die u.a. von den Medien geleistete Generierung und der Austausch von Informationen ein konstituierendes Merkmal der vielbeschworenen „Informationsgesellschaft". Und diese Orientierung findet ihren Niederschlag in dem gesteigerten Interesse für die wirtschaftliche Leistungsfähigkeit der Medien und der Telekommunikation.

Medien als Akteure und Objekte

Medien treten also vermehrt als Objekte der einschlägigen Wirtschaftsberichterstattung hervor und werden als Akteure in einem grenzüberschreitenden Wettbewerb dargestellt. In dieser Herangehensweise treten die publizistischen Leistungen der Medien zugunsten von wirtschaftlichen Kennzahlen in den Hintergrund.

Leitindustrie der Informationsgesellschaft

Diese wirtschaftlichen Kennzahlen werden auch als Beleg für die These herangezogen, wonach die Medien- und die Telekommunikationsbranche als Leitindustrien die Informationsgesellschaft dominieren werden. Erzielte Umsätze, die Anzahl der eingerichteten Arbeitsplätze und der Umfang der Wertschöpfung dieser beiden Branchen insgesamt sollen nach dieser These volumenmäßig den herkömmlichen Industriesektor überflügeln.

Mit der steigenden wirtschaftlichen Bedeutung der Medien nimmt auch die Bedeutung der Marktstrukturen und der unternehmerischen Verhaltensregeln zu. Eine detaillierte Betrachtung aktueller einschlägiger Entwicklungen ist daher angezeigt. Im Folgenden wird ein Überblick über die verschiedenen Formen des Wettbewerbs im Medienbereich und die unternehmerischen Ziele und Strategien zur erfolgreichen Bewältigung dieses Wettbewerbs gegeben.

Ökonomisierung und Kommerzialisierung

Während der Begriff der Ökonomisierung ganz allgemein den Trend der Medien zum Primat der ökonomischen Ausrichtung gegenüber anderen Grundsätzen bezeichnet, beschreibt die Kommerzialisierung im Medienbereich die verstärkten Einflüsse der Werbewirtschaft auf die Medienproduktion, auf den Journalismus und auf die Medienrezeption.

Geprägt durch Ökonomisierung und Kommerzialisierung stellen Medienunternehmen die strategischen Weichen der Unternehmensentwicklung. Unabhängig vom Grad der jeweiligen Werbefinanzierung stehen die einzelnen Medien zueinander im Wettbewerb um die Aufmerksamkeit des Publikums. Dabei sind die Märkte auf verschiedenen Ebenen zu unterscheiden:

4.1.1 Strategie auf regionaler Ebene: Trend zum Monopol

Der Wettbewerb findet auf regionaler Ebene vorwiegend zwischen mittelständischen Medienunternehmen und innerhalb der gleichen Mediengattung (intramediär) statt. In den vergangenen Jahren hat sich europaweit die Tendenz zur Unternehmenskonzentration im lokalen und regionalen Raum verstärkt. Zweit- und Drittzeitungen sind entweder aus dem Markt ausgeschieden oder von einer dominierenden Zeitung übernommen worden. In der Schweiz ist dies z.B. in den Kantonen St. Gallen, Graubünden und Thurgau zu beobachten.

Lokale Mehrfachmonopole

Daneben betätigen sich die dominierenden Verlage auch als Radio- und Fernsehveranstalter im Verbreitungsgebiet, neuerdings auch als Service- oder zumindest Content-Provider im Internet.

Strategie „Medienhaus"

Hinter dieser Tendenz steht die Strategie der marktführenden Verlage, ihre Marktmacht zu festigen und vom Verlag zum „Medienhaus" zu mutieren. Mit der Herausbildung von Medienhäusern wird der publizistische und ökonomische Wettbewerb auf lokaler und regionaler Ebene nahezu ausgeschaltet. Für die Medienhäuser ergeben sich Synergieeffekte bei der Mehrfachauswertung journalistischer Werke (sowohl für Zeitungen als auch für Radio und Online-Medien), bei der Vermarktung (Anzeigen- und Werbekombinationen) und der Verwaltung. Mit der konsequenten Besetzung der relevanten Marktfelder werden die Markteintrittsbarrieren für Konkurrenten beträchtlich erhöht.

4.1.2 Strategie auf nationaler Ebene: Trend zur horizontalen Konzentration und Marktführerschaft

Geöffnete nationale Werbemarktgrenzen

Auf nationaler Ebene findet der Wettbewerb vorwiegend zwischen mittelständischen Medienunternehmen, aber auch zwischen transnational agierenden Medienkonzernen statt. In den meisten europäischen Ländern stehen die großen nationalen Tageszeitungen miteinander im Wettbewerb, daneben auch mit den öffentlichen und privaten Radio- und Fernsehveranstaltern mindestens bezüglich Werbeeinnahmen, herausragenden Ereignissen und Arbeitskräften sowie der Aufmerksamkeit der Publika und der organisierten Öffentlichkeit. Allgemeiner formuliert: Es besteht ein Wettbewerb um Einkünfte, Macht, Meinungsführerschaft und Prestige. Während die unterschiedlichen Nutzungsformen in den angestammten Märkten den intermediären Wettbewerb nahezu ausschließen, treffen die Konkurrenten in den Online-Medienmärkten direkt aufeinander.

Größenvorteile

Auch auf nationaler Ebene versuchen Medienunternehmen, ökonomische Größenvorteile durch horizontale Konzentration zu erzielen. In der Schweiz lässt sich diese Tendenz durch das Engagement der (nationalen) „Neuen Zürcher Zeitung" beim „St. Galler Tagblatt" und beim Berner „Bund" illustrieren. Stärker noch als bei den Printmedien zeigt sich der Trend zur horizontalen Konzentration beim Fernsehen. Die Zusammenfassung von Fernsehsendern zu „Sendefamilien" (was auch die Ausgründung von zweitrangigen Abspielsendern einschließt) ist das Resultat dieser unternehmerischen Strategie. Heute stehen sich im deutschen Privatfernsehmarkt nur noch zwei Gruppen gegenüber: Bertelsmann/CLT-UFA (Markenfamilien RTL und VOX) auf der einen Seite und die Kirch-Gruppe (Markenfamilien SAT 1, PRO 7, Premiere) auf der anderen Seite.

4.1.3 Strategie auf europäischer Ebene: Trend zur Transnationalisierung

Print bleibt national

Auf europäischer Ebene findet der Wettbewerb zwischen Medienkonzernen und vorwiegend im Bereich der elektronischen Medien statt. Während Printmedien im Wesentlichen auf ihre nationalen Hauptverbreitungsgebiete beschränkt bleiben, vollzieht sich im Fernseh- und Online-Bereich eine rasche und nachhaltige Transnationalisierung. Diese äußert sich nicht nur im Aufbau von Senderketten über Grenzen hinweg (z.B. die Beteiligungsstrategie der skandinavischen SBS in vielen Ländern Mittel- und Osteuropas, in der Schweiz an TV3), sondern auch im finanziellen Engagement von branchenfremden Unternehmen im Fernseh- und Online-Geschäft (z.B. der Mischkonzern Vivendi bei Canal+ in Frankreich).

Transatlantischer Wettbewerb

Das medienunternehmerische Handeln war auf europäischer Ebene in den letzten Jahren überdies von der Vorstellung geprägt, dass nur große Medienkonzerne in Europa im Wettbewerb mit den US-amerikanischen Konzernen bestehen könnten. Konsequenz dieser Erkenntnis ist die Bemühung, ganze Unternehmen oder strategische Unternehmensteile zu größeren Einheiten zusammenzuschließen. Als Beispiel kann die Neugründung einer Fernsehgruppe durch die Partner Pearson (Großbritannien) und CLT/UFA im April 2000 herangezogen werden. Das neue Unternehmen soll einen Jahresumsatz von ~ 200 Milliarden erzielen. Ein weiteres

Beispiel ist der Schulterschluss der Kirch-Gruppe mit der British Sky Broadcasting Group (BSkyB), die zur News Corporation von Rupert Murdoch gehört.

4.1.4 Strategische Orientierung auf globaler Ebene: Trend zur Bildung von Konglomeraten

Wachstum durch Akquisition

Auf globaler Ebene findet der Wettbewerb zwischen wenigen weltweit tätigen Konzernen statt, die in der Regel auf mehreren Marktfeldern und transnational tätig sind. Als dominierende strategische Ausrichtung kann das Wachstum durch Akquisition bezeichnet werden. Bis zur Mitte der 1990er Jahre waren die Fernsehveranstalter und Medienhäuser die zentralen Akteure. Seit der Börsenhausse der Online-Unternehmen (sog. „Dotcoms") spielen auch diese Konzerne zusammen mit den Telekommunikationsanbietern eine zentrale Rolle im globalen Wettbewerb. Strategisches Ziel ist dabei die möglichst lückenlose Besetzung von Wertschöpfungsketten, von der Generierung der Inhalte, über die Aufbereitung und Verbreitung bis hin zum Empfang auf den verschiedenen Plattformen (Fernsehen, Radio, Online; später auch Mobilfunk).

Globale Dominanz weniger Player

Drei der wichtigsten „global player" sind der AOL/Time Warner Konzern, der Bertelsmann Konzern und der Zusammenschluss in der News Corporation von Rupert Murdoch. Durch die technische Konvergenz und die Digitalisierung weiter Teile der einschlägigen Wertschöpfungskette (digitale Inhalte, digitales Fernsehen, Internet) gewinnen auch die im Vergleich zu den reinen Medienkonzernen ungleich größeren Unternehmen der Telekommunikationsbranche an Bedeutung. Ihr Engagement lässt in den nächsten Jahren eine Neustrukturierung der Medienunternehmen auf globaler Ebene erwarten.

4.2 Wettbewerbsausprägung auf Unternehmensebene

Angestrebte Monopolstellung

Die bedeutendsten ökonomischen Kennzeichen der Medienwirtschaft, die hohen Fixkosten und die gegen Null tendierenden variablen Kosten, fördern kontinuierlich den Prozess der Medienkonzentration. Die Position des Monopolisten ist aus Unternehmensperspektive in solchen Branchen besonders erstrebenswert.

Konzentrationswellen

Dieses Streben nach der Monopolposition hat in der Wirtschaftsgeschichte der Massenmedien wiederholt zu Konzentrationswellen auf Unternehmensebene geführt. Jede Konzentrationswelle hat die Anzahl der publizistischen Einheiten verringert und damit zumindest die Vielzahl, wohl aber auch die Vielfalt der Medien reduziert. Auf solche Wellen der Konzentration folgt in der Regel eine Periode der Konsolidierung, in der die verbliebenen Medien ihre Marktposition festigen und im günstigen Fall neue Medien in den Markt eintreten.

Die Schweiz befindet sich gegenwärtig in einer solchen Konzentrationswelle (Zusammenschlüsse von Tageszeitungen werden vollzogen). Mit der Gründung neuer Fernsehstationen im Herbst 1999 (TV 3, Tele 24, VIVA-Swizz, das Programmfenster von RTL und Pro 7 bis zu seiner Schließung im Frühjahr 2000) und der Lancierung von Gratiszeitungen in den Räumen Zürich, Basel und Bern („Metropol" und „20 Minuten" zu Jahresbeginn 2000 in Zürich) ist neue Dynamik im Medienmarkt entstanden. Eine Konsolidierungsphase ist zu erwarten.

Auch Online-Medien unterliegen Konzentrationsprozessen

Auf gesamteuropäischer und auf globaler Ebene prägt eine anhaltende Konzentrationswelle die Medienwirtschaft. Sie erhält durch das rasche Wachstum und die zeitweise hohe Börsenbewertung der Online-Medien neue Nahrung. Diesen neuen Medien bleibt keine Zeit zur Konsolidierung: Die großen Medienkonzerne, aber auch branchenfremde Unternehmen, integrieren die im Mediengeschäft oft unerfahrenen Online-Pioniere schon in der Startphase, um das unkontrollierte Entstehen neuer Konkurrenz zu verhindern. Die angestrebte Monopolposition, so das unternehmerische Kalkül, soll nicht durch unberechenbare Wettbewerber in Frage gestellt werden.

4.3 Wettbewerbsausprägung auf Medienmärkten

4.3.1 Wettbewerb unter Printmedien

Wettbewerb auf zwei Ebenen

Printmedien sind in ihrer großen Mehrheit dem Wettbewerb sowohl auf den Lesermärkten, als auch auf den Anzeigenmärkten ausgesetzt. Das unternehmerische Verhalten gliedert sich dementsprechend auch in diese beiden Bereiche. Auf den Lesermärkten wird eine möglichst große Anzahl von regelmäßigen „Kunden" angestrebt, die das Produkt entweder abonnieren oder täglich im Freiverkauf erwerben. Dadurch entsteht erstens Kundenbindung (die Leser möchten nicht mehr auf die Lektüre verzichten) und zweitens ein Kundenprofil, das für die Anzeigenakquisition von großer Bedeutung ist (Alter, sozio-demographische Daten, Kaufkraft etc.). Zu den Instrumenten der Marktbearbeitung zählen Gewinnspiele, Abonnementbeigaben (z.B. TV-Gerät, Mobiltelefon), Abonnement-Kombinationen (z.B. mehrere Titel, Zeitschrift und Mobiltelefon), Billigpreisstrategien (Markteinführungspreise), Straßenvertrieb (Kolportage).

Aggressive Marktbearbeitung

Viele dieser Maßnahmen sind für die betreffenden Verlage nicht kostendeckend und können nur über einen begrenzten Zeitraum hinweg angeboten werden. Dies begünstigt größere Verlage und zwingt kleinere Konkurrenten zu einer angemessenen Reaktion. Da die Verkaufspreise nicht beliebig zu erhöhen sind, müssen die Verlage den Erlösanteil der Anzeigen ständig erhöhen.

Auf den Anzeigenmärkten findet ein zumindest ebenso aggressiv geführter Wettbewerb statt wie auf den Lesermärkten. Zu den Instrumenten der Marktbearbeitung zählen:

- Rabattstaffeln: Großkunden und solche, die regelmäßig Anzeigen schalten, erhalten Rabatte. Diese Form der Vermarktung hat lange Tradition und wird in den Anzeigentarifen transparent gemacht.
- Anzeigenkombinationen: Erscheinen Anzeigen nicht nur in einer Zeitung, sondern in mehreren Verlagstiteln und in den Online-Medien, können ebenfalls Rabattstaffeln in Anspruch genommen werden.
- Anzeigenpreisdumping: Anzeigen werden zu einem deutlich niedrigeren Tausenderpreis verkauft als im branchenüblichen Durchschnitt (Tausenderpreis: Preis, den ein Anzeigenkunde für die Erreichung von 1 000 Menschen bezahlt). Die Verlage versuchen die niedrigeren Preise durch größere Anzeigenvolumen zu kompensieren.
- Künstliche Steigerung der Reichweite: Zeitungen und Zeitschriften drucken höhere Auflagen und verbreiten einen Teil der Auflage gratis. Solche Gratisexemplare steigern die Reichweite und den Wert des Anzeigenraums.
- Optimierung des redaktionellen Umfelds: Verlage gestalten Extraseiten, Beilagen oder auch regulären Textraum nach den Umfeldbedürfnissen von Anzeigekunden, denn Anzeigen kommen besser zur Geltung, wenn sie im passenden redaktionellen Umfeld erscheinen.

Schranken durch Wettbewerbsrecht

Manche dieser Maßnahmen gelten als wettbewerbsverzerrend und verstoßen gegen Branchenvereinbarungen oder gar wettbewerbsrechtliche Bestimmungen. Mit der Einrichtung einer neutralen Auflagenkontrolle, der sich die Verlage freiwillig unterziehen, wird gegenüber den Anzeigenkunden Transparenz geschaffen. So wird zwischen gedruckter (Anzahl der von den Druckmaschinen hergestellten Exemplare), verbreiteter (Anzahl aller auf den Markt gebrachter Exemplare, einschließlich Gratisexemplare) und verkaufter (Anzahl der im Abonnement oder Freiverkauf entgeltlich abgesetzter Exemplare) Auflage unterschieden.

4.3.2 Wettbewerb unter den elektronischen Medien Radio und Fernsehen

Die dominierende Nutzungsform von elektronischen Medien bildet weiterhin das terrestrisch empfangbare Radio und Fernsehen. Durch die Empfangskonzession (v.a. öffentliches Fernsehen und Radio) bzw. durch die Preise der beworbenen Konsumgüter (privates kommerzielles Radio und Fernsehen) werden diese Dienstleistungen ohne die Entrichtung eines mit dem Konsum direkt verbundenen Preises angeboten. Diese Struktur prägt auch den Wettbewerb.

Elektronische Medien meist ohne Preis

Während die Marktbearbeitung des Publikums im Wesentlichen über das Programm erfolgt (Musikfarbe, Wortanteil, Zielgruppen bei Radio; beim Fersehen: Programmgenres, Sendeplätze, Events, Sport, Serien und Spielfilme etc.), kommen bei der Werbung spezifische Instrumente zum Einsatz. Neben „Mengenrabatt" sind dies:

- Erfolgsgarantien: Werbeschaltungen werden so oft wiederholt, bis die vereinbarte Anzahl von Zuschauern erreicht ist.
- Knappheitsmanagement: Reichweitenstarke Spitzensendeplätze unterliegen einer selektiven „Mangelverwaltung". Großen Werbevolumen wird der Vorrang vor kleinen Kampagnen eingeräumt.
- Promotion für Werbekunden: Für die Betreuung der Werbekunden werden exklusive Promotions-Veranstaltungen (z.B. Programm-Vorschau auf die Highlights der nächsten Saison) und Marktstudien zum Leistungsnachweis durchgeführt.

TV-Werbung v.a. für Massengüter

Fernsehwerbung eignet sich in erster Linie für Konsumgüter, die auf einen Massenmarkt zielen. Daher setzt sich die Kundenstruktur von Fernsehsendern auch mehrheitlich aus den großen Konzernen der Konsumgüterindustrie zusammen, die langjährige Beziehungen zu den Werbeträgern unterhalten.

4.3.3 Wettbewerb unter Online-Medien

Der Wettbewerb unter den Online-Medien und zwischen den etablierten Medien und den Online-Medien befindet sich noch in einer Strukturierungsphase. Unterdessen haben nahezu alle etablierten Medien ihre Präsenz im Internet sichergestellt, viele von ihnen duplizieren allerdings lediglich ihre Inhalte in die Online-Umgebung.

Online-Medien als Supplement und sui generis

Diesen Online-Ausgaben etablierter Medien stehen aber neuartige Konzepte gegenüber, die neue Wege der Aufbereitung von Inhalten für die Nutzer beschreiten. Den Anfang bildeten die Suchmaschinen, die mehr oder weniger vollständig die im Internet verfügbaren Inhalte nach definierten Kriterien präsentierten. Diese Suchmaschinen sind aber zu veritablen Medien herangewachsen, die aus einer Vielzahl von Quellen zeitnahe Informationen bereitstellen, ohne dass die Nutzer selbst danach suchen müssen (z.B. Weltnachrichten, Börsen- und Unternehmensinformationen).

Erlösmix aus E-Commerce und Werbung angestrebt

Die Finanzierung der angebotenen Dienstleistungen erfolgt meist indirekt. Nutzer bezahlen kein direktes Entgelt für diese Dienste, sie bezahlen aber für den Internetanschluss nach Zeiteinheiten oder nach Datenvolumen. Daraus ergibt sich eine erste Einnahmequelle, die v.a. von regionalen Medien, die als Internet Service Provider tätig sind, erschlossen wurde. Daneben erzielen Online-Medien-Erlöse aus dem Verkauf von Anzeigenraum (Banner-Werbung) und der Weiterleitung von E-Commerce-Kunden (Provisionen). Kauft etwa ein Nutzer ein Buch im Online-Buchhandel, so kann demjenigen Online-Medium eine Provision zufließen, auf deren Site der Nutzer auf das später gekaufte Buch gestoßen ist.

Mit dem Aufbau von Massenmärkten im Internet konzentriert sich der Wettbewerb unter den Anbietern auf die Erzielung von Aufmerksamkeit in dem längst unübersichtlich gewordenen Angebot. Partnerschaften mit den bekannten „Marken“ der analogen Waren- und Dienstleistungswelt gelten als besonders erfolgversprechend. Als Währung für die Erfolgsbemessung haben sich vorerst „Hits“,

„Page Views" und „Visits" etabliert. Während „Hits" und „Page Views" schlicht Auskunft darüber geben, wie oft eine bestimmte Seite bzw. Website aufgerufen wird, misst die Einheit „Visits" den Verbleib der User auf der betreffenden Site. Mit einer Verfeinerung dieser Messgrößen – je nach angestrebter Information – ist jedenfalls zu rechnen.

4.4 Wettbewerbsausprägung auf Produktebene

Neue unternehmerische Leitbilder und Zielsetzungen führten auch zu Innovationen auf der Programm- und Genreebene und zu einem veränderten Nutzungsverhalten bei der Nachfrage. Durch die Ökonomisierung und die Wettbewerbslogik stehen die Anbieter permanent unter Druck, billiger und nur exakt das zu produzieren, was den Wünschen der Kunden entspricht. Je stärker die Anforderungen der Werbekunden im Vordergrund stehen, desto eher treten Kommerzialisierungsschübe auf.

Neue kommerzielle Medienformen

Auf der Produktebene sind unter dem Einfluss der verstärkten Kommerzialisierung v.a. Medienprodukte entstanden, die keinen und nur einen unbedeutenden Anteil der Erlöse aus Beiträgen der Mediennutzer beziehen:

- Gratiszeitungen: Die neu lancierten Gratis-Tageszeitungen sind als echte Konkurrenz zu den Kauf- und Abonnementzeitungen konzipiert. Schibstedt und die Modern Times Group haben in zahlreichen Städten Europas Gratiszeitungen mit einem maßgeblichen redaktionellen Anteil lanciert (in Zürich: Metropol, 20 Minuten).
- Spartenfernsehkanäle: Diese vielfach nur noch über Satellit und Kabel verbreiteten Sender bedienen Spezialinteressen und sind aufgrund der Minimierung der Streuverluste (nur wirklich am Thema Interessierte werden angesprochen) für die Werbewirtschaft oft attraktiver als Vollprogramme. Beispiele: Popmusik: MTV, VIVA-Swizz; Sport: Eurosport, DSF, Nachrichten: CNN,

Euronews, Bloomberg-TV, N-TV. Eine Sonderform bilden die in den USA sehr erfolgreichen Shopping-Kanäle, deren Geschäftszweck ausschließlich in der Präsentation von Waren und Dienstleistungen besteht (z.B. HOT – Home Order Television).

- Business-TV: Diese Form des Fernsehens richtet sich an hoch spezialisierte Nutzergruppen. Börsenfernsehen etwa ist nur für Börsenakteure relevant, Pferdewetten-TV richtet sich an die einschlägige Klientel usw. Business-TV-Programme werden – in verschlüsselter Form – auch zur Personalschulung, zur Unternehmenskommunikation und als Marketinginstrument eingesetzt.
- Streaming Medien: Noch spezialisierter sind die neu entstehenden Online-Angebote, die von den Nutzern gemäß den eigenen Präferenzen aus einem umfassenden Angebot von Medienhäusern zusammengestellt werden. So bieten etwa Net-Radio-Betreiber die Möglichkeit an, sowohl die Musikfarbe als auch die Häufigkeit und die Themenbereiche der einzuschaltenden Nachrichtensendungen selbst zu wählen. Die Software beliefert die Hörer am PC dann mit dem gewünschten Profil – und der obligaten Werbung.

Medien mit persönlichem Profil

Massenmediale Angebote werden also immer näher an die Interessen und Persönlichkeitsprofile der Individuen herangeführt. Dies dient der Reduzierung von Steuverlusten der Produktwerbung, kann aber auch unerwünschte Werbebotschaften von den Einzelnen fernhalten.

5 Schlussfolgerungen

Wirtschafts- und sozialwissenschaftlicher Zugang

Gegenstand, Fokus und erkenntnisleitende Interessen in der Teildisziplin Medienökonomie variieren je nach theoretischem Zugang. Während aus wirtschaftswissenschaftlicher Perspektive das Fach Medienökonomie die spezifische Funktionsweise der verschiedenen Medienmärkte analysiert, stellt der sozialwissenschaftliche Zugang die gesellschaftlichen, wirtschaftlichen und publizistischen Folgen des medienökonomischen Handelns der einzelnen Akteure in den Mittelpunkt. Aufgrund der vielfältigen Aufgaben, die Medien in hochdifferenzierten demokratischen Systemen zu leisten haben, erlangen die wirtschaftlich angestoßenen Prozesse und Strukturbildungen sowie die ordnungspolitischen Vorgaben besonderes Gewicht. Eine politische Ökonomie der Medien verspricht in dieser Hinsicht größeren Erkenntnisgewinn als eine betriebswirtschaftlich ausgerichtete Medienökonomie.

Beschäftigung mit den Folgen des Handelns

Zusammenfassend ist festzuhalten, dass die Auseinandersetzung mit der Medienökonomie weit über die Deskription von Marktbedingungen und effizientem Einsatz von Ressourcen hinausgeht. Hinzu kommt die Beschäftigung mit den spezifischen Folgen medienökonomischen Handelns auf das Mediensystem als Ganzes, auf die spezifischen gesellschaftlichen Funktionen des Mediensystems und auf die publizistische Leistungsfähigkeit der Teilnehmer im Medienmarkt. Analysiert werden sollten die Auswirkungen medienökonomischer Zusammenhänge auf die publizistische Leistungsfähigkeit der Medien (z.B. Auswirkung der Organisationsstruktur auf den Journalismus; Auswirkungen des Wettbewerbs auf die Produktqualität usw.).

Literatur

Alexander, Alison u.a. (Hg.) (1998): Media Economics. Theory and Practice. (2. Aufl.) Hillsdale, N. J.

Albarran, Alan B.(1996): Media Economics. Understanding Markets, Industries and Concepts. Ames, Iowa.

Altmeppen, Klaus-Dieter (Hg.) (1996): Ökonomie der Medien und des Mediensystems. Grundlagen, Ergebnisse und Perspektiven medienökonomischer Forschung. Opladen.

Garnham, Nicholas (1990): Capitalism and Communication. Global Culture and the Economics of Information. London.

Golding, Peter/Murdock, Graham (1991): Culture, Communications and Political Economy. In: Curran, James/Gurevitch, Michael (Hg.): Mass Media and Society. London, S. 15-32.

Gomery, Douglas (1989): Media Economics: Term of Analysis. In: Critical Studies in Mass Communication 6, H. 1, S. 43-60.

*Gomery, Douglas (1993): The Centrality of Media Economics. In: Journal of Communication 43, H. 3, S. 190-198.

Habermas, Jürgen (1990 [1962]): Strukturwandel der Öffentlichkeit. Mit einem Vorwort zur Neuaufl. Frankfurt/M.

Heinrich, Jürgen (1992): Ökonomische und publizistische Konzentration im deutschen Fernsehsektor. In: Media Perspektiven, H. 6, S. 338-356.

Heinrich, Jürgen (1993): Dominanz der Kirch-Gruppe weiter gestiegen. Ökonomische und publizistische Konzentration im deutschen Fernsehsektor 1992/93. In: Media Perspektiven, H. 6, S. 267-277.

Heinrich, Jürgen (1994a): Medienökonomie. Bd. 1: Mediensystem, Zeitung, Zeitschrift, Anzeigenblatt. Opladen.

Heinrich, Jürgen (1994b): Keine Entwarnung bei Medienkonzentration. In: Media Perspektiven, H. 6, S. 297-310.

*Heinrich, Jürgen (1996): Qualitätswettbewerb und/oder Kostenwettbewerb im Mediensektor? In: Rundfunk und Fernsehen 44, H. 2, S. 165-184.

Heinrich, Jürgen (1999): Medienökonomie. Bd. 2: Hörfunk und Fernsehen. Opladen.

Karmasin, Matthias (1998): Medienökonomie als Theorie (massen-)medialer Kommunikation. Kommunikationsökonomie und Stakeholder Theorie. Graz, Wien.

Karmasin, Matthias/Winter, Carsten (Hg.) (2000): Grundlagen des Medienmanagements. München

*Kiefer, Marie Luise (1997a): Ein Votum für eine publizistikwissenschaftlich orientierte Medienökonomie. In: Publizistik 42, H. 1, S. 54-61.

Kiefer, Marie Luise (1997b): Politische Ökonomie der Medien. In: Bonfadelli, Heinz/Rathgeb, Jürg (Hg.): Publizistikwissenschafliche Basistheorien und ihre Praxistauglichkeit. (= Diskussionspunkt 33) Zürich, S. 185-189.

Kiefer, Marie Luise (2001): Medienökonomik. Einführung in eine ökonomische Theorie der Medien. München, Wien, Oldenburg.

Knoche, Manfred (1997) Medienkonzentration und publizistische Vielfalt. In: Renger, Rudi/Siegert, Gabriele (Hg.): Kommunikationswelten. Salzburg, S. 123-158.

Lange, Bernd-Peter (1996): Ökonomie der Kommunikation. In: Wittkämper, Gerhard/Kohl, Anke (Hg.): Kommunikationspolitik. Darmstadt, S. 131-145.

Ludwig, Johannes (1998): Zur Ökonomie der Medien: Zwischen Marktversagen und Querfinanzierung. Opladen.

McChesney, Robert W. (2000): The political economy of communication and the future of the field. In: Media, Culture & Society 22, H. 1, S. 109-116.

McQuail, Denis (1992): Media Performance. Mass Communication and the Public Interest. London.

McQuail, Denis (2000): Mass Communication Theory. An Introduction. (4. Aufl.) London.

Nieland, Jörg-Uwe u.a. (1996): Die Veränderungen des Fernsehens: Die medienökonomische Dimension. In: Schatz, Heribert (Hg.): Fernsehen als Objekt und Moment des sozialen Wandels. Opladen, S. 75-124.

Owen, Bruce M./Wildman, Steven S. (1992): Video Economics. Cambridge, Mass.

Picard, Robert G. (1989): Media Economics. Concepts and Issues. Newbury Park, London, New Delhi.

Prokop, Dieter (2000): Der Medienkapitalismus. Das Lexikon der neuen kritischen Medienforschung. Hamburg.

Sanchez-Taberno, Alfonso (1993): Media Concentration in Europe. Commercial Enterprise and the Public Interest. Düsseldorf.

Schröder, Guido (1997): Die Ökonomie des Fernsehens. Eine mikroökonomische Analyse. Münster.

Seufert, Wolfgang (2000): Wirtschaftliche Aspekte von Hörfunk und Fernsehen. In: Internationales Handbuch für Hörfunk und Fernsehen 2000/01. Baden-Baden, S. 160-178.

Siegert, Gabriele (1993): Marktmacht Medienforschung: Die Bedeutung der empirischen Medien- und Publikumsforschung im Medienwettbewerbssystem. München.

Steininger, Christian (2000): Zur Politischen Ökonomie der Medien. Dissertationen der Universität Wien, Bd. 66, Wien.

Weber, Rolf H. (1995): Medienkonzentration und Meinungspluralismus. Entwicklungstendenzen in Europa und Diskussionsstand in der Schweiz. Zürich.

* Basisliteratur

Medien- und Kommunikationsrecht*

Rolf H. Weber

1 Überblick ... 199

2 Internationale Rechtsquellen des Medienrechts ... 199

2.1 Vereinte Nationen ... 199

2.2 Weltraum- und Telekommunikationsorganisationen ... 200

2.3 Welthandelsorganisation ... 200

2.4 Europarat ... 201

2.5 Europäische Union ... 202

3 Medienverfassungsrecht ... 202

3.1 Meinungsäußerungsfreiheit ... 202

3.2 Informationsfreiheit ... 203

3.3 Medienfreiheit ... 204

3.4 Filmfreiheit ... 206

3.5 Wirtschaftsfreiheit ... 207

* Gekürzte Fassung einer erweiterten Publikation, die wie folgt erschienen ist: Rolf H. Weber, Medienrecht für Medienschaffende, Einführung und Rechtsquellen, Schulthess Juristische Medien, Zürich 2000.

4 Medientechnik- und Medienordnungsrecht 207
4.1 Technisches Verbreitungsrecht 207
4.2 Presseordnung 209
4.3 Rundfunkordnung 212
4.4 Medienkartellrecht 216
4.5 Medienlauterkeitsrecht 218

5 Medienstraf- und Medienzivilrecht 220
5.1 Strafrechtliche Ordnung 220
5.2 Zivilrechtlicher Persönlichkeitsschutz 222

6 Weitere Rechtsbereiche 225
6.1 Medienarbeitsrecht 225
6.2 Datenschutzrecht 225
6.3 Urheberrecht 226

7 Rechtsquellen 227
7.1 International 227
7.2 Schweiz 228

Literatur 229

1 Überblick

Das Medien- und Kommunikationsrecht ist nicht ein klassisches Rechtsgebiet, wie z.B. das Privat- oder Strafrecht. Vielmehr zeichnet es sich dadurch aus, dass es als Querschnittsmaterie sehr viele Rechtsbereiche berührt und damit auch kein abgeschlossenes Rechtsgebiet darstellt.

Querschnittsmaterie

Traditionellerweise wird aus der Sicht der Publizistik – wie nachfolgend – der Begriff „Medienrecht" verwendet; im Vordergrund stehen die Presse und der Rundfunk (Radio und Fernsehen). Angesichts der großen technologischen Entwicklungen der letzten Jahre, die zur Herausbildung neuer Kommunikationsmittel (z.B. Online-Dienste) geführt haben, ist es zu einer begrifflichen Erweiterung des Medienrechts zum Kommunikationsrecht gekommen, die andeuten will, dass auch Übertragungsaspekte medialer Äußerungen und Individualkommunikationen eine publizistikrelevante Bedeutung haben können.

2 Internationale Rechtsquellen des Medienrechts

Wachsende Bedeutung internationaler Rechtsquellen

Die Informationsvermittlung lässt sich durch territoriale Grenzen von Nationalstaaten nicht einschränken. Internationale Rechtsquellen (vgl. Abschnitt 7) gewinnen deshalb für das Medienrecht immer mehr an Bedeutung.

2.1 Vereinte Nationen

Die Allgemeine Erklärung der Menschenrechte, verabschiedet von den Vereinten Nationen am 10.12.1948, verankert die Meinungsäußerungs- und die Informationsfreiheit (Art. 19); weil die Schweiz z.Z. (noch) nicht UNO-Mitglied ist, findet diese Bestimmung keine direkte Anwendung. Hingegen ist die Schweiz am 18.9.1992 dem Internationalen Pakt über bürgerliche und politische Rechte der UNO vom 16.12.1966, beigetreten: Art. 19 Ziff. 1 und 2 gewährleisten die Meinungs- und Informationsfreiheit, Art. 19 Ziff. 3 enthält einen Einschränkungsvorbehalt im Lichte der besonderen Pflichten der Rechtsträger (Rechte von Dritten, Schutz der öffentlichen Ordnung usw.).

2.2 Weltraum- und Telekommunikationsorganisationen

Der sog. Weltraumvertrag vom 27.1.1967 befasst sich mit der Erforschung und Nutzung des Weltraums. Die wichtigsten Organisationen im Satellitenbereich sind die INTELSAT (1971, Mitgliedschaft der Schweiz seit der Gründung), die INMARSAT (Mitwirkung der Schweiz seit 1989), die INTERSPUTNIK, die Europäische Raumfahrtagentur (ESA) und die EUTELSAT (1982, Mitgliedschaft der Schweiz seit der Gründung).

Das Gründungsabkommen der Internationalen Fernmeldeunion (UIT/ITU) geht – unter Beteiligung der Schweiz – auf das Jahr 1865 zurück. Die ITU amtet als Kooperations- und Koordinationsorgan unter dem internationalen Fernmeldevertrag und ist damit verantwortlich für die störungsfreie Benutzung des Frequenzspektrums (Vielzahl technischer Abkommen); die ITU befasst sich zudem mit der technischen Seite der Satellitenübertragung.

2.3 Welthandelsorganisation

Die in Marrakesch im April 1994 vereinbarte neue Welthandelsordnung hat nicht nur zu effizienteren Organisationsstrukturen geführt, sondern als zusätzlichen Liberalisierungsbereich auch die Dienstleistungen miterfasst (Dienstleistungsabkommen, General Agreement on Trade in Services/GATS). Die Telekommunikation ist nicht integrierter Bestandteil des Hauptvertrages des Dienstleistungsabkommens, sondern in einem gesonderten, zwischenzeitlich recht stark liberalisierenden Annex geregelt. Im audiovisuellen Bereich ist es hingegen bei Abschluss der WTO-Akte und in den Folgekonferenzen nicht zu einem konkreten Nachverhandlungsauftrag gekommen.

2.4 Europarat

Im Rahmen des Europarates ist am 4.11.1950 die Europäische Konvention zum Schutze der Menschenrechte und der Grundfreiheiten (EMRK) zustande gekommen; die EMRK ist seit dem 28.11.1974 ein Bestandteil der schweizerischen Rechtsordnung. Art. 10 EMRK umschreibt das Recht auf freie Meinungsäußerung (inkl. Informationsfreiheit). Die Schweiz hat sich – durch die Anerkennung des Prinzips der Individualbeschwerde – der Entscheidungsbefugnis des Europäischen Menschenrechtsgerichtshofes unterworfen; der Gerichtshof hat die Schweizer Gerichte wegen der sehr engen Auslegung der Meinungsäußerungsfreiheit schon mehrfach gerügt (Beispielfälle: „Mikrowellenherd" und „Autronic").

Die Konvention des Europarates zum grenzüberschreitenden Fernsehen vom 5.5.1989 ist für die Schweiz seit 1.5.1993 in Kraft; dieses Übereinkommen, dessen Änderung bzw. Ergänzung vom 9.9.1998 jetzt zur Ratifikation ansteht, verankert den Grundsatz der Empfangsfreiheit und enthält inhaltliche Vorschriften zur Gestaltung der Fernsehprogramme (z.B. zu Werbung und Sponsoring, zum Gegendarstellungsrecht und Jugendschutz). Nicht erfasst von der Konvention ist der Radiobereich.

Im europäischen Rahmen zu beachten ist zudem die am 1.8.1975 in Helsinki unterzeichnete Schlussakte der Konferenz (heute: Organisation) über Sicherheit und Zusammenarbeit in Europa (OSZE), welche im zweiten Teil des dritten „Korbes" die Information behandelt; für die gegenseitige Verständigung werden die drei Ziele 1. freiere und umfassendere Informationsverbreitung, erleichterter Informationszugang und -austausch, 2. Förderung der Zusammenarbeit und des Informationsaustausches mit anderen Ländern sowie 3. Verbesserung der Arbeitsbedingungen der Journalisten postuliert.

2.5 Europäische Union

Gestützt auf die Niederlassungs- und Dienstleistungsfreiheit, die wirtschaftsrechtlich den freien Austausch von Rundfunksendungen innerhalb der Europäischen Union ermöglicht, ist am 3.10.1989 die Richtlinie 89/552 zum grenzüberschreitenden Fernsehen erlassen worden. Die Richtlinie erfasst den Radiobereich nicht; im Vordergrund stehen das Weiterverbreitungsrecht für Programme, eine Quotenregelung zur Förderung europäischer Produktionen, Vorschriften zu Werbung und Sponsoring sowie Anordnungen zur Exklusivberichterstattung, zum Jugendschutz und zur öffentlichen Ordnung. Die Fernseh-Richtlinie 89/552 hat zwecks Anpassung an das geänderte technologische Umfeld im Medienbereich durch die Richtlinie 97/36 vom 30.6.1997 eine Änderung erfahren.

3 Medienverfassungsrecht

3.1 Meinungsäußerungsfreiheit

Allgemeine Meinungsfreiheit gestützt auf Art. 16 Abs. 1 und 2 BV

Die allgemeine Meinungsfreiheit, welche für die Schweiz verbindlich in Art. 10 EMRK festgeschrieben ist, bis zur Einführung der neuen Bundesverfassung anfangs 2000 aber „nur" als ungeschriebenes Verfassungsrecht gegolten hat (BGE 104 Ia 92), räumt nunmehr gestützt auf Art. 16 Abs. 1 und 2 BV ausdrücklich jeder Person das Recht ein, ihre Meinung frei zu bilden und sie ungehindert zu äußern und zu verbreiten. Die Meinungsäußerungsfreiheit stellt einen wichtigen Teil der sozialen Kommunikation dar und ist ein unentbehrlicher Bestandteil der demokratischen und rechtsstaatlichen Ordnung des Bundes (vgl. Abschnitt 3.3).

Laut Bundesgericht sind unter „Meinung" schriftliche oder mündliche Äußerungen zu verstehen, „die Ergebnisse von Denkvorgängen sowie rational fassbar und mittelbar gemachte Überzeugungen in der Art von Stellungnahmen, Wertungen, Anschauungen, Auffassungen und dergleichen" darstellen; die Konkretisierung des Begriffs „Meinungsäußerung" hat im Einzelfall zu erfolgen (BGE 108 Ia 318). Träger der Meinungsäußerungsfreiheit sind natürliche und juristische Personen. Auch Ausländer können sich auf das Recht der freien Meinungsäußerung berufen, allerdings lassen sich ihnen stärkere Beschränkungen auferlegen. Als Mittel der geschützten Meinungsäußerung kommen grundsätzlich alle Äußerungsmöglichkeiten in Frage, namentlich das gesprochene und geschriebene Wort, künstlerische Ausdrucksmittel, Tonträger, Filme oder Mitteilungen im Internet.

Beschränkungen der Meinungsäußerungsfreiheit sind notwendig, um andere Personen in ihren persönlichen Verhältnissen und in ihrer Ehre zu schützen (vgl. Abschnitte 5.1 und 5.2). Solche Einschränkungen sind rechtmäßig, wenn sie auf einer gesetzlichen Grundlage beruhen, im öffentlichen Interesse liegen und das Verhältnismäßigkeitsprinzip einhalten.

3.2 Informationsfreiheit

Informationsfreiheit: Art. 16 Abs. 3 BV

Art. 16 Abs. 3 BV spricht jeder Person das Recht zu, Informationen frei zu empfangen, aus allgemein zugänglichen Quellen zu beschaffen und zu verbreiten. Bis Ende 1999 war die Informationsfreiheit, welche den Zugang zu bestimmten Informationen bzw. Informationsträgern gewährleistet, verfassungsrechtlich „nur" ungeschrieben gewährleistet gewesen.

Wann es sich um eine allgemein zugängliche Quelle handelt, ist im Einzelnen umstritten. Die Staatsverwaltung z.B. wird, falls der betreffende Gegenstand nicht allgemeine Interessen berührt, nicht als eine allgemein zugängliche Quelle bezeichnet. Gerichtsverhandlungen sind hingegen gemäß Bundesgericht (BGE 111 Ia 245) grundsätzlich öffentlich, damit die Kontrolle der Allgemeinheit über die Justiz gewährleistet ist und den Prozessbeteiligten eine korrekte und gesetzesmäßige Behandlung zukommt. Daneben stellen auch die öffentlichen Register eine allgemein zugängliche Informationsquelle dar, wenn das Registerrecht eine Einsichtnahme nicht von einem Interessennachweis abhängig macht.

Nach weiterhin geltender – wenn zwar nicht unumstrittener – Bundesgerichtspraxis (BGE 113 Ia 317) wird durch die Informationsfreiheit dem Bürger hingegen kein positiver Anspruch auf Information eingeräumt. Demnach steht weder den Privatpersonen noch den Medien ein positiver Anspruch auf Information durch die Behörden zu. In Ausarbeitung ist nun aber ein sog. Informationszugangsgesetz, das die Informationsrechte gegenüber der Verwaltung konkretisieren soll. Wenn die Behörden von sich aus über ihre Tätigkeit informieren und Auskünfte erteilen oder wenn das Informationswesen gesetzlich geregelt ist, gelten das Gleichbehandlungsgebot und das Willkürverbot (Art. 9 BV).

3.3 Medienfreiheit

Medienfreiheit: Art. 17 BV

Die in Art. 17 BV kodifizierte Medienfreiheit stellt die Konkretisierung der Meinungsäußerungsfreiheit für die Medien dar; Art. 55 aBV hat nur die Pressefreiheit im Sinne von Erzeugnissen der Druckerpresse gewährleistet, hingegen ist die Radio- und Fernsehfreiheit in Art. 55bis aBV nicht erwähnt gewesen. Gemäß dem Prinzip der Medienfreiheit darf der Staat niemanden hindern, seine Meinung durch die Medien öffentlich zu äußern und zu verbreiten (Art. 17 Abs. 2 BV). Dabei wird der Ausdruck „Meinungsäußerung" in einem weiten Sinn verstanden; erfasst sind sowohl Tatsachenbehauptungen als auch Werturteile, ebenso bildliche Darstellungen und Fotografien.

a) Grundsatz

Medienfreiheit: elementare Voraussetzung der Demokratie

Mit der Gewährleistung der Medienfreiheit wird jedem Einzelnen die Möglichkeit eingeräumt, seine Meinung durch das Mittel der Medien in die Öffentlichkeit zu tragen. Demgemäß stellt die Medienfreiheit eine elementare Voraussetzung der Demokratie dar; sie ist unerlässlich für die Willensbildung der Bürger und für die Wahrnehmung der politischen Rechte. Das Bundesgericht spricht von der Informations-, Artikulations- und Kontrollfunktion der Medien (BGE 95 II 492). Zugleich ist es dem Staat verboten, in vorbereitende Medientätigkeiten durch Beschränkung des Zugangs zu allgemein zugänglichen Informationsquellen oder durch Zensur einzugreifen.

Damit eine mediale Meinungsäußerung vom Recht der Medienfreiheit erfasst wird, haben folgende Voraussetzungen vorzuliegen: Erstens muss die Äußerung vervielfältigt und verbreitet bzw. elektronisch ausgestrahlt werden und zweitens hat sich das Medienerzeugnis an einen mehr oder weniger großen Adressatenkreis zu richten.

Nicht eigentlich durchgesetzt hat sich in der Schweiz bisher das Konzept einer Gesamtheit von Regeln, welche den Redaktionen gegenüber den Verlegern ein ausreichendes Maß an Unabhängigkeit garantieren (sog. innere Pressefreiheit); die vorhandenen Redaktionsstatute sind meist recht offen formuliert.

b) Besonderheiten des Rundfunks

Leistungsauftrag: sachgerechte und vielfältige Information

Wegen der besonderen Breitenwirkung und Suggestivkraft des Rundfunks wird die Medienfreiheit für Radio und Fernsehen in Art. 93 BV einerseits durch einen Leistungsauftrag konkretisiert, andererseits verlangt diese Verfassungsbestimmung eine sachgerechte und die Vielfalt der Ansichten angemessen zum Ausdruck bringende Information der Bevölkerung. Überdies werden Unabhängigkeit und Autonomie in der Programmgestaltung gewährleistet; schließlich ist auf die Stellung und die Aufgabe anderer Medien (Presse) Rücksicht zu nehmen.

Radio und Fernsehen sollen v.a. zur freien Meinungsbildung beitragen, bei ihrer Tätigkeit die Besonderheiten des Landes berücksichtigen und die Ereignisse sachgerecht zum Ausdruck bringen. Im Bereich der Informationssendungen gelten hinsichtlich Objektivität und sachgerechter Darstellung besonders hohe Anforderungen (journalistische Sorgfaltspflichten). Damit wird das Ziel verfolgt, Radiohörer und Fernsehzuschauer vor einseitiger Meinungsbeeinflussung und Diskriminierung zu schützen. Schutzobjekt stellt also die Meinungsbildung des Publikums, welches vor Manipulationen durch Radio und Fernsehen bewahrt werden soll, dar.

c) Schranken

Keine absolute Gültigkeit

Freiheitsrechte gelten nicht absolut; ihr Geltungsbereich ist begrenzt durch Güter und Interessen anderer. Die Beanspruchung der Medienfreiheit vermag nämlich die Rechtssphäre von unbeteiligten Dritten zu beeinträchtigen. Demgemäß haben die Medien – ungeachtet der Wahrnehmung öffentlicher Aufgaben – die berechtigten Schutzanliegen von Privatpersonen zu achten und dürfen, um straf- oder zivilrechtliche Sanktionen zu vermeiden, ohne triftigen Grund nicht in persönliche Verhältnisse eingreifen (vgl. Abschnitte 5.1 und 5.2).

3.4 Filmfreiheit

Je nach den konkreten Umständen wird die Filmfreiheit, die in der Bundesverfassung nicht ausdrücklich verankert ist, der Meinungsäußerungsfreiheit oder der Wirtschaftsfreiheit zugeordnet: Sobald ein Film kommerzielle Verwendung findet (z.B. Vorführung in einem allgemein zugänglichen Kino), überwiegt der wirtschaftliche Charakter; Filme, die rein als Kunstwerk zu verstehen sind oder in einem geschlossenen Verein (enger Personenkreis) zu politischen Zwecken vorgeführt werden, unterliegen dagegen der Meinungsäußerungsfreiheit. Auf die Besonderheiten der Filmordnung (z.B. Filmförderung, Kinobranche, Marktordnung) wird nachfolgend nicht weiter eingegangen.

3.5 Wirtschaftsfreiheit

Wirtschaftsfreiheit: Art. 27 BV

Die Wirtschaftsfreiheit (Art. 27 BV) gewährleistet insbesondere das Recht, Medienunternehmen (inkl. Gratisanzeiger) zu gründen und zu betreiben. Im Extremfall, wenn ein einziges Medienunternehmen einen bestimmten Markt monopolisiert, kann die Wirtschaftsfreiheit aber mit der Medienfreiheit in Widerspruch geraten, weil diesfalls das Risiko besteht, dass der wirtschaftliche Wettbewerb den publizistischen Wettbewerb ausschaltet.

Das Bundesgericht hat über einen langen Zeitraum die Werbung als Gegenstand der Wirtschaftsfreiheit, nicht der Medienfreiheit betrachtet. In Anlehnung an die Rechtsprechung des Europäischen Menschenrechtsgerichtshofes zu Art. 10 EMRK gelten nun aber seit kurzem (BGE 123 II 416 f.; 123 IV 215f.) kommerzielle Kommunikationen allgemein (Werbung, Marketing etc.) als Ausdruck der Medienfreiheit.

4 Medientechnik- und Medienordnungsrecht

4.1 Technisches Verbreitungsrecht

a) Abgrenzung Fernmelde- und Rundfunkrecht

Gesetzgeberische Differenz zwischen Fernmelde- und Rundfunkbereich

Bei den elektronischen Medien stellt sich mit Bezug auf deren Verbreitung die Frage der anwendbaren Rechtsgrundlagen (zum Vertrieb der Presseprodukte Abschnitt 4.2 c)). Das heutige Regulierungssystem basiert auf der gesetzgeberischen Differenzierung zwischen dem Fernmelde- und dem Rundfunkbereich, deren Abgrenzung im Grundsatz so vorgenommen wird, dass Fernmeldedienste eine individuelle Zweiwegkommunikation begründen, während Rundfunkdienste eine allgemeine (d.h. überindividuelle) Einwegkommunikation darstellen. Diese technische Begriffsdifferenzierung ist zu trennen von der publizistisch geprägten Zweiteilung zwischen Individual- und Massenkommunikation, die aus gesellschaftspolitischen Gründen an der Zahl der potentiellen Rezipienten anknüpft.

Die Frage, ob das Fernmelde- oder das Rundfunkrecht zur Anwendung kommt, ist von erheblicher praktischer Bedeutung, und zwar wegen der Konzessionserfordernisse und der Folgeregulierungen (z.B. Leistungsauftrag, Werbung). Anknüpfungsbegriff für die Differenzierung von Fernmelde- und Rundfunkdiensten ist das „Programm" (vgl. Weber 1999a). Der traditionelle Rundfunk läuft typischerweise zeitlich planmäßig ab und bietet damit ein potentiell einflussmächtiges „Gesamtpaket" an (Breitenwirkung und Suggestivkraft). Materiell wird durch die Verkettung und die inhaltlich möglichst aktualitätsbezogene Darstellung dem Publikum von Rundfunkprogrammen ein „virtuelles Kunstprodukt" ins Haus geliefert. Dass die klassische Differenzierung zwischen dem Fernmelde- und dem Rundfunkbereich bei neuen multimedialen Diensten an regulatorische Grenzen stößt, ist zwischenzeitlich weitestgehend anerkannt; wie das Problem in der anstehenden RTVG-Revision gelöst wird, lässt sich z.Z. noch nicht voraussagen.

b) Fernmelderechtliche Grundsätze

Beachtung der Regulierungsinstrumente

Soweit das Fernmelderecht auf Multimedia-Dienste zur Anwendung kommt, sind die Regulierungsinstrumente des Fernmeldegesetzes vom 30.4.1997 zu beachten. Weil die liberalisierte Fernmeldeordnung einen wirksamen Wettbewerb bei der Erbringung der Multimedia-Dienste ermöglichen soll, ist die Dienstleistungserbringung dem Bundesamt für Kommunikation (BAKOM) in der Regel nur zu melden; einzig im Falle der Benutzung einer eigenen Infrastruktur besteht eine „Konzessionspflicht", die materiell aber auf den Prinzipien einer Polizeierlaubnis (beschränkter Ermessensspielraum der Behörden) beruht.

c) Rundfunkrechtliche Grundsätze

Unterliegt ein Multimedia-Dienst hingegen dem Rundfunkrecht, ist dessen Verbreitung an die Erteilung einer entsprechenden Konzession gebunden. Das RTVG versteht unter Verbreitung die Ausstrahlung von an die Allgemeinheit gerichteten Programmen über terrestrische Sender, über Satelliten oder über Kabelnetze, ungeachtet dessen, ob die Programme verschlüsselt oder unverschlüsselt zur Verbreitung gelangen. Terrestrische Frequenzen werden gestützt auf besondere Sendernetzpläne zugewiesen. Hingegen kennt das RTVG keine besonderen Regeln für die Satellitenverbreitung; das Europäische Übereinkommen über das grenzüberschreitende Fernsehen geht vom Sendestaatprinzip aus: ist ein Satellitensender in einem Staat zugelassen, muss der freie Empfang und die ungehinderte Weiterverbreitung von Programmen in den anderen Staaten sichergestellt werden. Für die Kabelweiterverbreitung ist eine Kabelnetzkonzession oder eine Umsetzerkonzession einzuholen; abgesehen von technischen und finanziellen Voraussetzungen ist insbesondere von Bedeutung, dass die Kabelnetzbetreiber in der Schweiz einer Weiterverbreitungspflicht (must carry-rules) mit Bezug auf meinungsbildende Programme des öffentlichen Rundfunkveranstalters unterliegen.

d) Internet

Das Internet ist eine technische Infrastruktur, die einzelstaatlich (und insbesondere in der Schweiz) nicht besonders geregelt wird, d.h. anwendbar sind die allgemeinen Regelungen (z.B. Abgrenzung Telekommunikation/Rundfunk).

4.2 Presseordnung

a) Presseförderung

Nur geringe Förderung der Presse

In der Vergangenheit ist die Einführung spezifischer Presse-Förderungsmaßnahmen regelmäßig gescheitert. Die 1971 begonnenen Bemühungen zur Schaffung eines Verfassungsartikels über die

Presseförderung sowie zur Ausarbeitung eines Presseförderungsgesetzes sind 1986 unter dem Hinweis auf die fehlende Vereinbarkeit mit der Wirtschaftsfreiheit definitiv fallen gelassen worden. Ein neuer Anlauf für eine Verfassungsergänzung steht noch im ungewissen Anfangsstadium. Zwar sieht Art. 93 Abs. 4 BV vor, dass die elektronischen Medien auf die anderen Kommunikationsmittel, insbesondere die Presse, Rücksicht zu nehmen haben. Dieses Gebot vermag aber nur gewisse Werbebeschränkungen in den elektronischen Medien und Förderungsmaßnahmen für den einheimischen Film zu rechtfertigen; sonst ist die ordnungsstrukturelle Bedeutung der Anordnung sehr gering geblieben (Weber 1995). Die einzige indirekte Förderungsmaßnahme zugunsten der Presse besteht in der Verbilligung der Postbeförderungstaxen.

b) Vereinzelte kantonale Inhaltsnormen

Liberale Presseordnung

Die Presseordnung ist in der Schweiz recht liberal ausgestaltet und wird nur durch wenige spezifische Normen beschränkt. Zu beachten sind einzelne (überwiegend alte) kantonale Pressegesetze, v.a. in der französischsprachigen Schweiz, welche mögliche schädigende Auswirkungen der Pressefreiheit auf das Gemeinwesen und das Gemeinwohl verhindern wollen. Selbst soweit Generalklauseln zum Schutze der öffentlichen Ordnung und Ehre, nicht zuletzt gegenüber ausländischen Presseerzeugnissen, vorhanden sind, haben sie jedoch eine geringe praktische Bedeutung. Hingegen statuiert Art. 322 StGB die sog. Impressumspflicht, die mithilft, die presserechtliche Kaskaden-Verantwortlichkeit von Art. 27 StGB (vgl. Abschnitt 5.1) transparent zu machen; kantonale Pressegesetze sehen teilweise zusätzliche Anforderungen an das Impressum vor.

c) Bestimmungen zum Pressevertrieb

Pressevertrieb

Im Hinblick auf den Vertrieb von Presseprodukten unterstellen einzelne Kantone die Verleger einer gewerblichen Meldepflicht, die aber aus verfassungsrechtlichen Gründen nur informatorischen, nicht bewilligungsmäßigen Charakter haben kann. Bei der Einfuhr von Presseprodukten sind einzelne Bestimmungen des Zollgesetzes und neuere Immaterialgüterrechtsgesetze zu beachten, welche Presseprodukte mit strafbarer Pornographie und Gewaltdarstellungen betreffen. Innerhalb der Schweiz müssen Sendungen mit beschimpfenden und unsittlichen Inhalten von der Post nicht befördert werden; gewisse Vertriebsbeschränkungen ergeben sich auch aus dem Lotteriegesetz. Die Verteilung von Presseprodukten auf öffentlichem Grund und Boden stellt nach Auffassung des Bundesgerichts (BGE 96 I 590) einen gesteigerten Gemeingebrauch dar und kann für bewilligungspflichtig erklärt werden; anwendbar ist aber das Verhältnismäßigkeitsprinzip. Eine Bewilligungspflicht ist auch einführbar für den Verkauf von Presseprodukten; zu beachten sind insoweit zudem die Regeln über den Ladenschluss und die Ruhetage. Das Hausieren mit Presseprodukten untersteht den in den meisten Kantonen bekannten Hausierergesetzen.

d) Berufsrecht

Kein geschütztes Gewerbe

Der Beruf des Medienschaffenden ist kein besonders geschütztes Gewerbe. Journalisten haben – mit Ausnahme der Erfüllung von Akkreditierungsbedingungen, welche den Zugang zu Behörden und Gerichten erleichtern – keine spezifischen Qualitätsanforderungen zu erfüllen. Vorschriften zur Berufsausbildung lassen sich auch kaum verfassungsrechtlich legitimieren; ebenso fehlt es an Zulassungsbeschränkungen zum Beruf.

Auf kantonaler und privater Basis werden nun aber vermehrt Ausbildungskurse für Medienschaffende angeboten. Im Übrigen besteht ein paritätisches Berufsregister zwischen dem Verband der Schweizerischen Zeitungs- und Zeitschriftenverleger sowie dem Verband der Schweizer Journalisten. Dieses Berufsregister regelt die Berechtigung für die Führung der insoweit geschützten Berufsbezeichnung „Journalist BR“. Die Stiftung Schweizer Presserat hat zuhanden der Medienschaffenden zudem im Sinne der Selbstregulierung einzelne Qualitätsanforderungen formuliert, die von den Verbandsangehörigen einzuhalten sind; konkret geht es insbesondere um Anordnungen, welche die Verletzung von Persönlichkeitsrechten Dritter ausschließen sollen (zur Selbstregulierung vgl. Scholten-Reichlin/Jarren, Abschnitt 2.5 i.d.B.).

4.3 Rundfunkordnung

a) Konzessionspflicht

Konzessionierung als Lenkungsinstrument

Wer Radio- und Fernsehprogramme veranstalten will, bedarf einer Konzession. Die Konzessionspflicht für Rundfunkveranstalter eröffnet dem BAKOM (Bundesamt für Kommunikation) die Möglichkeit, das System der elektronischen Medien in der Schweiz zu gestalten, d.h. die Konzessionierung dient als Lenkungsinstrument (Schürmann/Nobel 1993). Im Grundsatz hat kein (potentieller) Veranstalter einen Anspruch auf Konzessionserteilung; diese rundfunkrechtliche Ausgestaltung, die auch dem allgemeinen Verwaltungsrecht entspricht, widerspiegelt die medienpolitische Überlegung, dass dem BAKOM mangels Individualanspruches von Bewerbern ein erhebliches Ermessen zukommen soll (Art. 10 Abs. 2 RTVG).

Das RTVG unterscheidet zwischen allgemeinen und ebenenspezifischen Konzessionsvoraussetzungen. Überblicksmäßig stehen folgende allgemeine Konzessionsvoraussetzungen im Vordergrund (Art. 11 RTVG):

- Formelle Anforderung: Ein Bewerber muss eine natürliche Person mit Schweizer Bürgerrecht und Wohnsitz in der Schweiz oder eine juristische Person mit Sitz in der Schweiz und schweizerischer Beherrschung sein; offen zu legen sind somit die wirtschaftlich Berechtigten an einem Rundfunkveranstalter.
- Leistungsauftrag: Ein Bewerber soll in der Lage sein, den ihm auferlegten Leistungsauftrag auch effektiv zu erfüllen.
- Finanzierbarkeit: Ein Bewerber hat glaubhaft darzulegen, dass er die erforderlichen Investitionen und den Betrieb während der Konzessionsdauer finanzieren kann; ungeachtet dieses Prü-

fungskriteriums sind verschiedene Programmveranstalter in der Vergangenheit aber finanziell gescheitert.

- Garantie rechtskonformen Verhaltens: Ein Bewerber muss die Gewähr bieten, das anwendbare Recht einzuhalten.
- Keine Gefährdung der Meinungs- und Angebotsvielfalt: Mit der Konzessionsvoraussetzung, dass ein Bewerber zur Meinungsvielfalt beitragen soll, wird dem Aspekt des publizistischen Wettbewerbs Rechnung getragen; dieses Kriterium ist in der Praxis aber nur ausgesprochen schwer handhabbar und positive Auswirkungen lassen sich in der bisherigen Bewilligungspraxis auch nicht erkennen (vgl. Weber 1995).
- Technische Realisierbarkeit: Das Vorhaben eines Bewerbers muss nach den Sendernetzplänen technisch möglich sein, es sei denn, der Bewerber weise nach, dass sein Programm über ein Kabelnetz verbreitet wird.

b) Drei-Ebenen-Modell

Das RTVG von 1991 beruht auf dem sog. Drei-Ebenen-Modell: Nach diesem Modell sollen Veranstalter für die internationale, die nationale/sprachregionale und die regionale/lokale Ebene konzessioniert werden (vgl. Schürmann/Nobel, 1993). Je nach der Art der anzubietenden Rundfunkleistungen hat der entsprechende Bewerber zusätzliche Konzessionsvoraussetzungen zu erfüllen; lokale und regionale Veranstalter müssen z.B. in ihren Programmen die Eigenheiten des Versorgungsgebietes berücksichtigen (Art. 21 RTVG). Auf nationaler und sprachregionaler Ebene steht der Grundversorgungsauftrag im Vordergrund. Angesichts der technologischen Entwicklungen ist dieses Drei-Ebenen-Modell aber heute weitgehend überholt (vgl. Weber 1999a) und es ist zu erwarten, dass die anstehende RTVG-Revision in diesem Bereich zu grundlegenden Änderungen in der Konzessionierungspraxis führen wird.

c) Leistungsauftrag

Gemäß des Leistungsauftrags von Art. 93 Abs. 2 BV sind Rundfunkveranstalter verpflichtet, bestimmte Versorgungsleistungen

Leistungsauftrag: Art. 93 Abs. 2 BV

im Interesse der Öffentlichkeit zu erbringen. Der verfassungsrechtliche Leistungsauftrag wird im Radio- und Fernmeldegesetz konkretisiert: Art. 3 RTVG formuliert die verfassungsrechtlichen Zielvorstellungen etwas genauer, und zwar durch die drei Grundpfeiler Meinungsbildung, kulturelle Entfaltung und Unterhaltung.

Der wichtigste Informationsgrundsatz gemäß Art. 4 RTVG ist das Sachgerechtigkeitsgebot; das Ziel der Vorschrift besteht darin, Rundfunkrezipienten vor einseitiger Meinungsbeeinflussung und Diskriminierung zu schützen. Bezugspunkt des Sachgerechtigkeitsgebotes ist die einzelne Sendung und nicht das Programm insgesamt; immerhin kommt es nicht auf einzelne Programmsequenzen, sondern auf den Gesamteindruck einer Sendung an. Zu den journalistischen Sorgfaltsanforderungen (vgl. Dumermuth 1996) gehören die Wahrhaftigkeit, der Grundsatz der Einhaltung sachgerechter Transparenz in der Berichterstattung, das Prinzip der Sachkenntnis, die Überprüfung übernommener Fakten im Rahmen des Möglichen, die Angemessenheit des Mitteleinsatzes, das faire Verarbeiten auch anderer Meinungen, die Unvoreingenommenheit gegenüber dem Ergebnis publizistischer Arbeit sowie die sorgfältige Auswahl und Begleitung von in einer Sendung auftretenden Gästen. Die einzelnen Kriterien müssen ihre Prüfung durch die Rezeption im Publikum bestehen. Als Informationsgrundsätze fallen weiter das Vielfaltsgebot mit Bezug auf Ereignisse und Ansichten, das sich nicht auf eine bestimmte Sendung, sondern das Programm insgesamt bezieht und das sog. kulturelle Mandat, das nicht nur die Kultur im engeren Sinne (Musik, Theater, Film) meint, sondern allgemein die gesellschaftskulturelle Sensibilität (z.B. Menschenwürde inkl. Würde der Frau, Rücksicht auf religiöse Gefühle, Verzicht auf pornographische und gewalttätige Darstellungen) in Betracht zieht (Art. 4 RTVG).

d) Service public

Grundversorgungsauftrag der SRG

Die Schweizerische Radio- und Fernsehgesellschaft Idée Suisse (SRG) hat zusätzlich das Recht und die Pflicht, als einziger sog. öffentlicher Rundfunkveranstalter in der Schweiz durch die drei sprachregional ausgerichteten Programmorganisationen den Grundversorgungsauftrag zu erfüllen. Die Umschreibung des Service public lässt sich in mannigfaltiger Weise vornehmen und hängt nicht zuletzt von den gesellschaftlichen Sozialbedingungen ab; für die Schweiz stehen die sprachliche Versorgung, die Meinungsbildung und die Kultur im Vordergrund. Der Service public zeichnet sich somit dadurch aus, dass er einen Beitrag zur gesellschaftlichen Integration leistet: Um die Ausdifferenzierung von Gruppeninteressen und subkulturellen Orientierungen mit individuellen Wissensbeständen und Werthaltungen zu überwinden, soll eine Dialogkultur entwickelt werden. Diese spezifischen Anforderungen sind vom öffentlichen Rundfunk nicht zuletzt deshalb zu erfüllen, weil unter finanziellen Aspekten insoweit eine entsprechende Privilegierung bei den Gebühren vorgesehen ist.

e) Finanzierung

Angesichts der erheblichen Investitions- und Betriebsaufwendungen für die Veranstaltung von Rundfunkprogrammen erweisen sich Bestimmungen zur Finanzierung der Veranstalter im RTVG als unausweichlich. Die ursprüngliche und weiterhin wichtigste Finanzierungsart stellen die Empfangsgebühren dar; die Festsetzung der Gebührenhöhe erfolgt durch den Bundesrat. Aus Rezipientensicht handelt es sich um eine öffentliche Abgabe, weil ein Vertragsverhältnis zu den Rundfunkveranstaltern nicht entsteht. Der überwiegende Teil der Gebühreneinnahmen dient der Finanzierung der SRG als Veranstalter für den Service public. Immerhin können lokale und regionale Veranstalter ausnahmsweise einen Anteil am Ertrag der Empfangsgebühren erhalten (sog. Gebührensplitting), wenn in ihrem Versorgungsgebiet keine ausreichenden Finanzierungsmöglichkeiten vorhanden sind und an ihrem Programm ein besonderes öffentliches Interesse besteht (Art. 17 Abs. 2 RTVG).

Empfangsgebühren

Weitere wichtige Finanzierungsquellen für Rundfunkveranstalter stellen die Werbung und das Sponsoring dar; im Vordergrund der detaillierten Regelung steht die transparente Trennung von Programm und kommerziellem Beitrag. Das Pay-TV als Finanzierungs-

Werbung und Sponsoring

art ist im RTVG nicht ausdrücklich vorgesehen, nach ständiger Praxis aber zulässig. Überdies kann der Bund einzelnen Veranstaltern gewisse Finanzierungshilfen gewähren, wenn ein besonderes öffentliches Interesse an der Ausstrahlung bestimmter Programme besteht.

f) Aufsicht

Besonderes Aufsichtsregime

Die Bedeutung des Rundfunks macht die Schaffung eines besonderen Aufsichtsregimes notwendig: Die SRG als öffentlicher Rundfunkveranstalter untersteht der Finanzaufsicht der Bundesbehörden; die technische Aufsicht obliegt für alle Veranstalter dem BAKOM. Im Vordergrund steht jedoch die Progammaufsicht (Barrelet 1998): Art. 93 Abs. 5 BV verpflichtet den Bund, eine unabhängige Beschwerdeinstanz (UBI) zu schaffen, ohne genauere Angaben zu machen. Überdies hat jeder Veranstalter für die Behandlung von Beanstandungen seines Programms eine Ombudsstelle einzusetzen; nationale Veranstalter müssen mindestens eine Ombudsstelle pro Sprachregion einsetzen. Die UBI als quasi-richterliches Organ, das nicht leicht in das verwaltungsrechtliche Rechtspflegesystem passt, lässt sich als verwaltungsgerichtliche Institution besonderen Charakters bezeichnen. Die UBI überprüft insbesondere Beschwerden gegen ausgestrahlte Sendungen schweizerischer Veranstalter mit Blick auf die mögliche Verletzung von Programmbestimmungen (die Praxis wird im Jahresbericht der UBI publiziert). Gegen einen Entscheid der UBI kann Verwaltungsgerichtsbeschwerde an das Bundesgericht ergriffen werden.

Ombudsstellen

4.4 Medienkartellrecht

a) Medienkonzentration

Zusammenschlüsse von Medienunternehmen

Quantitativ nimmt die Zahl der Pressetitel wegen Übernahmen, Zusammenschlüssen und Betriebseinstellungen seit Jahren ab. Die frühere Kartellkommission hat in verschiedenen Berichten (1969; 1983; 1993) den Konzentrationsprozess dokumentiert, aber immerhin auch die Frage gestellt, ob mehr Presseerzeugnisse tatsächlich eine größere inhaltliche Vielfalt gewährleisten würden. Gemäß der Sondervorschrift des Art. 9 Abs. 2 des Kartellgesetzes 1995, welche die relativ hohen Eingriffsschwellen bei Unternehmenszusammenschlüssen im Falle der Medien um das zwanzigfache herabsetzt, lassen sich auch regionale und lokale Unternehmenszusammenschlüsse im Medienbereich erfassen. Ausreichend ist, dass ein beteiligtes Unternehmen „teilweise" im Medienbereich tätig ist; Mischkonzerne sind damit ebenfalls von der medienrechtlichen Sonderordnung betroffen.

Wettbewerbskommission

Die Praxis der Wettbewerbskommission hat in den letzten Jahren gezeigt, dass Medienzusammenschlüsse genau unter die Lupe genommen werden; einzelne Vorhaben sind auch zurückgezogen worden (z.B. Bern/Thun). Immerhin stellt sich die Frage, ob es gerechtfertigt ist, den relevanten Markt regelmäßig vornehmlich regional zu umschreiben. Diese Praxis führt dazu, dass ein Zusammenschluss kleinerer Verlage in einer Region nicht möglich ist, wohl aber der Aufkauf verschiedener regionaler Pressetitel durch ein national tätiges Unternehmen. Noch kaum geklärt ist die Frage, ob Online-Dienste dem Rundfunk gleichgestellt sind.

b) Unzulässige Wettbewerbsbeschränkungen

Gemäß Art. 5 KG sind wettbewerbsbeschränkende Abreden unzulässig, insbesondere Ausschließlichkeitsabreden zur Beseitigung des wirksamen Wettbewerbs. Für die elektronischen Medien legt Art. 7 Abs. 1 RTVG zur Aufrechterhaltung der Informationsfreiheit des Publikums fest, dass der Berechtigte eines Exklusivvertrages entweder die Zulassung anderer Veranstalter, welche über das Ereignis berichten wollen, dulden oder den anderen Veranstaltern die von ihnen gewünschten Teile der Wiedergabe zu angemessenen Bedingungen zur Verfügung stellen muss. Ob sich Art. 5 KG im Falle von Inserateboykotten durch nicht marktmächtige Werbetreibende fruchtbar machen lässt, erscheint hingegen – mangels Vorliegen einer „Abrede" – als zweifelhaft.

c) Missbräuchliche Ausübung von Marktmacht

Diskriminierungspotential durch Marktmacht

Ein besonderes Problem der Medienmärkte stellt das Vorhandensein marktmächtiger Unternehmen dar. Die missbräuchliche Ausnutzung eines vorhandenen Diskriminierungspotentials durch Behinderungsvorkehren hat im Presseverteilungsbereich schon seit Jahren für Gesprächsstoff gesorgt. Bereits unter dem alten Kartellgesetz sind Verhaltenskodizes mit den Verteilunternehmen abgeschlossen worden, um zu verhindern, dass z.B. Kioske willkürlich gewisse Marktteilnehmer diskriminieren. Eine ähnliche Situation besteht im Bereich der Werbemärkte: in einem Verhaltenskodex hat sich der Publigroup-Konzern verpflichtet, das Gleichbehandlungsprinzip gegenüber allen Medienveranstaltern, die werbefinanziert sind, zu beachten (vgl. Weber 1995).

Der Grundsatz, dass sich marktmächtige Unternehmen missbräuchlich verhalten, wenn sie angesichts ihrer Stellung auf dem Markt andere Unternehmen in der Aufnahme oder Ausübung des Wettbewerbs behindern oder die Marktgegenseite benachteiligen (Art. 7 KG), lässt sich im Grundsatz auch anwenden auf die Beurteilung der Marktstrukturen bei der Informationsversorgung durch Nachrichtenagenturen und insbesondere bei der Programmbeschaffung im Bereich der elektronischen Medien (sachgerechte Belieferung aller Veranstalter mit nachgesuchten Spielfilmen bzw. Sportübertragungen). Künftig wird zudem der diskriminierungsfreie Zugang zu Multimedia-Diensten eine große Bedeutung erlangen; entsprechende Technologieunternehmen unterstehen ebenfalls diesen kartellrechtlichen Rahmenbedingungen.

4.5 Medienlauterkeitsrecht

Die Medien sind wie andere Marktteilnehmer für unlautere Eingriffe in den Wettbewerb verantwortlich. Nach ersten aufsehenerregenden Entscheiden (z.B. Bernina) scheint aber die Tragweite des Gesetzes gegen den unlauteren Wettbewerb von 1986 von den Medienschaffenden doch überschätzt zu werden. Keine Besonderheiten gelten grundsätzlich im Wettbewerb zwischen Medienunternehmen; wie andere Marktteilnehmer auch dürfen Medienunternehmen z.B. keine unlautere Eigenwerbung betreiben (Füllanzeigen, irreführende Superreklame, Auflagenschwindel, Kopfblätter ohne Hinweis auf die Mutterzeitung, unzutreffende vergleichende Werbung). Dem Lauterkeitsprinzip entspricht zudem die klare Trennung von redaktioneller Berichterstattung und Anzeigenteil.

Lauterkeitsprinzip

Schwieriger ist die Konkretisierung des Gesetzes gegen den unlauteren Wettbewerb (UWG) mit Bezug auf die unlautere Beeinflussung des Wettbewerbs durch Medienschaffende als nicht am Wettbewerb beteiligte Dritte. Haftungsbegründend sind insbesondere falsche, irreführende oder unnötig verletzende Aussagen, und zwar ungeachtet dessen, ob sie von den Medienschaffenden selber oder von Interviewpartnern, die in einer Zeitung zu Wort kommen, stammen. Besondere Sorgfalt ist somit angebracht bei Warentests, Berichten über Wirtschaftsunternehmen (Finanzanalysen) oder Gastronomie- und Kunstkritiken. Immerhin ist offensichtlich, dass die Rechtsprechung, gestützt auf das UWG, den Medienschaffenden die Möglichkeit kritischer Äußerungen nicht nimmt, das UWG mithin kein „Maulkorbgesetz" ist. In der Lehre hat sich eine umfangreiche Kontroverse zur Frage ergeben, inwieweit die Medienschaffenden unter lauterkeitsrechtlichen Aspekten einem gemäßigteren Sorgfaltsmaßstab zu unterstellen seien (vgl. Riklin 1996). Konkrete Folgerungen lassen sich aus der Diskussion aber kaum ziehen, ggf. mit Ausnahme des Vorschlages, das strafrechtliche Instrumentarium gegen Medienschaffende zurückhaltend anzuwenden.

5 Medienstraf- und Medienzivilrecht

5.1 Strafrechtliche Ordnung

a) Anwendbare Straftatbestände

Das Strafrecht dient dem Schutz von Grundwerten der Sozialordnung; einzugreifen hat das Strafrecht deshalb nur subsidiär, wenn weniger einschneidende staatliche Maßnahmen nicht ausreichen. Regelmäßig stellt sich die Frage nach einem Interessenausgleich zwischen der Ausübung der journalistischen Grundfreiheiten und der Einhaltung eines gesellschaftlich erwünschten Sozialverhaltens. Im Strafrecht gilt zudem das Legalitätsprinzip, d.h. der Gesetzgeber hat das verpönte Verhalten möglichst genau zu umschreiben.

Verbot von Ehrverletzungen

Im Vordergrund der strafrechtlichen Betrachtungsweise steht das Verbot von Ehrverletzungen (Art. 173-177 StGB): Nicht beeinträchtigt werden darf der Ruf und die Wertschätzung von Einzelpersonen als ehrbare Menschen. Die Ehre ist verletzt, wenn jemandem ein sittlich verpöntes Verhalten vorgeworfen oder jemand als charakterlich nicht einwandfreie, nicht anständige oder nicht integere Person dargestellt wird. Der strafrechtliche Ehrbegriff ist enger als der zivilrechtliche Begriff; nicht geschützt ist insbesondere der gesellschaftliche Ruf, d.h. die berufliche Geltung.

Geheimnisverletzungen

Weitere strafrechtliche Tatbestände, welche im Medienbereich eine Rolle spielen, sind Geheimnisverletzungen (Art. 179bis-179^{quater} StGB), Indiskretionen, d.h. Veröffentlichungen aus Akten, Verhandlungen oder Untersuchungen einer Behörde (Art. 293 StGB), Verstöße gegen das Pornografieverbot (Art. 197 StGB) und die Brutalonorm (Art. 135 StGB), strafbare Handlungen gegen den öffentlichen Frieden (Art. 259-261 StGB) bzw. Aufruf zur Rassendiskriminierung (Art. 261bis StGB), Verletzung militärischer Interessen (Art. 276 StGB) sowie Verstöße gegen das Lauterkeitsrecht.

b) Kaskaden-Verantwortlichkeit

Stufenweise Verantwortlichkeit

Strafrechtlich ist bei medialen Delikten eine stufenweise Verantwortlichkeit vorgesehen. Grundsätzlich ist der Verfasser (Medienschaffender, Autor) für den Verletzungstatbestand verantwortlich. In wenigen Fällen haftet der Verfasser allein; gerade bei den periodischen Medien (Presse, Rundfunk) ist es aber denkbar, dass der Verfasser nicht bekannt ist oder nicht bekannt gegeben werden soll (Anonymitätswahrungsrecht); in diesem Fall hat kaskadenartig der Redakteur oder nachfolgend ggf. der Verleger die Verantwortung zu übernehmen (Art. 27 StGB); deshalb sind die Medien verpflichtet, ein Impressum zu veröffentlichen (Art. 322 StGB).

c) Strafprozessrecht

Das Strafprozessrecht fällt in die Regelungskompetenz der Kantone. Der Bund hat aber im Strafgesetzbuch gewisse vorgehende Sonderbestimmungen erlassen, insbesondere zum Gerichtsstand der Presse, welcher am Herausgabeort des Mediums oder am Wohnort des Verfassers sein kann (Art. 347 StGB), sowie mit Bezug auf das Zeugnisverweigerungsrecht (Art. 27 Ziff. 3 Abs. 2 StGB). Ein allgemeines Zeugnisverweigerungsrecht der Medienschaffenden im Sinne eines journalistischen Berufsgeheimnisses (ähnlich den Ärzten, Anwälten oder Pfarrern) gibt es im schweizerischen Recht nicht. Immerhin ist durch die Revision des Medienstraf- und -verfahrensrechts von 1998 ein beschränktes Zeugnisverweigerungsrecht verwirklicht worden; die Berufung darauf setzt aber voraus, dass der Medienschaffende nicht selber Beschuldigter ist.

Die meisten Strafdelikte im Medienbereich sind sog. Offizialdelikte, d.h. sie werden von den Strafbehörden von Amtes wegen verfolgt. Eine Ausnahme gilt für Ehrverletzungsdelikte, welche Antragsdelikte sind; in einzelnen Kantonen (z.B. Zürich) ähnelt das Verfahren auch dem zivilprozessualen Verfahren. Die Prozessberichterstattung über Strafverfahren ist grundsätzlich öffentlich; regelmäßig haben die Medienschaffenden auch gewisse Vorrechte mit Bezug auf Informationen, wenn sie sich bei Gericht akkreditieren. Wegen der Unschuldsvermutung mit Bezug auf den Angeklagten ist bei der Berichterstattung über einen Strafprozess Zurückhaltung bei Personalisierungen geboten.

5.2 Zivilrechtlicher Persönlichkeitsschutz

Persönlichkeitsverletzungen können straf- und zivilrechtliche Folgen nach sich ziehen. Vereinfacht ausgedrückt liegt die Schwelle, die zu einer zivilrechtlichen Persönlichkeitsverletzung führt, tiefer und das Zivilrecht bietet eine breitere Palette möglicher Rechtsfolgeregeln an. Der Nachteil einer Berufung auf das Zivilrecht liegt darin, dass die betroffene Person ihre Rechte selber durchsetzen muss.

a) Widerrechtliche Persönlichkeitsverletzung

Ausgangspunkt des zivilrechtlichen Persönlichkeitsschutzes ist die Grundsatzbestimmung von Art. 28 ZGB; diese Norm legt fest, dass die Anrufung des Richters durch diejenige Person möglich ist, die in ihrer Persönlichkeit widerrechtlich verletzt wird. Die Bestimmung von Art. 28 ZGB, welche das verfassungsmäßige Grundrecht der persönlichen Freiheit konkretisiert, wird seit Mitte der 1980er Jahre ergänzt durch weitere gesetzliche Anordnungen, welche sich zu den Klagearten, zum Gerichtsstand, zu den vorsorglichen Maßnahmen, zum Verfahren, zur Vollstreckung und zum Schadenersatz äußern (Art. 28a-28f ZGB).

Ehre und Privatsphäre

Persönlichkeitsrechte sind mit einer bestimmten Person verbundene Rechtsgüter, nicht im engeren Sinne Vermögensgüter; im Vordergrund stehen die Ehre und die Privatsphäre. Das Zivilrecht schützt auch das gesellschaftliche und berufliche Ansehen; Schwierigkeiten bereiten dabei regelmäßig Situationen, in denen die Medienschaffenden versuchen, den Wahrheitsbeweis für ihre Aussagen zu erbringen und z.B. tatsächlich einzelne Vorkehren nicht ohne Zweifel sind.

b) Personen der Zeitgeschichte

In der letzten Zeit haben die medialen Vermarktungen unterschiedlicher Privatangelegenheiten von in der Öffentlichkeit stehenden Personen eine immer größere Bedeutung erhalten; im Vordergrund standen oft „Sexualgeschichten" im weitesten Sinne. Probleme bereiten können aber auch Fotomontagen bekannter Personen, die zu falschen Schlüssen verleiten. Auszugehen ist unter persönlichkeitsrechtlichen Aspekten (vgl. Weber 1999b) vom Grundsatz, dass öffentliche Personen hinnehmen müssen, dass über ihr Auftreten auch Bericht erstattet und ggf. ein Foto gemacht wird. Hingegen ist das Privatleben einer Person der Zeitgeschichte gegenüber fotografischen Aufnahmen und Mitteilungen zu privaten Angelegenheiten geschützt. Eine Ausnahme lässt sich nur rechtfertigen, wenn private Aspekte im Leben einer öffentlichen Person derart bedeutend sind, dass Auswirkungen auf die öffentliche Aufgabenerfüllung erwartet werden müssen.

c) Mögliche Rechtsansprüche

Der von einer Persönlichkeitsverletzung Betroffene hat verschiedene Klageansprüche (vgl. Weber 2000):

Klage auf Unterlassung

- Verschuldensunabhängig ist die Klage auf Unterlassung (z.B. auf Nichtverbreitung eines ehrverletzenden Buches), die Klage auf Beseitigung (z.B. auf Entfernung einer Fotografie aus einem Schaufenster oder auf Vernichtung eines Filmnegativs oder auf Berichtigung eines unwahren Textes) sowie die Klage auf Feststellung der Widerrechtlichkeit einer Verletzung. Eigentliche Wirkung entfaltet ein Unterlassungsbefehl aber nur, wenn er rechtzeitig vor Veröffentlichung der medialen Äußerung beim Medium eingeht. Der Beseitigungs- und der Feststellungsanspruch helfen in der Praxis deshalb oft relativ wenig, weil sich eine veröffentlichte Geschichte nicht mehr verbieten und auch nicht mehr rückgängig machen lässt.

Gegendarstellungsrecht

- Seit 1985 kennt die Schweiz das Gegendarstellungsrecht (Art. 28g ZGB); einen Anspruch auf Gegendarstellung hat, wer durch Tatsachendarstellungen (nicht aber durch Werturteile) in periodisch erscheinenden Medien (Presse, Rundfunk) in seiner Persönlichkeit unmittelbar betroffen ist (Eingriff in Persönlichkeitsgüter). Form und Inhalt sowie Verfahren der Gegendarstellung sind im Gesetz im Einzelnen geregelt; abgesehen von den recht komplexen Voraussetzungen führt das Recht auf Gegendarstellung auch nicht zu einer eigentlichen medialen Korrektur, denn die Wirkungen der Gegendarstellung sind oft kontraproduktiv, weil durch das Aufwärmen einer Geschichte bei kritischen Lesern die Frage verbleibt, welches Körnchen Wahrheit doch vorliege.

Schadenersatzklage

- Verschuldensabhängig ist die Schadenersatzklage; erfolgreich ist ein „Medienopfer" insoweit aber nur im Falle des Nachweises eines konkret quantifizierten Schadens, was sich in der Praxis oft als recht schwierig erweist. Wird der von einer Persönlichkeitsverletzung Betroffene in seiner seelischen Konstitution erheblich beeinträchtigt, kann (verschuldensabhängig) eine Genugtuungssumme zugesprochen werden (Art. 49 OR; immaterielle Unbill, tort moral); ein besonderes Problem stellt dabei die Festsetzung der Höhe der Genugtuung dar. Eine schwere Persönlichkeitsverletzung kann auch zur Herausgabe des Gewinns führen, welchen das Medienunternehmen erwirtschaftet hat (Art. 423 OR); diese Rechtsgrundlage ließe sich künftig noch stärker fruchtbar machen in Fällen, in denen Medienunternehmen wirtschaftliche Persönlichkeitsgüter (z.B. Verwertung von Bildaufnahmen) von bekannten Personen vermarkten (vgl. Weber 2000).

Die prozessualen Regeln zur Durchsetzung von zivilrechtlichen Persönlichkeitsansprüchen beurteilen sich nach dem anwendbaren kantonalen Recht; der Gerichtsstand ist am Sitz des Medienunternehmens. Das kantonale Recht entscheidet insbesondere darüber, inwieweit der Anspruchsberechtigte kurzfristig mit superprovisorischen oder zumindest mit vorsorglichen Maßnahmen seine Persönlichkeitsrechte schützen kann.

6 Weitere Rechtsbereiche

6.1 Medienarbeitsrecht

Bei dauernder Anstellung eines Medienschaffenden besteht ein Einzelarbeitsvertrag (Art. 319 OR), bei gelegentlicher Tätigkeit ein Auftrag (Art. 394 OR). Nunmehr ist wieder ein Gesamtarbeitsvertrag (Art. 356 OR) zwischen dem Schweizerischen Verband der Zeitungs- und Zeitschriftenverleger auf der Arbeitgeberseite sowie der Schweizerischen Journalistinnen- und Journalisten-Union und dem Schweizer Verband der Journalistinnen und Journalisten auf Arbeitnehmerseite in Kraft; der Gesamtarbeitsvertrag unterscheidet zwischen fest- und freiangestellten („freien") Journalisten. Von Bedeutung sind im Medienbereich auch die Redaktionsstatute, welche für die gesamte Redaktion gelten und die gegenseitigen Rechte und Pflichten regeln.

6.2 Datenschutzrecht

Das Datenschutzgesetz von 1992 findet grundsätzlich Anwendung auf gedruckte und elektronische Medien. In der Lehre ist aber umstritten, ob nach Veröffentlichung eines persönlichkeitsverletzenden Beitrages in einem Medium nur der zivilrechtliche Persönlichkeitsschutz oder kumulativ auch das Datenschutzrecht zur Anwendung kommt; materiell dürften sich in der Beurteilung aber keine größeren Unterschiede ergeben.

Für die Medienbranche von Bedeutung ist die Tatsache, dass ein überwiegendes Interesse an einer Datenbearbeitung gesetzlich angenommen wird, wenn ein Medienunternehmen beruflich Personendaten ausschließlich für die Veröffentlichung im redaktionellen Teil des periodisch erscheinenden Mediums bearbeitet (Art. 13 Abs. 2 lit. d DSG). Um in den Genuss der Rechtswohltat dieses Vorbehalts zu gelangen, müssen vier Voraussetzungen erfüllt sein: erstens die berufliche Bearbeitung von Personendaten, was z.B.

Leserbriefschreiber oder interviewte Gesprächspartner ausschließt, zweitens die ausschließliche Veröffentlichung der Informationen im redaktionellen Teil eines Mediums, was bedeutet, dass im Inseratebereich oder sonst in kommerziellen Fragen kein Vorbehalt gilt, drittens das Vorliegen eines periodisch erscheinenden Mediums (Presse, Rundfunk) und viertens eine eigentliche Bearbeitung von Daten. Überdies steht den Medienschaffenden ein gesetzlich detailliert unterschriebenes Auskunftsrecht gegenüber Betreibern von Datensammlungen zu (Art. 10 DSG).

6.3 Urheberrecht

Der urheberrechtliche Schutz von Medienbeiträgen, die individuell gestaltet und damit originell sind, führt dazu, dass der Urheber ein Änderungsrecht hat bzw. Drittpersonen einem Änderungsverbot (ohne Einwilligung des Urhebers) unterliegen. Im Medienbereich stellt sich deshalb die Frage, inwieweit Redaktionen ihnen übergebene Beiträge verändern dürfen. In der Praxis hat sich die Regel durchgesetzt, dass nach Treu und Glauben eine Befugnis zu Änderungen besteht, soweit es sich um formelle Eingriffe und offenkundige Versehen des Urhebers handelt; bei materiellen Texteingriffen ist hingegen die Einwilligung des Urhebers einzuholen. Als für den Medienbereich relevante Beschränkungen des Urheberrechts sind das Zitatrecht (Art. 25 URG), die Abbildung von Werken, die sich auf allgemein zugänglichem Grund befinden (Art. 27 URG), die Berichterstattung über aktuelle Ereignisse und die Wiedergabe kurzer Ausschnitte aus Presseartikeln (Art. 28 URG) zu beachten.

7 Rechtsquellen

7.1 International

Allgemeine Erklärung der Menschenrechte vom 10.12.1948, Resolution 217 (III), Universal Declaration of Human Rights, in United Nations, General Assembly, Official Records, Third Session (Part I) Resolutions Doc. A/81, S. 71ff.

Internationaler Pakt über bürgerliche und politische Rechte vom 16.12.1966 (AS 1993 I, S. 725ff.).

Schlussakte der Konferenz (heute: Organisation) über Sicherheit und Zusammenarbeit in Europa vom 1.8.1975 (BBl 1975 II, S. 924ff.).

Zusatzprotokoll vom 8.6.1977 zu den Genfer Konventionen vom 12.8.1949 über den Schutz der Opfer internationaler bewaffneter Konflikte (SR 0.518.521).

Leitlinien der Vereinten Nationen für die Regelung des Umgangs mit elektronisch verarbeiteten Dateien, DOC. E/CN.4/Sab.2/1988/22.

Vertrag über die Grundsätze zur Regelung der Tätigkeiten von Staaten bei der Erforschung und Nutzung des Weltraums einschließlich des Mondes und anderer Himmelskörper vom 27.1.1967 (SR 0.790).

Übereinkommen über die völkerrechtliche Haftung für Schäden durch Weltraumgegenstände vom 29.3.1972 (SR 0.790.2).

Übereinkommen über die internationale Fernmeldesatellitenorganisation "INTELSAT" vom 20.8.1971 (SR 0.784.601).

Übereinkommen zur Gründung der Europäischen Fernmeldesatellitenorganisation "EUTELSAT" vom 14.5.1982 (SR 0.784.602).

Übereinkommen über die internationale Fernmeldesatelliten-Organisation für die Seeschifffahrt (INMARSAT) vom 3.9.1976 (SR 0.784.607).

Internationaler Fernmeldevertrag vom 6.11.1982 (SR 0.784.16).

Übereinkommen zur Gründung der Welthandelsorganisation vom 15.4.1994, GATT, Final Act Embodying the Results of the Uruguay Round of Multilateral Trade Negotiations, UR-94-0083, Marrakesch, S. 283ff. (BBl 1994 IV, S. 740ff., AS 1995 II, S. 2117ff.).

Empfehlung des Rates der Organisation für wirtschaftliche Zusammenarbeit und Entwicklung (OECD) über Leitlinien für den Schutz des Persönlichkeitsbereiches und den grenzüberschreitenden Verkehr personenbezogener Daten vom 23.9.1980.

Europäische Konvention zum Schutz der Menschenrechte und Grundfreiheiten vom 4.11.1950 (SR 0.101).

Übereinkommen Nr. 108 des Europarates zum Schutz des Menschen bei der automatischen Datenverarbeitung personenbezogener Daten vom 17.10.1980.

Europäisches Übereinkommen über das grenzüberschreitende Fernsehen vom 5.5.1989 (SR 0.784.405), revidiert am 9.9.1998 (BBl 2000 II, S. 1291ff.).

Richtlinie 89/552 des Rates zur Koordinierung bestimmter Rechts- und Verwaltungsvorschriften über die Ausübung der Fernsehtätigkeit vom 3.10.1989 (ABl 1989 L 298/23 vom 17.10.1989) und Richtlinie 97/36 des Europäischen Parlaments und des Rates vom 30.7.1997 zur Änderung der Richtlinie 89/552 (ABl 1997 L 202/60 vom 30.7.1997).

Richtlinie 95/46 des Europäischen Parlaments und des Rates zum Schutz natürlicher Personen bei der Verarbeitung personenbezogener Daten und zum freien Datenverkehr vom 24.10.1995 (ABl 1995 L 281/31 vom 23.11.1995).

Richtlinie 96/9 des Europäischen Parlaments und des Rates über den rechtlichen Schutz von Datenbanken vom 11.3.1996 (ABl 1996 L 77/20 vom 27.3.1996).

7.2 Schweiz

Bundesverfassung der Schweizerischen Eidgenossenschaft vom 18.4.1999 (SR 101).

Schweizerisches Zivilgesetzbuch vom 10.12.1907 (SR 210).

Bundesgesetz über den Datenschutz vom 19.6.1992 (SR 235.1).

Verordnung zum Bundesgesetz über den Datenschutz vom 14.6.1993 (SR 235.11).

Bundesgesetz über das Urheberrecht und verwandte Schutzrechte vom 9.10.1992 (SR 231.1).

Bundesgesetz gegen den unlauteren Wettbewerb vom 19.12.1986 (SR 241).

Bundesgesetz über Kartelle und andere Wettbewerbsbeschränkungen vom 6.10.1995 (SR 251).

Schweizerisches Strafgesetzbuch vom 21.12.1937 (SR 311.0).

Bundesgesetz über das Filmwesen vom 28.9.1962 (SR 443.1).

Filmverordnung vom 24.6.1992 (SR 443.11).

Fernmeldegesetz vom 30.4.1997 (SR 784.10).

Bundesgesetz über die Organisation der Telekommunikationsunternehmung des Bundes vom 30.4.1997 (SR 784.11).

Verordnung über Fernmeldedienste vom 6.10.1997 (SR 784.101.1).

Verordnung über Fernmeldeanlagen vom 6.10.1997 (SR 784.101.2).

Bundesgesetz über Radio und Fernsehen vom 21.6.1991(SR 784.40).

Radio- und Fernsehverordnung vom 16.3.1992/6.10.1997 (SR 784.401).

Literatur

Barrelet, Denis (1998): Droit de la communication. Bern.

Dumermuth, Martin (1996): Rundfunkrecht. In: Weber, Rolf H. (Hg.): Informations- und Kommunikationsrecht, Schweizerisches Bundesverwaltungsrecht. Basel, Frankfurt/M., Teil 4.

Hilty, Reto M. (Hg.) (1996): Information Highway. Bern.

Müller, Jörg Paul (1999): Grundrechte in der Schweiz. (3. Aufl.) Bern.

Nobel, Peter (1982): Leitfaden zum Presserecht. (2. Aufl.) Zofingen.

Rehbinder, Manfred (1975): Schweizerisches Presserecht. Bern.

Riklin, Franz (1996): Schweizerisches Presserecht. Bern.

Schürmann, Leo/Nobel, Peter (1993): Medienrecht. (2. Aufl.) Bern.

Weber, Rolf H. (1995): Medienkonzentration und Meinungspluralismus. Zürich.

Weber Rolf H. (1996): Informations- und Kommunikationsrecht Allgemeiner Überblick; Presse und Filmverwaltungsrecht. Beide in: ders. (Hg.): Informations- und Kommunikationsrecht, Schweizerisches Bundesverwaltungsrecht. Basel, Frankfurt/M.

Weber Rolf H. (Hg.) (1998): Neues Fernmelderecht. Erste Orientierung. Zürich.

Weber Rolf H. (1999a): Neustrukturierung der Rundfunkordnung. Zürich.

Weber Rolf H. (1999b): Information und Schutz Privater. In: ZSR II, H. 1, S. 1-86.

Weber Rolf H. (2000): Geldentschädigung als Rechtsfolge von Persönlichkeitsverletzungen? In: Medialex 2000, H. 2, S. 75-87.

Medialex, Zeitschrift für Kommunikationsrecht. Bern (ab 1995).

Medienpolitik und Medienethik

Heike Scholten-Reichlin/Otfried Jarren

1 Medienpolitik: Begriffsverständnis und theoretische Konzepte ... 233

1.1 Wissenschaftstheoretische Perspektiven von Medienpolitik ... 234

1.2 Kommunikationspolitik und Medienpolitik ... 235

1.3 Medienpolitik als Konzept von Akteurskonstellationen ... 236

2 Grundzüge der Medienpolitik ... 237

2.1 Politikfeld und Politikfeldanalyse ... 237

2.2 Politikverständnis: Bereiche von Medienpolitik ... 238

2.3 Regelungsfelder von Medienpolitik ... 239

2.4 Medienpolitische Akteure ... 242

2.5 Medienpolitik als Prozess politischer Steuerung ... 244

2.6 Medienpolitische Kommunikation und Öffentlichkeit ... 248

3 Ethik als (Selbst-)Steuerungsressource in der Medienpolitik 249
3.1 Ethik der Medienorgansationen 250
3.2 Perspektiven von Medienethik als Ressource von Medienpolitik 252

Literatur 253

Heike Scholten-Reichlin/Otfried Jarren

Medienpolitik befasst sich mit der Ausgestaltung einer der Gesellschaft angemessenen Kommunikationsordnung. An diesem Prozess sind Akteure unterschiedlicher Legitimation und Interessen beteiligt. Sie versuchen mittels ihr eigener Strategien, erfolgreich Einfluss auf die Normen und Regeln dieser Ordnung zu nehmen. Ziel des Beitrags ist es, erstens Begriffe und Konzepte von „Medienpolitik" vorzustellen. Dann sollen zweitens Akteure, Bereiche und medienpolitische Ausgestaltungsprozesse dargelegt werden. Schließlich wird drittens das Konzept von Medienethik erläutert, um Ethik als mögliche (Selbst-)Steuerungsressource in einer sich wandelnden Mediengesellschaft zu diskutieren.

1 Medienpolitik: Begriffsverständnis und theoretische Konzepte

In der Publizistik- und Kommunikationswissenschaft findet eine intensive Auseinandersetzung mit dem Gegenstand „Medienpolitik" erst seit Ende der 1960er Jahre statt. Grund für eine seitdem intensive Beschäftigung mit dieser Thematik ist die anhaltend rasante technische, wirtschaftliche und publizistische Veränderung des Mediensystems. Zum Ausdruck kommt dies z.B. im Begriff der Deregulierung des Rundfunks und/oder der in vielen europäischen Ländern bewusst institutionalisierten dualen Rundfunkordnung, in der Rundfunkprogramme sowohl von öffentlichen als auch von privaten kommerziellen Rundfunkorganisationen angeboten werden. Neue Möglichkeiten der technischen Verbreitung von publizistischen Inhalten (wie z.B. digitale Programmbouquets, Online-Medien etc.) sowie Globalisierungs- und Kommerzialisierungsprozesse werfen derzeit Fragen einer gesellschaftlich angemessenen politischen Ordnung für die sich herausbildende Informationsgesellschaft auf nationaler wie transnationaler Ebene auf.

1.1 Wissenschaftstheoretische Perspektiven von Medienpolitik

Kein eigenständiges wissenschaftliches Teilgebiet

Bislang hat sich noch kein eigenständiges wissenschaftliches Teilgebiet Medienpolitik konstituiert. Der Grund hierfür liegt darin, dass medienpolitische Fragestellungen nicht nur von der Publizistik- bzw. Kommunikations- und Politikwissenschaft analysiert werden, sondern ebenso von Vertretern der Rechts- und Wirtschaftswissenschaften. Diese Disziplinen haben je eigenständige theoretische und empirische Perspektiven auf den Gegenstand der Medienpolitik. Ein interdisziplinärer Zugang ist zudem nur rudimentär entwickelt (z.B. in einzelnen Forschungsprojekten). Diese Umstände bedingen, dass nur partiell eine spezifische Theoriebildung für den Bereich Medienpolitik stattgefunden hat (vgl. Rühl 1983). Die wissenschaftliche Thematisierung von Medienpolitik erfolgt vielfach aufgrund aktueller Problemstellungen im Kontext praktischer Politik, die sich aufgrund der sich verändernden Medienstrukturen oder technischer Entwicklungen ergeben (z.B. die Frage nach dem Aufgabenbereich des Service public). Dies hat zur Folge, dass mehrheitlich politisch-praktische Fragen behandelt werden, die oft lediglich einen Teilaspekt (Mikroperspektive) medienpolitischen Handelns umfassen.

Die meisten sozialwissenschaftlichen Analysen basieren auf theoretischen Konzepten der Handlungs- und Akteurstheorie. Nur selten wird auf systemtheoretische Ansätze zurückgegriffen, da hier eine empirische Validierung oft nur schwer möglich ist. Hingewiesen sei auf zwei neuere Arbeiten, die aus systemtheoretischer Perspektive Erkenntnisse zu makro- und steuerungstheoretischen Aspekten liefern: Marcinkowski (vgl. 1993: 153ff.) geht davon aus, dass sich (Rundfunk-)Publizistik im Zuge gesellschaftlicher Differenzierungsprozesse zu einem eigenständigen System der Gesellschaft entwickelt hat. Als Folge hat die Publizistik einen hohen Grad an Autonomie erreicht und die Medien sind deshalb nur noch unter bestimmten Bedingungen für medienpolitische Initiativen des politischen Systems erreichbar. Grothe und Schulz (vgl.

1994: 71ff.) hingegen argumentieren, wissend um die relative Autonomie des publizistischen Systems, dass nicht die Publizistik, sondern dass die Wirtschaft Barriere für Steuerungsbemühungen des politischen Systems ist. Dies, weil die Publizistik strukturell aufgrund zunehmender Publikums- sowie Werteorientierung stark von der Ökonomie dominiert werde.

Trotz zahlreicher theoretischer und empirischer (Einzel-)Analysen, die zum Thema Medienpolitik vorliegen, konstatiert Jarren (1998: 620), fehle es immer noch an systematischen Überblicksdarstellungen sowie umfassenden Politikfeldanalysen.

1.2 Kommunikationspolitik und Medienpolitik

Abgrenzung: Kommunikationspolitik und Medienpolitik

Der Begriff Medienpolitik wird nicht einheitlich verwendet. Unterschieden wird grundsätzlich zwischen den Begriffen Medienpolitik und Kommunikationspolitik. Eine Abgrenzung erfolgt über die analysierten Gegenstände: Das Konzept der Kommunikationspolitik wurde in den 1960er Jahren von Ronneberger (1966; 1978) in die Publizistik- und Kommunikationswissenschaft eingeführt. Als Gegenstand der Kommunikationspolitik wird jenes Handeln genannt, das auf die Durchsetzung verbindlicher Regeln für die Individual- und Massenkommunikation zielt (vgl. auch Kepplinger 1997: 116). Die Reichweite des Konzepts Kommunikationspolitik reicht also über die Massenmedien und der für sie gültigen ordnungspolitischen Voraussetzungen hinaus. Kommunikationspolitik ist demnach ein weiter gefasster Begriff, der neben der öffentlichen medialen Kommunikation auch die Individualkommunikation einschließt. Der Begriff der Medienpolitik hingegen wird v.a. in der Politikwissenschaft genutzt und bezieht sich insbesondere auf die Massenmedien. Als Gegenstand der Medienpolitik wird nur jenes Handeln bezeichnet, das auf die Medienordnung zielt (vgl. Ronneberger 1986). Medienpolitik kann daher als „die Gesamtheit der Maßnahmen des politisch-administrativen Systems [...], die direkt oder indirekt auf die Produktion, Distribution und den Konsum (Rezeption) massenmedial verbreiteter Inhalte einwirken", definiert werden (Schatz/Habig/Immer 1990: 332). Verkennt diese Definition zwar nicht die Mehrdimensionalität des Gegenstandes, so übersieht sie, dass die am Prozess der Herstellung von Medienpolitik beteiligten Akteure nicht auf diejenigen des politischen Systems reduziert werden können. Am medienpolitischen Prozess sind zahlreiche Akteure aus Wirtschaft, Gesellschaft, insbesondere die Medienorganisationen selbst sowie zahlreiche Interessengruppen beteiligt. Jarren und Donges (1997: 238) verweisen in diesem Kontext auf die Notwendigkeit einer erweiterten Definition von Medienpolitik. Danach umfasst Medienpolitik „alle Handlungen, die auf die Realisierung und die Veränderung der gesellschaftlichen Kommunikation gerichtet sind." Dieses Verständnis erfasst gleichsam Strukturen, Anbieter und Angebote wie auch Prozesse und Inhalte öffentlicher Kommunikation. Entsprechend kann als übergreifende Zielsetzung von Medienpolitik die Gewährleistung und Sicherstellung von öffentlicher Kommunikation im demokratischen System formuliert werden. Da das nicht (mehr) allein vom Staat bzw. politischen Akteuren geleistet werden kann, kommt der Analyse anderer beteiligter Akteure aus Wirtschaft und Gesellschaft wachsende Bedeutung zu.

1.3 Medienpolitik als Konzept von Akteurskonstellationen

Medienpolitik als Policy-Netzwerk

Medienpolitik kann gleichsam als Policy-Netzwerk begriffen werden. Ein Policy-Netzwerk bezeichnet ein komplexes Beziehungsnetzwerk, in das verschiedenste Akteure aus unterschiedlichen Systemen integriert sind (Von Prittwitz 1994: 93): die Akteure des politischen Systems (z.B. die politischen Parteien), die Akteure des ökonomischen Systems (wie Rundfunkveranstalter oder Verleger) sowie Akteure des intermediären Systems (z.B. Verbände oder Kirchen). Die Handlungsorientierung dieser Akteure richtet sich auf Willensbildungs- und Entscheidungsprozesse, die in von den

Akteuren selbst definierten Handlungsräumen („Arenen") ausgetragen werden. Diese stellen den Raum für die medienpolitische Konfliktaustragung sowie die Problemthematisierung mit Blick auf die öffentliche Medienordnung dar. An diesen Arenen kann – muss aber nicht – die Politik beteiligt sein. So stellt Medienpolitik ein unabhängiges, selbstorganisiertes, in seinen Dimensionen offenes Handlungssystem dar (vgl. Rühl 1973), das sich durch Kommunikation konstituiert und sich auf das Regelungsfeld der Massenmedien bezieht. Wie offen und zugänglich es für unterschiedliche Akteure ist, kann durch empirische Analyse ermittelt werden.

2 Grundzüge der Medienpolitik

2.1 Politikfeld und Politikfeldanalyse

Kein eigenständiges Politikfeld

Verglichen mit anderen Politikfeldern wie beispielsweise der Gesundheits-, Außen- oder Sozialpolitik ist Medienpolitik kein eigenständiges Politikfeld. Saxer (vgl. 1983: 37) verweist darauf, es handle sich zwar um ein komplexes, aber nur um ein teilweise zusammenhängendes und lediglich mit bescheidenen Ressourcen operierendes gesellschaftliches Subsystem. So ist Medienpolitik regelhaft nicht mit einem eigenen Ressort in Regierungen vertreten. Vielmehr können im politischen Prozess Einwirkungen aus verschiedenen Politikfeldern wie Wirtschafts-, Rechts-, Arbeits-, Technologie- oder Sozialpolitik Einfluss auf medienrelevante Entscheide haben, die dann als medienpolitische Handlungen interpretiert werden können.

Enge Orientierung an Rechts- und Wirtschaftspolitik

Eine enge Orientierung in der Medienpolitik ist empirisch an der Rechts- und Wirtschaftspolitik zu beobachten: Die Orientierung zur Rechtspolitik ist bedeutsam, da insbesondere durch Gesetze, Verordnungen etc. die Strukturierung bzw. Umstrukturierung der Medien- und Kommunikationsordnung erfolgt (vgl. Rühl 1983: 24; vgl. auch Weber i.d.B.). Folglich erweisen sich rechtliche Instrumente als unerlässlich für medienpolitische Aktivitäten. Eine Orientierung zur Wirtschaftspolitik ist deshalb gegeben, weil die Integration und Implementierung neuer Technologien (wie z.B. DAB, Verkabelung oder Satellitentechnik) im Mediensektor primär unter dem Aspekt der nationalen und internationalen Wettbewerbsfähigkeit der Wirtschaft erfolgt. Wirtschaftspolitische Ziele gewinnen im medienpolitischen Handeln staatlicher Akteure mehr und mehr an Bedeutung.

2.2 Politikverständnis: Bereiche von Medienpolitik

Zu den wichtigsten Bereichen der Medienpolitik zählen die Ordnungspolitik, die Infrastrukturpolitik, die Medienorganisationspolitik die Personalpolitik sowie die Programm- und Informationspolitik (vgl. Schatz/Habig/Immer 1990: 332). Ordnungspolitik meint staatliche Maßnahmen, welche die Rahmenbedingungen, beispielsweise die rechtliche Verfasstheit von Medien (öffentlich vs. privat), festlegen. Medienordnungspolitik befasst sich u.a. mit der Ausgestaltung der Rundfunkordnung und legt den allgemeinen Leistungsrahmen für Medienorganisationen fest (so z.B. duale Rundfunkordnung). Infrastrukturpolitik beschäftigt sich mit öffentlichen Versorgungsaufträgen (u.a. Zugang zu Verbreitungstechnologie oder Netzen). Die Medienorganisationspolitik richtet sich auf die Organisationen der Massenmedien selbst (z.B. Formen der internen Programmkontrolle) oder sie etabliert Organisationen für Lizenz- und Aufsichtsmaßnahmen (z.B. Bundesamt für Kommunikation (BAKOM)). Personalpolitik bezieht sich v.a. auf die Besetzung von Positionen in Aufsichtsgremien öffentlicher Rundfunkveranstalter sowie in den Organen von Regulierungsbehörden. Letztlich ist Medienpolitik auch Programm- und Informationspolitik, weil an medienpolitischen Prozessen beteiligte Akteure durch Programmkritik wie auch durch Programmproduktion (im Rahmen von PR-Aktivitäten) auf das inhaltliche Angebot von Medien Einfluss zu nehmen versuchen.

Ordnungspolitik

Infrastrukturpolitik

Medienorganisationspolitik

2.3 Regelungsfelder von Medienpolitik

Die klassischen Regelungsfelder der Medienpolitik sind Presse und Rundfunk. Dies deshalb, weil diese (Massen-)Medien, anders als Film, Video oder Buch, bei der Vermittlung aktueller politischer Themen, also für die politische Kommunikation, eine zentrale Position einnehmen: Sie tragen wesentlich zur Information und Meinungsbildung moderner Gesellschaften bei. Die Intensität und die Regelungstiefe medienpolitischer Intervention ist in beiden Feldern jedoch verschieden tief. Zunehmend gewinnen aber auch neue Verbreitungstechniken in der medienpolitischen Diskussion an Bedeutung.

2.3.1 Pressepolitik

Geringe politische Intervention

In der Pressepolitik ist eine deutliche Zurückhaltung politischer Akteure zugunsten einer Selbststeuerung der Presse auszumachen. Die geringe politische Intervention ist sowohl historisch als auch verfassungsrechtlich zu erklären: Historisch ist die Freiheit der Presse konstitutioneller Eckpfeiler demokratisch verfasster Staaten. So ist verfassungsrechtlich in der Schweiz durch Art. 16 und Art. 17 BV die Presse vor staatlichem Zwang geschützt. Ebenso geschützt sind die institutionelle Eigenständigkeit der Presse und die daraus abzuleitende lizenzfreie Gründung von Printunternehmen und die Herausgabe von Zeitungen, der Bestand von Presseunternehmen sowie der freie Zugang zu Presseberufen. Entsprechend ist der Pressemarkt heute ein privatwirtschaftlich und durch Angebot und Nachfrage organisierter Medienmarkt. Dem politischen System fehlen hier zudem wirksame Steuerungsinstrumente, um vorsorglich intervenierend oder „strukturreformierend", beispielsweise zur Verhinderung von Pressekonzentrationen, eingreifen zu können (Jarren 1996). Problematisch kann es werden, wenn Presseorganisationen zunehmend nach ökonomischen Imperativen handeln, wenn Pressekonzentration gar die „publizistische Vielfalt" gefährdet. So hat die schweizerische Wettbewerbskommission (Weko) in der letzten Zeit begonnen, Kooperations- und Fusionsanträge von Zeitungstiteln und Verlagen intensiv zu prüfen.

2.3.2 Rundfunkpolitik

Aktive politische Gestaltung und Intervention

Rundfunkpolitik ist – im Unterschied zur Pressepolitik – historisch geprägt sowohl von aktiver Gestaltung als auch Intervention des politischen Systems. Die Politik nimmt hier vielfach eine initiierende, intervenierende Funktion wahr. In der Zeit nach dem Zweiten Weltkrieg verfolgte der Staat eine klare Linie: Der Rundfunk sollte aus politischen Gründen nicht privat organisiert sein (u.a. wegen der Gefahr einseitiger politischer Informationspraxis). Aus ökonomischen (Marktversagen im Bereich des Rundfunks; hohe Kosten für den Sendebetrieb) und technischen Gründen (knappe Frequenzen) wurden überwiegend nur öffentliche Veranstalter zugelassen. Erst in den 1980er Jahren wandelte sich die staatliche Politik, so dass private kommerzielle Veranstalter neben öffentlichen konzessioniert wurden. Die Etablierung privater Rundfunkgesellschaften (Dualisierung des Rundfunksystems), die expandierende Informationsindustrie sowie Internationalisierungsprozesse etc. stellen staatliche Rundfunkpolitik vor neue Problemlösungsanforderungen. Entsprechend erweitern sich die Ziele der Rundfunkpolitik, so dass nunmehr „die Sicherstellung eines hinreichenden publizistischen Angebotes, die Gewährleistung des Zugangs zu Informations- und Unterhaltungsangeboten für die Rezipienten [...] und [die] Verhinderung von Konzentrations- und Vermachtungstendenzen im Bereich der Produzenten und Programmverbreiter [...]" (Jarren/Donges 2000: 82) zentral werden. Ein in fast allen Ländern Europas intensiv diskutiertes Thema ist derzeit die Frage der Legitimation des öffentlichen Rundfunks. Im Zentrum der Debatte stehen insbesondere die gesicherte Finanzierung der öffentlichen Rundfunkveranstalter durch Rundfunkgebühren und der Leistungsauftrag (Welche Programminhalte soll der gebührenfinanzierte Rundfunk leisten?).

2.3.3 Netzpolitik

Weitestgehend gesellschaftliche Selbststeuerung

Das Internet kennzeichnet sich durch eine globale, dezentrale und grenzenlose Struktur und ein enorm hohes ökonomisches und technologisches Potential. Zudem hat es sich von Beginn an dem Grundprinzip der Meinungs- und Informationsfreiheit verpflichtet und in vergleichsweise immenser Geschwindigkeit zahlreiche Bereiche der Gesellschaft durchdrungen. Gleichsam stellt sich aber auch hier die Frage nach einer dem Medium und der gesellschaftlichen Verantwortung angemessenen Ordnungspolitik für das Internet. Aufgrund der Komplexität steht Medienpolitik als Netzpolitik jedoch vor neuen Herausforderungen: Wurden Rundfunk- und Pressepolitik vornehmlich aus nationalstaatlicher Perspektive und vor dem Hintergrund eines klaren Sender – Empfängerverständnisses formuliert, fordert Netzpolitik zum einen Regulierungs- und Selbststeuerungsinitiativen auf Basis internationaler Kooperationen bei gleichzeitiger Integration mannigfaltiger Interessen seitens Politik, Ökonomie und gesellschaftlichen Interessengruppen. Zum anderen verändert sich für die Medienpolitik die Rolle des Mediennutzers, dem nun ein wesentlich höheres Maß an Selbstverantwortung bei der Mediennutzung zugesprochen werden muss (vgl. Machill/Waltermann 2000: 9ff.).

Zum jetzigen Zeitpunkt folgt Netzpolitik weitestgehend einer gesellschaftlichen Selbststeuerung; eine staatliche Medienpolitik im Sinne hoheitlicher Regulierung bezüglich der Netzkommunikation ist in den meisten Ländern nicht zu beobachten. In der Schweiz beispielsweise verfolgt der Bundesrat auf Basis der Empfehlung der 1997 eingesetzten Arbeitsgruppe „groupe de Réflexion" die Strategie, einen chancengleichen Zugang zu neuen Informations- und Kommunikationstechniken sicherzustellen, Aus- und Weiterbildung in diesem Bereich zu fördern, ebenso wie das Vertrauen in neue Technologien zu stärken.

2.4 Medienpolitische Akteure

Komplexes Beziehungsnetzwerk

Als Akteur werden allgemein Personen oder Gruppen bezeichnet, die als strategisch handelnde soziale Einheit zu bestimmten Sachthemen in Erscheinung treten. Das Handeln von Akteuren orientiert sich an einer gegebenen Situation, wird von bestimmten Motiven geleitet und es werden klare Ziele verfolgt. Betrachten wir mit Blick auf den medienpolitischen Diskurs die Akteurskonstellationen, also die Personen oder Gruppen, die am medienpolitischen Prozess beteiligt sind und das zwischen ihnen existierende Beziehungsnetzwerk, so ist festzustellen, dass eine Vielzahl verschiedenster gesellschaftlicher, ökonomischer und politischer Akteure involviert sind. Zwischen ihnen bestehen zahlreiche Beziehungen. Ihre jeweilige Handlungsorientierung (Interesse) resultiert aus einer eigenen medienpolitischen Perspektive und mit Blick auf die Durchsetzung der diesbezüglichen Interessen (Ziele). Operativ versuchen sie ihre Ziele durch bestimmte Einflussmittel (z.B. Geld, Macht, Bürgermobilisierung etc.) und einer entsprechenden Handlungsstrategie durchzusetzen. Die medienpolitische Analyse betrachtet Akteure, analysiert deren Interessen und das Ergebnis von Aushandlungsprozessen.

Mittelbare und unmittelbare Akteure

In diesem Beziehungsnetzwerk können mittelbare von unmittelbaren Akteuren unterschieden werden. Mittelbare Akteure kennzeichnen sich durch ihre besondere Legitimation im (medien-)politischen Handlungsraum: Sie können Entscheidungen gestalten, herbeiführen und müssen sie verantworten (Akteure des politischen Systems). Unmittelbare Akteure (wie Interessenverbände, Medienorganisationen, Wissenschaft, Kirchen etc.) hingegen verfolgen die Strategie aufgrund ihrer wirtschaftlichen, politischen oder gesellschaftlichen Stellung zu beeinflussen. In der Regel verfolgen sie spezifische Partialziele. Und im Unterschied zu den politischen Akteuren können sie keine formalen (z.B. rechtlichen) Entscheide treffen, d.h. diese Akteure sind auf die politischen Akteure insoweit angewiesen, wenn es um rechtlich verbindliche Vorgaben (Gesetze, Verordnungen, Lizenzentscheide etc.) geht.

Abbildung 1 Hauptakteure der schweizerischen Medienpolitik

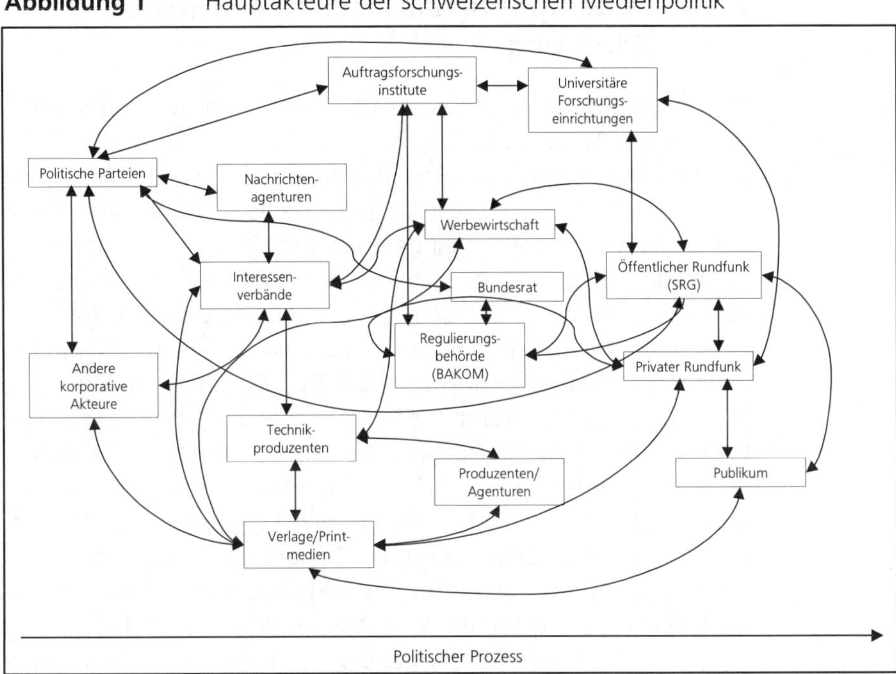

Quelle: Darstellung nach Theis-Berglmair 1994: 39; eigene Zusammenstellung

Traditionelle Dominanz politischer Akteure

Traditionell dominieren die medienpolitische Debatte also die Akteure des politischen Systems und daneben sind die öffentlichen und privaten kommerziellen Rundfunkanstalten, Akteure aus dem Verlagswesen und der Werbewirtschaft, fachbezogene und fachfremde Interessenorganisationen und Verbände relevant. Dieses Beziehungsgeflecht wird in wachsendem Maße durch weitere politische und ökonomische Akteure, wie z.B. auf der transnationalen Ebene die EU oder die WTO (vgl. Jarren 1998: 624), erweitert. Somit ist das Politikfeld stets dynamischen Veränderungsprozessen durch (neue) Akteure ausgesetzt.

2.5 Medienpolitik als Prozess politischer Steuerung

Gestaltungsfunktion des Staates: politische Steuerung

Die Gestaltungsfunktion des Staates bzw. des politischen Systems findet ihren Ausdruck im Begriff der politischen Steuerung. Dabei verweist der aus technischen Zusammenhängen entlehnte und durch die politische Kybernetik (vgl. Deutsch 1969) erstmals in den Sozialwissenschaften eingeführte Begriff nicht nur auf die gezielte Beeinflussung eines Systems oder eines bestimmten sozialen Zustands. Bei Steuerung geht es vielmehr darum, „ein (autonomes) System von einem Ort oder Zustand zu einem bestimmten anderen zu bringen" (Mayntz 1987: 93). Das Ziel von Steuerung ist also, durch Steuerungshandeln die Handlungslogik eines Systems zu verändern oder eine andere soziale Realität herzustellen. Im Falle der (medien-)politischen Steuerung ist das politische System traditionell im Sinne hoheitlicher Regulierung (Hoffmann-Riem/Schulz/Held 2000) zentraler Steuerungsakteur, dem dieses Steuerungshandeln durch Verfassung und Gesetz zugewiesen wird. Da Steuerung zumeist eine Abfolge bestimmter Handlungen ist, muss medienpolitisches Steuerungshandeln als vielfach langanhaltender und komplexer, sozialer Prozess verstanden werden (vgl. Abb. 2).

Politischer Steuerungsprozess

Zur Aktivierung eines politischen Steuerungsprozesses bedarf es zunächst der Artikulation von Steuerungsbedarf und dessen Wahrnehmung durch das politische System. Eine Ankündigung von Steuerungsbedarf kann entweder von Akteuren aus der Politik selbst, von Medienakteuren oder Akteuren anderer gesellschaftlicher Teilsysteme erfolgen. Steuerungsbedarf im Mediensystem ergibt sich z.B. durch die Einführung privater Rundfunkanbieter und der damit verbundenen Tendenz der Ökonomisierung des Mediensystems oder der Etablierung des Internets.

Abbildung 2 Steuerungsprozess

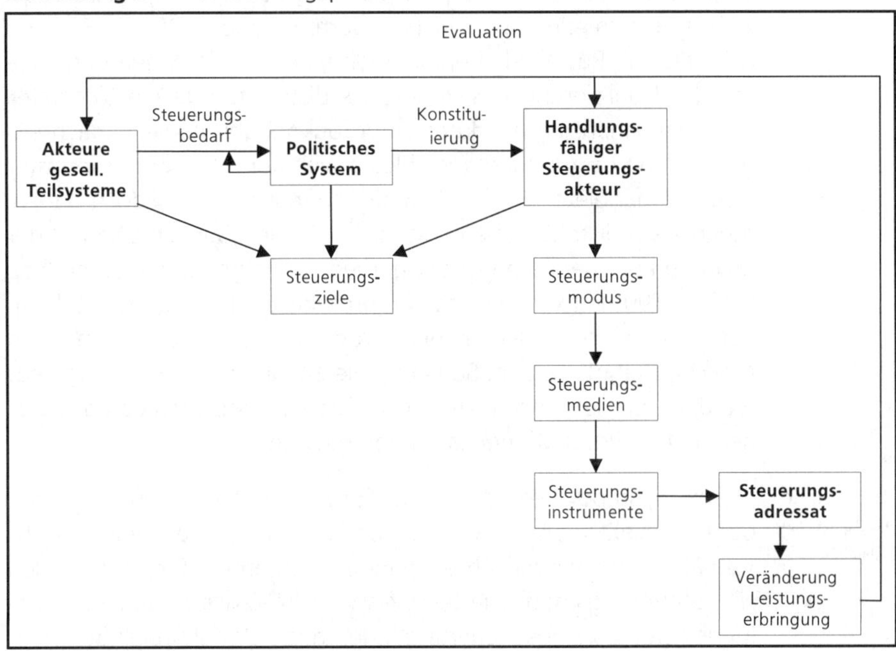

Quelle: Jarren/Donges 2000: 44

Die mit der Artikulation von Steuerungsbedarf verbundenen Ziele sind zumeist an die Vorstellung geknüpft, neue kollektiv verbindliche Entscheidungen zur Änderung eines Sachverhalts durch die Politik herbeizuführen. Das politische System kann handeln: Auf der Ebene der Regelsetzung können durch die Politik (und mittels rechtlicher Vorgaben) prohibitive (Einschränkung von Rechten), regulative (Verhaltensregulierung) und extensive (Erweiterung von Rechten) Steuerungsziele verfolgt werden. Für das Mediensystem beschränken sich die Steuerungsziele v.a. auf rahmensetzende (regulative) Maßnahmen, da das inhaltliche Angebot der Medien vor unmittelbaren staatlichen Interventionen geschützt ist (Prinzip der Meinungs- und Informationsfreiheit). Auf der Ebene von Leistungen können protektive (Güterschutz), distributive (Güterver-

Artikulation von Steuerungsbedarf

Steuerungsziele verfolgen

teilung) und redistributive (Umverteilung von Gütern) Steuerungsziele unterschieden werden (vgl. Jarren/Donges 2000). Für den öffentlichen Rundfunk beispielsweise waren die Steuerungsziele vor der Dualisierung des Rundfunks distributiv, da die Sicherstellung der Finanzierung durch Rundfunkgebühren die Benachteiligung anderer Akteure ausschloss. Mit der Etablierung privater Programmanbieter wird die Gebührenfinanzierung jedoch zunehmend als redistributiv beurteilt, da diese eine Benachteiligung der privaten kommerziellen Unternehmen zur Folge haben könne (vgl. Weber 1999). Exemplarisch für protektive Steuerungsziele kann der Schutz vor ausländischen Produkten auf dem heimischen Markt genannt werden. So kann, wie z.B. in Frankreich, festgelegt werden, wieviel Prozent der musikalischen Programmbeiträge aus heimischen Produktionen stammen müssen.

Abstimmung durch Steuerungsmodi

Steuerungsmodi bezeichnet die Formen und Mechanismen, mit denen kollektive Akteure ihre Handlungsaktivitäten (wie z.B. ihr Verhältnis zueinander) untereinander abstimmen. Empirisch lassen sich Steuerungsmodi wie beispielsweise Netzwerke und Verhandlungssysteme, Selbststeuerung oder auch Professionalität unterscheiden (Jarren/Donges 2000: 45ff.). Für das Mediensystem gewinnt der Steuerungsmodus der Selbststeuerung an Bedeutung. Für den Rundfunk beispielsweise übernimmt das politische System zwar weiterhin die Verantwortung für die Gemeinwohlverträglichkeit und den Machtausgleich zwischen den Medienakteuren. Diese verpflichten sich zugleich aber zunehmend Instrumenten der Selbstkontrolle. Grothe und Woldt (1995: 8) führen idealtypisch hierzu drei Formen auf:

1. Das einzelne Unternehmen setzt sich selbst interne Regeln zur Einhaltung bestimmter Standards (z.B. Publizistische Grundsätze oder redaktionelle Ziele der Medienorganisation).
2. Mehrere Unternehmen einer Branche einigen sich auf gemeinsame Regeln, die durch entsprechende interne und externe Kontrollinstrumente abgesichert werden (z.B. allgemeine Qualitätsstandards wie ISO-Zertifizierung).

3. Selbstkontrollmechanismen entstehen vielfach durch Aufforderung oder in Kooperation mit staatlichen Aufsichtsgremien für die gesamte Branche (z.B. Freiwillige Selbstkontrolle Fernsehen in Deutschland) (vgl. auch Jarren/Donges 2000: 85).

Die beiden erstgenannten Formen der Selbststeuerung werden auch als Selbstregulierung bezeichnet. Der dritte Fall, bei dem staatliche oder politische Akteure die erforderlichen formalen Strukturen zur Selbstkontrolle schaffen und erst dann eingreifen, wenn die Mechanismen der Selbstkontrolle versagen, wird gleichsam als (hoheitlich) regulierte Selbstregulierung bezeichnet (vgl. Hoffmann-Riem 1995; Hoffmann-Riem/Schulz/Held 2000: 48 ff.).

Abbildung 3 Steuerungsmedien und Steuerungsinstrumente

Steuerungsmedium	Steuerungsinstrumente	Beispiel
Macht/Recht	administrativ (regulativ)	Gesetze, Vorschriften, Kontrolle
Geld	ökonomisch (finanziell)	Subventionen, Leistungen
Wissen/Information	propagierend (informationell)	Information, Ratschläge

Quelle: König/Dose 1989: 160

Einsatz von Steuerungsmedien und -instrumenten

Zur Steuerung bedienen sich politische Akteure den Steuerungsmedien Recht, Geld, aber auch Wissen und Information. Diese Mittel werden in der Steuerungstheorie als Steuerungsmedien bezeichnet. Für den medienpolitischen Steuerungsprozess von besonderer Relevanz ist das Recht, da über Gesetze oder Verordnungen Verhaltensmaßnahmen für Medienorganisationen fixiert werden, die z.B. den Jugendschutz, die Gebührenfinanzierung oder Werbeaktivitäten der Medien betreffen (vgl. auch Grothe 2000: 144f.). Geld als medienpolitisches Steuerungsmedium spielt für die Ressourcenzuweisung eine Rolle (z.B. Film- oder Technikförderung). Wissen ist insbesondere für die wissenschaftliche Erhellung des Mediensystems als Steuerungsmedium zentral (wissenschaftliche Expertisen, Gutachten etc.).

Regulierung, Finanzierung und Wissen/Information stellen drei zentrale politische Steuerungsinstrumente dar (vgl. Abb. 3). Regulierung bezeichnet im allgemeinen „die rechtsförmige Normierung von Adressatenverhalten zu Interventionszwecken" (Görlitz 1995: 130). Steuerung soll durch Regelsetzung Verbindlichkeit herstellen, staatliche Garantien ermöglichen (Rechtsverbindlichkeit) und abweichendes Verhalten sanktionieren. Finanzierung orientiert sich am ökonomischen Kosten-Nutzen-Kalkül und setzt ökonomisch rationales Verhalten voraus. Schließlich stellen Wissen/Information ein Steuerungsinstrument dar, mit dessen Einsatz kognitive und emotionale Verhaltensänderungen herbeigeführt werden sollen.

Mit Blick auf die übergeordnete Zielsetzung der staatlichen Medienpolitik – die Sicherstellung der öffentlichen Kommunikation – wird jedoch zunehmend die Auffassung vertreten, diese Modelle der politischen Steuerung stießen an ihre Grenzen und sollten durch neue Konzepte und auch durch die Etablierung und Beteiligung gesellschaftlicher Akteure ergänzt werden (vgl. Jarren/ Donges 2000).

2.6 Medienpolitische Kommunikation und Öffentlichkeit

Herstellung von Öffentlichkeit

Die Realisierung von Medienpolitik ist nicht ausschließlich abhängig von den involvierten mittelbaren und unmittelbaren Akteuren oder den eingesetzten Steuerungsinstrumenten, sondern auch von der Herstellung von Öffentlichkeit zu medienpolitischen Themen im Kontext politischer Kommunikation. Die Durchsetzung von Zielen ist eben nicht zuletzt davon abhängig, ob diese Ziele in einer breiteren Öffentlichkeit auf Zustimmung stoßen. Und zudem werden über die Medien mögliche Probleme, die im Mediensystem selbst liegen, erst einer größeren Öffentlichkeit bekannt. Gemeint ist damit die Notwendigkeit der Einbeziehung von Publikums- und Konsumenteninteressen. Das setzt zum einen die Reflexion von Problemen der Medien in den Medien voraus. Dies geschieht beispielsweise in Form von Medienkritik. Damit thematisiert das Mediensystem Probleme und kann u.U. zur internen Problemlösung beitragen. Zum anderen spielt für die staatliche Medienpolitik die medienbezogene Berichterstattung eine nicht zu unterschätzende Rolle. Dies deshalb, weil es den Massenmedien obliegt, welche Themen sie wie präsentieren und welchen Akteuren sie damit Öffentlichkeit verleihen. Die Thematisierung/Nicht-Thematisierung von Problemen hat Einfluss auf die Handlungsfähigkeit der an medienpolitischen Entscheidungen beteiligten Akteure. Je nach Grad der jeweiligen Akzeptanz und Bekanntheit können Ziele durchgesetzt werden oder eher nicht. Das Publikum selbst hat keine Interventionskraft, da es nicht als Akteur im oben dargestellten Sinn aktiv werden kann (dispers, keine Ressourcen etc.).

3 Ethik als (Selbst-)Steuerungsressource in der Medienpolitik

Medienethik: Teil der angewandten Ethik

Im Kontext der Ausgestaltung einer der modernen Gesellschaft angemessenen Medien- und Kommunikationsordnung wird vermehrt die Forderung nach „ganzheitlichen Konzepten und Steuerungssystemen" (Saxer 1992: 105) gestellt. Dabei wird u.a. die Integration von Medienethik als Steuerungsressource diskutiert. Medienethik ist Teil der sog. angewandten Ethik (auch Handlungsfeld- oder Bereichsethik genannt). Ihr primäres Ziel ist es, Normen für praktisches Handeln von und in Medien(-Organisationen) zu formulieren, zu legitimieren und als Ethik des „öffentlichen Raumes" medienbezogene Fragen zu thematisieren (vgl. Karmasin 1999: 343). Dabei können verschiedene Formen der Zuweisung von Selbstverpflichtung in der massenmedialen Kommunikation differenziert werden: die Individualethik, die journalistische Berufskultur und die (Medien-)Organisationsethik. Diesen Ethiken wird in je unterschiedlichem Maße Regelungspotential zugesprochen (vgl. Saxer 1996: 151ff.).

Ethik gewinnt auch deshalb an Relevanz, weil das Recht als allgemein verbindliches Regelungssystem (vgl. Abschnitt 2.5) mit hoher Sanktionskraft für die Ausgestaltung und Anpassung einer modernen Medienordnung zunehmend an seine Grenzen stößt. Die individualethische Perspektive weist eine moralische Verantwortung dem individuellen Handeln einzelner Journalisten zu. Entsprechend können hier allenfalls individuelle, günstigstenfalls spezifisch kollektive Handlungsorientierungen realisiert werden. Wirkungen auf das gesamte Mediensystem sind jedoch, wenn überhaupt, durch individualethische Übereinkünfte nur in geringem Umfang erwartbar. Ähnliches gilt für die Debatte um die journalistische Berufskultur. Geht es um die journalistische Qualitätssicherung, so kann aufgrund der Heterogenität der Medien wie des journalistischen Berufsfeldes und der daraus resultierenden differenten Ansprüche von Seiten der Rezipienten nicht von einer allgemeinen oder übergeordneten Verbindlichkeit für das Mediensystem ausgegangen werden (vgl. Wyss, Abschnitt 2.3 i.d.B.).

3.1 Ethik der Medienorgansationen

Ein größeres Steuerungspotential für die Medienpolitik wird der in der medienethischen Diskussion lange ausgeblendeten Organisationsethik zugesprochen. Karmasin (1998: 81) bezeichnet diese auch als die „Ethik der Ordnungspolitik" bzw. die „Sozialethik der Medien". Im Zentrum der Ethik der Medienorganisationen steht das Verhältnis zwischen politisch regulierter Kommunikation (z.B. öffentlicher Rundfunk) und ökonomischem System (z.B. privater Rundfunk) (vgl. Karmasin 1999). Das staatliche medienpolitische Steuerungshandeln soll sich hier auf das Ziel der Verstärkung der „moralischen Selbstverpflichtung der Medienorganisationen" konzentrieren (Saxer 1996: 153). Es geht durch politische Bemühun-

Selbstverpflichtung der Medienorganisationen

gen darum, Bedingungen zu schaffen, die eine Übernahme von Verantwortung in Medienorganisationen selbst ermöglicht. Exemplarisch kann hier auf den traditionell extern festgelegten Programmauftrag öffentlicher Rundfunkveranstalter verwiesen werden, der bereits ethische wie auch professionelle Standards (wie Vielfalt, Gerechtigkeit etc.) impliziert, die zumeist von den Medienorganisationen selbst in bestimmten Organisationsnormen konkretisiert und kontrolliert werden. Entsprechend liegt die Aufgabe der politischen Steuerung darin, weniger materielle, als vielmehr formale bzw. prozedurale Normen (also Verfahrensvorschriften) zu formulieren, die es ermöglichen Kommunikationsbeziehungen zwischen den Medienorganisationen und ihren Anspruchsgruppen herzustellen. Konkret hieße dies, die Institutionalisierung von Kommunikationsbeziehungen, die Einbeziehung der Betroffenen in Entscheidungen, die Internalisierung von Verantwortung in den Medienorganisationen oder für Transparenz zu sorgen (Öffentlichkeits- und Berichtspflichten). Steuerungstheoretisch wird diese Funktionszuweisung als regulierte Selbstregulierung bezeichnet, bei der die verantwortlichen Akteure des politischen Systems in den Selbststeuerungsprozess der Medienorganisationen eingreifen, wenn die Instrumente der Eigenverantwortlichkeit versagen (vgl. Jarren/Donges 2000).

3.2 Perspektiven von Medienethik als Ressource von Medienpolitik

Noch keine etablierte Steuerungsressource

Eine Diskussion von Medienethik als Steuerungsressource innerhalb der Medienpolitik ist zwar auszumachen, von einer Etablierung entsprechender Ansätze kann jedoch nicht die Rede sein. Dies, weil beispielsweise davon ausgegangen wird, dass eine dauerhafte Funktionsfähigkeit der Selbstverantwortung nicht sichergestellt werden kann, da im Zweifelsfall die ökonomische Handlungsorientierung die Medienorganisation dominiert. Dennoch existieren vereinzelt und mit unterschiedlichen Intentionen operierende institutionalisierte Formen der Selbstkontrolle der Mediensysteme auch im deutschsprachigen Raum. So beispielsweise in der Schweiz der Schweizer Presserat oder in der Bundesrepublik Deutschland seit kurzem der Medienrat Internet oder die Freiwillige Selbstkontrolle Fernsehen e.V. (FSF).

Der Schweizer Presserat sieht seine Aufgabe darin, dem Publikum und den Medienschaffenden als Beschwerdeinstanz für medienethische Fragen zur Verfügung zu stehen. Zielsetzung der Organisation ist es, „mit seiner Tätigkeit zur Reflexion über grundsätzliche medienethische Probleme bei[zu]tragen, und damit medienethische Diskussionen in den Redaktionen anzuregen" (Schweizer Presserat 2000). Die primäre Zielsetzung des 1996 in Deutschland gegründeten Internet Medienrates ist die Förderung der „Weiterentwicklung des Internet durch ausgewogene Empfehlungen und Richtlinien." Als beratendes Gremium beabsichtigt diese Organisation, seine Kompetenzen in Rechtsetzungsverfahren einzubringen und die im Recht nicht berücksichtigten Aspekte durch eigene Lösungsansätze auszufüllen. Ausdrücklich wird aber darauf hingewiesen, dass grundlegende Neuregelungen für diesen Bereich ausschließlich vom Gesetzgeber getroffen werden müssen (vgl. Internet Medienrat 1996). Das Tätigkeitsfeld der FSF konzentriert sich auf die Verbesserung des Jugendschutzes im Fernsehen: Durch Programmprüfung begutachtet die FSF Fernsehprogramme vor ihrer Ausstrahlung und legt Sendezeiten fest. Mediale Darstellungen von Gewalt und Sexualität sollen auf diese Weise begrenzt bzw. entsprechende Programme nur zu einer bestimmten Zeit ausgestrahlt werden. Zu den Mitglieder zählen die privaten Fernsehanbieter Deutschlands (vgl. Freiwillige Selbstkontrolle Fernsehen e.V.).

Fehlen organisatorischer Modelle

Viele der existierenden Selbstkontrolleinrichtungen im Medienbereich, welche die notwendigen organisatorischen Voraussetzungen schaffen, kollektiv zu handeln, sind jedoch reaktiv, so erst aufgrund öffentlicher Diskussionen zu bestimmten problematischen Themen, entstanden. Bislang fehlt es an organisatorischen Modellen, die eine dauerhafte und verantwortungsbewusste Selbststeuerung der Medienorganisationen begünstigen. Eine zukünftige medienpolitische Aufgabe staatlicher Akteure ist es deshalb, durch „Strukturvorgaben, Anreizprogramme, Förderung von Akteuren sowie Information und Kommunikation zu Formen der Selbstverpflichtung [...] anzuhalten und damit ständig einen Beitrag zur Entwicklung von Selbstregulierungsmodellen zu leisten" (Jarren/ Donges 2000: 257).

Literatur

Deutsch, Karl (1969): Politische Kybernetik. Modelle und Perspektiven. Freiburg i.B.

Freiwillige Selbstkontrolle Fernsehen e.V. (2000): Wir über uns. In: www.fsf.de/hauptteil_fsf.htm. (02.08.2000).

Görlitz, Axel (1995): Politische Steuerung. Ein Studienbuch. Opladen.

Grothe, Thorsten (2000): Restriktionen politischer Steuerung des Rundfunks. Systemtheoretische und handlungstheoretische Analysen. Opladen.

Grothe, Thorsten/Schulz, Wolfgang (1994): Steuerungsperspektiven auf das duale Rundfunksystem. In: Holgersson, Silke/Jarren, Otfried/ Schatz, Heribert (Hg.): Dualer Rundfunk in Deutschland. Beiträge zu einer Theorie der Rundfunkentwicklung. Münster, Hamburg, S. 63-78.

Grothe, Thorsten/Woldt, Runar (1995): Ergebnisse des Symposiums „Regulierung und Selbstkontrolle des amerikanischen Fernsehens". In: Bertelsmann Stiftung (Hg.): Fernsehen in den USA. Erfahrungen mit Regulierung und Selbstkontrolle. Ergebnisse eines Symposiums am 10. März 1995 in New York. Gütersloh, S. 8-13.

Hoffmann-Riem, Wolfgang (1995): Medienregulierung als regulierte Selbstregulierung. In: Bertelsmann-Briefe, Winter 1995, S. 52-55.

*Hoffmann-Riem, Wolfgang/Schulz, Wolfgang /Held, Thorsten (2000): Konvergenz und Regulierung. Optionen für rechtliche Regelungen und Aufsichtsstrukturen im Bereich Information, Kommunikation und Medien. Baden-Baden.

Internet Medienrat (1996): Resolution des Internet Medienrates. Verabschiedet anläßlich der konstituierenden Sitzung am 24.09.96 in Bonn. In: www1.medienrat.de/medienrat/ziel.html. (02.08.2000).

Jarren, Otfried (1996): Publizistische Märkte und Kommunikationspolitik. Öffentliche Regulierung statt politisch-administrativer Steuerung? In: Altmeppen, Klaus-Dieter (Hg.): Ökonomie der Medien und des Mediensystems. Opladen, S. 203-220.

*Jarren, Otfried (1998): Medienpolitische Kommunikation. In: Jarren, Otfried/Sarcinelli, Ulrich/Saxer, Ulrich (Hg.): Politische Kommunikation in der Informationsgesellschaft. Opladen, Wiesbaden, S. 616-629.

Jarren, Otfried/Donges, Patrick (1997): Ende der Massenkommunikation – Ende der Medienpolitik? In: Fünfgeld, Hermann/Mast, Claudia (Hg.): Massenkommunikation. Ergebnisse und Perspektiven. Opladen, Wiesbaden, S. 231-252.

Jarren, Otfried/Donges, Patrick (2000): Medienregulierung durch die Gesellschaft? Eine steuerungstheoretische und komparative Studie mit Schwerpunkt Schweiz. Wiesbaden.

*Karmasin, Mattias (1998): Oligopole in freien Gesellschaften. Medienfreiheit als ökonomisches und ethisches Problem. In: Wunden, Wolfgang (Hg.): Freiheit der Medien. Beiträge zur Medienethik. Frankfurt/M., S. 79-95.

Karmasin, Mattias (1999): Medienethik als Wirtschaftsethik medialer Kommunikation. In: Communication Socialis 32, H. 3, S. 343-366.

Kepplinger, Hans Mathias (1997): Kommunikationspolitik. In: Noelle-Neumann, Elisabeth/Schulz, Winfried/Wilke, Jürgen (Hg.): Fischer Lexikon Publizistik Massenkommunikation. 14.-16.- Tsd., akt., vollstg., überarb. Neuausgabe. Frankfurt/M., S. 116-139.

König, Klaus/Dose, Nikolei (1989): Klassifizierungsansätze staatlicher Handlungsformen. Eine steuerungstheoretische Abhandlung. Forschungsinstitut für öffentliche Verwaltung. Speyer.

Machill, Marcel/Waltermann, Jens (2000): Einleitung. In: Waltermann, Jens/Machill, Marcel (Hg.): Verantwortung im Internet. Selbstregulierung und Jugendschutz. Gütersloh, S. 9-24.

Marcinkowski, Frank (1993): Publizistik als autopoietisches System. Opladen.

Mayntz, Renate (1987): Politische Steuerung und gesellschaftliche Steuerungsprobleme. In: Ellwein, Thomas/u.a. (Hg.): Jahrbuch zur Staats- und Verwaltungswissenschaft. Bd. 1. Baden-Baden, S. 89-110.

Prittwitz, Volker von (1994): Politikanalyse. Opladen.

Ronneberger, Franz (1966): Ziele und Formen der Kommunikationspolitik. In: Publizistik 11, H. 4, S. 399-406.

Ronneberger, Franz (1978): Kommunikationspolitik I. Institutionen, Prozesse, Ziele. Mainz.

Ronneberger, Franz (1986): Kommunikationspolitik III. Kommunikationspolitik als Medienpolitik. Mainz.

Rühl, Manfred (1973): Politik und öffentliche Kommunikation. Auf dem Wege zu einer Theorie der Kommunikationspolitik. Franz Ronneberger zum 60. Geburtstag. In: Publizistik 18, H. 1, S. 5-25.

Rühl, Manfred (1983): Franz Ronneberger – Zur Entwicklung eines kommunikationspolitischen Theorieprogramms. In: Ronneberger, Franz/Stuiber, Hans-Werner (Hg.): Kommunikationspolitik in Forschung und Anwendung. Düsseldorf, S. 15-32.

Saxer, Ulrich (1983): Systematische Kommunikationspolitik. Strukturen einer kommunikationswissenschaftlichen Teildisziplin. In: Rühl, Manfred/Stuiber, Hans-Werner (Hg.): Kommunikationspolitik in Forschung und Anwendung. Düsseldorf, S. 33-45.

*Saxer, Ulrich (1992): Strukturelle Grenzen und Möglichkeiten von Medien- und Journalismusethik. In: Haller, Michael/Holzey, Helmut (Hg.): Medien-Ethik. Opladen, S. 104-128.

Saxer, Ulrich (1996): Ethik der Kommunikation. In: Wittkämper, Gerhard/Kohl, Anke (Hg.): Kommunikationspolitik. Einführung in die medienbezogene Politik. Darmstadt, S. 146-168.

Schatz, Heribert/Habig, Christopher/Immer, Nikolaus (1990): Medienpolitik. In: Beyme, Klaus von/Schmidt, Manfred G. (Hg.): Politik in der Bundesrepublik Deutschland. Opladen, S. 331-359.

Schweizer Presserat (2000): Institution, Sitz, Zusammensetzung, Sekretariat, Finanzen. In: www.presserat.ch/12340.htm. (02.08.2000).

Theis-Berglmair, Anna Maria (1994): Medienwandel – Modellwandel? Reflexionen über die gesellschaftliche Komponente der Massenkommunikation. In: Jarren, Otfried (Hg.): Medienwandel – Gesellschaftswandel? 10 Jahre dualer Rundfunk in Deutschland. Eine Bilanz. Berlin, S. 35-50.

Weber, Rolf H. (1999): Neustrukturierung der Rundfunkordnung. Zürich.

Wettbewerbskommission (2000): Weko prüft Pressekonzentration im Berner Oberland. Medienmitteilung vom 13.06.2000. In: http://www.wettbewerbskommission.ch/site/g/medien/Medienmitteilungen/Neue_Medienmitteilung.html. (08.08.2000).

* Basisliteratur

KAPITEL 4

Kommunikatoren: Journalismus und PR

Journalismusforschung

Vinzenz Wyss

1 Perspektiven und Ansätze der Journalismusforschung 261

1.1 Phasen der Journalismusforschung im historischen Überblick 261

1.2 Ein Definitionsvorschlag und Analysemodelle 265

2 Zentrale Forschungskontexte und aktuelle Fragestellungen 268

2.1 Normenkontext 269

2.2 Organisationskontext 270

2.3 Funktionskontext 273

2.4 Rollenkontext 276

3 Fazit: Journalismus im Wandel 280

Literatur 280

Die Kommunikatorforschung beschäftigt sich empirisch mit den Bedingungen der Her- und Bereitstellung publizistischer Aussagen. Sie hat zum Ziel, deskriptiv festzuhalten, welche Faktoren die publizistische Aussagenentstehung bestimmen. Die Kommunikatorforschung konzentrierte sich dabei lange primär auf den Journalismus, also auf das soziale Handlungssystem, dessen Hauptleistung in der „organisatorische[n] Herstellung und Bereitstellung durchsetzungsfähiger thematisierter Mitteilungen zur öffentlichen Kommunikation" besteht (Rühl 1992: 129). Als Kommunikator wird die Person, Personengruppe oder Organisation bezeichnet, „die an der Produktion von öffentlichen, für die Verbreitung durch ein Massenmedium bestimmten Aussagen beteiligt ist, sei es schöpferisch-gestaltend oder selektiv oder kontrollierend" (Maletzke 1963: 43). Diese Definition macht deutlich, dass sich die Kommunikatorforschung mit allen an der Her- und Bereitstellung publizistischer Aussagen beteiligten Berufsrollen, Strukturen und Organisationen zu beschäftigen und sich auf ein stets ausdifferenzierendes Berufsfeld zu beziehen hat. Ein erster Teil leistet im Folgenden einen historisch angelegten Überblick über die wichtigsten theoretischen Ansätze und Fragestellungen der empirisch-systematischen Beschäftigung mit dem Journalismus im Rahmen der Kommunikatorforschung. In einem zweiten Teil werden entlang zentraler Forschungsfelder insbesondere theoretische Ansätze und Forschungsfragen der aktuellen Journalismusforschung zusammengefasst, die gegenwärtig von besonderem Interesse sind.

1 Perspektiven und Ansätze der Journalismusforschung

1.1 Phasen der Journalismusforschung im historischen Überblick

Die wissenschaftliche Auseinandersetzung mit der Regelhaftigkeit des Journalismus und mit den Personen und Personengruppen, die diese Regeln anwenden, nimmt ihren Anfang vor dem Ersten Weltkrieg. Es lassen sich seither verschiedene Forschungszweige und Entwicklungsrichtungen unterscheiden:

Normativ-ontologische Zeitungswissenschaft:
Die deutschsprachige Zeitungswissenschaft hat sich zu Beginn des 20. Jahrhunderts normativ und personenzentriert mit den Eigenschaften herausragender journalistischer Persönlichkeiten der Presse befasst. Die Nestoren der Publizistikwissenschaft waren meist langjährige journalistische Praktiker. Bekanntester Vertreter war der Zeitungswissenschaftler Emil Dovifat. Ein idealistischer Journalismusbegriff verkürzte die Leistungen des Journalismus auf das Handeln scheinbar autonomer Individuen.

Idealistischer Journalismusbegriff

Anfänge der empirischen Berufsforschung:
Nach dem Zweiten Weltkrieg orientierte sich die deutsche Publizistikwissenschaft an der in den USA bereits weiter fortgeschrittenen empirischen Journalismusforschung. Im Bereich der journalistischen Berufsforschung sind seit den 1970er Jahren im angelsächsischen Raum (vgl. Weaver/Wilhoit 1986), aber auch in Deutschland (vgl. zusammenfassend Böckelmann 1993), Österreich (Hummel 1993) und mit Verspätung zu Beginn der 1980er Jahre auch in der Schweiz (Saxer/Schanne 1981) unterschiedlich breit angelegte und mehr oder weniger repräsentative quantitative Erhebungen durchgeführt worden. Die nur sporadisch durchgeführten schweizerischen Forschungen konzentrierten sich auf die Untersuchung einzelner spezifischer Journalistengruppen: Journalistinnen (Corboud/Schanne 1987), freie Journalisten (Hänecke 1994), Bundeshausjournalisten (Saxer 1992b), Agenturjournalisten (Blum/Hemmer/Perrin 1995), die an der Außenpolitik-Berichterstattung beteiligten Journalisten (Nyffeler 2000) oder Auslandkorrespondenten (Gysin 2000). Seit den 1970er Jahren ist so international ein kaum überblickbarer, theoretisch weitgehend unreflektierter „Datenberg" zu der sozialen Zusammensetzung, der Berufssituation,

Kaum überblickbarer Datenberg

dem Ausbildungsstand und den individuellen Einstellungen der Berufsgruppe der Journalisten zusammengetragen worden.

Repräsentative Journalismus-Enquêten:
Die deutschsprachige Journalismusforschung blieb bis Anfang der 1990er Jahre theoretisch und methodisch unterentwickelt. Defizite sind v.a.: vorwiegend Fallstudien mit geringer externer Validität, problematische Stichprobenmodelle, rasches Veralten der Daten angesichts des beschleunigten Wandels der Medienbranche durch Technisierung, Ökonomisierung und Globalisierung seit den 1980er Jahren. Nicht zuletzt gab die Einführung des dualen Rundfunksystems sowie die deutsche Wiedervereinigung Anlass dazu, dass zu Beginn der 1990er Jahre zwei neue repräsentative Sozialenquêten über die Journalisten durchgeführt wurden (vgl. Mahle 1993; Schneider/Schönbach/Stürzebecher 1993; Scholl/Weischenberg 1998). Im internationalen Rahmen konnte Weaver (1998) eine vergleichende Synopse zur Situation der Journalisten in den unterschiedlichsten Ländern erarbeiten. Mittlerweile liegt auch für die Schweiz eine erste repräsentative Journalistenbefragung vor, die an die bestehende internationale Forschungslage anknüpft (vgl. Marr u.a. 2001).

Defizite

Repräsentive Sozialenquêten

Professionalisierungs-These:
Als stärker theoretisch orientierter Forschungszweig der journalistischen Berufsforschung spielte in den 1970er Jahren das Konzept der Professionalisierung eine herausragende Rolle (Kepplinger/Vohl 1976). Forschungsleitend waren die Fragen, inwieweit für den Beruf des Journalisten in Analogie zu hoch professionalisierten Berufen wie Ärzten, Rechtsanwälten oder Wissenschaftlern ebenfalls Minimalkriterien wie Zugangsregeln (Prüfung), Altruismus, Dienst an der Öffentlichkeit, Selbstverwaltung in Berufsverbänden, Verhaltenskodizes etc. Geltung haben und inwiefern ein Wandel in Richtung verstärkter Professionalisierung im Journalismus festgestellt werden kann.

Konzept der Professionalisierung

Gatekeeper- und Redaktionsforschung:

Gatekeeper-Konzept: Der „Pförtner" wählt aus

Ein weiterer Zweig der empirischen Journalismusforschung fokussierte das Entscheidungshandeln von Journalisten und setzte vorerst bei einer engen Fragestellung an: Wer wählt in den Institutionen der Massenkommunikation wie die Informationen aus? Die Fragestellung wurde über den Begriff „Gatekeeper" („Pförtner", „Schleusenwärter") operationalisiert. Das Gatekeeper-Konzept entwickelte Kurt Levin (1963 [1943]) im Zusammenhang mit dem Einkauf von Lebensmitteln. Es wurde grob simplifiziert von David M. White 1950 auf den Vorgang der Nachrichtenauswahl in einer Zeitungsredaktion übertragen. White kam zum Schluss, dass der „letzte Gatekeeper" dem Publikum subjektiv nur das anbiete, was er selbst für wahr und relevant hält. Breed (1973 [1955]) führte kurz danach strukturelle Bedingungen in die Gatekeeper-Forschung ein und strich den Prozess der beruflichen Sozialisation heraus, durch den sich Journalisten die Normen einer Redaktion aneignen würden. Gieber (1956) stellte institutionelle Zwänge der Redaktionsarbeit in den Vordergrund und beschrieb den Nachrichtenredakteur als eher passiv in seinem Entscheidungshandeln. Der Journalist wurde nun nicht mehr nur psychologisch als Einzelperson, sondern sozialpsychologisch als Träger von Rollen thematisiert und Begriffe wie Macht und Herrschaft, Bürokratie und Sozialisation wurden zu Themen der Journalismus- bzw. Redaktionsforschung. In der angelsächsischen empirischen Redaktionsforschung zeigten zahlreiche Gatekeeper-Studien, dass die Nachrichtenproduktion ein weitgehend standardisierter und routinierter Prozess in der „news factory" ist (vgl. Tuchman 1978). Mit Hilfe organisationstheoretischer Konzepte wurden nun die Einflüsse der Organisation auf das Handeln der Journalisten analysiert (z.B. Donohue/Tichenor/Olien 1972).

Sozialisation: Journalisten lernen die „Hausordnung"

Redaktionsforschung: Organisation steht im Zentrum

Systemtheoretische Ansätze:

Redaktion als organisiertes soziales System

Die Komplexität der Entscheidungsprozesse und Einflussfaktoren in den redaktionellen Institutionen hat schließlich systemtheoretische und kybernetische Erklärungsmodelle herausgefordert. Bei seinem Theorieentwurf der Redaktion als organisiertes soziales

System stützte sich Rühl (1979) in einer Pionierstudie auf die funktional-strukturelle Systemtheorie von Niklas Luhmann (vgl. Donges/Meier, Abschnitt 2.2 i.d.B.) und untersuchte die für Redaktionen typischen Entscheidungsprämissen, die als Routine- bzw. Zweckprogramme (z.B. Selektion, Bearbeitung, Darstellung) der Informationsverarbeitung zugrunde liegen. Kybernetische Gatekeeper-Konzeptionen beruhen auf der Annahme, dass die Journalisten in Organisationen als Kommunikationssysteme eingebunden sind, die sich über einen permanenten Kommunikationsfluss (rückgekoppelte Lernprozesse) ständig selbst regulieren und so das System stabilisieren (vgl. Hienzsch 1990). Altmeppen (1999) relativiert die Dominanz typischer Entscheidungsprämissen und legt dar, dass redaktionelle Arbeitsprozesse nicht vollständig verbindlich durch Entscheidungsprogramme geregelt sind, sondern dass Journalisten einzelne Arbeitsschritte selbständig aufeinander beziehen und situationsbezogen durch koordinierendes Handeln (Interaktion und Kommunikation) zu einem Arbeitsprozess kombinieren. Ein aktueller Zweig der Redaktionsforschung konzentriert sich neuerdings auf stärker anwendungsorientierte Studien, in denen aus Praxiserfahrungen und -beobachtungen Strategien für ein zukunftsweisendes Redaktionsmanagement abgeleitet werden (Meckel 1999).

Redaktionen als Koordinationszentren

1.2 Ein Definitionsvorschlag und Analysemodelle

Der historisch angelegte Überblick über die empirisch-systematische Journalismusforschung macht definitorische Schwierigkeiten deutlich, die sich aus der außerordentlichen Vielfalt des Handlungsfeldes ergeben. So liefern auch publizistik- und kommunikationswissenschaftliche Handbücher nur unbefriedigende Journalismusdefinitionen, weil der Begriff Journalismus auf die berufliche Tätigkeit in Massenmedien reduziert wird. Scholl (1997: 471ff.) kombiniert in einem vierstufigen Definitionsversuch eine systemtheoretische Bestimmung von Journalismus mit einer empirischen Begriffsnutzung:

Definitorische Schwierigkeiten

- Journalismus als (Funktions-)System:
  Eine abstrakte (ohne Rückgriff auf Akteure) Funktionsbestimmung setzt Systemgrenzen und leitet die weiteren Schritte der Journalismusdefinition bis hin zu deren Operationalisierung.
- Journalismus als organisierte Produktion öffentlicher Aussagen:
  Auf der organisationalen Ebene werden journalistische Medienorganisationen (Agenturen, Zeitungen, Zeitschriften, Rundfunksender etc.) identifiziert, diese werden wiederum in redaktionelle (Redaktionen oder Ressorts) und andere Organisationseinheiten (Anzeigenabteilung, Technik, Vertrieb etc.) differenziert.
- Journalismus als Beruf:
  Es folgt eine Einengung auf journalistische Arbeitsrollen und die Fokussierung auf professionelle Akteure, die unmittelbar für die redaktionellen Inhalte verantwortlich sind und nach Beschäftigungsverhältnis (frei/fest), hierarchischer Position (Chefredakteur etc.) oder Tätigkeitsrollen (Kolumnist, Korrespondent, Produzent etc.) klassifiziert werden können.
- Journalistische Tätigkeiten:
  Als letztes Kriterium zur Eingrenzung journalistischer Rollen folgt eine Fokussierung auf journalistische Tätigkeiten wie Recherchieren, Verfassen/Redigieren, Moderieren etc.

Komplexer und heterogener Forschungsbereich

Es gibt verschiedenste Versuche, den komplexen und heterogenen Forschungsbereich nach theoretischen Gesichtspunkten zu strukturieren und zu systematisieren. Donsbach (1987) hat ein integrales Modell entwickelt, auf dessen Basis konsequent die Befunde der empirischen Journalismusforschung zusammengetragen wurden und mit dessen Hilfe es möglich ist, die Faktoren zu identifizieren, die „möglicherweise die Gestaltung der Medieninhalte beeinflussen" (Donsbach 1987: 114) (vgl. Abb. 1). Shoemaker/Reese (1991) strukturieren den Forschungsbereich ähnlich und ergänzen das Modell mit Einflüssen der Ebene der Medienroutinen und der extramedialen Ebene (Quellen, Interessengruppen, Public Relations, Konkurrenzmedien, Zielgruppen, Werbemarkt, Technik etc.).

Abbildung 1 Modell der Einflussfaktoren zwischen Journalisten und Medieninhalten

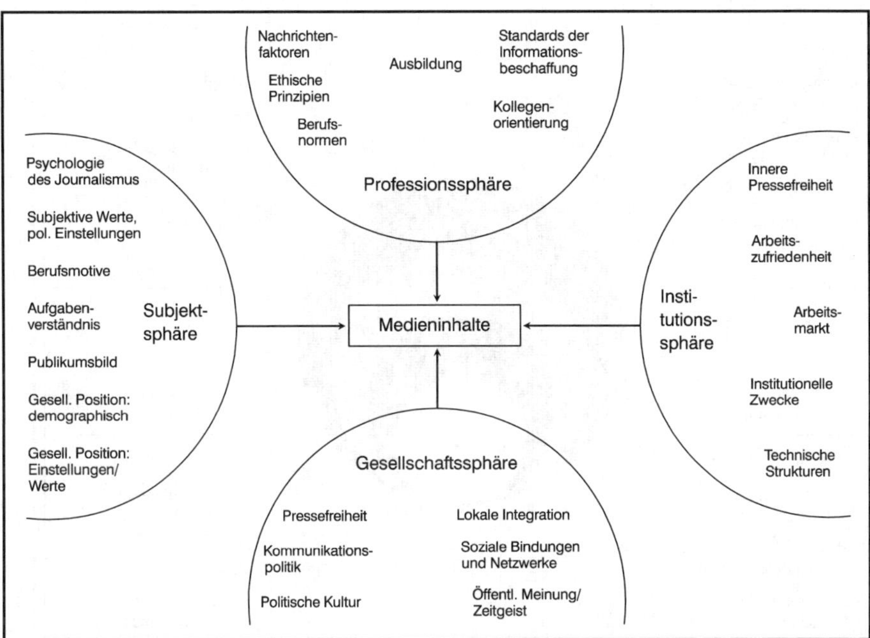

Quelle: Donsbach 1987: 112

Nach Weischenberg (1992) bestimmen schließlich Kontexte von Normen, Strukturen, Funktionen und Rollen den Journalismus (vgl. Abb. 2).

Abbildung 2 Weischenbergs „Zwiebelmodell"

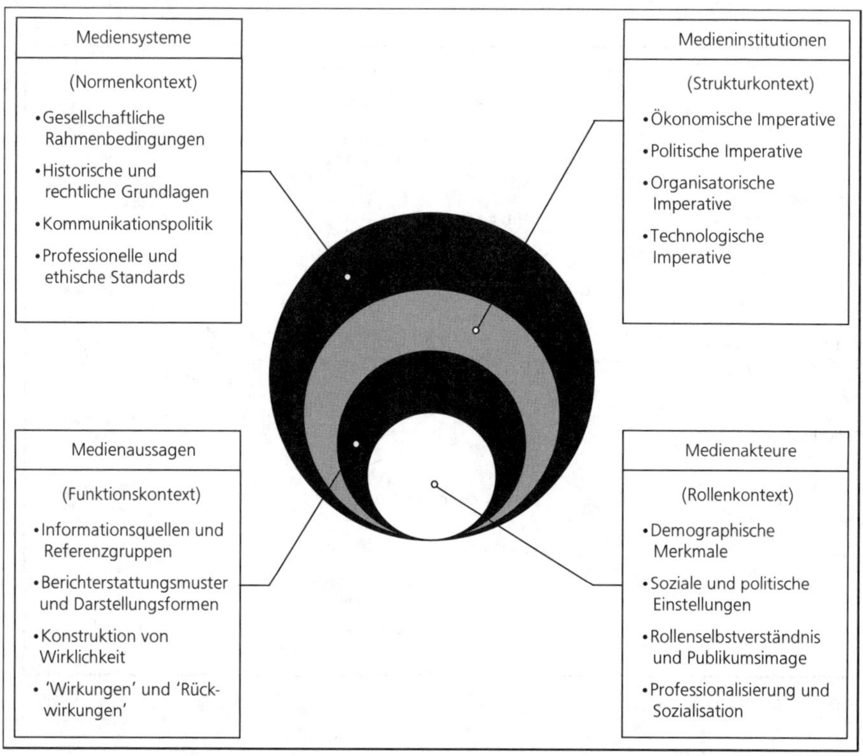

Quelle: Weischenberg 1992: 69

2 Zentrale Forschungskontexte und aktuelle Fragestellungen

Im Folgenden werden entlang zentraler Forschungsfelder insbesondere theoretische Ansätze, Forschungsfragen und empirische Befunde der aktuellen Journalismusforschung zusammengefasst, die gegenwärtig von besonderem Interesse sind. Aus heuristischen Zwecken wird das Analyseraster von Weischenberg (1992) (vgl. Abb. 2) herangezogen, um die Einflussgrößen auf das journalistische Handeln auf den Ebenen der Normen, Strukturen, Funktionen und Rollen zu verdeutlichen.

2.1 Normenkontext

Im Normenkontext werden die gesellschaftlichen Rahmenbedingungen der Medienkommunikation analysiert. Im Zentrum stehen normative, ethische und professionelle Grundlagen bzw. Standards.

Mediengesetzgebung:
Journalistisches Handeln findet unter den Bedingungen von Gesellschaftssystemen und ihren Medienordnungen statt. In deskriptiver Hinsicht können medienrechtliche Grundlagen herangezogen werden, um festzustellen, durch welche rechtlichen Normen journalistisches Handeln bestimmt wird. So ist für die Schweiz der Grundsatz der Meinungs- und Informationsfreiheit bzw. der Medienfreiheit in Art. 16 bzw. Art. 17 der neuen Bundesverfassung (nBV) festgeschrieben. Zudem äußerte sich das Bundesgericht 1912 ausführlich zur Funktion und öffentlichen Aufgabe der Presse in der Gesellschaft (BGE 37 I 388, 95 II 492). Entsprechende Normen und Regeln sind zudem in den Bestimmungen zum zivil- und strafrechtlichen Persönlichkeitsschutz sowie im Wettbewerbs- und Datenschutzrecht zu finden. Des Weiteren können das Strafgesetz für das Pornographie-, Brutalo-, Rassendiskriminierungsverbot oder auch für das Zeugnisverweigerungsrecht herangezogen werden. Einige Kantone kennen zudem das für die journalistische Arbeit relevante Öffentlichkeitsprinzip mit Geheimhaltungsvorbehalt. Für den Rundfunk normiert das Radio- und Fernsehgesetz (RTVG) den Leistungsauftrag sowie das Sachgerechtigkeits- und Vielfaltsgebot. Die Radio- und Fernsehverordnung (RTVV) sowie die Konzessionen für die Programmveranstalter enthalten weiterführende Rechtsbestimmungen (vgl. Weber i.d.B.; Zulauf 2000).

Medienrechtliche Grundlagen setzen Leitplanken

Standesregeln:
Die Forderung nach der Wahrnehmung gesellschaftlicher Verantwortung kommt auch in Standesregeln zum Ausdruck. Die Journalistenorganisationen in aller Welt haben sich in den 1970er Jahren in Form von Pflichtenheften und Ehrenkodizes berufsethische Grundsätze gegeben. In der Schweiz bilden neben dem Verband der Schweizer Journalistinnen und Journalisten (SVJ) auch die Mediengewerkschaft comedia, das Syndikat Schweizer Medienschaffender (SSM) sowie der Verein „Konferenz der Chefredaktoren" die Trägerschaft des Schweizer Presserates (vgl. www.presserat.ch, 7.8.2000). Der Presserat wacht als Selbstkontrollorgan über die Einhaltung der „Erklärung der Pflichten und Rechte der Journalistinnen und Journalisten". Die darin formulierten Standesregeln beinhalten z.B. Postulate zur Wahrheitspflicht, zur Unabhängigkeit, zum Objektivitäts- und Transparenzgebot, zum Verbot unlauterer Beschaffungsmethoden oder etwa die Berichtigungspflicht. Empirische Befunde stellen aber das effektive Potenzial der standesethischen Kodizes zur Sicherung journalistischer Qualität in Frage (vgl. Wyss 2000: 29). Entsprechend ist für Saxer (1992a) die Medienethik ein nur schwach ausdifferenziertes, widersprüchliches und damit auch nur partiell wirksames Steuerungsinstrument der Medienaktivitäten (vgl. auch Jarren/Scholten, Abschnitt 3 i.d.B.).

Presserat überwacht Einhaltung der Standesregeln

Medienethik: partiell wirksames Steuerungsinstrument

2.2 Organisationskontext

Wenn Journalisten mit ihrer Arbeit beginnen, sind die zentralen Rahmenbedingungen bereits stark durch informationstechnische, organisatorische und ökonomische Imperative vorbestimmt. Technische Rahmenbedingungen präformieren die journalistische Arbeitsorganisation und Produktion ebenso wie wirtschaftliche und organisatorische Zwänge (vgl. Altmeppen 1997: 15f.).

Mitglieds-, Arbeitsrollen und Entscheidungsprogramme: Aufbauend auf dem damaligen Stand der funktional-strukturellen Systemtheorie führte Rühl (1979) die Begriffe Mitglieds- und Arbeitsrolle sowie Entscheidungsprogramme als wesentliche Strukturkomponenten der Redaktion als organisiertes soziales System in die Forschung ein. Aus der Mitgliedschaftsrolle resultieren bestimmte Verhaltenserwartungen an den einzelnen Journalisten innerhalb der Organisation, während die Arbeitsrollen spezifische Arbeitstätigkeiten festlegen. Entscheidungsprogramme wiederum strukturieren beispielsweise in der Form von Themenauswahl oder Darstellungsformen die Arbeit der Journalisten und entlasten diese von der Notwendigkeit, im Einzelfall entscheiden zu müssen. Die Studie von Rühl diente einer Vielzahl nachfolgender Untersuchungen als Vorbild und bietet der Redaktionsforschung auch heute noch eine Reihe von Anregungen.

Verhaltenserwartungen

Redaktionsmarketing: Ein Indiz für zunehmende ökonomische Einflüsse auf den Journalismus kann in der verstärkten Bedeutung des redaktionellen Marketings gesehen werden. Dieser Begriff der 1990er Jahre umfasst alle redaktionellen Vorgänge, die darauf zielen, mit dem publizistischen Angebot die Bedürfnisse und Wünsche der Zielgruppe zu befriedigen (vgl. Möllmann 1998). In der Literatur häufen sich derweil die Plädoyers, redaktionelles Marketing als passende Antwort auf veränderte Marktbedingungen zu institutionalisieren. Der Publikums- und Leserschaftsforschung kommt dabei eine zentrale Stellung zu. Kritiker befürchten, dass ein (stur) am Marketing orientiertes journalistisches Handeln journalistische Qualität und Professionalität konsequent ökonomischen Prinzipien unterordne (vgl. Marr u.a. 2001). So verweist Neumann (1997) auf die Grenzen der Marktforschung und auf die drohende Gefahr eines Autonomieverlustes der journalistischen Berufskultur (vgl. auch Siegert 2000).

Zentrale Rolle der Publikums- und Leserschaftsforschung

Redaktionsmanagement:

Strategische Steuerung und Sicherung publizistischer Qualität

Redaktionsmanagement ist primär in der Fachpublizistik zum Schlüsselbegriff geworden, um Arbeitsbedingungen, Aufbau- und Ablauforganisation und Qualitätssicherung in den Redaktionen besser den neuen Wettbewerbsbedingungen anzupassen. Meckel (1999: 22) definiert Redaktionsmanagement als „die strategische Implementierung, Steuerung und Sicherung publizistischer Qualität in Verbindung mit Markterfolg auf dem Weg des konzeptionellen, organisatorischen, Personal- und Kostenmanagements." Kritiker warnen aber vor der Gefahr, dass ein rein marktorientiertes Redaktionsmanagement „der genuin publizistisch ausgerichteten intrinsischen Motivation" der redaktionellen Mitarbeiter zuwiderlaufe oder dass durch einen „klassisch betriebswirtschaftlichen Unterbau vorhandene kreativitätsfreundliche Produktions- und Organisationsstrukturen beseitigt" würden (Heinrich 1996: 179). Indikatoren für die zunehmende Bedeutung des redaktionellen Managements lassen sich in der wettbewerbsorientierten Produkt- bzw. Programmpolitik, in der verstärkten Zusammenarbeit zwischen Redaktion und Verlag/Geschäftsführung, im Rollenwandel der Chefredakteure hin zu Managern sowie in Veränderungen der redaktionellen Organisationsstrukturen finden (vgl. Moss 1998; Meckel 1999; Altmeppen 2000; Marr u.a. 2001).

Qualitätssicherung:

Total Quality Management

Die Kommunikatorforschung nimmt sich seit den 1990er Jahren auch den Fragen der journalistischen Qualitätssicherung an. Diese beinhaltet alle systematischen und geplanten Vorkehrungen, die auf individueller, organisatorischer und institutioneller Ebene getroffen werden, um journalistische Produkte, Prozesse oder Leistungen zu verbessern bzw. den vorgängig festgelegten oder vorausgesetzten Erwartungen oder Anforderungen anzupassen (vgl. Ruß-Mohl 1992: 86). Dieser Forschungszweig zieht zur Entwicklung geeigneter Sicherungsmaßnahmen in Medienunternehmen auch betriebswirtschaftliche Ansätze, wie z.B. das Konzept Total Quality Management, heran (vgl. Wyss 2000a; 2000b).

Technologische Einflüsse:
Schließlich gehen aktuelle Studien auch dem Einfluss neuer Informations- und Kommunikationstechnologien auf die journalistischen Arbeitsbedingungen nach. Ein besonderes Interesse gilt dabei den möglichen Folgen der Online-Kommunikation (Mast/Popp/Theilmann 1997), elektronischer Redaktionssysteme oder des Computer Assisted Reporting (vgl. Marr u.a. 2001). Bewertend muss aber festgehalten werden, dass die Datenlage z.Z. nach wie vor schmal ist und prognostische Spekulationen die empirisch abgesicherten Befunde bei weitem überwiegen.

2.3 Funktionskontext

Im Funktionskontext geht die Journalismusforschung der Frage nach, in welchem Leistungs- und Wirkungskontext die Medienaussagen stehen. Im Zentrum stehen hier die Analyse der Medienaussagen, der Quellen und der Bezugsgruppen.

Nachrichtenwert-Theorie:
Nachrichtenfaktoren bestimmen Selektion

Routineprogramme kommen in der journalistischen Produktion z.B. dann zum Ausdruck, wenn Journalisten Ereignisse auswählen, die als aktuell oder veröffentlichungswürdig eingestuft werden. Die Nachrichtenwert-Theorie versucht die Frage zu beantworten, welche Faktoren die Nachrichtenselektion dahingehend strukturieren, dass bestimmte Ereignisse als Nachrichten in die Medien gelangen und andere nicht. In Anlehnung an Galtung und Ruge (1987 [1965]) lassen sich fünf Nachrichtenfaktoren unterscheiden:

1. Ablauf: bestimmter Ort und bestimmte Zeit sowie klarer Anfang und klares Ende.
2. Anlass: Überraschung, Neuigkeit, Krisen.
3. Modalität: Drama, Regelwidrigkeit, Konflikt.
4. Folgen: Negativität, Schaden.
5. Akteure: Macht, Einfluss, Prestige, Prominenz.

Je mehr Faktoren auf ein Ereignis zutreffen, desto größer wird die Wahrscheinlichkeit, dass es zu einer Nachricht wird (Prinzip der Additivität). Wenn ein Ereignis einzelne Faktoren nicht aufweist, müssen andere Faktoren umso stärker zutreffen (Prinzip der Komplementarität). Staab (1990) ergänzt die Vorstellung einer rein inputorientierten journalistischen Selektionsentscheidung durch das outputorientierte Finalprogramm, wonach die Nachrichtenfaktoren nicht allein die Ursachen, sondern auch die Folgen für Publikationsentscheidungen sind.

Journalismus-Konzeptionen:

Journalistische Selektionsentscheidungen sind zielgerichtete, an bestimmten Zwecken orientierte Handlungen. Als solcher Zweck kann die Anwendung eines bestimmten journalistischen Konzeptes oder Berichterstattungsmusters verstanden werden. Im Folgenden werden exemplarisch und idealtypisch solche Berichterstattungsmuster als Journalismus-Konzeptionen dargestellt (vgl. auch Weischenberg 1995: 111ff.).

Berichterstattungsmuster

In westlichen Gesellschaften dominieren nach wie vor die Konzepte des objektiven Informations- und des erklärenden Interpretationsjournalismus. Das erste Konzept versteht die journalistische Arbeit als neutral und passiv vermittelnde, unparteiliche Kommunikation und steht in der Tradition des angelsächsischen „objective reporting". Kritisch wird dem Konzept entgegengehalten, dass es zum "Verlautbarungsjournalismus" tendiere und Hintergründe, Ursachen und Interpretationen ausklammere und somit oberflächlich bleibe. Diesem Vorwurf begegnen die Konzepte Präzisions-, Interpretations-, investigativer oder anwaltschaftlicher Journalismus. Kritiker des Thesen-Journalismus werfen diesem das Ausblenden der These widersprechender Informationen und somit Verstöße gegen die Normen der Vollständigkeit und Ausgewogenheit vor. Beim Marketing-Journalismus wird vor einem möglichen Verlust an Unabhängigkeit durch das zu starke Ausrichten am ökonomischen Kalkül gewarnt. Das Konzept Public Journalism verfolgt einen lösungsorientierten Ansatz, indem seine Agenda vom

Gegenentwürfe zum „objective reporting"

Diskussions- und Aufklärungsbedarf der Bürger, und nicht von der politischen Elite oder von Experten, bestimmt wird. Kritisiert wird an diesem Konzept die Verabschiedung vom Ideal der Objektivität, weil Journalisten dadurch als Organisatoren von Diskussionsforen selbst zu gesellschaftlichen Akteuren werden.

Abbildung 3 Journalismus-Konzeptionen

Journalismus-Konzeption	Rollenbild	Eigenschaft	Intention
Informations-Journalismus	Vermittler	Passiv	„Realität" abbilden
Präzisions-Journalismus	Forscher	wissenschaftlich	wiss. erhärtet recherchieren
Interpretativer Journalismus	Analytiker	aufklärerisch	Orientierung stiften
Literarischer Journalismus	Stilist	sprachbewusst	Sensibilität ausdrücken
Anwaltschaftlicher Journalismus	Anwalt	engagiert	Verständnis schaffen
Investigativer Journalismus	Kontrolleur	aktiv	Machtmissbrauch aufdecken
Thesen-Journalismus	Agent provocateur	streitlustig	Aufmerksamkeit erwecken
Marketing-Journalismus	Dienstleister	kundenorientiert	Zielpublika zufriedenstellen
Public Journalism	Dialog-Organisator	lösungsorientiert	Lösungen anbieten

Quelle: eigene Darstellung

Journalistische Qualität:

Qualitätsmaßstäbe im Journalismus als abhängige Variable

Seit den 1990er Jahren wird im Rahmen des Funktionskontextes zunehmend „journalistische Qualität" als Forschungsfeld bearbeitet. Ziel ist die Ermittlung journalistischer Qualitätskriterien, welche eine Beurteilung der Beliebigkeit des bloß subjektiven Meinens entheben und die Diskussion über journalistische Leistungen transparent machen soll. Operationalisierungsversuche von Rosengren/Carlsson/Tagerud (1991), McQuail (1992), Schatz/Schulz (1992), oder Wallisch (1995) verdeutlichen, dass Qualität keine absolute Größe sein kann. So sind Qualitätsmaßstäbe im Journalismus abhängig vom Medium, der Periodizität, dem Genre, der Zielgruppe, der erwarteten Funktion oder vom Selbstverständnis der Medienschaffenden (Ruß-Mohl 1992: 85). Soll Qualität bestimmt oder beurteilt werden, so muss immer die Perspektive mitgenannt werden, aus der heraus diese Bestimmung oder Bewertung erfolgt. Entsprechend werden journalistische Qualitätskriterien aus demokratietheoretischen Erfordernissen an die Medienkommunikation (McQuail 1992) oder von rechtlichen Grundlagen (Schatz/Schulz 1992; Zulauf 2000) abgeleitet. In der publizistikwissenschaftlichen Literatur werden für den Informationsjournalismus beispielsweise folgende produktbezogenen Qualitätskriterien diskutiert: Richtigkeit, Vielfalt, Relevanz, Vermittlung, Professionalität, Akzeptanz, Neuigkeit, Aktualität, Originalität, Unabhängigkeit, Fairness, Transparenz, Verständlichkeit, Interaktivität etc.

Gesellschaftliche Normen als Bezugsgrößen

2.4 Rollenkontext

Der Rollenkontext umfasst schließlich das Berufsfeld, Merkmale, Einstellungen, Verhaltenserwartungen (Rollen) sowie die Professionalisierung von Journalisten. Hier wird vorwiegend auf die Situation der Schweizer Berufsjournalisten eingegangen. Dabei werden Daten aus einer aktuellen Journalistenenquête herangezogen (Marr u.a. 2001).

Arbeitsfelder:

Überdurchschnittliche Anzahl von Journalisten

Es ist wohl auf die hohe Zeitungs- und Zeitschriftendichte sowie auf das aufwändige Engagement des öffentlichen Rundfunks zurückzuführen, dass das Mediensystem der Schweiz, gemessen an der Einwohnerzahl, über eine im internationalen Vergleich überdurchschnittliche Anzahl von Journalisten verfügt. Marr u.a. (2001)

gehen von 9 135 aktiven Journalistinnen und Journalisten aus, die in einem der drei großen Berufsverbände registriert sind. Dies entspricht einer Relation von 129 Journalisten je 100 000 Einwohner. Dieser Wert liegt doppelt so hoch wie in Deutschland und fast dreimal so hoch wie in Frankreich. Nur für Finnland gibt Weaver (1998: 457) eine höhere Quote an. Im Printbereich arbeiten 67% der Schweizer Journalisten, was im internationalen Vergleich eher gering ist. Weitere 29% sind im Bereich der elektronischen Medien beschäftigt und jeder zwanzigste Journalist nennt eine Nachrichtenagentur als seinen hauptsächlichen Arbeitgeber. Mit 23% aller Journalisten des Landes beschäftigt die Schweizerische Radio- und Fernsehgesellschaft (SRG) im prozentualen Vergleich mehr Medienschaffende als die privaten und öffentlich-rechtlichen elektronischen Medien in anderen Ländern zusammen.

Soziodemographische Merkmale:
In Bezug auf die soziodemographische Zusammensetzung weist der Schweizer Journalismus deutliche Strukturähnlichkeiten mit der Berufsgruppe in anderen (Vergleichs-)Ländern auf. Der typische Schweizer Journalist lebt und arbeitet in der Deutschschweiz, ist männlich, etwa 40 Jahre alt, seit 15 Jahren im Beruf, verfügt über ein Hochschulstudium und verdient etwa 6 300 CHF monatlich. Tendenziell sind in der Schweiz eine kontinuierliche Zunahme des Frauenanteils, eine weiter fortschreitende Verjüngung sowie eine steigende Akademisierung zu beobachten. Ein internationaler Vergleich wichtiger Befunde aus der vorliegenden journalistischen Berufsforschung zeigt gewisse Trends bezüglich der Herausbildung einer globalen Berufskultur (vgl. Weaver 1998): Der typische Journalist ist nach wie vor jung, männlich, gut gebildet und verfügt über einen Mittelschichthintergrund. Er ist beruflich hoch motiviert bzw. zufrieden und fühlt sich dem Informationsjournalismus verpflichtet.

Typischer Schweizer Journalist

Frauen im Journalismus:

Seit Ende der 1970er Jahre wendet sich die journalistische Berufsforschung im Gefolge der Rezeption von Frauenfragen und der Gender-Perspektive (vgl. Klaus 1998) verstärkt der Frage nach dem Stellenwert der Frauen im Berufsfeld zu. Überall zeigt sich das gleiche Bild: Der Journalismus ist eine Männerdomäne, Frauen sind selten in höheren Positionen der Redaktionshierarchie zu finden. Sie arbeiten eher in inhaltlichen Nischen bzw. in politikfernen Ressorts (z.B. Kultur). Mit einem steigenden Frauenanteil von 32% kann sich der Schweizer Journalismus mit jenem der USA oder Deutschlands messen (vgl. Weaver 1998). Auch in Führungspositionen verdienen Frauen deutlich weniger als ihre männlichen Kollegen.

Steigender Frauenanteil

Journalistische Ausbildung:

Kein Königsweg

Bezogen auf die berufsspezifische Ausbildung der Schweizer Journalisten lässt sich kein „Königsweg" ausmachen. 15% üben ihren Beruf ohne jede formale journalistische Ausbildung aus. Das Volontariat bildet die am häufigsten genutzte Form der Berufsvorbereitung; jeder zweite Journalist hat eines durchlaufen (in Deutschland 60%). Mehr als jeder vierte Schweizer Journalist hat von einer Weiterbildungsmaßnahme innerhalb eines Medienbetriebs profitiert (26%) und ebenso viele haben eine Ausbildung an einer der vier Schweizer Journalistenschulen absolviert (Medienausbildungszentrum MAZ, Ringier Journalistenschule, Centre Romand de la Formation des Journalistes und Corso di giornalismo della Svizzera Italiana). 26% der Deutschschweizer Journalisten haben am MAZ einzelne Kurse besucht. Nur 17% der Journalisten haben ein medienspezifisches Hochschulstudium (z.B. Publizistikwissenschaft) belegt. Bis jetzt war es für (Berufs-)Mittelschulabgänger in der Schweiz nicht möglich, sich an einer Hochschule praxisorientiert für den Journalismus-Beruf ausbilden zu lassen. Erst zu Beginn des 21. Jahrhunderts zeichnen sich Bewegungen im Bereich der Fachhochschulausbildung für Journalisten in der Schweiz ab.

Rollenselbstbild:
In der journalistischen Berufsforschung hat die Frage nach dem Rollenselbstbild der Journalisten eine lange Tradition (vgl. Köcher 1985; Weaver/Wilhoit 1986; Schönbach/Stürzebecher/Schneider 1994; Scholl/Weischenberg 1998). Dabei interessiert, welche Vorstellungen die Journalisten von ihrer eigenen Rolle haben bzw. welche Ziele sie sich bei der täglichen Arbeit setzen. Problematisch ist dabei, dass die Befunde immer nur auf Selbstauskünften der befragten Journalisten beruhen und kein direkter Zusammenhang mit ihren journalistischen Aktivitäten hergestellt werden kann. Zu Beginn der 1990er Jahre hat sich diese Debatte im Rahmen der Rezeption des Konstruktivismus (vgl. Donges/Meier, Abschnitt 1 i.d.B.) in der Publizistikwissenschaft an der Frage nach der Möglichkeit einer objektiven Abbildung der Realität wieder neu entzündet. Neuere Befragungen zeigen, dass sich Journalisten in ihrem Aufgabenverständnis international immer mehr angleichen und sich v.a. als „neutrale Berichterstatter" verstehen. Hier wie dort verzeichnen Ziele, die mit objektiver Information und sachgerechter Interpretation umschrieben werden können die größte Relevanz (vgl. Marr u.a. 2001). Es zeigt sich in der Schweiz ebenso wie in Deutschland und in den USA, dass sich das journalistische Rollenselbstbild nicht auf „Entweder-oder-Kategorien" reduzieren lässt, sondern dass pluralistische Rollenvorstellungen existieren. Starke Zustimmung erfahren auch Rollenselbstbilder, welche die Analyse- und Orientierungsfunktion des Journalismus in den Vordergrund rücken. Weniger bedeutend sind Ziele des engagierten Journalismus, der nicht nur kommunizieren, sondern auch intervenieren will. Eher sekundär sind für die Schweizer Journalisten, wie für Kollegen in den USA oder in Deutschland, publikumsbezogene Rollenbilder. Explizit marktorientierte Rollenbilder, wie Verkäufer oder Vermarkter, finden die geringste Zustimmung.

Internationale Angleichung: „neutrale Berichterstatter"

Pluralistische Rollenvorstellungen

3 Fazit: Journalismus im Wandel

Die jüngsten Journalistenenquêten in Deutschland und der Schweiz zeigen, dass sowohl die Berufsrealität im Journalismus als auch die Medienschaffenden selbst, d.h. ihre Einstellungen und ihr Rollenselbstverständnis, z.Z. einem starken Wandel unterworfen sind. Veränderungen technologischer, ökonomischer und organisatorischer Art prägen und beschleunigen diesen Prozess. Gleichzeitig sind auch Tendenzen in Richtung einer zunehmenden Globalisierung des Journalismus erkennbar. Daraus ergeben sich für die Kommunikator- und Journalismusforschung vielfältige Herausforderungen und neue Fragen etwa nach dem Einsatz des Internets als Rechercheinstrument, dem neuen Berufsfeld „Online-Journalismus", den Konsequenzen neuer Wettbewerbsstrategien und der verstärkten Markt- bzw. Zielgruppenorientierung zusammen mit dem wachsenden Stellenwert von Leserschafts- und Publikumsforschung, aber auch den Konsequenzen neuer Formen des Redaktions- bzw. Qualitätsmanagments.

Literatur

Altmeppen, Klaus-Dieter (1997): Der Wandel journalistischer Arbeit zwischen neuen Medientechnologien und ökonomischer Rationalität der Medien. In: Industrielle Beziehungen 4, H. 1, S. 11-37.

Altmeppen, Klaus-Dieter (1999): Redaktionen als Koordinationszentren. Beobachtungen journalistischen Handelns. Opladen.

Altmeppen, Klaus-Dieter (2000): Medienmanagement als Redaktions- und Produktionsmanagement. In: Karmasin, Matthias/Winter Carsten (Hg.): Grundlagen des Medienmanagements. München, S. 41-58.

Beck, Daniel/Münger, Tamara (1998): Glücklich im Stress. Berner Medienschaffende und ihre Arbeitsbedingungen. Bern.

Blum, Roger/Hemmer, Katrin/Perrin, Daniel (Hg.) (1995): Die AktualiTäter: Nachrichtenagenturen in der Schweiz. Bern.

Böckelmann, Frank (1993): Journalismus als Beruf. Bilanz der Kommunikatorforschung im deutschsprachigen Raum von 1945-1990. Konstanz.

*Breed, Warren (1973 [1955]): Soziale Kontrolle in der Redaktion: Eine funktionale Analyse. In: Aufermann, Jürg/Bohrmann, Hans/Sülzer, Rolf (Hg.): Gesellschaftliche Kommunikation und Information. Frankfurt/M., S. 356-378.

Corboud, Adrienne (1988): Zur Berufssituation der Schweizer Journalistinnen. In: Bosshart, Louis (Hg.): Frauen und Massenmedien – eine Bestandsaufnahme. Aarau, Frankfurt/M., Salzburg, S. 1-29.

Corboud, Adrienne/Schanne, Michael (1987): Sehr gebildet und ein bisschen diskriminiert. Empirische Evidenzen zu "weiblichen Gegenstrategien" und individuellen Erfolgen schweizerischer Journalistinnen. In: Publizistik 32, H. 3, S. 295-304.

Donohue, George A./Tichenor, Phillip/Olien, Clarice (1972): Gatekeeping. In: Kline, Gerald (Hg.): Current Perspectives in Mass Communication Research. Beverly Hills, S. 41-69.

*Donsbach, Wolfgang (1987): Journalismusforschung in der Bundesrepublik: Offene Fragen trotz "Forschungsboom". In: Wilke, Jürgen (Hg.): Zwischenbilanz der Journalistenausbildung. München, S. 105-142.

*Galtung, Johan/Ruge, Mari Holmboe (1987 [1965]): Structuring and Selecting News. In: Gottschlich, Maximilian (Hg.): Massenkommunikationsforschung. Wien, S. 129-137.

Gieber, Walter (1956): Across the Desk: a Study of 16 Telegraph Editors. In: Journalism Quaterly 33, H. 4, S. 423-432.

Gysin, Nicole (2000): Der direkte Draht zur Welt? Eine Untersuchung über Auslandkorrespontentinnen und -korrespondenten Deutschschweizer Printmedien. Berner Texte zur Medienwissenschaft 5. Bern.

Hänecke, Frank (1994): Problemfeld Freier Journalismus. Seminar für Publizistikwissenschaft der Universität Zürich. Zürich.

Heinrich, Jürgen (1996): Qualitätswettbewerb und/oder Kostenwettbewerb im Mediensektor? In: Rundfunk und Fernsehen 44, H. 2, S. 165-184.

Hienzsch, Ulrich (1990): Journalismus als Restgröße. Redaktionelle Rationalisierung und publizistischer Leistungsverlust. Wiesbaden.

Hummel, Roman (1993): Lebenslagen österreichischer Journalisten. Aktuelle empirische Befunde. In: Publizistik 38, H. 3, S. 383-389.

Kepplinger, Hans Mathias/Vohl, Inge (1976): Professionalisierung des Journalismus? Theoretische Probleme und empirische Befunde. In: Rundfunk und Fernsehen 24, H. 4, S. 309-343.

Klaus, Elisabeth (1998): Kommunikationswissenschaftliche Geschlechterforschung. Zur Bedeutung der Frauen in den Massenmedien und im Journalismus. Opladen.

Köcher, Renate (1985): Spürhund und Missionar. Eine vergleichende Untersuchung über Berufsethik und Aufgabenverständnis britischer und deutscher Journalisten. München.

Lewin, Kurt (1963 [1943]): Psychologische Ökologie. In: Lewin, Kurt: Feldtheorie in den Sozialwissenschaften. Bern, Stuttgart, S. 206-222.

Mahle, Walter A. (Hg.) (1993): Journalisten in Deutschland. Nationale und internationale Vergleiche und Perspektiven. München.

Maletzke, Gerhard (1963): Psychologie der Massenkommunikation. Hamburg.

Marr, Mirko/Wyss, Vinzenz/Bonfadelli, Heinz/Blum, Roger (2001): Schweizer Journalisten. Eigenschaften, Einstellungen, Einflüsse. Konstanz.

Mast, Claudia/Popp, Manuela/Theilmann, Rüdiger (1997): Journalisten auf der Datenautobahn. Qualifikationsprofile im Multimedia-Zeitalter. Konstanz.

McQuail, Denis (1992): Media Performance. Mass Communication and the Public Interest. London.

Meckel, Miriam (1999): Redaktionsmanagement. Ansätze aus Theorie und Praxis. Opladen.

Möllmann, Bernhard (1998): Redaktionelles Marketing bei Tageszeitungen. München.

Moss, Christoph (1998): Die Organisation der Zeitungsredaktion. Wie sich journalistische Arbeit effizient koordinieren lässt. Opladen.

Neumann, Sieglinde (1997): Redaktionsmanagement in den USA: Fallbeispiel "Seattle Times". München.

Nyffeler, Bettina (1999): Schweizerische Außenpolitik und Journalismus. Eine Befragung politischer Journalist/innen tagesaktueller Schweizer Medien. NFP 42-Working Paper 10. Bern.

Rosengren, Karl Erik/Carlsson, Mats/Tagerud, Yael (1991): Quality in Programming: Views from the North. In: Studies of Broadcasting, Bd. 27, S. 21-80.

Rühl, Manfred (1979): Die Zeitungsredaktion als organisiertes soziales System. Fribourg.

Rühl, Manfred (1989): Organisatorischer Journalismus. Tendenzen der Redaktionsforschung. In: Kaase, Max/Winfried Schulz (Hg.): Massenkommunikation. Theorien, Methoden, Befunde. Opladen, S. 253-269.

*Rühl, Manfred (1992): Theorie des Journalismus. In: Burkart, Roland/ Hömberg, Walter (Hg.): Kommunikationstheorien. Ein Textbuch zur Einführung. Wien, S. 117-133.

Ruß-Mohl, Stephan (1992): Am eigenen Schopfe... Qualitätssicherung im Journalismus – Grundfragen, Ansätze, Näherungsversuche. In: Publizistik 37, H. 1, S. 83-96.

Saxer, Ulrich (1992a): Strukturelle Möglichkeiten und Grenzen von Medien- und Journalismusethik. In: Haller, Michael/Holzhey, Helmut (Hg.): Medien-Ethik: Beschreibungen, Analysen, Konzepte. Opladen, S. 104-128.

Saxer, Ulrich (1992b): Bericht aus dem Bundeshaus. Eine Befragung von Bundeshausjournalisten und Parlamentariern. Seminar für Publizistikwissenschaft der Universität Zürich. Zürich.

Saxer, Ulrich/Schanne, Michael (1981): Journalismus als Beruf. Eine Untersuchung der Arbeitssituation in den Kantonen Zürich und Waadt. Bern.

*Schatz, Heribert/Schulz, Winfried (1992): Qualität von Fernsehprogrammen. Kriterien und Methoden zur Beurteilung von Programmqualität. In: Media Perspektiven, H. 11, S. 690-712.

Schneider, Beate/Schönbach, Klaus/Stürzebecher, Dieter (1993): Journalisten im vereinigten Deutschland. Strukturen, Arbeitsweisen und Einstellungen im Ost-West-Vergleich. In: Publizistik 38, H. 3, S. 353-382.

Scholl, Armin (1997): Journalismus als Gegenstand empirischer Forschung: Ein Definitionsvorschlag. In: Publizistik 42, H. 4, S. 468-486.

Scholl, Armin/Weischenberg, Siegfried (1998): Journalismus in der Gesellschaft. Theorie, Methodologie und Empirie. Opladen.

*Schönbach, Klaus/Stürzebecher, Dieter/Schneider, Beate (1994): Oberlehrer und Missionare? Das Selbstverständnis deutscher Journalisten. In: Neidhardt, Friedhelm (Hg.): Öffentlichkeit, öffentliche Meinung, soziale Bewegungen. Kölner Zeitschrift für Soziologie und Sozialpsychologie, Sonderheft 34. S. 139-161.

Schröter, Detlef (1995): Qualität und Journalismus: Theoretische und praktische Grundlagen journalistischen Handelns. München.

Shoemaker, Pamela/Reese, Stephen (1991): Mediating the Message. Theories of Influences on Mass Media Content. New York.

Siegert, Gabriele (2000): Medienmanagement als Marketingmanagement. In: Karmasin, Matthias/Winter, Carsten (Hg.): Grundlagen des Medienmanagements. München, S. 173-195.

Staab, Joachim (1990): Nachrichtenwert-Theorie. Formale Struktur und empirischer Gehalt. München.

Tuchman, Gaye (1978): Making News. A Study in the Construction of Reality. New York, London.

Wallisch, Gianluca (1995): Journalistische Qualität. Definitionen – Modelle – Kritik. Konstanz.

Weaver, David/Wilhoit, Cleveland G. (1986): The American Journalist: A Portrait of U.S. News People and Their Work. Bloomington, Indianapolis.

Weaver, David H. (Hg.) (1998): The Global Journalist. News People Around the World. Cresskill, New Jersey.

Weischenberg, Siegfried (1992): Journalistik, Bd. 1: Mediensysteme, Medienethik, Medieninstitutionen. Opladen.

Weischenberg, Siegfried (1995): Journalistik, Bd. 2: Medientechnik, Medienfunktionen, Medienakteure. Opladen.

White, David Manning (1950): The "Gatekeeper": A Case Study in the Selection of News. In: Journalism Quarterly 27, H. 3, S. 383-390.

Wyss, Vinzenz (2000a): Qualitätsmanagement im Journalismus: Das Konzept TQM auf Redaktionsstufe. In: Medienwissenschaft Schweiz, H. 1, S. 21-30.

Wyss, Vinzenz (2000b): Medienmanagement als Qualitätsmanagement. In: Karmasin, Matthias/Winter, Carsten (Hg.): Grundlagen des Medienmanagements. München, S. 149-172.

Zulauf, Rena (2000): Informationsqualität. Ein Beitrag zur journalistischen Qualitätsdebatte aus der Sicht des Informationsrechts. Zürich.

* Basisliteratur

Public Relations

Ulrike Röttger

1 Grundbegriffe und Definitionen 287

2 Theoretische Ansätze zur Öffentlichkeitsarbeit 288

2.1 Gesellschaftstheoretische PR-Ansätze 289
2.2 Organisationstheoretische PR-Ansätze 292
2.3 Zusammenfassung und Forschungsperspektiven...... 296

3 Empirische Befunde – PR-Berufsfeldforschung 297

3.1 PR als Beschäftigungsbereich 298
3.2 Professionalisierung der PR 299
3.3 PR-Berufsrollenkonzepte/PR als Managementfunktion 300
3.4 Frauen in der Öffentlichkeitsarbeit 301

4 PR und Journalismus: umstrittene Beziehungen 302

Literatur 306

1 Grundbegriffe und Definitionen

Insbesondere in der PR-Praktikerliteratur finden sich unzählige Versuche zu definieren, was unter Public Relations bzw. Öffentlichkeitsarbeit (beide Begriffe werden synonym verwendet) genau zu verstehen ist und wie PR-Funktionen und Leistungen charakterisiert werden können. Aus wissenschaftlicher Perspektive tragen diese Definitionen jedoch kaum zu einem Erkenntnisgewinn bei, da Öffentlichkeitsarbeit hier meist aus der mehr oder weniger individuellen Erfahrung einzelner PR-Praktiker beschrieben wird und Alltagstheorien in der Regel die Basis der Ein- und Abgrenzungen sind (vgl. Ronneberger 1990: 5).

Definitionen

Eine der bekanntesten wissenschaftlichen Definitionen stammt von den beiden amerikanischen PR-Forschern Grunig und Hunt (1984: 6): PR ist demnach als „management of communication between an organization and its publics" zu verstehen. Öffentlichkeitsarbeit gestaltet die kommunikativen Beziehungen zu Anspruchsgruppen, d.h. Personen und Personengruppen, die durch ihr Handeln die Zielerreichung der Organisation beeinflussen können bzw. die von der Zielerreichung der Organisation betroffen sind. Generell zielt PR darauf ab, öffentliche Aufmerksamkeit zu wecken, Vertrauen in die eigene Glaubwürdigkeit zu schaffen und Zustimmung zu den eigenen Intentionen und/oder zum Anschlusshandeln zu erzeugen.

Management kommunikativer Umfeldbeziehungen

In der PR-Praxis, aber auch in der Theoriebildung, sind die Grenzen zu benachbarten Berufsfeldern, wie Werbung, Marketing und Journalismus, häufig fließend – beispielsweise werden PR-Funktionen z.T. von der Marketingabteilung erbracht und bei zahlreichen PR-Berufsinhabern handelt es sich um ehemalige Journalisten. Trotz dieser Überschneidungen in der Praxis kann PR idealtypisch von Werbung, Marketing und Journalismus unterschieden werden: So sind klassische Werbe- und Marketing-Instrumente im Unterschied zur PR stark auf den Absatz von Produkten und Dienstleistungen und damit auf marktverbundene Zielgruppen

Fließende Grenzen zu Marketing und Werbung in der Praxis

ausgerichtet. Nicht nur die Zielgruppen, auch die Kommunikationsobjekte unterscheiden sich: Während in der Werbung und auch im Marketing tendenziell einzelne Produkte oder Dienstleistungen im Mittelpunkt stehen, beschäftigt sich Öffentlichkeitsarbeit stärker mit der ganzen Organisation als Einheit – z.B. also mit dem öffentlichen Image einer Organisation.

Journalismus und PR

Journalismus und PR unterscheiden sich v.a. in normativer Hinsicht. Während Journalismus zumindest in einer Idealvorstellung als Fremddarstellung von kollektiv bzw. gesellschaftlich relevanten Informationen beschrieben werden kann, wird PR als Selbstdarstellung partikularer Interessen durch Information charakterisiert (Baerns 1985: 16).

Auftragskommunikation

Öffentlichkeitsarbeit wird als Beruf von internen PR-Funktionsträgern, PR-Fachleuten, die bei Behörden, Wirtschaftsunternehmen oder Nonprofit-Organisationen beschäftigt sind, und externen PR-Funktionsträgern, d.h. PR-Beratern und Agenturen, ausgeübt. Gemeinsam ist ihnen, dass sie im Auftrag von Organisationen PR-Leistungen her- und bereitstellen – PR ist Auftragskommunikation.

2 Theoretische Ansätze zur Öffentlichkeitsarbeit

Junge Geschichte der PR-Theoriebildung

Die PR-Theoriebildung hat im Vergleich zur Publizistikwissenschaft eine junge Geschichte: Eine systematische theoretische Beschäftigung mit der Öffentlichkeitsarbeit existiert erst seit den 1970er Jahren. Im deutschsprachigen Raum hat die publizistik- und kommunikationswissenschaftlich orientierte PR-Forschung in den 1980er Jahren an Bedeutung gewonnen.

Gemäß des Schnittstellencharakters der Öffentlichkeitsarbeit und der Multidisziplinarität des PR-Wissens leisten zahlreiche wissenschaftliche Disziplinen – u.a. die Publizistik- und Kommunikationswissenschaft, die Betriebswirtschaftslehre und die Organisationssoziologie – einen substantiellen Beitrag zur PR-Forschung. Weitgehend Einigkeit besteht aber darüber, dass PR als Kommunikationstätigkeit und -management primär in den Zuständigkeitsbereich der Publizistik- und Kommunikationswissenschaft fällt.

Spannungsfeld gesellschaftsorientierter und organisationsbezogener Ansätze

Zwei unterschiedliche Perspektiven dominieren bislang die PR-Theoriebildung: Einerseits existieren zahlreiche gesellschaftsorientierte PR-Ansätze, die die Funktionen der PR in demokratischen Gesellschaften und für diese in den Mittelpunkt stellen. Andererseits liegen organisationstheoretische PR-Ansätze vor. Hier stehen die Funktionen der PR in und für Organisationen und die Bedingungen der PR im organisationalen Kontext im Vordergrund. Auch marketingorientierte PR-Modelle können den organisationstheoretischen PR-Ansätzen zugerechnet werden, da sie ebenfalls aus organisationsbezogener Perspektive nach den Leistungen und Funktionen der PR fragen. Allerdings wird hier PR primär als Teilfunktion des Marketings betrachtet. Im Folgenden werden einige der bedeutendsten Ansätze der beiden dominanten PR-Forschungsperspektiven vorgestellt.

2.1 Gesellschaftstheoretische PR-Ansätze

Theorie der PR (Ronneberger/Rühl 1992):

PR als Teilsystem der Publizistik

Ronneberger und Rühl beschreiben in ihrem gesellschaftsbezogenen systemtheoretischen Ansatz PR als Teilsystem des gesellschaftlichen Funktionssystems öffentliche Kommunikation (Publizistik): PR ist ein selbsterzeugendes, selbstorganisierendes, selbsterhaltendes und selbstreferentielles System im Sinne der Autopoiesis. Die Autoren identifizieren drei relevante Strukturdimensionen, auf denen sich Public Relations beobachten lässt und die je spezifische Intersystembeziehungen zwischen Public Relations und anderen Sozialsystemen implizieren (Ronneberger/Rühl 1992: 249ff.):

Verhältnis der PR zur Gesellschaft

Die Makroebene umfasst das Verhältnis der Public Relations zur Gesamtgesellschaft. Die besondere Funktion der PR liegt nach Ronneberger und Rühl in der „Herstellung und Bereitstellung durchsetzungsfähiger Themen" für die öffentliche Kommunikation (Rühl 1990: 15) bzw. der „Durchsetzung von Themen durch Organisationen auf Märkten mit der Wirkungsabsicht, öffentliches Interesse (Gemeinwohl) und öffentliches Vertrauen zu stärken" (Ronneberger/Rühl 1992: 283). Aus normativer Perspektive ist diese Definition der PR-Funktionen allerdings problematisch, da sie sich nicht von der des Journalismus unterscheidet (vgl. Wyss i.d.B.).

Ziel von Public Relations ist es, Anschlusskommunikation und -handeln zu ermöglichen. PR als Phänomen moderner Gesellschaften wird von den Autoren damit explizit als gesellschaftliches Funktionssystem rekonstruiert und ihre Funktionalität wird primär im gesamtgesellschaftlichen Kontext beschrieben. Problematisch erscheint allerdings die Grundannahme der Autoren, dass PR ein eigenständiges Teilsystem darstellt. Aufgrund ihres Charakters als Auftragskommunikation und der funktionalen Abhängigkeit der PR von anderen Systemen (Wirtschaft, Politik etc.) ist vielmehr davon auszugehen, dass der PR kein eigenständiger Systemcharakter zugewiesen werden kann. Der Charakter der PR als Auftragskommunikation lässt zudem Zweifel an der von den Autoren angenommenen primären Gesellschaftsorientierung der PR aufkommen. PR vertritt Partialinteressen und ist primär der auftraggebenden Organisation verpflichtet. Zwar kann auch an Partialinteressen orientierte PR gesellschaftliche Funktionen erfüllen (z.B. soziale Integration und Interessenausgleich), hierbei handelt es sich aber nicht um intendierte Primärwirkungen, sondern um sekundäre Folgewirkungen.

Verhältnis der PR zu Funktionssystemen

PR-Leistungen umfassen auf der Mesoebene das Verhältnis der PR zu anderen gesellschaftlichen Funktionssystemen. Unter Marktbedingungen erbringt PR für andere gesellschaftliche Teilsysteme spezifische Leistungen, d.h. insbesondere die Schaffung von durchsetzungsfähigen Themen, die soziales Vertrauen in der Öffentlichkeit fördern. Gegenleistungen werden der PR in erster Linie in

Form von sozialen und psychischen Ressourcen, also z.B. Aufmerksamkeit, Interesse, Zeit, entgegengebracht.

Auf der Mikroebene beschreiben Ronneberger und Rühl PR als ein Analyse- und Handlungssystem. Im Mittelpunkt stehen damit (interne oder externe) PR-Funktionsträger, deren Aufgaben darin bestehen, Handlungsbedarf zu ermitteln und entsprechende Lösungsvorschläge anzubieten. Ziel der PR-Kommunikationsangebote ist, Anschlusskommunikation oder Interaktion zu einem Thema auszulösen bzw. spezifische Einstellungs- oder Verhaltensänderungen bei den Zielpublika zu bewirken.

PR als Handlungssystem

Verständigungsorientierte Öffentlichkeitsarbeit (Burkart 1993):

In Anlehnung an die Theorie des kommunikativen Handelns von Jürgen Habermas, die Regeln für einen herrschaftsfreien Diskurs beschreibt, hat Roland Burkart das Modell der Verständigungsorientierten Öffentlichkeitsarbeit (VÖA) formuliert. VÖA ist ein situatives Konzept, das Verfahren aufzeigt, wie politische Interessenkonflikte zwischen Organisationen und ihren Bezugsgruppen auf der Basis von Verständigung gelöst werden können. Verständigungsorientierte Öffentlichkeitsarbeit liefert damit nicht – wie von der Praxis aber auch der Wissenschaft häufig rezipiert und interpretiert – generelle Regeln für eine ethisch hochwertige PR. Um gegenseitige Verständigung zu erzielen und bestehende Konflikte lösen zu können, müssen die Kommunikationspartner hohe Erwartungen erfüllen: Sie verpflichten sich zur Herstellung von Einvernehmen über Wahrheit, zu Wahrhaftigkeit, Richtigkeit und zu Offenheit. Burkart (1993: 42ff.) unterscheidet im VÖA-Prozess vier unterschiedliche Phasen: Information, Diskussion, Diskurs und Situationsdefinition. Die Rolle der PR in diesem Verständigungsprozess ist dabei nicht, den eigentlichen Konflikt zu lösen, sondern die Bedingungen für eine Konfliktlösung zu schaffen.

Konfliktlösung durch Verständigung

2.2 Organisationstheoretische PR-Ansätze

Public Relations als organisationale Kommunikationsfunktion (Grunig/Hunt 1984):

Vier Modelle der Public Relations

Großen Einfluss auf die PR-Theoriedebatte im deutschsprachigen Raum hatten und haben die Arbeiten des amerikanischen PR-Forschers James E. Grunig. Stark rezipiert wurden die von Grunig und Hunt (1984) formulierten „Vier Modelle der Public Relations", die zum einen in einer historischen Dimension die Entwicklungsgeschichte der PR und zum anderen in einer gegenwartsbezogenen Dimension charakteristische PR-Kommunikationsformen beschreiben sollen. Allerdings bleibt dies bei der Rezeption meist unberücksichtigt, sind die Modelle nicht empirisch, sondern theoretisch-analytisch entwickelt worden. Insofern stellt sich die Frage, ob die unterschiedlichen Modelle tatsächlich in dieser Form in der PR-Praxis anzutreffen sind.

Abbildung 1 Die vier Modelle der Public Relations

	Modelle der Public Relations			
Charakteristika	Publicity	Informationstätigkeit	Asymmetrische Kommunikation	Symmetrische Kommunikation
Zweck	Propaganda	Verbreiten von Informationen	Überzeugen auf Basis wissenschaftlicher Erkenntnis	Wechselseitiges Verständnis
Art der Kommunikation	Einweg; vollständige Wahrheit nicht wesentlich	Einweg; Wahrheit wesentlich	Zweiweg; unausgewogene Wirkungen	Zweiweg; ausgewogene Wirkungen
Kommunikationsmodell	Sender ⇒ Empfänger	Sender ⇒ Empfänger	Sender ⇔ Empfänger	Gruppe ⇔ Gruppe
Art der Forschung	kaum vorhanden; quantitativ (Reichweite)	kaum vorhanden; Verständlichkeitsstudien	Programmforschung; Evaluierung von Einstellungen	Programmforschung; Evaluierung des Verständnisses

Quelle: Grunig/Hunt 1984: 22

Publicity
Mittels Einwegkommunikation soll primär Aufmerksamkeit und Publizität für die eigene Organisation bei Publikumsgruppen erzielt werden. Publicity ist in hohem Maße auf Medien ausgerichtet. Gegenüber dem Ziel, hohe Reichweiten und Aufmerksamkeitswerte zu erzielen, tritt die Wahrheit und Vollständigkeit der kommunizierten Inhalte in den Hintergrund.

Informationstätigkeit
PR dient der einseitigen Versorgung von Publikumsgruppen mit relevanten Informationen. Wahrheit und Überprüfbarkeit sind zentrale Kriterien, die die kommunizierten PR-Botschaften erfüllen müssen.

Asymmetrische Kommunikation
Nicht die reine Informationsvermittlung, sondern die Überzeugung der Rezipienten mittels zielgerichteter Informationen steht im Mittelpunkt dieses PR-Modells. Um die gewünschten Wirkungen erzielen zu können, müssen die Kommunikationsbedürfnisse der Publikumsgruppen bekannt sein und berücksichtigt werden.

Symmetrische Kommunikation
Die Kommunikationsbeziehungen zwischen PR und Bezugsgruppen sind hier dialogähnlich ausgestaltet. PR hat das Ziel, wechselseitiges Verständnis auf Basis eines gleichberechtigten argumentativen Austausches zwischen den Beteiligten aufzubauen. Dies setzt die Bereitschaft zu Einstellungs- und Verhaltensänderungen bei allen Kommunikationspartnern voraus.

Das Modell der symmetrischen Kommunikation ist für Grunig (1994: 70) Kennzeichen einer ethisch akzeptablen, professionellen, qualitativ hochwertigen – kurz: exzellenten – Öffentlichkeitsarbeit. In der Folge durchgeführte Studien machen jedoch deutlich, dass exzellente PR in der Praxis nicht ausschließlich oder überwiegend auf symmetrische Kommunikationsformen zurückgreift, sondern ebenso auch im Sinne von Publicity, Informationstätigkeit oder asymmetrischer Kommunikation betrieben wird. Diese Befunde waren u.a. Anlass zur Neuformulierung der bekannten vier PR-

Exzellente PR

Modelle zum situativen, zweiseitigen Modell exzellenter Public Relations.

Abbildung 2 Das zweiseitige Modell exzellenter Public Relations

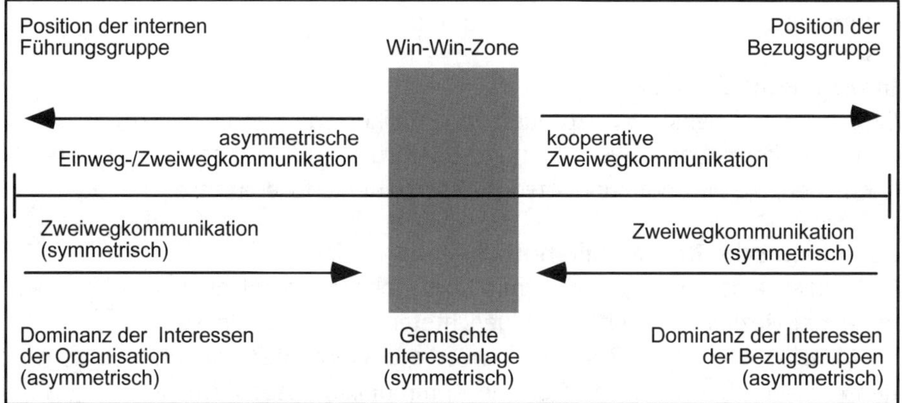

Quelle: in Anlehnung an Dozier/Grunig/Grunig 1995: 48 und Zerfaß 1996: 69

Exzellente PR zielt auf Win-Win-Lösungen

Ziel zweiseitig exzellenter PR ist, Win-Win-Lösungen zu erzielen, d.h. kommunikative Lösungen zu finden, von denen Bezugsgruppen und Organisation profitieren. Lösungen jenseits des Win-Win-Bereiches sind zumindest für einen der beiden Beziehungspartner unbefriedigend und führen daher zu instabilen Situationen. Um Win-Win-Lösungen zu erzielen, muss exzellente PR nicht zwangsläufig symmetrisch kommunizieren; auch Formen der asymmetrischen Kommunikation können beispielsweise zweckdienlich sein (vgl. Dozier/Grunig/Grunig 1995: 51). Grunig u.a. kennzeichnen mit dem Modell zweiseitiger Kommunikation exzellente PR nicht mehr ausschließlich über die Kommunikationsform (symmetrische Kommunikation) wie noch im Rahmen der vier PR-Modelle, sondern führen ergänzend auch das Kommunikationsergebnis (Win-Win-Lösung) als zentrales Kriterium ein.

Fraglich ist allerdings, ob die spieltheoretisch inspirierte Vorstellung von Win-Win-Situationen bei Konflikten zwischen Organisationen und deren Bezugsgruppen tatsächlich zutreffend ist: Zum einen sind die Durchsetzungschancen und Machtpotentiale der beteiligten Konfliktparteien in der Regel unterschiedlich ausgestaltet und zum anderen ist fraglich, ob in komplexen Konfliktaushandlungsprozessen, in denen sich beispielsweise die Akteurskonstellation und die Interessenlagen der beteiligten Akteure ständig verändern können, tatsächlich dauerhaft stabile Win-Win-Lösungen existieren bzw. von den Beteiligten erkannt werden können.

Kritik am Win-Win-Modell

PR als „Konstruktionsbüros" (Merten 1992):
In modernen, ausdifferenzierten und komplexen Gesellschaften übernehmen nach Merten (1992) Images zentrale Selektions- und Entscheidungsfunktionen, da sie „komplexe Objekte auf eingängige, subjektive Muster" reduzieren (Derieth 1995: 99). Öffentlichkeitsarbeit beschreibt er als „Prozess intentionaler und kontingenter Konstruktion wünschenswerter Wirklichkeiten durch Erzeugung und Befestigung von Images in der Öffentlichkeit" (Merten 1992: 44). PR im Sinne einer Sozialtechnologie dient der Imagegestaltung bzw. der Produktion „positiv getönter Aussagen" und ist primär der Erreichung ihrer Ziele verpflichtet. Von nachgeordneter Bedeutung sind in dieser konstruktivistischen Perspektive, die davon ausgeht, dass keine objektive Wirklichkeit, sondern nur fiktionale Realitätsentwürfe existieren, Fragen der Wahrheit oder Authentizität von PR-Aussagen.

PR produziert „positiv getönte Aussagen"

Theorie der Unternehmenskommunikation (Zerfaß 1996):
Die Besonderheit des Entwurfs der Theorie der Unternehmenskommunikation von Zerfaß liegt in seinem Bemühen, betriebswirtschaftliche und publizistikwissenschaftliche Fragestellungen in einen konsistenten Theorierahmen zu integrieren. Zerfaß bricht mit der betriebswirtschaftlichen Dominanz des Marktes und stellt den doppelten Umweltbezug von Unternehmen – Markt und Gesell-

PR als Element der integrierten Unternehmenskommunikation

schaft – in den Mittelpunkt. Beziehungen zum Markt und zum gesellschaftspolitischen Umfeld sind für ihn gleichrangig. Entsprechend wird PR nicht als eine untergeordnete Funktion des Marketings sondern als gleichberechtigtes funktionales Element der integrierten Unternehmenskommunikation ausgewiesen. Die Handlungsfelder der PR klassifiziert Zerfaß mittels eines Arenen-Modells in organisationsinterne, gesellschaftspolitische, soziokulturelle und politisch-administrative Handlungsfelder.

2.3 Zusammenfassung und Forschungsperspektiven

Defizite der PR-Theoriebildung

Trotz deutlicher Wachstums- und Institutionalisierungsprozesse in den 1980er und 1990er Jahren, erkennbar z.B. an der steigenden Zahl studentischer Abschlussarbeiten und wissenschaftlicher PR-Publikationen, weist die PR-Grundlagenforschung heute immer noch Defizite auf. Gemäß ihres Schnittstellencharakters liegen aus den unterschiedlichsten wissenschaftlichen Disziplinen Befunde zur Öffentlichkeitsarbeit vor. Diese Erkenntnisse stehen jedoch überwiegend unverbunden nebeneinander und können, für sich allein genommen, PR immer nur partiell beschreiben und erklären. Bislang fehlt eine fächerübergreifende, interdisziplinäre Verzahnung der vorhandenen theoretischen Ansätze und empirischen Befunde zur Öffentlichkeitsarbeit in einem konsistenten Theorierahmen. Erste Ansätze in diese Richtung sind auf der Ebene von Einzelstudien bereits erkennbar; dies gilt z.B. für die Arbeiten des Forscherteams um James E. Grunig (u.a. 1992), aber auch für den Ansatz von Zerfaß (1996).

PR als Organisationsfunktion

Die PR-Theoriebildung bewegt sich im Spannungsfeld gesellschafts- und organisationstheoretischer Ansätze einerseits und system- und handlungstheoretischer Ansätze andererseits. Problematisch ist der Versuch, PR primär über ihre gesellschaftlichen Funktionen zu beschreiben (z.B. Ronneberger/Rühl 1992): Denn Public Relations wird als Auftragskommunikation von PR-Praktikern im Gesamtzusammenhang des Organisationshandelns geleistet und ist in erster Linie als Vertretung von Partialinteressen anzusehen. Ziel der PR ist es, Handlungsspielräume der Organisation zu erschließen und zu sichern. Es erscheint daher plausibler, PR aus organisationstheoretischer Perspektive zu analysieren und zu beschreiben. Eine übergreifende und in sich konsistente Theorie, die die PR-Managementfunktion über die Handlungsebene hinaus theoretisch beschreibt, existiert bislang allerdings nicht.

Verschränkung von Struktur und Handlung

Unbefriedigend bleiben alle vorliegenden Ansätze hinsichtlich der theoretischen Fassung des Verhältnisses von Struktur und Handlung bzw. System und Akteur: Systemtheoretische Theorieansätze ignorieren, dass Prozesse der Strukturbildung auf Handlungen basieren und handlungstheoretische Ansätze wie das VÖA-Modell von Burkart blenden Aspekte der Struktur weitgehend aus. Versuche, PR als Organisationsfunktion unter Berücksichtigung der wechselseitigen Beeinflussung von Struktur und Handlung in Anlehnung an Giddens` Strukturierungstheorie (Giddens 1997) zu erfassen, finden sich beispielsweise bei Zerfaß (1996) und Röttger (2000).

3 Empirische Befunde – PR-Berufsfeldforschung

Lückenhafte empirische Befunde

Der empirisch abgesicherte Wissensstand über das Berufsfeld Öffentlichkeitsarbeit weist erhebliche Lücken auf; dies gilt für die Schweiz noch stärker als beispielsweise für Deutschland oder Österreich. Defizite bestehen in der quantitativen Dimension – so liegen keine Daten zur Zahl der hauptberuflichen PR-Experten vor – als auch in der qualitativen Dimension: Welche konkreten Faktoren in welchem Ausmaß den Prozess der Her- und Bereitstellung von PR-Mitteilungen beeinflussen, ist nur z.T. erforscht.

Individuums-zentrierte PR-Kommunikatorforschung

Im Mittelpunkt der PR-Kommunikatorforschung stehen zumeist Aspekte der PR-Professionalisierung und Fragen nach den PR-Berufsrollen. Ein weiterer eng mit der Frage der Professionalisierung und den PR-Berufsrollen gekoppelter Schwerpunkt ist die Frauen- und Geschlechterforschung (vgl. Bonfadelli/Leonarz/Süss, Abschnitt 2.4 i.d.B.). Die genannten Forschungsschwerpunkte werden im Folgenden näher beschrieben. Die vorhandenen PR-Kommunikatorstudien im deutschsprachigen Raum (vgl. u.a. Müller 1991; Rhomberg 1991; Dees/Döbler 1997; Merten 1997) verfügen aufgrund ihrer überwiegend speziellen Fragestellungen und der z.T. geringen Fallzahl in den Untersuchungen über sehr begrenzte Aussagekraft. Problematisch erscheint zudem, dass überwiegend nur die Mitglieder der PR-Berufsorganisationen einbezogen wurden. Als gravierendes qualitatives Defizit erweist sich insbesondere die fehlende theoretische Einbindung der erhobenen Daten: Individuumzentrierte Studien ohne ausreichende theoretische Fundierung stellen den Status quo der PR-Kommunikatorforschung dar. Die Forschungsdefizite widerspiegeln die junge Geschichte der PR-Wissenschaft in der Schweiz und in Europa, aber auch die Struktur des relativ jungen Berufsfeldes. Public Relations mangelt es, wie vielen Berufen mit nicht formalisiertem Zugang, an einer eindeutigen, von außen identifizierbaren Kontur und Struktur.

3.1 PR als Beschäftigungsbereich

Wenig Daten zum Berufsfeld PR

Hinsichtlich der quantitativen Bedeutung der Öffentlichkeitsarbeit als Beschäftigungsbereich liegen für die Schweiz keine zuverlässigen Daten vor. Es existiert kein Berufsregister, in dem alle in der Schweiz tätigen PR-Praktiker aufgeführt sind; im vorhandenen Berufsregister BR SPRG sind lediglich 210 PR-Fachleute eingetragen (Stand: 1.11.1996). In der Schweizerischen Public Relations Gesellschaft (SPRG) sind rund 1 300 PR-Experten organisiert (Stand: 1.11.1996). Auch die amtliche Statistik liefert keine validen Hinweise auf die quantitative Bedeutung der PR. Unklar ist bislang die Verteilung der PR-Experten auf die unterschiedlichen Tätigkeitsfelder: PR wird als Erwerbsarbeit in allen und für alle gesellschaftlichen Organisationsformen geleistet und dies von internen und externen PR-Funktionsträgern.

3.2 Professionalisierung der PR

Professionalisierungsprozesse

Kennzeichnend für das Professionalisierungsbestreben der PR sind das Bemühen um ein konsensualisiertes Selbstverständnis, die Ausbildung eines anerkannten Berufsbildes und die Verwissenschaftlichung des Berufswissens. Im Rahmen merkmalstheoretischer Professionalisierungsansätze werden Berufe anhand der Merkmale klassischer Professionen (u.a. spezifische, in wissenschaftlich fundierter Ausbildung erworbene Problemlösungskompetenzen, Standesorganisationen, verbindliche Berufsnormen und ein etablierter „body of knowledge") auf dem Kontinuum von Arbeit, Beruf und Profession verortet. Auch die PR-Forschung bezieht sich vorwiegend auf merkmalstheoretische Ansätze (vgl. Grunig/Hunt 1984: 66). Zwar herrscht in der Literatur weitgehend Einigkeit über die Merkmale, anhand derer der Professionalisierungsgrad der PR bestimmt werden kann, jedoch unterscheiden sich die darauf aufbauenden Bewertungen deutlich: Während der Berufssoziologe Wilensky (1972: 199ff.) der Öffentlichkeitsarbeit eine fehlende Professionalisierungsfähigkeit bescheinigt, gehen PR-Forscher überwiegend davon aus, dass Öffentlichkeitsarbeit sich zu einer Profession entwickeln kann (vgl. Signitzer 1994: 267). Als Indikator für eine voranschreitende Professionalisierung wird insbesondere der steigende Anteil von Akademikern in der PR gewertet (vgl. Merten 1997). Für Deutschland ist es realistisch, davon auszugehen, dass rund drei Viertel der PR-Praktiker studiert haben; die Daten für die Schweiz verweisen mit rund 30% auf einen niedrigeren Akademikeranteil (vgl. Müller 1991; Rhomberg 1991).

Akademisierung

3.3 PR-Berufsrollenkonzepte/ PR als Managementfunktion

Den Beginn der PR-Rollenforschung markieren die Arbeiten der amerikanischen Wissenschaftler Broom und Smith (1979; Broom 1982); bis heute bezieht sich die PR-Rollenforschung zentral auf diese initiierende Forschungsarbeit. Broom und Smith (1979: 48ff.) entwickelten auf theoretisch-analytischem Weg folgende Rollenkonzepte:

- expert prescriber (PR-Experte): Analyse von Problemen und Entwicklung von Lösungsstrategien.
- communication technician (Kommunikationstechniker): Umsetzung und Durchführung von PR-Maßnahmen v.a. mittels journalistisch-technischer und handwerklicher Fähigkeiten (z.B. Texten, Produzieren).
- communication facilitator (PR-Animateur/Kommunikationsvermittler): interne und externe Informationsvermittlung, Gestaltung der Beziehungen zwischen Organisation und Öffentlichkeit.
- problem-solving process facilitator (PR Problemlöser): Mitglied des Managements, unterstützt Management bei der Problemdefinition und -lösung.

PR-Manager und PR-Techniker

In der Folge durchgeführte empirische Studien zeigten, dass zwischen den Rollen expert prescriber, communication facilitator, problem-solving process facilitator starke Korrelationen existieren, so dass heute davon ausgegangen wird, dass in der Öffentlichkeitsarbeit v.a. zwei Berufsrollen dominieren: PR-Manager und PR-Techniker. Die Rolle des PR-Managers ist primär durch „Tätigkeiten in fachlicher Gesamtverantwortung" (DPRG o.J. [1998]: 19) gekennzeichnet. Ihre Aufgabe ist die Planung, Steuerung und Kontrolle aller kommunikationspolitischen Entscheidungen und Maßnahmen einer Organisation. PR als Managementaufgabe bezieht sich zum einen auf ihre Integration in das allgemeine Management der Organisation und damit auf die wechselseitige Bezugnahme von Organisations- und Kommunikationsstrategie und verlangt zum anderen die strategische Planung und Durchführung von PR-Programmen und -Maßnahmen. Kennzeichnend für die Techniker-Rolle sind demgegenüber „Tätigkeiten in fachlicher Aufgaben- und Projektverantwortung" (DPRG o.J. [1998]: 19). Ihre Aufgabe ist in erster Linie, organisations- und kommunikationspolitische Entscheidungen in konkrete PR-Maßnahmen umzusetzen. Ausführende, operative Tätigkeiten prägen entsprechend diese PR-Berufsrolle (vgl. Dozier 1992: 333).

Geschlechtsspezifische Ausprägung der Berufsrollen

Als Folge der unterschiedlichen Aufgaben- und Tätigkeitsprofile und der unterschiedlichen hierarchischen Positionierung von Technikern und Managern zeigt sich, dass Manager über ein höheres Einkommen verfügen und dass der Berufseinstieg in der Regel über die Techniker-Rolle erfolgt. Für beide Berufsrollen sind Geschlechterdifferenzen charakteristisch: Frauen sind in der Techniker-Rolle überrepräsentiert und finden sich nur selten auf der Managementebene (vgl. Toth/Grunig 1993). Ob und inwieweit die skizzierten PR-Berufsrollen auch für die PR in der Schweiz charakteristisch sind, wurde bislang wissenschaftlich nicht untersucht. Neuere Befunde bestätigen jedoch grundsätzlich die Differenzierung in PR-Techniker und PR-Manager für Deutschland und Österreich (Dees/Döbler 1997; Gründl 1997). Demnach sind rund 50% der Befragten als Manager anzusehen.

3.4 Frauen in der Öffentlichkeitsarbeit

Steigender Frauenanteil

Public Relations scheint ein Beruf zu sein, der für Frauen attraktiv ist – zumindest ist in den USA und in vielen europäischen Staaten seit den 1980er Jahren ein kontinuierlich wachsender Anteil von Frauen in der Öffentlichkeitsarbeit zu beobachten. In Deutschland stellen Frauen derzeit rund 40% der PR-Berufsangehörigen; für die Schweiz liegen keine Daten vor (vgl. Merten 1997). Der steigende Anteil von Frauen in der PR, oft auch als „Feminisierung" bezeichnet, wird überwiegend negativ bewertet: Es wird befürchtet, dass der „gender switch" zum Prestigeverlust der PR führt. Die verstärkte Präsenz von Frauen in der PR ist von Prozessen der Marginalisierung und Segregation begleitet: Frauen arbeiten überwiegend in der Techniker-Rolle und sind in Managementpositionen unterrepräsentiert (vgl. u.a. Cline u.a. 1986; Toth/Grunig 1993). Die auf die Berufsrollen bezogenen Gendering-Prozesse sind insbesondere für die USA nachgewiesen, die vorliegenden Daten für Deutschland und Österreich zeigen diese Effekte nur in der Tendenz auf. Aber auch in Deutschland ist die hierarchische Position der PR-Experten sehr stark von ihrem Geschlecht abhängig: Männer sind hier deutlich häufiger als Frauen in status- und hierarchiehöheren Position beschäftigt. Dieser Zusammenhang gilt nicht für Agenturen: hier scheinen die Barrieren für Frauen auf dem Weg nach oben niedriger zu sein. Neuere Studien belegen nicht nur für die USA, dass Frauen in der PR unabhängig von ihrer Ausbildung, ihrem Alter und ihrem beruflichen Status finanziell diskriminiert werden (Dees/Döbler 1997; Röttger 2000; Cline 1989). Ausgehend von geschlechtsspezifischen Verdienst- und Karrieremöglichkeiten werden daher Übertragungseffekte auf den gesamten PR-Berufsstand befürchtet. Dass hier Ursache und Wirkung vertauscht werden, die Diskriminierung von Frauen in der PR als Abwertung des Berufstandes interpretiert wird, wird in der aktuellen Diskussion meist nicht berücksichtigt. Ob in der Schweiz ebenfalls vermehrt Frauen PR-Berufe ergreifen und wenn ja, welche Folgen eine „Feminisierung" der PR für den Berufsstand hat, ist beim derzeitigen defizitären Stand der PR-Forschung nicht zu beantworten.

Geschlechtsspezifische Verdienst- und Karrieremöglichkeiten

4 PR und Journalismus: umstrittene Beziehungen

Journalismuszentrierte Perspektive

Journalisten zählen zu den zentralen Bezugsgruppen der Öffentlichkeitsarbeiter und auch wenn strategische PR nicht auf Medienarbeit reduziert werden kann, stehen Kontakte zu Medien nach wie vor im Zentrum der Öffentlichkeitsarbeit. Wie die Arbeitsbeziehungen zwischen PR-Experten und Journalisten ausgestaltet sind, wurde inzwischen in zahlreichen Studien analysiert. Allerdings zielen die Analysen überwiegend nicht darauf ab, die vielfältigen Interaktionsbeziehungen, die wechselseitigen Abhängigkeiten und Beeinflussungen zwischen PR und Journalismus ganzheitlich zu erfassen. Dominant ist vielmehr eine journalismuszentrierte Perspektive, die angesichts eines zunehmenden quantitativen und qualitativen Bedeutungszuwachses der PR im Prozess der Herstellung von Öffentlichkeit danach fragt, ob und inwieweit PR die Unabhängigkeit und Leistungsfähigkeit des Journalismus gefährdet.

PR determiniert Journalismus

Ausgangspunkt der Debatte um die Beziehungen zwischen PR und Journalismus ist eine Studie der deutschen PR-Forscherin Barbara Baerns (1985), die Ende der 1970er Jahre am Beispiel der Landespolitik eines Bundeslandes (NRW) den Einfluss der PR auf die journalistische Berichterstattung untersuchte. Baerns konnte nachweisen, dass zwei Drittel der landespolitischen Berichterstattung auf PR-Quellen basieren. Ihre Schlussfolgerung, dass Öffentlichkeitsarbeit die Themen und das Timing der Medienberichterstattung kontrolliert (ebd. 1985: 98), bildet die Basis für die sog. Determinierungshypothese, d.h. für die Annahme, dass Public Relations die journalistische Berichterstattung weitgehend bestimmt und kontrolliert. Die hohen Übernahmequoten von PR-Mitteilungen wurden von zahlreichen Studien bestätigt (vgl. u.a. Schweda/Opherden 1995), u.a. auch von einer Schweizer Studie (Grossenbacher 1986). Grossenbacher kommt gegenüber der Baerns-Studie zu differenzierten Ergebnissen: Die von PR-Akteuren bereitgestellten Informationen werden von Journalisten zwar weitgehend aufgegriffen, jedoch werden PR-Texte vor der Veröffentlichung bearbeitet (Neutralisierung und Verdichtung).

Kritik an der Determinierungshypothese

Nicht nur aufgrund dieser Ergebnisse ist die Determinierungshypothese heute wissenschaftlich umstritten, sondern auch, weil relevante Kontextfaktoren, wie z.B. die Konflikthaftigkeit des Themas, in den Studien zumeist nicht berücksichtig werden. Außer Acht gelassen wird, dass weitere Einflüsse auf den Journalismus wirken und schließlich auch Wirkungen des Journalismus auf die PR bestehen. So zeigt sich beispielsweise, dass Journalisten zwar im

„Normalfall" häufig auf PR-Mitteilungen zurückgreifen, in Krisen- und Konfliktsituationen aber verstärkt eigenständig recherchieren (vgl. Barth/Donsbach 1992). Problematisch sind die bislang im Kontext der Determinierungshypothese durchgeführten Studien auch, da sie fast ausschließlich die medialen Durchsetzungschancen statushoher Organisationen aus dem Politikfeld analysiert haben (z.B. für die Schweiz: Bonfadelli u.a. 2000). Aufgrund ihrer gesellschaftspolitischen Relevanz liegt es aber nahe, dass statushohe politische Organisationen, wie z.B. Kantonsregierungen in der Schweiz oder Landesregierungen in Deutschland, von den Medien stark beachtet werden (vgl. Saffarnia 1993). Weitere Studien, die andere gesellschaftliche Handlungsfelder und nicht ausschließlich statushohe Institutionen analysieren, sind daher erforderlich, um die Annahme einer Determinierung des Journalismus durch die PR methodisch sauber zu überprüfen.

Das Intereffikationsmodell:

Wechselseitige Beeinflussung und Abhängigkeiten

Ausgehend von der Kritik an der einseitigen Perspektive der Determinierungshypothese haben Bentele, Liebert und Seeling (1997) mit dem Intereffikationsmodell den Versuch unternommen, die wechselseitigen Beeinflussungen und Abhängigkeiten zwischen PR und Journalismus theoretisch zu erfassen. Sie beschreiben die Beziehungsstruktur zwischen beiden Berufsfeldern als „komplexes Verhältnis eines gegenseitig vorhandenen Einflusses, einer gegenseitigen Orientierung und einer gegenseitigen Abhängigkeit zwischen zwei relativ autonomen Systemen" (Bentele u.a. 1997: 240). Intereffikation („efficare": „sich ermöglichen") meint dabei, dass keine Seite auf die Leistungen der jeweils anderen Seite verzichten kann: Ohne den Journalismus wäre PR nicht leistungsfähig und umgekehrt ist der Journalismus auf die Primärquelle PR angewiesen. Aufgrund der Abhängigkeit der PR von ihren Auftrag gebenden Organisationen bzw. von anderen Systemen (z.B. Wirtschaft und Politik) ist es allerdings fraglich, ob Öffentlichkeitsarbeit tatsächlich als ein eigenständiges, autonomes System beschrieben werden kann. Dennoch scheint das Modell geeignet, die vielfältigen Interaktionen zwischen PR und Journalismus, die Bentele,

Liebert und Seeling als Kommunikationseinflüsse (Induktionen) und Anpassungshandlungen (Adaptionen) beschreiben, theoretisch zu fassen. Letztlich fehlen bislang allerdings Studien, die auch die empirische Tragfähigkeit des Konzeptes unter Beweis stellen.

Abbildung 3 Das Intereffikationsmodell

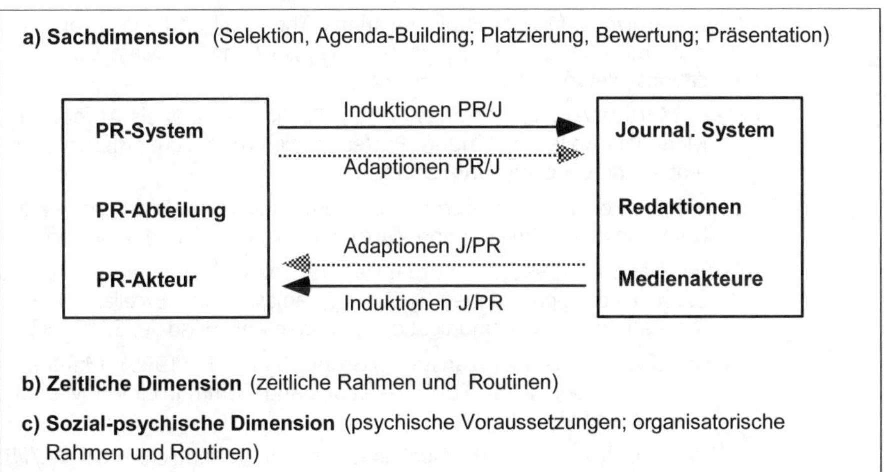

Quelle: nach Bentele/Liebert/Seeling 1997

Literatur

*Baerns, Barbara (1985): Öffentlichkeitsarbeit oder Journalismus? Zum Einfluss im Mediensystem. Köln.

Barth, Henrike/Donsbach, Wolfgang (1992): Aktivität und Passivität von Journalisten gegenüber Public Relations. Fallstudie am Beispiel von Pressekonferenzen zu Umweltthemen. In: Publizistik 37, H. 2, S. 151-165.

*Bentele, Günter/Liebert, Tobias/Seeling, Stefan (1997): Von der Determination zur Intereffikation. Ein integriertes Modell zum Verhältnis von Public Relations und Journalismus. In: Bentele, Günter/Haller, Michael (1997): Aktuelle Entstehung von Öffentlichkeit. Konstanz, S. 225-250.

Bonfadelli, Heinz/Nyffeler, Bettina/Blum, Roger (2000): Helvetisches Stiefkind. Schweizerische Außenpolitik als Gegenstand der Medienvermittlung. Reihe Diskussionspunkt 38. Zürich.

Broom, Glen A./Smith, George D. (1979): Testing the Practitioner's Impact on Clients. In: Public Relations Review 5, H. 3, S. 47-59.

Broom, Glen M. (1982): A Comparison of Sex Roles in Public Relations. In: Public Relations Review 8, H. 3, S. 17-22.

Burkart, Roland (1993): PR als Konfliktmanagement. Wien.

Cline, Carolyn G. (1989): Public Relations. The 1 Million Penalty for Being a Women. In: Creedon, Pamela J. (Hg.): Women in Mass Communications. Newbury Park, S. 263-275.

Dees, Matthias/Döbler, Thomas (1997): Public Relations als Aufgabe für Manager? Rollenverständnis, Professionalisierung, Feminisierung. Eine empirische Untersuchung. Stuttgart.

Derieth, Anke (1995): Unternehmenskommunikation. Eine Analyse zur Kommunikationsqualität von Wirtschaftsorganisationen. Opladen.

Dozier, David M. (1992): The organizational roles of communications and public relations practitioners. In: Grunig, James E. (Hg.): Excellence in Public Relations and Communication Management. Hillsdale, S. 327-355.

Dozier, David M./Grunig, Larissa A./Grunig, James E. (1995): Manager's Guide to Excellence in Public Relations and Communication Management. Mahwah/N.J.

DPRG (Hg.) (o.J. [1998]): Qualifikationsprofil Öffentlichkeitsarbeit/PR. (Redaktion: Szyszka, Peter/Fröhlich, Romy/Fuhrberg, Reinhold) Bonn.

Giddens, Anthony (1997): Die Konstitution der Gesellschaft. Grundzüge einer Theorie der Strukturation. (3. Aufl.) Frankfurt, New York.

Grossenbacher, René (1986): Die Medienmacher. Solothurn.

Gründl, Klaudia (1997): Feminisierung von Public Relations. Eine empirische Studie zum Einfluss und der Stellung von Frauen im Berufsbereich Public Relations in Österreich. In: prmagazin 28, H. 11, S. 33-42.

Grunig, James E. (1994): World Views, Ethics, and the Two-Way Symmetrical Model of Public Relations. In: Ambrecht, Wolfgang/ Zabel, Ulf (Hg.): Normative Aspekte der PR: grundlegende Fragen und Perspektiven. Opladen, S. 69-89.

*Grunig, James E. (Hg.) (1992): Excellence in Public Relations and Communcation Management. Hillsdale/N.J.

*Grunig, James E./Hunt, Todd (1984): Managing Public Relations. Forth Worth u.a.

Habermas, Jürgen (1988): Theorie des kommunikativen Handelns. Bd. 1+2. Frankfurt/M.

*Merten, Klaus (1992): Begriff und Funktionen der Public Relations. In: prmagazin 23, H. 11, S. 35-46.

Merten, Klaus (1997): PR als Beruf. Anforderungsprofile und Trends für die PR-Ausbildung. In: prmagazin 28, H. 1, S. 43-50.

Müller, Edith (1991): Das Berufsfeld Public Relations. Eine empirische Untersuchung zur beruflichen Realität der PR-Schaffenden in der Deutschschweiz. Lizentiatsarbeit. Zürich.

Rhomberg, Karin (1991): Berater für Public Relations: wer sie sind – wie sie es wurden. Lizentiatsarbeit. Universität Zürich.

Ronneberger, Franz (1990): Public Relations. Innenansichten eines emergierenden Fachtyps der Kommunikationswissenschaft. Analysen und Synthesen. Berichte und Monographien zur Kommunikationstheorie und Kommunikationspolitik Bd. 3. Bamberg.

*Ronneberger, Franz/Rühl, Manfred (1992): Theorie der Public Relations. Ein Entwurf. Opladen.

*Röttger, Ulrike (2000): Public Relations – Organisation, Profession. Öffentlichkeitsarbeit als Organisationsfunktion. Eine Berufsfeldstudie. Opladen, Wiesbaden.

Rühl, Manfred (1990): Innenansichten eines emergierenden Fachtypus der Kommunikationswissenschaft. Analysen und Synthesen. Bamberg.

Saffarnia, Pierre A. (1993): Determiniert Öffentlichkeitsarbeit tatsächlich den Journalismus? Empirische Belege und theoretische Befunde gegen die PR-Determinierungsannahme. In: Publizistik 38, H. 3, S. 412-425.

Schweda, Claudia/Opherden, Rainer (1995): Journalismus und Public Relations. Grenzziehungen im System lokaler politischer Kommunikation. Wiesbaden.

Signitzer, Benno (1994): Professionalisierungstheoretische Ansätze und Public Relations: Überlegungen zur PR-Berufsforschung. In: Armbrecht, Wolfgang/Zabel, Ulf (Hg.): Normative Aspekte der Public Relations. Opladen, S. 265-289.

Toth, Elizabeth L./Grunig, Larissa A. (1993): The Missing Story of Women in Public Relations. In: Journal of Public Relations Research 5, H. 3, S. 153-175.

Wilensky, Harold D. (1972): Jeder Beruf eine Profession? In: Luckmann, Thomas/Sprondel, Walter (Hg.): Berufssoziologie. Köln, S. 198-215.

*Zerfaß, Ansgar (1996) Unternehmensführung und Öffentlichkeitsarbeit. Grundlegung einer Theorie der Unternehmenskommunikation und Public Relations. Opladen.

* Basisliteratur

Kapitel 5

Medien: Nutzung und Wirkung

MEDIENNUTZUNGSFORSCHUNG

DANIEL SÜSS/HEINZ BONFADELLI

1 Publikumskonzeptionen ... 313

2 Mediennutzung: Fragestellungen und methodische Zugänge ... 317

3 Trends im Medienumgang ... 320

4 Mediennutzung als Sozialisation ... 325

5 Mediennutzung als Qualifikation zu Medienkompetenz ... 328

6 Vom Vielseher-Syndrom zum Fernsehverzicht ... 328

7 Ausblick ... 330

Literatur ... 331

Weil jeder Analyse von Mediennutzung bestimmte Publikumskonzeptionen zugrunde liegen und diese wiederum die Art der Messung beeinflussen, wird einführend aufgezeigt, wie sich die Vorstellungen von Publikum und Mediennutzung gewandelt haben. Danach wird erläutert, welche Fragestellungen und Methoden für die angewandte und die akademische Forschung relevant sind. Zudem wird ein Überblick zu wichtigen Trends in der Mediennutzung in den deutschsprachigen Ländern gegeben. Abschließend wird der Umgang mit Medien in seiner Bedeutung für die Sozialisation und die Entwicklung von Medienkompetenz skizziert sowie auf neuere Studien zum Phänomen „Medienverweigerung und Medienverzicht" hingewiesen.

1 Publikumskonzeptionen

Praxis- vs. Theorieorientierung

Ein bedeutender Teil der Mediennutzungsforschung ist als Markt- und Werbeträgerforschung in außeruniversitären Institutionen, wie dem Rundfunk oder Verlagen, institutionalisiert und darum stark bestimmt durch eher praxisorientierte Fragestellungen und Zugriffe (vgl. Bonfadelli 1994a). Die spezifischen Konzeptionen des Medienpublikums, die diesen Studien zugrunde liegen, werden meist nicht explizit reflektiert. In jüngster Zeit sind dagegen in der akademischen Forschung verschiedene Monographien und Reader erschienen, die sich stärker theorieorientiert mit Fragen des Medienpublikums befassen (Abercrombie/Longhurst 1998; Dickinson/Harindranath/Linné 1998; McQuail 1997).

Publikum: von der Masse zum Individuum

Die Geschichte der Mediennutzungsforschung ist geprägt durch unterschiedliche wissenschaftliche Konzeptionen des Publikums. Da maßgebliche Einflüsse aus der Psychologie und der Soziologie stammen, spiegelt sich in den Publikumskonzeptionen das jeweils aktuelle Verständnis dieser Disziplinen vom Menschen als Untersuchungsgegenstand (vgl. Hunziker 1996: 18ff.). So war in den 1950er Jahren die Vorstellung von Verhalten als Reaktion auf Reize dominant und erweiterte sich in den 1970er Jahren zur

Analyse kognitiver Prozesse, die dem Verhalten unterliegen. In den 1980er und 1990er Jahren rückten Ansätze in den Vordergrund, welche die emotionalen und sozialen Seiten des Verhaltens stärker betonten. Gleichzeitig erfolgte auch ein Wechsel vom Publikum als Masse hin zum einzelnen Individuum. Mediennutzung als soziales Handeln bedeutet, dass die Handelnden sinn- und absichtsvoll auf das Verhalten anderer Bezug nehmen (Renckstorf 1989: 315). Im Unterschied zur interpersonalen Kommunikation ist bei der Massenkommunikation aber kein gegenseitiger, gleichberechtigter Austausch zwischen Kommunikator und Sender möglich. Das Publikum ist dispers, offen, unbegrenzt, fluktuierend und wendet sich vorübergehend einem Medium respektive einem Medieninhalt zu (Bonfadelli 1999). „Dispers" meint, dass das Medienpublikum aus einer räumlich und zeitlich verstreuten Vielzahl von Personen besteht.

Dimensionen des Publikums

Grundsätzlich muss gefragt werden, ob Publika bereits vor der Medienzuwendung als objektiv beschreibbare Gruppen bestehen oder ob sie sich erst durch die Mediennutzung für eine kurze oder längere Zeit zu einer „Gruppe von Individuen mit gemeinsamen Merkmalen" formieren. Dabei wird man je nach Forschungsverständnis eher nach feststehenden Merkmalen von Personen oder nach situational bedingten Merkmalen von Personen suchen, um die Mediennutzung zu erklären. Für die erste Gruppe von Merkmalen stehen soziodemographische Variablen, wie Alter, Geschlecht, Bildung, sozioökonomische Schicht oder soziales Milieu, für die zweite Gruppe etwa die Nutzungssituation, wie Ort, soziale Konstellation der gemeinsam anwesenden Personen, emotionale und motivationale Lage der Nutzer, zur Verfügung. Neuere Studien versuchen, das Medienpublikum zu typologisieren (Lebensstil- bzw. Media-Typen), und zwar auf der Basis vielfältiger Aspekte von Lebensstil, Konsumpräferenzen oder Mediennutzungskombinationen (vgl. Krotz 1991; Schulze 1993; Jäckel 1996a).

Passives Opfer vs. aktiver Nutzer

Als historischer Trend lässt sich feststellen, dass man von der Sicht des Mediennutzers als passivem Opfers oder Konsumenten hin zu derjenigen des Mediennutzers als aktivem Nutzers mit Absichten und Gestaltungsfreiraum gelangt ist (vgl. Jäckel 1996b). Während das Publikum zu Beginn der Nutzungsforschung im Kontext der Massenpsychologie als undifferenzierte Masse von anonymen, isolierten, manipulierbaren Einzelpersonen betrachtet wurde, ging die Konzeption im Kontext der sozialpsychologischen Forschung zu Gruppenprozessen zur Betrachtung von formell oder informell organisierten Gruppen mit Meinungsführern über; es folgten darauf Studien zur Definition des Publikums als wirtschaftlich oder politisch relevante Zielgruppen und als knappes Gut im zunehmenden Kampf um Aufmerksamkeit. Die finanziellen Kosten für den Zugang zu Medien werden immer geringer, der Preis ist die „Lebenszeit" des Publikums, das sich Medien zuwendet, die sich primär als Werbeträger finanzieren (vgl. Haase 1989). Der Nutzenansatz (Uses-and-Gratifications-Approach) befasste sich mit den Motiven der Medienzuwendung respektive mit den erwarteten Bedürfnisbefriedigungen (vgl. Palmgreen 1984). Die Bedürfnisse, welche Rezipienten durch Medien zu befriedigen versuchen, lassen sich in vier Gruppen einteilen: kognitive Bedürfnisse (z.B. Information über aktuelle Ereignisse), affektive Bedürfnisse (z.B. Stimmungskontrolle), sozial-integrative Bedürfnisse (z.B. Identifikation mit fiktionalen Medienfiguren) und integrativ-habituelle Bedürfnisse (z.B. Strukturierung des Alltags mit Hilfe der Medien). Aus der Sicht des Publikums als Individuen, die sich frei und vorübergehend bestimmten Teil-Kulturen zuwenden, wird das Konzept des „Fans" bedeutsam. Medien und spezifische Inhalte werden dazu verwendet, sich selbst oder eine Gruppe, der man sich zugehörig fühlt, zu definieren und sich nach außen abzugrenzen (vgl. Vogelgesang 1991; Eckert/Vogelgesang/Wetzstein 1993; Winter 1993). In einer Gesellschaft der späten Moderne (vgl. Beck/Giddens/Lash 1996), in der traditionelle Werte und Rollen zunehmend an Bedeutung verlieren, bieten Fan-Gemeinschaften Orientierungshilfen an, um eine Sinndimension in den eigenen Alltag und die eigene Biographie zu legen (vgl. Abercrombie/Longhurst 1998).

Abbildung 1 Fünf theoretische Konzeptionen des Medienpublikums

Publikumstyp	**Masse**	**Zielgruppe**	**Individuum**	**Sozialer Akteur**	**Fan-Kultur**
Bezugsbereich	Gesellschaft	Markt	Lebenswelt	Öffentlichkeit	Sinn-Gemeinde
Perspektive	zivilisatorisch	wirtschaftlich	psychologisch	politisch	kulturell
Rolle	sozialer Charakter	Konsument	Individuum	Bürger	Mensch
Zusammen-setzung	uniform	homogen	pluralistisch	heterogen	differenziert
Aktivität	gering	gering	mittel	mittel	hoch
Wirkungs-intention	Propaganda	Kontakt	Gratifikation	Information	Erfahrung
Wirkungs-modus	Stimulus-Response	Aufmerksam-keit	Media-Use	Decoding	Ritual
Wirkungs-qualität	persuasiv	anregend	selektiv	aufklärerisch	interpretativ
Methodischer Zugriff	theoretische Essays	elektronische Messung	standardisier-te Befragung	Feldstudie, Experiment	verstehende Methoden
Theorien	Kulturkritik	Publikums-forschung	Nutzenansatz	Wissenskluft	Cultural Studies

Quelle: nach Bonfadelli (1999: 55)

Fünf Publikumskonzeptionen

Idelatypisch lassen sich fünf Konzeptionen des Publikums (Jensen/ Rosengren 1990) unterscheiden, die je von anderen Prämissen ausgehen und ihre jeweiligen Stärken und Schwächen haben. Bestimmte theoretische Positionen und empirische Studien können als typisch für die jeweilige Publikumskonzeption betrachtet werden (vgl. dazu Bonfadelli i.d.B.).

2 Mediennutzung: Fragestellungen und methodische Zugänge

Typen von Nutzungsforschung:

Angewandte Forschung

Für die anwendungsorientierte Forschung haben sich in allen Ländern institutionalisierte Einrichtungen der Medienanstalten und der werbetreibenden Wirtschaft gebildet, die eine kontinuierliche Analyse des Markterfolges der Medienprodukte sicherstellen müssen. Deren Bedeutung ist umso größer, je mehr private kommerzielle Anbieter im Medienmarkt um die Aufmerksamkeit des Publikums ringen. Diese Forschung wurde bisher v.a. als Einzelmedia-Forschung (Buch-, Leserschafts-, Radio- und Fernseh- sowie neu Online-Forschung) betrieben, wobei für die Werbewirtschaft die Intermedia-Forschung, d.h. die intermedial vergleichende Erfassung von Werbeträgern und ihrer Beachtung durch Zielpublika, zunehmend wichtiger wird (vgl. Böhme-Dürr/Graf 1995; Klingler/Roters/Zöllner 1998; Rössler 1998).

Grundlagenforschung

Im Bemühen um Anerkennung als empirische Sozialwissenschaft versuchte auch die akademische Medienforschung, messbare Indikatoren der Mediennutzung zu entwickeln und mittels sog. „harter" Daten stärker theorieorientiert verallgemeinerungsfähige Aussagen zum Medienumgang zu generieren. Allerdings mangelt es diesen Studien aus forschungsökonomischen Gründen oft an Kontinuität und Repräsentativität. In der akademischen Forschung spielen unter dem Einfluss neuer Denkschulen, wie z.B. den Cultural Studies (vgl. Bonfadelli/Leonarz/Süss, Abschnitt 2.3 i.d.B. und Donges/Meier, Abschnitt 2.6 i.d.B.), neuerdings auch qualitative Erhebungsmethoden und dazu korrespondierend sog. „weichere" Daten zum Rezeptionsprozess eine wichtigere Rolle. Diese vermögen der theoretischen Konzeption des aktiven, interpretierenden Mediennutzers besser gerecht zu werden (Wagner 1999), jedoch oft auf Kosten der Generalisierbarkeit ihrer Befunde.

Fragestellungen der Nutzungsforschung:

Facetten der Mediennutzung

Nach Hasebrink (1995: 17) soll die Mediennutzungsforschung rezipientenorientiert folgende Leitfragen beantworten: Wer ist für welche Medien erreichbar bzw. wer wird erreicht? Wie lange und zu welchen Zeiten werden Medien genutzt? Was halten die Menschen von den Medien und was erwarten sie von ihnen? Wie werden die verschiedenen Angebote einzelner Medien genutzt, d.h. wie gehen die Menschen mit dem Fernsehprogramm oder mit der Tageszeitung um? Aus prognostischer bzw. historischer Perspektive, also bezogen auf Langfristtrends: Wie verbreiten sich neue Medien als Innovationen? Werden die bestehenden „alten" Medien durch die „neuen" verdrängt? Beziehungsweise welche Funktionsverschiebungen zwischen den Medien oder zwischen Mediennutzung und anderen Handlungen (insbesondere Freizeitverhalten) stellen sich ein?

Indikatoren der Mediennutzung:

Kontakt, Reichweite, Nutzung, Marktanteile

Als erstes muss festgelegt werden, was überhaupt als Mediennutzung gilt. Die angewandte Medienforschung erhebt dabei primär, ob ein Kontakt mit einem Medium stattgefunden hat oder nicht und wie lange dieser Kontakt gedauert hat (z.B. mind. 30 Sekunden bei der elektronischen TV-Forschung oder 15 Minuten bei der auf Stichtagserhebungen basierenden Radioforschung). Ausgewiesen wird dies als sog. Reichweite in Prozent bzw. Nutzung in Minuten pro Tag. Auf der Basis der gesamten Mediennutzung werden sodann medienbezogen die Marktanteile der einzelnen Medien in Prozent errechnet. Weiter wird gefragt: Welche Medien werden aufgrund welcher Motivationen gewählt? Welche Programmpräferenzen bestehen und welche Programme bzw. Angebote werden gewählt? Welche Inhalte werden besonders beachtet? (vgl. für Fernsehnutzung: Bilandzic 1998; Gattlen 1999).

Deskription vs. Erklärung

Theorieorientiert interessiert nicht nur die Beschreibung (Deskription) der Mediennutzung, sondern diese soll auch erklärt werden. Daher spielen in der akademischen Medienforschung Merkmale der Rezipienten und des sozialen Kontextes der Nutzung eine wichtige Rolle. Will man zudem Aussagen über die Effekte des Medienumgangs, wie z.B. dem Wissenserwerb, machen, genügen rein quantitative Kontaktdaten meist nicht. Aussagekräftig sind hier erst Nutzungsqualitäten wie Intentionalität, Grad der Aufmerksamkeit, Involviertheit, Ausschließlichkeit vs. Parallelhandlungen oder Regelmäßigkeit des Kontaktes mit dem Medium respektive dem Inhalt (vgl. Neverla 1992; Donnerstag 1996; Jäckel 1996b).

Abbildung 2 Hörer- und Zuschauerforschung im Vergleich

Land	Deutschland	Schweiz	Österreich
Hörerforschung			
Träger, Institut	AG.MA, MMC	SRG SSR Forschung	Fessel-GfK, Ifes
Medien	Radio	Radio, TV, Print	Radio, TV, Print
Technik	Face-to-Face Tagesablauferhebung	Face-to-Face Tagesablauferhebung	Face-to-Face Tagesablauferhebung
Stichprobe	44 000 ab 14 Jahren	18 200 ab 15 Jahren	24 000
Zuschauerforschung			
Institut	AGF, GfK	SRG SSR, IHA	Fessel-GfK
Technik	Telecontrol	Telecontrol	Telecontrol
Sekundenintervall	30 Sekunden	30 Sekunden	30 Sekunden
Beurteilungsnoten	Nein	Ja	Ja
Anzahl Haushalte (HH)	5 200 HH	DS: 850, WS: 550, IS: 250	600 HH
Erwachsene, Kinder	rund 13 000 Personen ab 3 Jahren	Personen ab 3 J.: DS: 2 108, WS: 1291, IS: 581	Erw.: 1 600 ab 12 J., Kinder: 250 von 3-11 J.

Erläuterungen zu den Abkürzungen:
DS: Deutschsprachige Schweiz
WS: Westschweiz: französischsprachig
IS: Italienischsprachige Schweiz
AG.MA: Arbeitsgemeinschaft Media-Analyse e.V., Frankfurt/M.
MMC: Media-Micro-Census GmbH, Frankfurt/M.
AGF: Arbeitsgemeinschaft Fernsehforschung, Nürnberg
GfK: GfK-Institut für Marktforschung GmbH, Nürnberg
SRG SSR: Schweizerische Radio- und Fernsehgesellschaft, Bern
IHA: Institut für Marktanalysen AG, Hergiswil
Fessel-GfK: Fessel-GfK-Institut für Marktforschung, Wien
Ifes: Institut für empirische Sozialforschung GmbH, Wien

Quelle: nach Bonfadelli 1999: 72

Methodische Zugriffe der Nutzungsforschung:

Von der Befragung zur elektronischen Messung

In der Leserschaftsforschung werden als quantitative Methoden üblicherweise standardisierte Face-to-Face- oder Telefoninterviews durchgeführt, um die habitualisierte Mediennutzung zu erheben oder Tagesablaufbefragungen zur Erhebung der faktischen Nutzung an einem Stichtag in 15-Minuten-Intervallen. In der Fernsehforschung dominierte lange Zeit ebenfalls die standardisierte Stichtagsbefragung, diese wurde aber in den 1980er Jahren durch technische Messgeräte (Metersysteme) ersetzt, welche die Mediennutzung ohne Umweg über die Befragung und ohne Zeitverzögerung (Problem des Vergessens) erheben. Mittels am Fernseher angeschlossenen Geräten wird in einem repräsentativ zusammengesetzten Haushaltspanel laufend erfasst, was von wem gesehen wird. Seit 1999 wird in der Schweiz als neues Messinstrument „Radio-Control" eingesetzt, das wie eine Uhr getragen wird und mit dem automatisch gemessen werden kann, welche Radioprogramme von der Testperson gehört werden. Dieses Gerät wird in Zukunft vermutlich die Hörerforschung dominieren. Als qualitative (verstehende) Methoden werden ergänzend Tiefeninterviews, Polaritätenprofile, projektive Tests, Copy-Tests oder Blickverlaufsanalysen eingesetzt. Damit kann das Image eines Titels erhoben werden oder die Aufmerksamkeit, die bestimmten Themen oder gestalterischen Elementen geschenkt wird. Beim Copy-Test wird z.B. mit Probanden jede Seite einer Zeitungsausgabe vom vorhergehenden Tag durchgegangen und abgefragt, welche Artikel wie stark beachtet respektive gelesen oder überflogen wurden. Bei Blickverlaufsanalysen wird dieser Prozess direkt festgehalten, indem Testpersonen eine spezielle Lesebrille tragen, welche die Fixationspunkte der Augen auf der Zeitungsseite (oder am Bildschirm) festhalten können.

3 Trends im Medienumgang

Veränderungen in der Mediennutzung können durch periodische, mit gleicher Methodik durchgeführte Querschnittstudien oder mit

Panelstudien (Telecontrol-Systeme) erfasst und untersucht werden (vgl. Klingler u.a. 1999). Bei Querschnittstudien wird eine Stichprobe von Rezipienten zu einem bestimmten Zeitpunkt untersucht, während bei einer als Längsschnitt angelegten Panelstudie dieselben Leute mehrfach zu verschiedenen Zeitpunkten befragt werden, so dass auch zeitliche Trends festgestellt werden können. Die einzige kontinuierliche Erhebung dieser Art im deutschsprachigen Raum ist die Studie „Massenkommunikation" von Klaus Berg und Marie-Luise Kiefer, welche seit 1964 in Abständen von jeweils fünf Jahren in Deutschland durchgeführt wird, zuletzt 1995 (Berg/Kiefer 1996). Im Folgenden sollen ausgewählte Trends der Mediennutzung im deutschsprachigen Raum wiedergegeben werden (vgl. Bonfadelli 1999: 74ff.).

Querschnitt- vs. Panel- und Längsschnittstudie

Medienzugang und Medienbesitz:

- Die Medienausstattung der Haushalte hat stetig zugenommen, was dazu berechtigt, vom Trend zur „Mediengesellschaft" zu sprechen (Berg/Kiefer 1996: 25). Im Durchschnitt steht heute in praktisch allen Haushalten in Deutschland, Österreich und der Schweiz mindestens ein Fernsehgerät zur Verfügung. Bei den Radio- und Audiogeräten ist Mehrfachbesitz die Regel.
- Wegen der stark angestiegenen Verkabelung der Haushalte (bzw. Satellitenempfang), kann ein großer Teil der Fernsehhaushalte heute rund 30 bis 40 Programme empfangen. Bei den elektronischen Medien hat die Zahl der angebotenen Programme seit Mitte der 1980er Jahre enorm zugenommen, und zwar insbesondere durch die Etablierung lokaler und überregionaler privat-kommerzieller Radio- und Fernsehveranstalter.
- Die einzelnen Medien (Zeitung, Radio, TV, Video, Internet) haben zu unterschiedlichen Zeitpunkten einen Sättigungspunkt erreicht. Generelle Prognosen haben sich jedoch als problematisch erwiesen, da die Diffusion eines Mediums in der Gesellschaft kaum linear verläuft, d.h. nicht nur von technischen, sondern vielmehr von verschiedensten sozialen Faktoren beeinflusst wird, die über dessen erfolgreiche Integration in den Alltag bestimmen

(vgl. Flichy 1994). Beispielsweise nahm die Zahl der Pressetitel in Deutschland zwischen 1824 und 1850 markant zu, blieb dann eine Weile stabil und stieg um 1900 erneut erheblich an. Kriege und Wirtschaftskrisen ließen zahlreiche Titel wieder eingehen, auch wenn das Interesse der Menschen an Nachrichten in Krisenzeiten besonders hoch ist (vgl. Stöber 2000).

Quantitative Nutzung:

- Trotz der immer höheren Zahl empfangbarer Programme wird in der Regel nur ein kleiner Teil – rund ein Dutzend – auch tatsächlich auf dem Empfangsgerät abgestimmt und ein noch kleinerer Teil regelmäßig genutzt.
- Mit der Ausbreitung privater kommerzieller Anbieter ist die durchschnittliche Dauer sowohl der Radio- wie der TV-Nutzung angestiegen. Umgekehrt ist die Nutzung von Tageszeitungen eher rückläufig, insbesondere bei den weniger gut Gebildeten.
- An einem durchschnittlichen Wochentag wird das Fernsehgerät in fast 90% der Haushalte und von gut 70% der Personen eingeschaltet (Reichweite). Die durchschnittliche Sehdauer pro Tag in Deutschland beträgt bei den Erwachsenen 195 Minuten und bei den 3-13Jährigen 95 Minuten. Die Werte für Österreich und die Schweiz sind etwas tiefer. Die Deutschschweizer gehören weltweit zu den Fernsehnutzern mit der geringsten Sehdauer.
- Die Fernsehnutzung variiert zwischen den verschiedenen sozialen Gruppen beträchtlich. Im Vergleich zu den jungen Erwachsenen verweilen Senioren im Durchschnitt am längsten vor dem Fernsehgerät; zwischen Männern und Frauen gibt es praktisch keine Unterschiede was die Dauer des TV-Konsums anbelangt. Zudem ist Fernsehen eine Freizeitbeschäftigung, die bei einkommensschwächeren und auch bei weniger gebildeten Menschen deutlich mehr Zeit einnimmt als bei einkommensstarken und höher gebildeten Personen.

Nutzungspräferenzen:

- Für die mehrsprachige Schweiz ist zudem von Bedeutung, dass Programme anderer Sprachräume (auch innerhalb der Schweiz) praktisch nicht genutzt werden. Hingegen werden Unterhaltungsprogramme aus dem jeweiligen gleichsprachigen Ausland, welche per Kabel oder Satellit verfügbar sind, stark genutzt.

- Die privaten Sender haben zwar eine quantitative Ausweitung des Angebotes gebracht, allerdings nicht unbedingt auch eine größere Vielfalt der Angebote. Die Vermehrung der Medienangebote hat nicht dazu geführt, dass die Mediennutzer eine vielseitigere Auswahl treffen, sondern viel eher dazu, dass sie „mehr desselben" nutzen, d.h. es kommt zu einer stärkeren Ausprägung unterschiedlicher Präferenzgruppen. Der Krimi-Fan kann nun mehrmals täglich einen Krimi sehen und der Sport-Fan kann mehrmals täglich eine Sportübertragung genießen. Darin liegt die Gefahr einer vermehrten Entwicklung von Kommunikations- und Wissens-Klüften (vgl. Bonfadelli 1994b).
- Qualitativ betrachtet entfällt in Deutschland rund die Hälfte des Fernsehkonsums, nämlich 95 Minuten, auf Fiction (Shows, Serien, Filme); 40 Minuten entfallen auf Informationssendungen: Fernsehen ist also für die Zuschauer in höherem Maße ein Unterhaltungs- als ein Informationsmedium (Darschin/Frank 1997; Darschin/Kayser 2000).
- Das Radio hat sich von einem Medium des gezielten Zuhörens zu einem ausgesprochenen Begleitmedium entwickelt. Bei allen möglichen Tätigkeiten wird das Radio im Hintergrund genutzt, mehrheitlich für Musik und kurze aktuelle Informationssendungen. Je jünger das Publikum ist, desto wichtiger ist die Musik und desto kürzere Newsblöcke werden genutzt. Diese aktuelle Funktion des Radios ist ein typisches Beispiel für eine Funktionsverschiebung eines alten Mediums bedingt durch ein neues Medium. Vor der Etablierung des Fernsehens wurde das Radio in der Hauptabendzeit als Medium der Unterhaltung genutzt, z.B. für Hörspiele. Diese Funktion, inklusive der Genres, ging in den 1950er Jahren an das Fernsehen über (Beispiele hierfür sind Soap Operas, Western, Krimis).

Verschiebungen in den Nutzungsgewohnheiten:

Spezialisierung, Fragmentierung, Flüchtigkeit, Unterhaltung

Eine Sonderauswertung der deutschen Langzeitstudie „Massenkommunikation" (Berens/Kiefer/Meder 1997) deutet auf eine sich ausprägende Spezialisierung der Mediennutzung durch die Etablierung des dualen Rundfunksystems:

- Das Fernsehen wird zu Lasten anderer Medien und Aktivitäten stärker genutzt; gleichzeitig deutet sich eine Stagnation beim Radio und ein geringere Nutzungszeit bei Tageszeitungen an.
- Die Vervielfachung der Fernsehanbieter hat zu einer Fragmentierung des Publikums geführt und eine individualisierte Programmwahl (Individualisierung) begünstigt (Jäckel 1999).
- Der Umgang mit den elektronischen Medien, aber auch den Printmedien, ist generell flüchtiger geworden, d.h., das Fernsehen entwickelt sich zum neuen Begleitmedium. Stichworte dazu sind Zapping, Parallel- und Konstantsehen.
- Es scheint eine Tendenz größerer Bevölkerungsgruppen zur Spezialisierung auf Unterhaltungsangebote des Fernsehens zu bestehen: Informationsorientierte Zuschauer sehen v.a. die öffentlich-rechtlichen Programme, während unterhaltungsorientierte Zuschauer sich hauptsächlich den privaten Programmen zuwenden. Dies ist plausibel, stammen doch 70% des ausgestrahlten Informationsangebotes von den öffentlich-rechtlichen Sendern, während 60% des Unterhaltungsangebotes von Privatsendern gesendet werden.
- Von den öffentlich-rechtlichen Anbietern erwartet das Publikum in erster Linie fundierte Informationen, Orientierungshilfen, eine kritische Wächterrolle und die Einhaltung besonderer Qualitätsmaßstäbe. Dagegen wird von den privaten kommerziellen Sendern nicht nur Unterhaltendes, sondern auch Informatives erwartet; am meisten jedoch wird Unterhaltung gewünscht, die es leicht macht, „den Alltag zu vergessen" und die „vor allem für gute Laune sorgt". Hedonistische und eskapistische Motive und Präferenzen für Infotainment in Bezug auf die Angebote der Privaten herrschen also vor (Darschin/Frank 1998: 165).

4 Mediennutzung als Sozialisation

Entwicklungsablauf vs. Generationenwandel

Aufgrund eines Vergleichs der Mediennutzung identischer Altersgruppen zu unterschiedlichen historischen Zeitpunkten (Kohortenanalyse) stellen Berg und Kiefer (1996: 596) eine Lockerung des Zusammenhangs zwischen Mediennutzung und Bildungsgrad fest. Sie fragen darum, ob die konstatierten Langzeittrends unter Umständen eine „dauerhafte Abwendung von anspruchsvollen Medienangeboten" bedeuten könnten. Dieser Befund kann auch mit der gesellschaftlichen Entwicklung hin zur „Erlebnisgesellschaft" (Schulze 1993) interpretiert werden. Was Berg und Kiefer als „anspruchsvoll" definieren, dürfte den Maßstäben des Niveaumilieus entsprechen. Die jüngere Generation orientiert sich aber eher an anderen Kriterien wie „Stimulation" und „Relevanz für Selbstverwirklichung", was eben durch Medienangebote, die aus der Sicht des Niveaumilieus „anspruchslos" oder trivial erscheinen, oft besser befriedigt wird.

Fernsehgeneration

In diesem Kontext ist die Studie von Peiser (1996) zur „Fernsehgeneration" bedeutsam. Er ging der Frage nach, ob die Geburtskohorte derjenigen, welche als erste vom Fernsehen als Medium sozialisiert wurde, auch als Erwachsene noch eine besonders enge Bindung an das Medium hat. Die erste Fernsehgeneration (Geborene um 1960) wurde definiert als die Geburtskohorte, bei der mindestens 50% vor ihrer Einschulung mit dem Fernsehen vertraut wurden, d.h. welche ferngesehen haben, bevor sie das Lesen erlernten. Zwei Alternativhypothesen wurden überprüft:

1. Frühe Vertrautheit mit dem Fernsehen führt zu einer besonderen Bindung. Freizeitpräferenzen werden in Kindheit und Jugend geprägt und setzen sich im Erwachsenenleben fort.
2. Frühe Vertrautheit mit dem Fernsehen schmälert seine Faszinationskraft, da das Medium als selbstverständlich und alltäglich erlebt wird.

Die zweite These bestätigte sich. Für die Fernsehgeneration hat das Fernsehen einen geringeren Stellenwert im Alltag und ein geringeres Prestige als für die ältere Generation. Als Erklärung wurde darauf hingewiesen, dass die ältere Generation das Fernsehen als Innovation erlebt hat und gewisse Formate, wie z.B. Soap Operas, vom Radio zum Fernsehen übergingen und dort mehr Genuss boten, d.h., sie erlebten das Radio als Verlierer. Als Variable, die den Zusammenhang von Alter und Medienumgang beeinflusst, muss allerdings beachtet werden, dass das durchschnittliche Bildungsniveau der gesamten Bevölkerung stetig zunimmt und somit die heute älteren Menschen generell etwas tiefer gebildet sind als die heute jüngeren Menschen. Höhere Bildung korreliert mit geringerem Fernsehkonsum, wobei diese Korrelation sich, wie oben erwähnt, abschwächt.

Sozialisationsfunktion der Medien

Die Mediennutzung steht immer im Kontext eines bestimmten sozialökologischen Umfeldes (Bronfenbrenner 1981). Damit sind die Wechselwirkungen zwischen sozialer Umwelt und sozialem Verhalten von Individuen gemeint. Familie, Schule, Arbeitsplatz oder öffentliche Räume sind Orte, an denen Medien eine Rolle spielen und in sozial definierten Formen genutzt werden. Insbesondere bei Kindern und Jugendlichen wurde untersucht, wie die Medien in den verschiedenen Feldern eine sozialisierende Funktion einnehmen (vgl. Roters u.a. 1999). Jugendliche wachsen mit Hilfe der Medien in die Gesellschaft hinein und lernen zugleich, den Medien bestimmte Funktionen zuzuschreiben. Dabei muss auch beachtet werden, dass Sozialisation ein aktiver Prozess ist, d.h., Kinder und Jugendliche nutzen die Medien, um Entwicklungsaufgaben zu bewältigen, wie z.B. die Definition ihres Rollenbildes von Mann und Frau oder ihr Verhältnis zu Leistung, Stärke und Schwäche. Sozialisation bleibt während des ganzen Lebens von Bedeutung, daher kann die Mediennutzung von Kleinkindern bis zu Rentnern unter dieser Perspektive betrachtet werden. Verschiebungen in der Bedeutung bestimmter Medien innerhalb der Gesellschaft sind dabei erklärbar, wenn man die demographischen Veränderungen beachtet. In den letzten Jahrzehnten hat in modernen Gesellschaften der Anteil der jungen Menschen im Verhältnis zu den Senioren stetig abgenommen. Für Senioren spielen

Für Kleinkinder, aber auch für Senioren

andere Medien eine wichtige Rolle als für Kinder. Senioren haben mehr Freizeit als erwerbstätige Erwachsene, und so wird z.B. das Fernsehen, das ein ausgesprochenes Freizeitmedium ist, für ältere Menschen wichtiger. Zudem sind manche ältere Menschen weniger mobil und verfügen über ein sich verkleinerndes soziales Netz, so dass dann den Medien auch eine Funktion als Ersatz eigener Erfahrungen und als Verbindung zur Außenwelt zukommt.

Familie

Der Ort der primären Sozialisation, an welchem ein großer Teil der Mediennutzung gelernt wird, ist die Familie. Kinder erwerben Medienkompetenz, indem sie ihre Eltern als Vorbilder in der Mediennutzung erleben und mit Regeln des Medienumgangs konfrontiert werden, wie bestimmte Zeitbudgets, inhaltliche Einschränkungen oder Verbote. Die Schule und die Gleichaltrigengruppe stellt eine Ebene von sekundären Sozialisationsinstanzen dar, in welchen der Medienumgang eingeübt wird und sich Präferenzen und Einstellungen gegenüber Medien ausprägen (vgl. Lange/Lüscher 1998; Schorb/Mohn/Theunert 1998).

Peers

Schule

Die Schulen sind heute nach wie vor als ein printmedienorientiertes Umfeld gekennzeichnet. In den 1970er Jahren wurde das Fernsehen als Bildungsmedium eingeführt, in einer Zeit, in der generell die Begeisterung für das Fernsehen seinen Höhepunkt hatte und man dem Fernsehen kulturell und politisch ein hohes Innovationspotenzial zuschrieb. Diese Euphorie ist heute verflogen. Das Fernsehen wird von Schülern und Lehrern heute primär als Unterhaltungsmedium eingeschätzt und daher weniger oft als Lernmedium eingesetzt als früher. Langsam halten Computer und Online-Medien in den Schulen Einzug. Das Diffusionstempo und die Nutzungsbreite ist allerdings bedeutend geringer als in der Gesamtgesellschaft (vgl. Süss 2001). Noch nicht geklärt ist die Frage, ob diese neuen interaktiven Medien in Zukunft eher informations-, service- oder unterhaltungsorientiert genutzt werden.

5 Mediennutzung als Qualifikation zu Medienkompetenz

Medienpädagogische Sicht

Aus medienpädagogischer Sicht wird kompetenter Medienumgang normativ verstanden als die Fähigkeit, Medien sinnvoll in den eigenen Alltag zu integrieren, sie bedürfnisorientiert zu nutzen, ohne unerwünschte Nebeneffekte zu erleben und die Medien im Rahmen ihrer Produktionsbedingungen verstehen und kritisieren zu können (vgl. Schell u.a. 1999). Traditionelle Konzepte aus kulturpessimistischer Perspektive (z.B. Keilhacker/Keilhacker 1955) versuchten, Kinder möglichst vom Medienkonsum abzuhalten bzw. sie zu bestimmten Medien und Medieninhalten hinzuführen, wie z.B. zu Büchern statt zum Film oder Fernsehen. Diese Strategien haben sich bekanntlich wenig bewährt (vgl. Sobiech 1997).

Protektion

Aktive Aneignung

Neuere Konzepte, welche den Nutzenansatz und die sozialökologische Perspektive konsequent umsetzen, verstehen Mediennutzung als aktiven Aneignungsprozess, der auch von Kindern weitgehend selbstgesteuert erlernt werden kann (Tulodziecki u.a. 1995). Die Erwachsenen können durch verstehende Begleitung, durch Gespräche und als Vorbild im Medienumgang die Kinder unterstützen.

Medienkompetenz

Medienkompetenz wird in manchen Publikationen medienspezifisch gefasst, z.B. als Erwerb von Lesekompetenz, Fernsehkompetenz oder „Digital Literacy". In anderen wird auf die übergeordneten Verstehens- und Aneignungsprozesse hingewiesen, die zum kompetenten Umgang mit Medien gehören (vgl. Lauffer/Volkmer 1995).

6 Vom Vielseher-Syndrom zum Fernsehverzicht

Sucht oder Abstinenz?

Nachdem man sich in der Mediennutzungsforschung lange Zeit v.a. auf den Medienumgang von Mehrheiten konzentriert hat und Abweichungen vom Durchschnittskonsum nur dann interessierten, wenn es um Vielseher oder Suchtphänomene ging (vgl. Sturm

1981; Schulz 1986, 1990; Vitouch 1993), rückte in jüngerer Zeit auch das Phänomen der Medienabstinenz bzw. Medienverweigerung in den Blickpunkt der Forschung. Ob man im Kontext der Mediennutzung überhaupt von „Sucht" oder „Abhängigkeit" reden soll, ist umstritten (McIlwrait 1991), entsprechende empirische Hinweise wurden aber von manchen Autoren v.a. in Bezug auf die beiden Medien Fernsehen (vgl. Finn 1992; Kubey 1996; McIlwraith 1998) und Internet (vgl. Young 1998; Greenfield 1999) vorgelegt.

Typen von Nichtsehern

Dass die Ursachen für die Nichtnutzung eines Mediums ebenso viel zur Bedeutung eines Mediums aussagen wie die Bedingungen der Vielnutzung, illustriert z.B. die explorative qualitative Studie von Sicking (1998), in der folgende Typen von Nichtsehern beschrieben werden:

- Der aktive Nichtfernseher: Er ist gekennzeichnet durch ein hohes Maß an Aktivitäten, hat keine Zeit fürs Fernsehen, ist kreativ-künstlerisch, sportlich oder politisch-sozial engagiert, hat ein hohes berufliches Engagement und kulturelle Interessen, hat eine ökologische Orientierung, führt einen erlebnisorientierten, anspruchsvollen Lebensstil, hat oft schon in der Kindheit wenig ferngesehen.
- Der bewusst-reflektierende Nichtfernseher: Er bevorzugt originär-authentische Lebenserfahrungen, primäre Sozialerlebnisse, ist oft weltanschaulich geprägt, z.B. durch ein anthroposophisches oder streng religiöses Lebenskonzept, hat sich zu einem bestimmten Zeitpunkt bewusst gegen das Fernsehen entschieden.
- Der suchtgefährdete Nichtfernseher: Diese Gruppe besteht aus ehemaligen Viel- und Extremsehern, die von den Folgen wegkommen wollten. Soziale Kontakte verkümmerten durch das Vielsehen. Der Leidensdruck wurde so groß, dass auf das Fernsehen verzichtet wurde. Diese Menschen hatten in ihrer Kindheit oft einen streng überwachten Fernsehkonsum oder ein Fernsehverbot.

Die Studie gibt Hinweise darauf, dass die Nichtnutzung eines Mediums auf sehr unterschiedlichen medienbiographischen oder aktuellen Konstellationen des Alltags basieren kann. Ähnliche Befunde liefern die „Offline-Studien" von ARD und ZDF, welche sich mit den Gründen der Nichtnutzung des Internets befassen (ARD/ZDF-Arbeitsgruppe Multimedia 1999; Grajczyk/Mende 2000).

Die werbetreibende Wirtschaft wird besonders daran interessiert sein, wie man verlorene Zielgruppen wieder an ein Medium binden kann, während die akademische Nutzungsforschung nach den jeweiligen Funktionen oder Dysfunktionalitäten der Medien im Alltag der Menschen fragen wird.

Nach Hasebrink (1995: 20) nutzten 1990 durchschnittlich 2% der Deutschen gar keines der publizistischen Medien an einem gewöhnlichen Werktag. Besonders viele Erwachsene haben aufgehört Bücher zu lesen, während eine zunehmend größere Anzahl von Jugendlichen auf die Lektüre der Zeitungen zu verzichten scheint (Schulz 1998).

Computer und Geschlecht

In Bezug auf Computer und Online-Medien ist auffällig, dass nach wie vor ein etwa doppelt so hoher Anteil der Mädchen als der Knaben diese neuen Medien nicht oder nur sehr eingeschränkt nutzt. Mädchen schätzen ihre Computerkompetenz auch sehr viel tiefer ein als Jungen (Süss 1997). Die Gründe für diese Mediendistanz und ihre Auswirkungen sollten differenziert untersucht werden, da der kompetente Umgang mit Computer und Online-Medien zu einer Schlüsselkompetenz in der Informationsgesellschaft geworden ist.

7 Ausblick

Die Entwicklungen in der Mediennutzungsforschung lassen sich zusammenfassend durch folgende Merkmale kennzeichnen:

Methoden im Wandel

Die Forschungsmethoden werden immer stärker durch technische Geräte bestimmt, welche die Nutzung direkt messen können. Man versucht, immer unmittelbarer an die Rezeptionssituation heranzukommen und differenziertere Daten zu den Nutzern selbst (Persönlichkeitsmerkmale etc.) zu erfassen. Nutzungsformen werden in zahlreichen Typologien abgebildet.

Zunehmend wird versucht, nicht nur die Nutzung von Einzelmedien (z.B. Fernsehen) zu erfassen, sondern das Nutzungsmuster im jeweiligen Medienmix. Gefragt wird z.B. nach der Fernsehnutzung von Personen, welche über Computer und Internet verfügen im Vergleich zu Personen ohne Computerzugang oder nach der gegenseitigen Beeinflussung der Nutzung von Printmedien und anderen Medien (vgl. van Eimeren/Maier-Lesch 1999; Oehmichen/Schröter 2000).

Parallel zu diesen Trends werden in qualitativen Forschungsansätzen (Neumann-Braun 2000) in zunehmender Differenziertheit Kontexteinflüsse der Mediennutzung untersucht oder die Frage, wie Rezipenten mit Hilfe der Medien Wirklichkeit und Sinn konstruieren.

Literatur

Abercrombie, Nicholas/Longhurst, Brian (1998): Audiences. A Sociological Theory of Performance and Imagination. London, Thousand Oaks, New Delhi.

ARD/ZDF-Arbeitsgruppe Multimedia (1999): Nichtnutzer von Online: Einstellungen und Zugangsbarrieren. In: Media Perspektiven, H. 8, S. 415-422.

Beck, Ulrich/Giddens, Anthony/Lash, Scott (1996): Reflexive Modernisierung. Eine Kontroverse. Frankfurt/M.

Berens, Harald/Kiefer, Marie-Luise/Meder, Arne (1997): Spezialisierung der Mediennutzung im dualen Rundfunksystem. Sonderauswertung zur Langzeitstudie Massenkommunikation. In: Media Perspektiven, H. 2, S. 80-91.

*Berg, Klaus/Kiefer, Marie-Luise (Hg.) (1996): Massenkommunikation V. Eine Langzeitstudie zur Mediennutzung und Medienbewertung 1964-1995. Baden-Baden.

Bilandzic, Helena (1998): Formale Merkmale individueller Fernsehnutzung. In: Klingler, Walter/Roters, Gunnar/Zöllner, Oliver (Hg.): Fernsehforschung in Deutschland. Themen – Akteure – Methoden, Teilbd. 2. Baden-Baden, S. 743-763.

*Böhme-Dürr, Karin/Graf, Gerhard (1995): Auf der Suche nach dem Publikum. Medienforschung für die Praxis. Konstanz.

Bonfadelli, Heinz (1994a): Medienpublikum. Erträge der angewandten und der universitären Medienwissenschaft. In: Medienwissenschaft Schweiz, H. 2, S. 38-39.

Bonfadelli, Heinz (1994b): Die Wissenskluft-Perspektive. Massenmedien und gesellschaftliche Integration. Konstanz.

Bonfadelli, Heinz (1999): Medienwirkungsforschung I: Grundlagen und theoretische Perspektiven. Konstanz.

Bronfenbrenner, Urie (1981): Die Ökologie der menschlichen Entwicklung. Stuttgart.

Darschin, Wolfgang/Frank, Bernward (1998): Tendenzen im Zuschauerverhalten. Fernsehgewohnheiten und Programmbewertungen 1997. In: Media Perspektiven, H. 4, S. 154-166.

Darschin, Wolfgang/Kayser, Susanne (2000): Tendenzen im Zuschauerverhalten. Fernsehgewohnheiten und Programmbewertungen 1999. In: Media Perspektiven, H. 4, S. 146-158.

Dickinson, Roger/Harindranath, Ramaswami/Linné, Olga (Hg.) (1998): Approaches to Audiences. A Reader. London.

Donnerstag, Joachim (1996): Der engagierte Mediennutzer: das Involvement-Konzept in der Massenkommunikationsforschung. München.

Eckert, Roland/Vogelgesang, Waldemar/Wetzstein, Thomas (1993): Computerkulturen. Eine ethnographische Studie. In: Publizistik 38, H. 2, S. 167-186.

Finn, Seth (1992): Television "Addiction"? An Evaluation of Four Competing Media Use Models. In: Journalism Research 69, H. 2, S. 422-435.

Flichy, Patrice (1994): Tele. Geschichte der modernen Kommunikation. Frankfurt/M., New York, Paris.

Gattlen, Roman (1999): Das Fernsehverhalten in der Schweiz. Eine Untersuchung zum Fernsehverhalten in der Schweiz von 1985 bis 1997 unter besonderer Berücksichtigung nutzungsbeeinflussender Determinanten. Berner Texte zur Medienwissenschaft, Bd. 4. Bern.

Grayczik/Mende (2000): Nichtnutzer von Online: Zugangsbarrieren bleiben bestehen. In: Media Perspektiven, H. 8, S. 350-358.

Greenfield, David N. (1999): The Nature of Internet Addiction: Psychological Factors in Compulsive Internet Use. In: http://www.virtual-addiction.com (Oktober 2000).

Haase, Henning (1989): Werbewirkungsforschung. In: Groebel, Jo/ Winterhoff-Spurk, Peter (Hg.): Empirische Medienpsychologie. München, S. 213-246.

Hasebrink, Uwe (1995): Ergebnisse der Mediennutzungsforschung. In: Jarren, Otfried (Hg.): Medien und Journalismus 2. Eine Einführung. Opladen, S. 16-51.

Hunziker, Peter (1996): Medien, Kommunikation und Gesellschaft. Einführung in die Soziologie der Massenkommunikation. (2., überarb. Aufl.) Darmstadt.

Jäckel, Michael (1996a): Was machen die Menschen mit den Medien? Zum Zusammenhang von Sozialstruktur und Mediennutzung. In: Jäckel, Michael/Winterhoff-Spurk, Peter (Hg.): Mediale Klassengesellschaft? Politische und soziale Folgen der Medienentwicklung. München, S. 149-175.

Jäckel, Michael (1996b): Wahlfreiheit in der Fernsehnutzung. Eine soziologische Analyse zur Individualisierung der Massenkommunikation. Opladen.

*Jäckel, Michael (1999): Die kleinen und großen Unterschiede. Anmerkungen zum Zusammenhang von Mediennutzung und Individualisierung. In: Latzer, Michael (Hg.): Die Zukunft der Kommunikation. Phänomene und Trends in der Informationsgesellschaft. Insbruck, Wien, S. 277-291.

*Jensen, Klaus Bruhn/Rosengren, Karl Erik (1990): Five Traditions in Search of the Audience. In: European Journal of Communication 5, H. 2+3, S. 207-238.

Keilhacker, Martin/Keilhacker, Margarethe (1955): Kind und Film. Stuttgart.

Klingler, Walter/Roters, Gunnar/Gerhards, Maria (Hg.) (1999): Medienrezeption seit 1945. Forschungsbilanz und Forschungsperspektiven. (2. Aufl.) Baden-Baden.

Klingler, Walter/Roters, Gunnar/Zöllner, Oliver (Hg.) (1998): Fernsehforschung in Deutschland. Themen – Akteure – Methoden, Teilbd. 1+2. Baden-Baden.

Krotz, Friedrich (1991): Lebensstile, Lebenswelten und Medien: Zur Theorie und Empirie individuenbezogener Forschungsansätze des Mediengebrauchs. In: Rundfunk und Fernsehen 39, H. 3, S. 317-342.

Kubey, Robert W. (1996): Television Dependence, Diagnosis and Prevention. In: Macbeth, Tannis (Hg.): Tuning In to Young Viewers. Social Science Perspectives on Television. Thousend Oaks, London, New Delhi, S. 221-260.

Lange, Andreas/Lüscher, Kurt (1998): Kinder und ihre Medienökologie. Eine Zwischenbilanz der Forschung unter besonderer Berücksichtigung des Leitmediums Fernsehen. München.

Lauffer, Jürgen/Volkmer, Ingrid (Hg.) (1995): Kommunikative Kompetenz in einer sich ändernden Medienwelt. Opladen.

McIlwraith, Robert (1991): Television Addiction. Theories and Data Behind the Ubiquitous Metaphor. In: American Behavioral Scientist 35, H. 2, S. 104-121.

McIlwrait, Robert (1998): "I'm addicted to Television": The Personality, Imagination and TV Watching Patterns of Self-Identified TV Addicts. In: Journal of Broadcasting & Electronic Media 42, H. 3, S. 371-386.

*McQuail, Denis (1997): Audience Analysis. Thousand Oaks, London, New Delhi.

*Neumann-Braun, Klaus (2000): Publikumsforschung im Spannungsfeld von Quotenmessung und handlungsorientierter Rezeptionsforschung. In: Neumann-Braun, Klaus/Müller-Dohm, Stephan (Hg.): Medien- und Kommunikationssoziologie. Weinheim, München, S. 181-204.

Neverla, Irene (1992): Fernseh-Zeit. Zuschauer zwischen Zeitkalkül und Zeitvertreib. Eine Untersuchung zur Fernsehnutzung. München.

Oehmichen, Ekkehardt/Schröter, Christian (2000): Fernsehen, Hörfunk, Internet: Konkurrenz, Konvergenz oder Komplement? In: Media Perspektiven, H. 8, S. 359-368.

Palmgreen, Philip (1984): Der "Uses and Gratifications Approach". Theoretische Perspektiven und praktische Relevanz. In: Rundfunk und Fernsehen 32, H. 1, S. 51-62.

Peiser, Wolfram (1996): Die Fernsehgeneration. Opladen.

Renckstorf, Karsten (1989): Mediennutzung als soziales Handeln. In: Kaase, Max/Schulz, Winfried (Hg.): Massenkommunikation. Theorien, Methoden, Befunde. Opladen, S. 314-336.

Rössler, Patrick (Hg.) (1998): Online-Kommunikation. Beiträge zur Nutzung und Wirkung. Opladen.

Roters, Gunnar/Klingler, Walter/Gerhards, Maria (Hg.) (1999): Mediensozialisation und Medienverantwortung. Baden-Baden.

Schell, Fred/Stolzenburg, Elke/Theunert, Helga (Hg.) (1999): Medienkompetenz. Grundlagen und pädagogisches Handeln. München.

Schorb, Bernd/Mohn, Erich/Theunert, Helga (1998): Sozialisation durch (Massen-)Medien. In: Hurrelmann, Klaus/Ulich, Dieter (Hg.): Handbuch der Sozialisationsforschung. Studienausgabe. (5., neu ausg. Aufl.) Weinheim, Basel, S. 493-508.

Schulz, Rüdiger (1998): Das Zeitungsmedium an der Schwelle ins nächste Jahrtausend. In: Medienwissenschaft Schweiz, H. 1+2, S. 36-41.

Schulz, Winfried (1986): Das Vielseher-Syndrom. Determinanten der Fernsehnutzung. In: Media Perspektiven, H. 12, S. 762-775.

Schulz, Winfried (1990): Fernseh-Paranoia und andere psychische Auffälligkeiten: Langzeitwirkungen des Vielsehens? In: Kunczik, Michael/ Weber, Uwe (Hg.): Fernsehen – Aspekte eines Mediums. Köln, S. 112-120.

Schulze, Gerhard (1993): Die Erlebnisgesellschaft. Kultursoziologie der Gegenwart. Frankfurt/M., New York.

Sicking, Peter (1998): Leben ohne Fernsehen. Wiesbaden.

Sobiech, Dagobert (1997): Theorie und Praxis der Medienerziehung im Vergleich. Eine Analyse von Konzepten, Strukturen und Bedingungen. München.

Stöber, Rudolf (2000): Deutsche Pressegeschichte. Einführung, Systematik, Glossar. Konstanz.

Sturm, Herta (1981): Der Vielseher im Sozialisationsprozess – Rezipientenorientierter Ansatz und Ansatz der formalen medienspezifischen Angebotsweisen. In: Fernsehen und Bildung 15, H. 1-3, S. 137-148.

Süss, Daniel (1997): Informationsgesellschaft aus medienpädagogischer Sicht: Werden die MediennutzerInnen profitieren oder überfordert sein? In: Medienwissenschaft Schweiz, H. 2, S. 23-27.

Süss, Daniel (2001): Computers and the Internet in School: Closing the Knowledge Gap? In: Livingstone, Sonia/Bovill, Moira (Hg.): Children and their Changing Media Environment: A European Comparative Study. Mahwah, New York, London. (im Druck)

Tulodziecki, Gerhard u.a. (1995): Handlungsorientierte Medienpädagogik in Beispielen. Bad Heilbrunn.

Van Eimeren, Birgit/Maier-Lesch, Brigitte (1999): Internetnutzung Jugendlicher: Surfen statt fernsehen? In: Media Perspektiven, H. 11, S. 591-598.

Vitouch, Peter (1993): Fernsehen und Angstbewältigung. Zur Typologie des Zuschauerverhaltens. Opladen.

Vogelgesang, Waldemar (1991): Jugendliche Video-Cliquen. Action- und Horrorvideos als Kristallisationspunkte einer neuen Fankultur. Opladen.

Wagner, Hans (1999): Verstehende Methoden in der Kommunikationswissenschaft. München.

Winter, Rainer (1993): Die Produktivität der Aneignung – Zur Soziologie medialer Fankulturen In: Holly, Werner/Püschel, Ulrich (Hg.): Medienrezeption als Aneignung. Opladen, S. 67-79.

Young, Kimberly S. (1998): Caught in the Net, Suchtgefahr Internet. München.

* Basisliteratur

MEDIENWIRKUNGSFORSCHUNG

HEINZ BONFADELLI

1 Medienwirkungen als gesellschaftliches Problem 339

2 Medienwirkungen als Gegenstand der Publizistikwissenschaft 341

2.1 Methodische und theoretische Probleme 341
2.2 Was wird unter „Medienwirkungen" verstanden? ... 342
2.3 Wirkungsphänomene und Fragestellungen 343
2.4 Entwicklung der Medienwirkungsforschung 345
2.5 Fazit: Medienwirkungen als komplexes Phänomen 350

3 Neuere Ansätze der Medienwirkungsforschung 352

3.1 Uses-and-Gratifications-Ansatz 352
3.2 Aufmerksamkeit und Verstehen 357
3.3 Agenda-Setting-Theorie 360
3.4 Wissenskluft-Perspektive 364
3.5 Schweigespiralen-Modell 368
3.6 Kultivierungsanalyse 370
3.7 Ausblick 373

Literatur 373

Die Frage nach den Wirkungen der Massenmedien und ihrer Inhalte hat nicht nur die Publizistikwissenschaft, sondern ebenso die Öffentlichkeit beschäftigt. Geklärt werden muss darum, was überhaupt unter dem Begriff „Medienwirkungen" verstanden wird, mit welchen Wirkungsphänomenen sich die Forschung befasst und welche Fragen sie zu beantworten versucht. Die Fragestellungen wie die zu ihrer Beantwortung formulierten Theorien, aber auch die zugrunde liegenden Paradigmen haben sich im Verlauf der Entwicklung der Wirkungsforschung gewandelt.

1 Medienwirkungen als gesellschaftliches Problem

Wirkungsspekulationen

Wenn wir über Wirkungen der Massenmedien sprechen, bewegen wir uns in einem Feld der Publizistikwissenschaft, das wie kein anderes durch monokausales und lineares Denken in Kategorien der Massenpsychologie sowie kulturpessimistische Vorurteile bestimmt ist.

Die Frage nach den Medienwirkungen wird in der Öffentlichkeit immer wieder höchst kontrovers und emotionalisiert diskutiert, wobei die Meinungen über das Wirkungspotential der Medien zwischen „Allmacht" und „Ohnmacht" schwanken:

Medienallmacht

Es gibt immer wieder neue Beispiele, die starke Effekte der Medien dokumentieren: Kritische Berichte in Publikumszeitschriften (z.B.„Spiegel", „Stern") oder in TV-Konsumentenmagazinen über Umweltskandale (z.B. BSE) oder umstrittene neue Technologien (z.B. Gentechnik) führen immer wieder zu spürbarer Konsumverweigerung. Der Watergate-Skandal stürzte US-Präsident Nixon, TV-Berichte beschleunigten den Umsturz der kommunistischen Regimes in Osteuropa und die Berichterstattung über die Katastrophen von Seveso oder Tschernobyl verängstigten große Teile der Bevölkerung in ganz Europa. Und als Paradebeispiel wird immer wieder die Panik zitiert, die 1938 durch das Radio-Hörspiel

„Invasion from Mars" von H. G. Wells unter der Regie von Orson Wells in den USA ausgelöst wurde (Cantril 1985). Indes: Sind diese Beispiele tatsächlich typisch für das, was Medien auszulösen vermögen bzw. tagtäglich bewirken?

Medienohnmacht

Die Beweislage zur These der Medienmacht ist so eindeutig auch wieder nicht. Es lassen sich ebenso Beispiele für Medienohnmacht finden, die demonstrieren, dass auch bei konzentriertem Medieneinsatz die beobachtbaren Ergebnisse relativ bescheiden bleiben können. Trotz intensiver Berichterstattung vor Wahlen und Abstimmungen zeigen Umfragen, dass die Informiertheit der Bürger eher gering ist. Und von den TV-Nachrichten bleiben den meisten Zuschauern nur wenige Meldungen im Gedächtnis haften. Ebenso vermögen aufwendige Info-Kampagnen oft nur bescheidene Auswirkungen in Richtung gesundheits- und umweltbezogener Verhaltensweisen anzuregen. Aber auch gegenüber der Werbung erweisen sich die Konsumenten als erstaunlich resistent, nicht zuletzt darum, weil ein Großteil davon gar nicht zur Kenntnis genommen wird.

Spekulationen über Wirkungen führen zu Medienkritik

Vielleicht oder gerade weil Medienwirkungen flüchtig und im Gegensatz zu Medieninhalten wenig fassbar sind, führen sie immer wieder als Spekulationen über Wirkungen zu Kontroversen. Meist ist es dabei so, dass das Nichtwissen der Laien zusammen mit zu einfachen Vorstellungen über direkte Manipulationsmöglichkeiten der Medien zu Vorwürfen und Schuldzuweisungen führen. Hinzu kommt, dass selbst Spekulationen über vermeintliche Effekte verhaltenswirksam werden können, wenn etwa Politiker nach Zensur rufen, weil sie dem TV vorab negative Folgen zuschreiben. Dieser indirekte Medieneffekt wird in der Wirkungsforschung als Third-Person-Phänomen bezeichnet (Brosius/Engel 1997): Man perzipiert bei „den anderen" („third person") bzw. bei der Bevölkerung oder bei der Jugend starke Effekte, etwa von Mediengewalt, während man sich selbst als nicht durch die Medien manipulierbar betrachtet.

Third-Person-Effekt

Gleichzeitig interessieren sich Wirtschaft (vgl. Schenk/Donnerstag/Höflich 1990 zur Wirkung von Werbung), Politik (vgl. O'Keefe 1990; Sears/Kosterman 1994 zur Propaganda- und Wahlforschung) sowie Kultur- und Bildungskreise (vgl. Kunczik 1994; Merten 1999 zur Mediengewalt und Rice/Atkin 1989 zu Informationskampagnen), aber auch die Medien selbst (vgl. Hasebrink 1995; Bonfadelli 1999; Süss/Bonfadelli i.d.B. zur Publikums- und Leserschaftsforschung) für die Erkenntnisse der praxisorientierten angewandten Medienwirkungsforschung (Bonfadelli 2000). In jüngster Zeit sind aber auch verschiedene neue Monographien und Reader sowohl in den USA (Bryant/Zillmann 1994) als auch im deutschen Sprachraum (Bonfadelli 1999; Jäckel 1999; Schorr 2000; Winterhoff-Spurk 1999) erschienen, die den aktuellen Stand der theorieorientierten Medienwirkungsforschung dokumentieren.

Interesse der Praxis an angewandter Wirkungsforschung

2 Medienwirkungen als Gegenstand der Publizistikwissenschaft

2.1 Methodische und theoretische Probleme

Praktiker fragen also die Publizistik- und Kommunikationswissenschaft: Was ist die Wirkung des Fernsehens oder der Medien? Sie erwarten dabei eine klare Antwort: Medienallmacht bzw. Medienohnmacht. Die Publizistikwissenschaft tut sich aber aus verschiedenen Gründen mit der Frage nach den Medienwirkungen schwer (Bonfadelli 1999: 9ff.). Eine einfache Antwort gibt es nicht.

Aus methodischen Gründen ist es schwierig, Medienwirkungen eindeutig nachzuweisen, weil in der heutigen Mediengesellschaft praktisch alle vielerlei Medien nutzen, und zudem von anderen Menschen beeinflusst werden. Ein Vergleich zwischen Sehern und Nicht-Sehern ist kaum noch möglich; Hörer und Seher sind daneben auch noch Leser oder Benutzer von Multimedia- bzw. Online-Kommunikation.

Methodische Probleme

Theoretische Probleme

Scheinbare Medienwirkungen, z.B. die Behauptung „Fernsehen beeinträchtige die schulischen Leistungen" (Bonfadelli 1998), können ebenfalls durch nichtmediale Faktoren, wie das Familienmilieu, verursacht sein; und tatsächlich vorhandene Wirkungen können u.U. übersehen werden, weil sie kaum zu messen sind (z.B. emotionale Effekte) oder vielleicht erst längerfristig bemerkt werden.

In theoretischer Hinsicht ist zwar selbstverständlich, dass Kommunikation immer mit Wirkungen verbunden ist. Schwierig jedoch ist die Analyse der in einer konkreten Situation wirksamen Rahmenbedingungen und Wirkungsprozesse, die Medieneffekte mediatisieren, d.h. abschwächen oder verstärken.

Komplexer Wirkungszusammenhang

Medieneffekte entstehen eben meist durch das Zusammentreffen von vielen Faktoren (Massenmedien und interpersonale Kommunikation), also auch indirekt, so dass sie kaum einfach durch Rückführung auf nur eine einzige Ursache zu erklären sind. Das bedingt komplexe multifaktorielle und longitudinale Untersuchungsdesigns (McLeod/Reeves 1980; McLeod/Kosicki/Pan 1991).

2.2 Was wird unter „Medienwirkungen" verstanden?

Unterschiedliche Wirkungsphänomene

Eine weitere theoretische Schwierigkeit für die Erforschung von Medienwirkungen besteht darin, dass es ganz unterschiedliche Wirkungsphänomene gibt, die je anders erklärt werden müssen, obwohl im öffentlichen Diskurs unter „Medienwirkungen" meist verengt und negativ konnotiert nur die intendierte, kurzfristige Beeinflussung von Meinungen und Verhaltensweisen bei einzelnen Personen durch bestimmte, vorab persuasive Medienbotschaften verstanden wird.

Im Unterschied dazu versteht Winfried Schulz, Leiter eines großen DFG-Programms (1992) zur Erforschung von Medienwirkungen in Deutschland, unter Medienwirkungen Folgendes: „Der Begriff Medienwirkungen umfasst in einem weiten Sinne alle Veränderun-

Definition

gen, die – wenn auch nur partiell oder in Interaktion mit anderen Faktoren – auf Medien bzw. deren Mitteilungen zurückgeführt werden können. Diese Veränderungen können sowohl direkt die Eigenschaften von Individuen, Aggregaten, Systemen, Institutionen betreffen wie auch den auf andere Weise induzierten Wandel dieser Eigenschaften" (vgl. auch Bonfadelli 1999: 15ff.).

2.3 Wirkungsphänomene und Fragestellungen

Vielfältige Wirkungsphänomene

Medienwirkungen sind also äußerst vielschichtig, wobei man sich oft zu wenig darüber im klaren ist, welche Wirkungseffekte im konkreten Fall erklärt werden sollen, was als Wirkungsursache vermutet und welche Wirkungsmechanismen postuliert werden. Die einzelnen Wirkungsphänomene lassen sich dabei aufgrund unterschiedlicher Gesichtspunkte oder Dimensionen klassifizieren:

Auslöser von Effekten:
Zum einen sind es konkrete Medieninhalte (Was wirkt?), die Wirkungen zeitigen, wie Nachrichtensendungen, Wahlpropaganda, Werbung, Informationskampagnen, Unterhaltung oder Mediengewalt. Zum anderen können aber auch formal-gestalterische Aspekte, wie rasche Schnitte, Musik oder Bilder, z.B. emotionale Effekte auslösen. Obwohl die Medienwirkungsforschung sich bislang vorab mit den Wirkungen konkreter Medieninhalte beschäftigt hat, darf nicht vergessen werden, dass ganze Programme, wie die TV-Unterhaltung oder die Neueinführung eines Mediums wie das Internet, signifikante Auswirkungen auf die Gesellschaft als Ganzes oder Teilbereiche davon, wie Politik oder Familie, haben können.

Phasen im Kommunikationsprozess:

- Präkommunikativ: Aus welchen Motiven wendet man sich den Medien zu? Welche Bedürfnisse oder kommunikationsrelevanten Probleme stehen hinter der Medienzuwendung?

- Was geschieht während der Mediennutzung? Hier interessieren Prozesse der Aufmerksamkeit, des Verstehens und der Interpretation.
- Postkommunikativ: Was geschieht nach der Nutzung, d.h., wie äußert sich die Mediennutzung im Wissen, den Meinungen und Einstellungen oder Verhaltensweisen der Rezipienten?

Effektebenen:
- Kognitiv: Medien machen Themen dringlich: Agenda-Setting; Medien vermitteln Information über die Umwelt: Medienwirklichkeit; Medienwirklichkeit beeinflusst die Wahrnehmung der Alltagsrealität; das immer größer werdende Informationsangebot der Medien führt zur Überforderung der Rezipienten: wachsende Wissensklüfte; aber Wissenserwerb führt meist nicht automatisch zu Verhaltensänderungen.
- Einstellungen: Neubildung, Bestätigung und Verstärkung bestehender Einstellungen sind häufiger als die Änderung von Einstellungen.
- Affekte: Gerade beim Fernsehen sind emotionale Wirkungen fast wichtiger als die Informationsvermittlung: Entspannung, Flucht, Regeneration; Spannung, Erregung, Abenteuer, Angst-Lust, Bedrohung.
- Soziale Effekte: Medienthemen erlauben es, Kontakte zu knüpfen oder führen zu Gesprächen. Medienangebote strukturieren auch den Tagesablauf. Und der Umgang mit bestimmten Medien kann die Zugehörigkeit zu einer sozialen Gruppe signalisieren und so als distinktives Element zu einem Lebensstil gehören und eine ganz bestimmte soziale Identität markieren.

Wirkungsmodalitäten:
Wirkungsphänomene können in zeitlicher Hinsicht in kurzfristige und langfristige Effekte differenziert werden. Zudem sind direkte, intendierte von vermittelten, unbeabsichtigten Wirkungsphänomenen zu unterscheiden (z.B. Propaganda vs. Sozialisation). Auch spielt es eine Rolle, ob Rezipienten sich aktiv einem Medium (z.B. Internet) zuwenden und dort selektiv bestimmte Informationen

suchen oder ob sie eher passiv durch Medienbotschaften manipuliert werden. Im öffentlichen Diskurs dominieren zudem Phänomene von starken Medieneffekten (Brosius/Esser 1998) wie etwa Nachahmungstaten im Gefolge von Mediengewalt. Davon muss die Frage nach der Verbreitung von nur wenig intensiven Effekten aber bei besonders vielen Leuten (z.B. Medienevents oder Aufklärungskampagnen) unterschieden werden.

2.4 Entwicklung der Medienwirkungsforschung

Drei Entwicklungsphasen

Die große Vielfalt unterschiedlichster Wirkungsphänomene zusammen mit den oben skizzierten methodischen wie theoretischen Schwierigkeiten der Medienwirkungsforschung haben dazu geführt, dass auch die Wissenschaftler selbst die Frage nach der All- bzw. Ohnmacht der Medien nicht immer gleich beantwortet haben (Lowery/DeFleur 1983; Brosius/Esser 1998). Es lassen sich dabei grob drei Phasen der Entwicklung der Wirkungsforschung unterscheiden.

Abbildung 1 Phasen der Wirkungsforschung und ihre Gesellschafts- und Menschenbilder

Dimensionen:	**1. Phase** 1930er Jahre	**2. Phase** 1950er/1960er Jahre	**3. Phase** ab 1970
Gesellschafts-konzeption und Menschenbild	Masse von isolierten Menschen	Kleingruppen mit Konformitätsdruck	differenzierte, bedürfnis-befriedigende, aktive Individuen
Effektebene	Verhalten	Einstellungen	Motive und Kognitionen
Wirkungs-prozesse	Manipulation Imitation	negative Selektion Konsonanz	positive Selektion aktive Konstruktion
Medieneffekte	groß homogen	klein Verstärkung	mittel bis groß differenzierend

2.4.1 Erste Phase: Propaganda und Medienallmacht

Medien-allmacht

Massenmedien gelten als mächtig und einflussreich. Diese Ansicht ist beeinflusst durch die Propagandafeldzüge des 1. Weltkriegs (Harold Lasswell); ein weiteres Beispiel ist das Hörspiel „Invasion from Mars" (vgl. Abschnitt 1). Aus diesem Grunde versuchte die Wissenschaft (Carl I. Hovland an der Yale University) eine sog. wissenschaftliche Rhetorik zu entwickeln: Wie können Merkmale der Medienbotschaft, wie Kommunikator (Glaubwürdigkeit), Inhalt (ein- vs. zweiseitige Argumentation) oder Form (Angstappelle), so gestaltet werden, dass ihre Wirkungen optimal sind? (Klapper 1960).

S-R-Modell

Diesem Stimulus-Response- bzw. S-R-Modell unterliegt einerseits die soziologische Prämisse von der Massengesellschaft aus sozial isolierten, vereinzelten Menschen, anderseits die psychologische Instinkt-, später instrumentelle Lerntheorie: Menschliches Verhalten ist uniform und wird von wenigen Grundinstinkten bzw. Basisbedürfnissen gelenkt, die gezielt angesprochen werden können, z.B. Sex, Angst, soziale Anerkennung u.a. Die Folge ist, dass auf die uniformen und omnipräsenten Medienbotschaften ähnliche Reaktionen zu erwarten sind.

2.4.2 Zweite Phase: Medienohnmacht – Selektion und Konsonanz

Medien-ohnmacht

S-O-R-Modell

Aber schon die noch im Rahmen eines S-R-Modells von der Hovland-Gruppe durchgeführten Labor-Untersuchungen deuten darauf hin, dass Medieneffekte immer durch den Mediennutzer vermittelt sind, was zur Entwicklung des S-O-R-Modells (O steht für Organismus) führte. Dabei sind grundsätzlich zwei Forschungsrichtungen zu unterscheiden: die psychologisch-orientierten Konsistenz-Theorien auf der Basis des Einstellungskonzeptes und die soziologisch-orientierten Ansätze auf der Basis von Konzepten, wie Gruppe, sozialer Vergleich, Konformität.

Bei beiden Wirkungsperspektiven ist die Einsicht zentral, dass wegen der psychischen und sozialen Mechanismen der Selektion und Konsonanz als selektive Aufmerksamkeit, Interpretation und Behalten aufgrund der vorhandenen Prädispositionen und Gruppenbeziehungen die Hauptwirkung der Medien nicht so sehr in der Änderung, sondern vielmehr in der Bestätigung und Verstärkung schon bestehender Meinungen und Einstellungen besteht. So lautete jedenfalls das oft zitierte Fazit von Joseph Klapper in seiner 1960 erschienenen Forschungsübersicht „The Effects of Mass Communication".

Abbildung 2 Selektive Wahrnehmung der Presseberichterstattung

Selektive Wahrnehmung der Berichterstattung des Tages-Anzeigers	Einstellungen der Leserschaft als Prädisposition	
Die Berichterstattung ist ...	pro US-Engagement (N = 319)	contra US-Engagement (N = 247)
pro US-Politik in Vietnam	55%	23%
unentschieden	35%	43%
contra US-Politik in Vietnam	10%	34%

Quelle: Noelle-Neumann/Schulz 1971: 319

Psychologische Perspektive:

Einstellungen und Selektivität

Auf der Basis des Einstellungsbegriffs entwickelten sich in den 1960er Jahren verschiedenste Konsistenz-Theorien, wobei Leon Festinger (1978) mit seiner Kognitiven-Dissonanz-Theorie zu den bekanntesten Vertretern zählt. Folgende Aspekte des Einstellungskonzepts sind von Relevanz:

- Einstellungen basieren auf den Erfahrungen einer Person mit Objekten (Personen, Institutionen, Ideen etc.) ihrer Umwelt. Sie sind gelernt und können sich auch durch neue Erfahrungen (direkte vs. indirekte, medienvermittelte) ändern und vereinfacht als soziales Gedächtnis verstanden werden. Mittels Einstellungen kann der Mensch seine Umweltbeziehungen vereinfachen, d.h. überhaupt erst verarbeiten und stabil halten. Dementsprechend wirken sie motivierend und steuernd auf künftiges Verhalten. Weil Einstellungen nicht direkt beobachtet werden können, haben sie den Status eines hypothetischen Konstrukts und müssen via Operationalisierungen meist über Befragung erschlossen werden.

- Einstellungen bestehen aus drei Komponenten: Die kognitive Komponente umfasst das subjektive (Meinungen) wie das faktische Wissen über ein Einstellungsobjekt. Die affektive Komponente bezieht sich darauf, ob man für oder gegen das Einstellungsobjekt ist und die konative Verhaltenskomponente umfasst die latente Verhaltensbereitschaft.
- Die Einstellungskomponenten, aber auch Einstellungen untereinander, sind in Systemen organisiert und beeinflussen sich gegenseitig. Prämisse aller Konsistenz-Theorien ist, dass Menschen bestrebt sind, Konsistenz bzw. Konsonanz in ihren Einstellungen aufrecht zu erhalten. Falls Inkonsistenzen bzw. Dissonanzen etwa durch neue Erfahrungen oder dissonante Medieninformation auftreten, entsteht ein psychisch empfundener Stress.
- Medieninformation, die zu Dissonanzen führt, wird dementsprechend selektiv vermieden oder selektiv so interpretiert (Donsbach 1989), dass mögliche Dissonanzen verringert werden (vgl. Abb. 2).

Als Weiterentwicklung betonen die kognitiven Reaktanz-Ansätze stärker, dass Rezipienten aktiv auf persuasive Medienbotschaften reagieren, indem unterstützende bzw. ablehnende kognitive Argumente gebildet werden. Dies geschieht nach dem Elaboration-Likelihood-Modell (ELM) situativ unterschiedlich (Stahlberg/Frey 1993): Bei hohem Involvement ist der Rezipient motiviert, sich kognitiv mit den Argumenten der Botschaft auseinanderzusetzen (zentrale Route), während dies bei geringem Involvement nicht geschieht (periphere Route); Effekte über Schlüsselreize, die Emotionen ansprechen, sind aber trotzdem möglich.

E-L-M-Modell

Soziologische Perspektive:

Soziale Gruppen und Meinungsführer

Die Wahlforschungen der Forschergruppe um Paul Lazarsfeld (1969) von der Columbia University dokumentierten aufgrund der Panelstudie in Erie-County 1940 eigentliche Einstellungsänderungen nur bei 11% aller Wähler. Der Wahlkampf hatte bei der Mehrheit nur zu einer Kristallisierung, Verstärkung und Bestätigung der schon vorher bestehenden politischen Prädispositionen (sozialer Status, Religion, Wohnort) geführt. Erklärungen dafür sind:

- Die Stabilität der Einstellungen (Wahlabsicht) wird durch ein „Schutzschild", der als Filter wirkt, ermöglicht. Wähler setzen sich nur derjenigen Propaganda aus, mit der sie sowieso übereinstimmen. Erklärt wird dies durch kognitive Mechanismen, wie selektive Wahrnehmung, Interpretation und Behalten der Medienbotschaften.
- Indem Wähler ihre Einstellungen stabil halten, sind sie imstande, Konflikte und Uneinigkeiten mit Personen ihrer sozialen Umgebung, welche dieselben Einstellungen teilen, zu vermeiden. Personen sind also nach wie vor in soziale Gruppen eingebunden, die ihr Verhalten beeinflussen. Zugleich bekräftigen die Kontakte mit den Mitgliedern der Gruppe die in der Gruppe geteilten Einstellungen.
- Änderungen scheinen nur dort vorzukommen, wo Wähler entgegengesetzten Kräften ausgesetzt sind: „cross pressures".
- Die Funktion der Medien besteht also nicht in der Änderung bestehender Wahlabsichten, sondern in der Aktivierung latenter Prädispositionen: Propaganda verstärkt Interesse; steigendes Interesse führt zu stärkerer Aufgeschlossenheit; Aufmerksamkeit ist selektiv; Stimmen kristallisieren sich.
- Eine weitere Medienfunktion ist der Verstärkereffekt. Es geht weniger darum, neue Wähler zu gewinnen als die Abwanderung zu verhindern, und zwar durch Lieferung von Argumenten und die Perzeption von Bestätigung.
- Lazarsfeld postulierte darauf den Zwei-Stufen-Fluss der Massenkommunikation: Medieninformation fließt zunächst zu den sog. „Meinungsführern" („opinion leader") und erreicht erst über sie die übrigen Wähler.

Kritik und Weiterentwicklung

Die Kritik am zu einfachen Zwei-Stufen-Fluss-Modell hat zu weiteren Forschungsrichtungen geführt: Die Diffusionsforschung (DeFleur 1987) untersucht die Verbreitung von Nachrichten, während sich die Innovationsforschung (Rogers 1971) mit der Übernahme von Neuerungen beschäftigt. Die Netzwerk-Theorie (Schenk 1984) wiederum analysiert die interpersonalen Interaktionen und Kommunikationen im Zusammenhang mit Medieneinflüssen. Und in den 1970er Jahren griff Elisabeth Noelle-Neumann mit ihrer Theorie der Schweigespirale wichtige Konzepte von Lazarsfeld wieder auf.

2.4.3 Dritte Phase: Neue motivationale und kognitive Perspektiven

Neue Ansätze

In den 1970er Jahren veränderten sich die Fragestellungen und neue Wirkungsphänomene kamen in den Fokus der Forschung: Anstelle von Einstellungswandel wurde nun der Wissenserwerb untersucht. Seither interessieren der Rezipient und sein Medienumgang und nicht mehr nur der Kommunikator mit seiner persuasiven Botschaft. Medienwirkungen werden nicht nur als Resultat, sondern als Prozess betrachtet: Was machen die Menschen mit den Medien? Zudem werden die quantifizierenden Methoden (Experiment und Survey) durch qualitative Methoden der Rezeptionsforschung ergänzt. Dadurch bekommen auch langfristige Wirkungsprozesse (Faktor „Zeit") und Effekte auf der Makroebene eine größere Priorität. Dementsprechend wird nun davon ausgegangen, dass Medien durchaus moderate und in bestimmten Situationen sogar starke Effekte hervorrufen können.

Aktiver Rezipient

2.5 Fazit: Medienwirkungen als komplexes Phänomen

Im Verlauf der Entwicklung der Medienwirkungsforschung haben sich also nicht nur Gegenstand und Fragestellungen, sondern auch die theoretischen Prämissen und Ansätze zur Erklärung von Medienwirkungen geändert. Von einer aussagenzentrierten Perspektive hat ein Wechsel hin zu einer rezipientenzentrierten Orientierung stattgefunden. Aber erst eine dynamisch-transaktionale Integration (Früh 1991) beider Perspektiven, die von einer komplexen Inter- bzw. Transaktion zwischen den Faktoren sowohl der Medienumwelt als auch des Rezipienten ausgeht, ist dem Medienwirkungsgeschehen adäquat (vgl. Abb. 3). Medieneffekte kommen so nur interaktiv zustande, wenn sich in einer bestimmten sozialen Situation die direktiven Aspekte der Medienangebote, wie Inhaltsauffälligkeit, inhaltliche Konsonanz und Kumulation, mit den motivationalen und selektiven Aspekten der Rezipienten überlagern.

Komplexes Wirkungsmodell

Abbildung 3 Inter-/Transaktion von Medienbotschaft und Mediennutzer

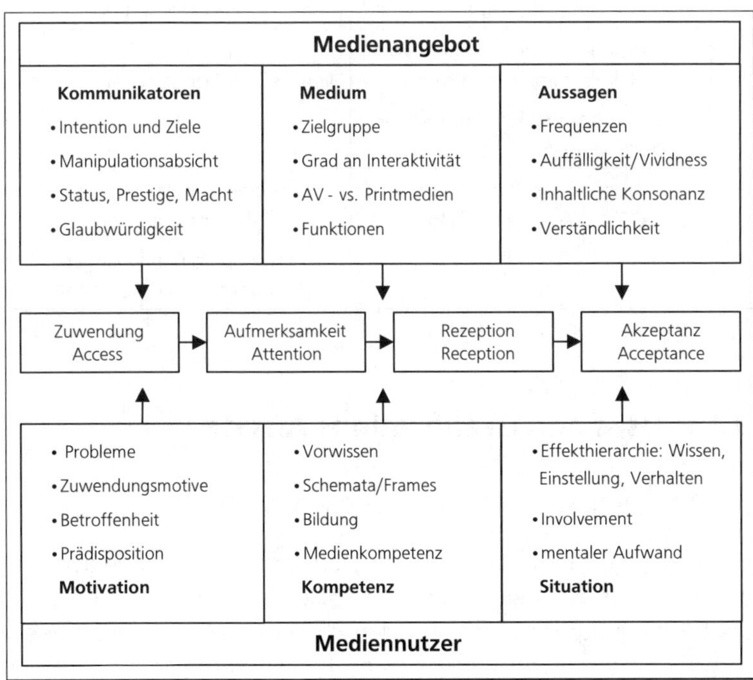

3 Neuere Ansätze der Medienwirkungsforschung

Wie sind die Medienwirkungen zu bewerten?

Man kann die im Folgenden dargestellten neueren Ansätze der Medienwirkungsforschung dahingehend befragen, ob sie davon ausgehen, dass die Wirkungen der Medien gesamtgesellschaftlich eher differenzierend oder homogenisierend sind, und ob die prognostizierten Effekte als funktional oder eher dysfunktional angesehen werden (vgl. Abb. 4).

Abbildung 4 Moderne soziologisch-makrotheoretische Ansätze der Wirkungsforschung

Bewertungsdimension:	Wirkungsdimension: Differenzierung	Wirkungsdimension: Homogenisierung
Funktionalität	Uses-and-Gratifications-Ansatz (Jay Blumler/Elihu Katz) Dynamisch-transaktionales Modell (Werner Früh/Klaus Schönbach)	Agenda-Setting-Theorie (Maxwell McCombs/Donald Shaw)
Dysfunktionalität	Wissenskluft-Perspektive (Philipp Tichenor/George Donohue/Clarice Olien)	Kultivierungs-Analyse (George Gerbner) Schweigespiralen-Konzept (Elisabeth Noelle-Neumann)

3.1 Uses-and-Gratifications-Ansatz

3.1.1 Prämissen und Forschungsentwicklung

Menschen als aktive Nutzer

Der Nutzenansatz basiert auf der Konzeption von Medienzuwendung als aktives, sinnorientiertes soziales Handeln. Dahinter steht die Überlegung, dass sich die Menschen den Medien nur zuwenden, wenn diese von Relevanz sind für die Befriedigung kommunikationsbezogener Bedürfnisse bzw. für die Lösung von Problemen. Nicht die Medien bewirken also etwas beim Rezipienten, sondern der Rezipient benutzt die Medien funktionsorientiert. Nach Rosengren (1974) ist die Bedeutung der Medien einerseits abhängig von den vorhandenen funktionalen Alternativen (z.B. Defizit an realen Interaktionsmöglichkeiten) und andererseits von der persönlichen Fähigkeit, Bedürfnisse zu befriedigen (z.B. Extrovertiertheit einer Person).

Forschungsentwicklung

Folgende Veröffentlichungen markieren wichtige Schritte in der Entwicklung des Ansatzes: 1. Reader von Blumler/Katz: The Uses of Mass Communications 1974; 2. Themheft von „Communication Research": The Uses and Gratifications Approach to Mass Communications Research 1979; 3. Reader von Rosengren/Wenner/Palmgren: Gratifications Research: Current Perspectives 1985; 4. Übersichtsartikel von Rubin: Media Uses and Effects 1994.

3.1.2 Fragestellungen

Medienumgang und Bedürfnisse

Auf folgende Fragestellungen, bezogen auf den Medienumgang von Rezipienten, gibt der Uses-and-Gratifications-Ansatz sowohl theoretisch als auch empirisch Antwort:

- Welche Bedürfnisse und Probleme haben verschiedene soziale Gruppen?
- Wie gut befriedigen die einzelnen Medien bzw. die interpersonale Kommunikation diese Bedürfnisse?
- Welche Medien werden von welchen Rezipienten vorab zur Befriedigung welcher Bedürfnisse genutzt?
- Wie bilden sich die funktionsbezogenen Erwartungen im Prozess der Mediensozialisation?
- Wie beeinflusst die funktionsorientierte Mediennutzung (Informations- vs. Unterhaltungsorientierung) das postkommunikative Medienwirkungsgeschehen wie Informationsaufnahme?

Abbildung 5 Handlungstheoretischer Nutzenansatz

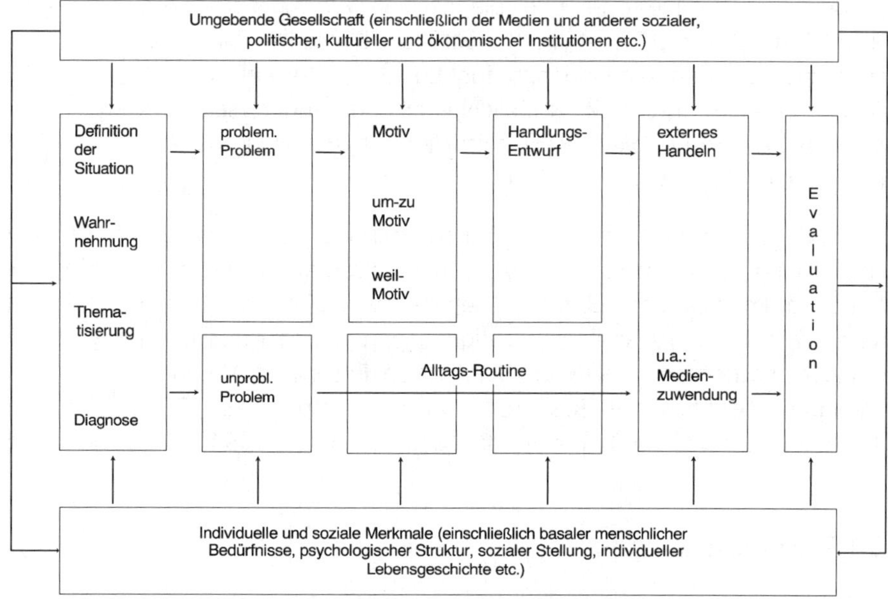

Quelle: Renckstorf 1989

3.1.3 Empirische Umsetzung

Israel-Studie

Katz, Gurevitch und Haas (1973) verwenden in einer der ersten und für die Entwicklung des Uses-and-Gratifications-Ansatzes wichtigen empirischen Untersuchung, der sog. „Israel-Studie", 35 Bedürfnisindikatoren, die sie wie folgt gruppieren:

- Kognitive Bedürfnisse: Sie beziehen sich nach außen auf Information, Wissen, Lernen und Verstehen zur Umweltorientierung und nach innen auf Identitätsstiftung bzw. Selbsterfahrung.
- Affektive Bedürfnisse: Medienunterhaltung zur Spannung, Entspannung und Zerstreuung, d.h. Fernsehen als Flucht vor Alltagsproblemen (Eskapismus) oder Musikhören zur Stimmungsaufhellung etc.

- Interaktive Bedürfnisse: Medienzuwendung stiftet Themen für Gespräche und erleichtert den Kontakt zu anderen Leuten, wie z.B. Radiohören als Ersatz für nicht anwesende Personen.
- Integrative Bedürfnisse: Sie beziehen sich auf Stabilität, Vertrauen und Glaubwürdigkeit. Lokalradio als „medialer Dorfbrunnen", wo die Welt als noch in Ordnung erfahren wird. TV-Nachrichten als Ritual, das den Tagesablauf strukturiert. Buchlesen, das Sozialprestige ausweist.

In der sog. Zürcher-Studie (Bonfadelli 1981) wurde der Nutzenansatz 1975 erstmals in der Schweiz bei 2 750 9-, 12- und 15-jährigen Schülern empirisch umgesetzt:

Zürcher Studie

Abbildung 6 Funktionsorientierte Mediennutzung

Nennungen in %:	Information Lernen	darüber sprechen	Langeweile	allein sein	spannend	traurig trösten	Probleme vergessen	Mittelwert
Buch	43	12	25	34	19	17	20	24
Fernsehen	15	36	17	9	25	11	14	18
Radio/Platten	7	19	27	33	5	33	30	22
Comics	4	5	7	7	4	7	7	6
Kino	1	7	1	1	14	1	2	4
Zeitung	11	5	1	1	2	1	1	3
anderes	19	16	22	15	31	30	26	23

Quelle: Bonfadelli 1981

Die Einführung neuer Kommunikationstechnologien, wie die Online-Kommunikation, stimulierte in den letzten Jahren neue Forschungsprojekte mit der Fragestellung bezüglich des Substitutionspotentials dieser Innovationen (Vorderer 1995; Weinreich 1998; Tasche 1999).

Online-Kommunikation

Zusammenfassend lassen sich praxisorientiert folgende Befunde aus der Nutzenforschung generalisieren:

Praxisrelevanz

- Medienzuwendung erfolgt oft wegen affektiver oder sozialer und weniger wegen kognitiver Bedürfnisse: TV und Boulevard-Zeitung sind als Medien populärer als Elite-Presse und Bücher.
- Unterhaltungsorientierung erschwert Informationsaufnahme.
- Personen mit tiefem Bildungsstand und geringem politischen Interesse sind weniger an abstrakten und mehr an ereignishaften, emotional behafteten, auf das Persönliche zielende Themen interessiert.
- Bei abstrakten, komplexen und „trockenen" Themen muss Lese- bzw. Hörmotivation beim Rezipienten aktiv erzeugt werden. Motivierende Faktoren können sein: Ereignishaftes, emotional Behaftetes, auf das Persönliche zielende Momente, Visualisierung, Interviews und Statements.

3.1.4 Kritik und Weiterentwicklungen

Grundkonzepte, Tautologien und Kausalität

Aus kulturkritischer Perspektive werden ungenügend geklärte Grundkonzepte wie Bedürfnisbegriff (Herleitung und Bewusstheit von Bedürfnissen?) sowie Publikumsaktivität (Welche Dimensionen?) bemängelt und auf die Gefahr eines Tautologieschlusses (Mediennutzung beweist Bedürfnisse und Bedarf legitimiert darum die Angebote) hingewiesen. Aber ebenso wird moniert, dass das Medienangebot selbst seine Nachfrage schaffe und Bedürfnisse durch Medienmarketing künstlich erzeugt würden. Kritisiert wird auch, dass in vielen empirischen Studien die konkreten Medieninhalte kaum berücksichtigt werden und so keine Aussagen über die Qualität der effektiven Bedürfnisbefriedigung gemacht werden könne. Diesem Einwand wird in neueren Studien durch die Unterscheidung zwischen „gratifications sought" als gesuchte und „gratifications obtained" als tatsächlich erhaltene Gratifikationen Rechnung getragen, wobei bezüglich der Ansprüche an die Medien weiter unterschieden wird zwischen medienbezogenen Erwartungen einerseits und deren Bewertung als persönlicher Wichtigkeit andererseits (Rayburn 1996).

Gesuchte vs. erhaltene Gratifikationen

3.2 Aufmerksamkeit und Verstehen

Medien müssen genutzt und die durch sie transportierten Botschaften zusätzlich verstanden werden, soll es zu postkommunikativen Wirkungen kommen. Informationsflussstudien zeigten dazu bereits Ende der 1980er Jahre, dass 98% der von den Massenmedien produzierten und verbreiteten Informationen vom Publikum nicht beachtet werden (Donsbach 1998): Aufmerksamkeit ist ein knappes Gut. Dementsprechend hat im Journalismus die Frage, wie mit inhaltlichen, aber auch gestalterischen Möglichkeiten die Attraktivität von Medienangeboten gesteigert werden kann, einen wichtigen Stellenwert erhalten (Bucher 1996; Heijnk 1997). Doch auch die Verständigung ist nicht automatisch gewährleistet: Ein Drittel der Stimmbürger in der Schweiz stimmte z.B. der Aussage „ziemlich" bzw. „sehr" zu, dass die Medienberichterstattung für den „normalen Bürger" unverständlich und zu schwierig sei. Und Untersuchungen über das Verstehen von TV-Nachrichten zeigen, dass Missverstehen häufig ist (Graber 1984; Merten 1985).

Aufmerksamkeit als knappes Gut

Verständigung nicht automatisch

Solchen Fragen nach den selektiven Auswahlprozessen der Rezipienten (Wirth/Schweiger 1999), zum Verstehen und zur Verarbeitung von Medienbotschaften (Winterhoff-Spurk 1999), aber auch nach dem Entstehen von Medienglaubwürdigkeit (Bentele 1994) oder von Medienimages (Berg/Kiefer 1992; Hasebrink 1995) wird erst seit kurzem größeres wissenschaftliches Interesse zuteil (Bryant/Zillmann 1991).

Selektive Auswahlprozesse

3.2.1 Selektive Zuwendung und Aufmerksamkeit

Unterschiedliche Selektionsprozesse:
Nach Donsbach (1989) treffen Rezipienten im Massenkommunikationsprozess Selektionsentscheidungen sowohl zu unterschiedlichen Zeitpunkten als auch auf verschiedenen Ebenen: Zuerst stellt sich im Tagesablauf (z.B. bei Langeweile) die Frage, ob ein Individuum sich überhaupt den Medien zuwenden will. Wird die erste

Wählerisches Publikum

Frage mit „ja" beantwortet, folgt als intermediäre Selektion die Nutzung eines bestimmten Mediums. Weiter werden Entscheidungen über die Zuwendung zu einzelnen Angeboten aufgrund formaler oder thematischer Merkmale der Medieninhalte im gewählten Medium getroffen. Und schließlich erfolgt als kleinste Selektionseinheit die Zuwendung zu den einzelnen Informationseinheiten bzw. Kognitionen und deren Verarbeitung.

Mentaler Aufwand variiert:

Flüchtige Nutzung

Bei den auditiven bzw. audiovisuellen Medien ist zu berücksichtigen, dass deren Nutzung unterhaltungsorientiert und flüchtig, der mentale Aufwand dementsprechend gering ist (Wember 1976). Ebenso ist Radiohören heute für die Mehrheit der Hörer nicht mehr Zuhören, sondern Nebenher-Hören.

Leseprozess ist selektiv:

Scanning

Aber auch bei den Printmedien haben Blickverlaufsaufzeichnungen (Bachofner 1993) gezeigt, dass selbst das Zeitunglesen als sog. „Scanning" hoch selektiv ist, indem während der durchschnittlichen Lesezeit eines Tages-Anzeigers von 22 Min. nur gerade 7% des angebotenen Lesestoffs überhaupt zur Kenntnis genommen wird: Titel und Bilder nehmen eine Schlüsselfunktion ein, indem sie als „Eingangstore" in den Artikel fungieren. Zwischentitel portionieren einen Artikel und regen zum Weiterlesen an.

Balance zwischen Abwechslung und Redundanz:

Zwischen Stress und Langeweile

Nach der Komplexitätstheorie bewegt sich der Rezipient kontinuierlich zwischen den Polen „Abwechslung" und „Redundanz". Befindet sich der Mediennutzer in einem Zustand mit zu hoher Aktivierung, wird er seinen Input durch konsistente Information zu reduzieren versuchen. Unterschreitet der Rezipient jedoch die untere Grenze und empfindet aufgrund der Redundanz der Information Langeweile, wird er neue Quellen und Informationen suchen und aufnehmen, die größeren Neuigkeitswert und mehr Abwechslung bieten (Rice/Husten/Wright 1984; Bryant/Zillmann 1991).

3.2.2 Schematheorie des Verstehens von Medientexten

Von der negativen zur aktiven Selektion

Neuere schematheoretische Modelle des Textverstehens zeigen, dass negative Selektion (Donsbach 1989) als Vermeiden bezüglich Wahrnehmung, Interpretation und Behalten oder Vergessen nur beschränkte Erklärungskraft besitzt. Darüber hinaus spielen aktive selektive Prozesse der Elaboration aufgrund vorhandener Schemata eine wichtige Rolle: Die Bedeutung eines Textes oder z.B. eines Fernsehnachrichtenbeitrags muss erschlossen werden, und zwar ausgehend vom Vorverständnis und den Wortkonzepten des Rezipienten (Brosius/Berry 1990; Lutz/Wodak 1987). Dabei spielen auch Konnotationen als emotionale Wortassoziationen (Wember 1993) eine wichtige Rolle. Informationsverarbeitung ist somit in der schematheoretischen Perspektive wesentlich ein aktiver und konstruktiver Prozess der Sinnkonstitution (Ballstaedt u.a. 1981; Früh 1983; Brosius 1991; Scheufele 1999).

Praxisrelevanz

Die Resultate der empirischen Aufmerksamkeits- und Verständlichkeitsforschung zeigen, dass durch entsprechende textorientierte Maßnahmen die Attraktivität und Verständlichkeit von Texten erheblich erhöht werden. Nach dem Uses-and-Gratifications-Ansatz ist für abstrakte und Ich-ferne Themen mit Low-Involvement wichtig, dass über Titel und Vorspann (z.B. durch Personalisierung, Emotionalisierung und Polarisierung) speziell Aufmerksamkeit erzeugt wird. Bernward Wember (1976; 1993) betont aber auch die Gefahren: Eine zu einseitige Fixierung auf diese aufmerksamkeitserzeugenden Elemente, typisch für TV-Infotainment-Programme, kann als „Text-Bild-Schere" von den zu vermittelnden Inhalten ablenken; kognitive Lernprozesse unterbleiben dann, was als „Bauch-Kopf-Schere" zu einem Auseinanderklaffen von emotionaler Betroffenheit und rationaler Aufklärung führt. Das Problem im Journalismus besteht aber oft auch darin, dass fremdproduzierte Texte ohne Bearbeitung übernommen werden, während eine rezipientenorientierte Umsetzung wichtig wäre. Die Faktoren verwendetes Repertoire (Einfachheit vs. Fremdworte), Satzkomplexität (Kürze und Prägnanz), Textaufbau (Gliederung und Ordnung) und Stimulanz durch anregende Zusätze erhöhen die Verständlichkeit (Langer/Schulz von Thun/Tausch 1981).

3.3 Agenda-Setting-Theorie

3.3.1 Prämissen, Ansatz und empirische Umsetzung

Vom „wie" zum „worüber" Denken

Bevor man Meinungen und Einstellungen durch die Medien beeinflussen bzw. ändern kann, muss der Meinungs-bzw. Einstellungsgegenstand vermittelt werden. Die Medien bestimmen also nicht nur darüber, wie wir über ein Problem oder Thema denken, sondern sie nehmen vorgängig Einfluss darauf, worüber Menschen überhaupt nachdenken (Eichhorn 1996; McCombs/Bell 1996).

Abbildung 7 Visualisiertes Agenda-Setting-Modell

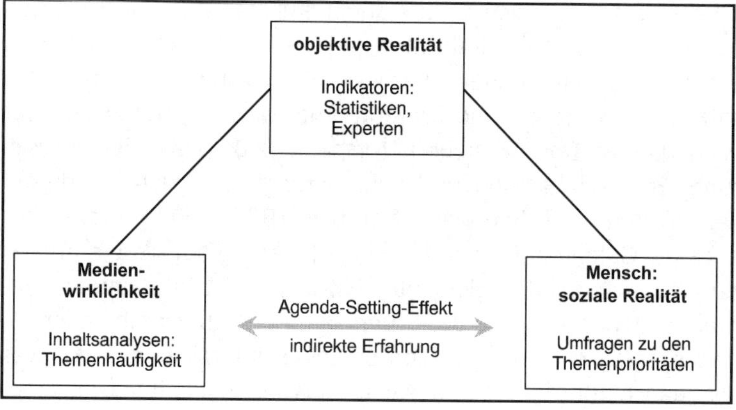

Medien-agenda beeinflusst Publikums-agenda

Medien reduzieren in ihrer Berichterstattung die Vielfalt möglicher Ereignisse der Welt durch Gatekeeping-Prozesse und aufgrund von Nachrichtenfaktoren: Über bestimmte Themen wird zu einem gewissen Zeitpunkt viel, über andere wenig berichtet. Medien konstruieren so eine öffentliche Agenda als Medienrealität. Diese kann durch Inhaltsanalysen empirisch festgestellt werden. Die Agenda-Setting-Theorie behauptet nun bezüglich der Medienwirkungen, dass die Rezipienten diese Medien-Agenda als soziale Wirklichkeit übernehmen: Themen, über die viel berichtet wird, werden vom Publikum als dringliche Themen wahrgenommen.

McCombs und Shaw (1972) testeten diesen medienzentrierten Ansatz (Medien-Agenda → Publikums-Agenda) erstmals empirisch: Untersucht wurde die Thematisierungsfunktion der Tagespresse in Chapel Hill, North Carolina, im Rahmen eines Wahlkampfs. Das Untersuchungsdesign bestand aus einer Inhaltsanalyse der Gewichtigkeit verschiedener Wahlkampfthemen, einer Befragung der Wähler über die persönlich perzipierte Wichtigkeit der einzelnen Themen und aus dem Vergleich von Medien- und Publikums-Agenda über Rang-Korrelation.

Empirische Umsetzung

3.3.2 Konzeptionelle Klärungen und Weiterentwicklungen

Medien- und Publikums-Agenda vs. Primäre Realität:
Inhaltsanalytisch wird die Medien-Agenda meist mittels einer Themenfrequenzanalyse gemessen, wobei unter „Thema" („issue" bzw. „topic") gesellschaftlich kontroverse Fragen bzw. soziale Probleme verstanden werden, wie z.B. Kriminalität, Ausländerfrage, Armut, Arbeitslosigkeit, Umweltschutz etc., die durch das politische System gelöst werden sollen. Unklar ist, wie konkret ereignisbezogen bzw. wie abstrakt oder allgemein solche Themen operationalisiert werden.

Medienagenda: Inhaltsanalyse

Die Publikums-Agenda wird mittels Befragung erhoben, und zwar entweder durch eine offene Frage nach den z.Z. als wichtig erachteten Problemen oder mittels einer vorgelegten Themenliste, wobei die Themen dann nach Wichtigkeit geordnet werden müssen oder jedes Thema bezüglich seiner Priorität eingeschätzt werden muss: „What are you most concerned these days?" oder „In der Schweiz gibt es viele ungelöste Probleme. Welches ist Ihrer Meinung nach das wichtigste Problem?" Je nach Studie liegt der

Publikumsagenda: Befragung

Fokus nur auf einem Problem, wobei untersucht wird, ob die Berichterstattung überhaupt zu einer Wahrnehmung des Themas führt (Thematisierungs- bzw. Awareness-Modell) oder auf der perzipierten Dringlichkeit (Wichtigkeits- bzw. Salience-Modell) übereinstimmt. Oder es werden mehrere Themen bezüglich Berichterstattung und Bevölkerungswahrnehmung miteinander verglichen (Themenstrukturierungs- bzw. Prioritätsmodell).

Welt als primäre Realität

Für Vergleiche bzw. zur Abklärung der Frage, wie stark die Medien-Agenda mit der „objektiven" Realität übereinstimmt, wird auf Statistiken und Indikatoren oder Expertenurteile zurückgegriffen.

Methodische Probleme:

Richtung der Kausalität

Obwohl in der ersten Agenda-Setting-Studie sowohl die Medien- als auch die Publikums-Agenda nur zu einem einzigen Zeitpunkt gemessen wurde (Querschnittstudie) bedingen verlässliche Wirkungsaussagen Längsschnittstudien, d.h. die Erhebung zu verschiedenen Zeitpunkten. Prinzipiell ist ja denkbar, dass sich sowohl in der Medienberichterstattung als auch in den Köpfen der Menschen reale Entwicklungen (z.B. Wertewandel) spiegeln (Medien als Spiegel der Welt). Im Unterschied zu Studien, die individuelle Daten verwenden, basieren viele Agenda-Setting-Studien nur auf aggregierten Daten, d.h. die durchschnittliche Berichterstattung wird mit der durchschnittlichen Bevölkerungsmeinung verglichen.

Mediatisierende Faktoren, Wirkungsverläufe und Priming-Effekte:

Forschungsentwicklung

Sehr bald wurde klar, dass es einerseits tatsächlich empirisch nachweisbare Agenda-Setting-Effekte gibt, dass diese aber andererseits durch weitere Faktoren mediatisiert sind. Es stellt sich die Frage, unter welchen Bedingungen Agenda-Setting-Effekte besonders stark bzw. eher schwach oder nicht existent sind? Themenbezogen spielt eine Rolle, wie sichtbar bzw. „persönlich erfahrbar" („obtrusiveness") ein Thema ist. Agenda-Setting-Effekte sind bei wenig sichtbaren Themen wie z.B. der Kriminalität stärker als bei persönlich erfahrbaren Problemen wie z.B. der Inflation. Ähnliches gilt bezüglich nationalen im Vergleich zu lokalen Themen, wobei im letzteren Fall schwächere Effekte zu erwarten sind. Im Vergleich zwischen Presse und TV scheinen Tageszeitungen im politischen Bereich stärkere Agenda-Setting-Effekte zu erzeugen als das Fernsehen, wobei letzteres bezüglich nationaler und internationaler Themen besser abschneidet. Rezipienten: Agenda-Setting-Effekte sind bei Personen groß, die ein Bedürfnis nach Orientierung haben und/oder Medien intensiv nutzen.

Wirkungsverläufe

Kepplinger u.a. (1989) unterscheiden verschiedene Konstellationen im Zeitverlauf: 1. Kumulationsmodell: lineare Beziehung zwischen Berichterstattung und Wirkung; 2. Schwellenmodell: minimale Berichterstattung ist notwendig, damit überhaupt ein Effekt eintritt; 3. Beschleunigungsmodell: bei zunehmender Berichterstattung resultiert eine überproportionale Effektzunahme; 4. Trägheitsmodell: nach einem bestimmten Ausmaß der Berichterstattung gehen die Effekte zurück; 5. Echomodell: Obwohl die Berichterstattung ab einem gewissen Zeitpunkt stark absinkt, bleiben die Agenda-Effekte weiter bestehen.

Priming

Iyengar (1992) konnte zeigen, dass die Agenda-Setting-Funktion der Medienberichterstattung in einem Wahlkampf zusätzlich indirekte Effekte auf der affektiven Ebene erzeugt, die er mit dem Begriff „Priming" („aufladen") bezeichnete. Je nach Wahlkampf-Agenda (z.B. Wettbewerb vs. soziale Sicherheit) wird das Image eines Kandidaten unterschiedlich wahrgenommen. Bestimmte Dimensionen des Kandidaten-Images treten stärker in den Vordergrund, während andere eine geringere Bedeutung haben.

Agenda-Building

Die Forschung hat sich zudem nicht nur mit den Agenda-Effekten der Medienberichterstattung befasst, sondern geht auch der Frage nach, wieso die Medien u.U. konzentriert über bestimmte Themen berichten oder aber nicht (Themenmanagement und PR).

Zusammenfassend betrachtet stellt die Agenda-Setting-Theorie sicher das erfolgreichste Paradigma der neueren Medienwirkungsforschung dar. Dies spiegelte sich z.B. in den Themenheften der

Zeitschriften „Journalism Quarterly" und „Journal of Communication", die zum 25-jährigen Jubiläum des Paradigmas veröffentlicht worden sind.

3.4 Wissenskluft-Perspektive

Information garantiert nicht immer Informiertheit

Die Wissenskluft- bzw. „Knowledge-Gap"-Hypothese, 1970 formuliert von Tichenor, Donohue und Olien von der Minnesota University, basiert auf der Einsicht, dass der Wissensstand z.B. bei Wahlen und Abstimmungen oft sehr tief ist, obwohl die meisten Leute die Massenmedien intensiv nutzen. Mehr Information allein genügt also nicht, sondern führt tendenziell eher dazu, dass sich die Klüfte zwischen den schlecht und den gut Informierten verstärken (Bonfadelli 1994; Gaziano/Gaziano 1996; Viswanath/Finnegan 1996).

3.4.1 Ausgangshypothese und deren Begründung

Ausgangshypothese

„Wenn der Informationszufluss in ein Sozialsystem wächst, tendieren die Bevölkerungssegmente mit höherem sozioökonomischem Status und/oder höherer formaler Bildung zu einer rascheren Aneignung dieser Information als die status- und bildungsniedrigeren Segmente, sodass die Wissenskluft zwischen diesen Segmenten tendenziell zu- statt abnimmt" (Tichenor/Donohue/Olien 1970: 159).

Erklärungen

Zur Begründung der Ausgangshypothese verwiesen die Autoren auf folgende Faktoren und Prozesse: Die Medien wirken als Trendverstärker, weil 1. die besser Gebildeten vermehrt die informationsreichen Print-Medien nutzen, sie 2. schneller lernen, 3. über mehr themenspezifisches Vorwissen, aber auch über eine bessere Medienkompetenz verfügen und sie 4. stärker an politischer Information interessiert sind. Darüber hinaus erhalten sie 5. mehr relevante Informationen über soziale Netzwerke. Im Gegensatz dazu nutzen die weniger Gebildeten vorab das informationsärmere TV, haben weniger Vorwissen und ihr Interesse ist geringer. Diese Faktoren führen dazu, dass sich im Wahlkampf oder bei Abstimmungen die Information ungleichmäßig ausbreitet. Oder Informationskampagnen erreichen oft nur jene, die eigentlich schon informiert sind.

Abbildung 8 Visualisierte Wissenskluft-Hypothese

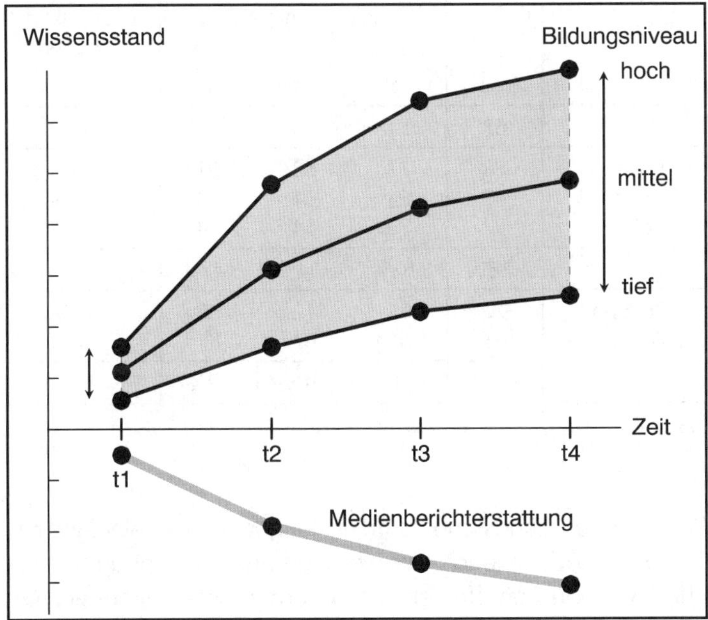

3.4.2 Empirische Umsetzung

In vielen empirischen Querschnittstudien zeigt sich eine bildungsabhängige Verteilung des Wissensstandes, aber auch, dass sich Viel- bzw. Wenigseher in ihrem Wissensstand nicht unterscheiden, wohingegen Zeitungsleser besser informiert sind als Nicht-Leser.

Querschnittstudien

Weniger Gebildete können durch Zeitungslektüre bis zu einem gewissen Grad ihren Bildungsnachteil kompensieren. Im Medienvergleich scheint also die Presse bedeutend wirksamer als das TV zu sein, und zwar bezüglich Agenda-Setting wie auch Beeinflussung von Einstellungen und politischem Verhalten.

Abbildung 9 Medienumgang, Bildung, Informiertheit bezüglich des EWR-Beitritts der Schweiz

%-Anteile mit „Minimalwissen"		insg.	Bildungsniveau: tief	mittel	hoch	Wissenskluft in Prozent
Insgesamt		63	51	60	85	+34%
Sich auf dem Laufenden halten:	hoch	88	77	88	91	+14%
	mittel	67	63	61	89	+26%
	tief	32	25	34	44	+19%
Medieneffekt in%		+56%	+52%	+54%	+47%	
Info-Quellen:	Zeitung	77	63	72	90	+27%
	Fernsehen	63	52	62	82	+30%
Medienunterschied:		+14%	+11%	+10%	+8%	

Quelle: Bonfadelli 1995

Verlaufsstudien

Die Befunde von Längsschnittstudien hingegen sind weniger eindeutig. Gibt es doch auch sich verringernde Wissensklüfte, z.B. aufgrund von Deckeneffekten, bei Informationskampagnen. Oft äußern sich additive Effekte sowohl von kognitiven (Bildung) als auch von motivationalen Faktoren (z.B. Themeninteresse).

3.4.3 Kritik und Weiterentwicklungen

Defizite vs. Differenzen

Die Wissenskluft-Hypothese ist in verschiedener Hinsicht kritisiert worden: Bezüglich des Wissensbegriffs wird z.T. zu stark mit „Schulbuchwissen" gearbeitet, was Personen mit einem Mittelschichthintergrund begünstigt. Ein solches Wissen ist u.U. für Personen aus der Unterschicht aber wenig relevant. Die klassische Wissenskluft-Hypothese ist aus einer Defizit-Perspektive formuliert worden. Im Unterschied dazu kann aus einer Differenz-Perspektive argumentiert werden, dass Personen mit tiefem sozio-ökonomischem Status bzw. tiefem Bildungsstatus nicht generell benachteiligt sind, sondern nur in bestimmten Situationen weniger motiviert sind, sich die medienvermittelte Information anzueignen. In der Ausgangshypothese wurde nicht differenziert zwischen Wissensklüften, die das Resultat einer ungleichen Mediennutzung sind, und solchen, die dadurch entstehen, dass im Rezeptionsprozess selbst die Informationsverarbeitung und -aufnahme bildungsspezifisch je unterschiedlich intensiv ist.

Weiterentwicklungen

Sowohl diese theoretischen Überlegungen als auch empirische Forschungen haben zu einer Differenzierung der Wissenskluft-Perspektive geführt, und zwar einerseits in eine mehr psychologische, andererseits in eine mehr soziologische Richtung (Bonfadelli 1994; Viswanath/Finnegan 1996).

Makro- und Mikroebene

Tichenor und seine Mitarbeiter konnten nachweisen, dass es Mechanismen gibt, die auf der Makroebene des Medien- und Gesellschaftssystems zu einer Homogenisierung des Wissens, d.h. zu einer Einebnung bestehender Wissensklüfte führen können: sozialer Konflikt. In sozialen Systemen, wo die Berichterstattung bezüglich eines Themas konflikthaltiger ist und die Meinungen polarisiert sind, ist die Wissensverteilung homogener im Vergleich zu wenig kontroversen Themen. Und auf der psychologischen Mikroebene konnte gezeigt werden, dass die perzipierte Problemrelevanz und das Themeninteresse im Zeitablauf zu einem Ausgleich des Wissens führen können und bestehende Bildungsnachteile teilweise kompensiert werden. Dies gilt ebenfalls für die Nutzung von interpersonalen Quellen und Printmedien, sofern diese durch die benachteiligten Segmente genutzt werden.

Praxisrelevanz

Für den Journalismus stellt sich schließlich praxisbezogen die Frage, wie der Entstehung von Wissensklüften entgegenzuwirken ist: Wie können schwierige und nicht direkt interessante Themen für den Zuschauer verständlich und interessant umgesetzt werden, ohne dass dies auf Kosten der Information geschieht? Erfolg versprechen Strategien bezüglich der Form (z.B. Visualisierung, Redundanz, angepasstes Vokabular, Personalisierung und Konkretheit), aber auch auf Ebene der Inhalte (z.B. zielgruppenorientierte Information, Lebensweltbezug, persönliche Betroffenheit sichtbar machen, Konflikte thematisieren).

3.5 Schweigespiralen-Modell

3.5.1 Prämissen und Hypothese

Medien sind doch mächtig

Obwohl die von Elisabeth Noelle-Neumann entwickelte Theorie der Schweigespirale erst in den 1970er Jahren formuliert worden ist und von der Prämisse „Return to the Concept of Powerful Mass Media" (Noelle-Neumann 1974) ausgeht, mithin eigentlich zu den neuen Ansätzen in der Wirkungsforschung zu zählen ist, basiert sie auf den Grundkonzepten der Einstellungs- und Gruppentheorie und steht in der Tradition der Wahlforschung von Lazarsfeld (Noelle-Neumann 1982; Salmon/Glynn 1996).

Prämisse „Mensch":

Menschen wollen sich nicht isolieren

Die soziale Natur des Menschen veranlasst diesen, seine Umwelt, d.h. auch die Medienumwelt, ständig zu beobachten, und zwar insbesondere bezüglich der vorherrschenden öffentlichen Meinung. Gefragt wird z.B. „Welche Partei wird die Wahlen gewinnen?" Besteht Konsonanz zwischen eigener und perzipierter Mehrheitsmeinung, kann die eigene Meinung öffentlich geäußert werden, ohne Gefahr, sich sozial zu isolieren. Bei Dissonanz wird geschwiegen, was nach Noelle-Neumann eine sog. Schweigespirale in Gang setzen kann: Immer mehr schweigen, was die Mehrheitsposition stärkt.

Prämisse „Medien":

Die Wirksamkeit eines Mediums ist umso stärker, je weniger es den schützenden Mechanismus der selektiven Wahrnehmung zulässt. Das Fernsehen kann dann eine starke Wirkung erzeugen, wenn es konsonant, kumulativ und eben öffentlich sichtbar eine sog. „dominante Meinung" verbreitet, z.B. über die Wahlchancen einer Partei. Die Folge ist, dass die vermeintliche Minoritätsgruppe sich selbst als Minderheit perzipiert und schweigt, d.h. ihre Meinung nicht mehr öffentlich äußert, was die Schweigespirale in Gang setzt.

Kumulativ konsonantes Fernsehen

Abbildung 10 Visualisiertes Schweigespiralen-Modell

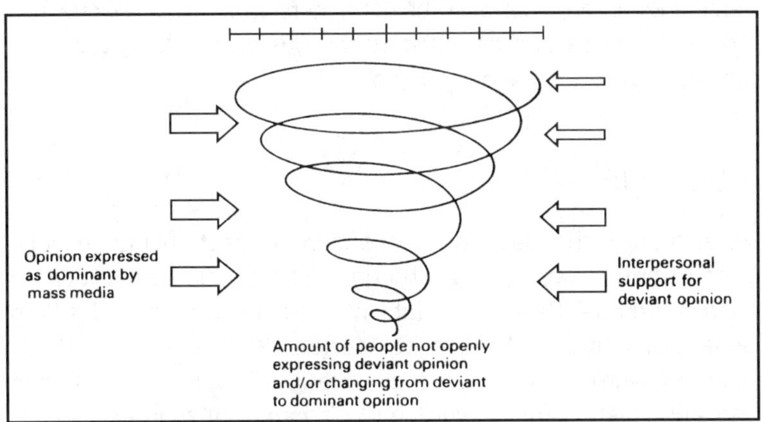

3.5.2 Empirische Umsetzung

Dementsprechend bescheinigt Noelle-Neumann dem TV, für den Sieg der SPD/FDP 1976 bei der Bundestagswahl in Deutschland wahlentscheidend gewesen zu sein: Übereinstimmende politische Orientierungen der TV-Journalisten haben zu einer wirklichkeitsverzerrenden und konsonant die Linkskoalition begünstigenden Berichterstattung geführt. Dieses Meinungsklima hat nach demoskopischen Daten des Allensbacher-Instituts v.a. bei den starken

BRD Wahlen 1976

TV-Nutzern dazu geführt, dass diese ihre politische Haltung nicht mehr öffentlich geäußert haben. Die so in Gang gesetzte Schweigespirale hat demnach letztlich zu einem Umschwung der politischen Einstellungen geführt.

War TV wahlentscheidend?

Eine Folge der Behauptung, dass die SPD-orientierte Berichterstattung des Fernsehens 1972 die Wahl entschieden habe, war, dass von da an die Parteien das Fernsehen noch mehr zum bevorzugten Selbstdarstellungsmedium benutzt haben und verstärkt auch zu kontrollieren versuchten, z.B. über Personalpolitik. Für den Journalismus ergibt sich zudem als Konsequenz aus der Theorie der Schweigespirale, dass bei veröffentlichten Stellungnahmen von Interessengruppen, aber auch bei Berichterstattung über Demonstrationen Hinweise zur gesellschaftlichen Relevanz der involvierten Gruppen gegeben werden sollten.

3.5.3 Kritik

Es erstaunt nicht, dass es insbesondere in Deutschland zu politischen Kontroversen um die Theorie der Schweigespirale gekommen ist und die These vom wahlentscheidenden Einfluss des Fernsehens umstritten geblieben ist (Merten 1983; Schönbach 1983). Kritisiert wurde insbesondere die quasi anthropologische Annahme, aus Isolationsfurcht würden Menschen nicht zu ihrer Meinung stehen. Nach Gerhards (1996) gibt es jedoch neben den 3.5% der sog. Anpasser auch 5% Missionare und ebenso Menschen, die in allen Situationen ihre Meinung öffentlich aussprechen (39%) oder verschweigen (31%).

3.6 Kultivierungsanalyse

Verzerrte TV-Welt

Quantitative Inhaltsanalysen zeigen, dass das Fernsehen bestimmte Bilder von der Welt (primäre Realität) als TV-Wirklichkeit (sekundäre Realität) konsonant, immer wieder stereotyp in ähnlich verzerrter Weise, wie z.B. Fernsehgewalt, Darstellung von Minoritäten, Familienbilder, Geschlechtsrollen-Stereotype etc., vermittelt.

3.6.1 Theoretische Perspektive und methodische Umsetzung

Vielseher sind ängstlicher

George Gerbner (1976) von den Annenberg School of Communications führte seit Ende der 1960er Jahre nicht nur Inhaltsanalysen zum Ausmaß von TV-Gewalt durch (operationalisiert als „Violence-Index"), sondern verglich diese auch mit Publikumsbefragungen zur Wahrnehmung der Gewalt im Alltag. Diese Studien zeigten, dass Vielseher ihre Umwelt im Vergleich zu Wenigsehern quasi durch eine „TV-Brille" verzerrt in Richtung der im Fernsehen dargestellten Realität wahrnehmen. So perzipieren Vielseher ihre Umwelt als gewalttätiger und sind dementsprechend auch ängstlicher als Wenigseher. Die Weltsichten der Vielseher sind homogener: Das Fernsehen fungiert als Mainstream-Medium (Bonfadelli 1983; Gerbner u.a. 1994; Signorielli/Morgan 1990; 1996).

Empirische Umsetzung

In einem ersten Schritt werden einerseits sog. „Real-World-Indikatoren" z.B. aufgrund der Kriminalstatistik und andererseits die Strukturen der TV-Realität mittels Inhaltsanalyse erhoben und miteinander verglichen. In einem zweiten Schritt wird die Wahrnehmung der Wirklichkeit durch die Zuschauer mittels Befragung gemessen: „What percent of all males who have a job work in law enforcement and crime detection? 1% vs. 5%." „During any given week, what are your chances of being involved in some kind of violence: 1:10 or 1:100?" Nach der Kultivierungshypothese müssten die Antworten der Vielseher näher bei der TV-Realität und jene der Wenigseher näher bei der faktischen Wirklichkeit liegen.

3.6.2 Kritik, Weiterentwicklung und Praxisrelevanz

Methodische und theoretische Probleme

Kritisiert wird aus methodischer Perspektive, dass Gerbner den Begriff „Viel- bzw. Wenigseher" unterschiedlich operationalisierte und in den meisten Fällen nur korrelative Querschnittstudien durchgeführt hat. Die Richtung des Einflusses bleibt dementsprechend ungeklärt: Führt habitualisiertes Vielsehen zu verzerrter Wahrnehmung der Umwelt oder ist das Vielsehen u.U. ein Persönlichkeitssyndrom ängstlicher Menschen? Auch wird kritisiert, dass dem Einfluss von Dritt-Faktoren, wie z.B. Wohngegend oder Geschlecht, zu wenig Aufmerksamkeit geschenkt worden ist. Zudem wird davon ausgegangen, dass sowohl die TV-Realität als auch deren Nutzung homogen sind und dass darum die Inhalte durch die Zuschauer auf ähnliche Weise verstanden und nicht uminterpretiert werden (Potter 1993).

Mainstreaming oder Resonanz

Aus theoretischer Perspektive hat Gerbner als Konsequenz solcher Kritik das Kultivierungs-Modell durch die beiden Prozesse „Mainstreaming" und „Resonance" zu differenzieren versucht: Mainstreaming liegt dann vor, wenn das Fernsehen die Ansichten von abweichenden Gruppen auf die Mehrheitsmeinung der Bevölkerung hin anpasst, d.h. bei Wenigsehern liegen die Meinungen auseinander (Heterogenität), während sie bei Vielsehern homogen sind. Resonance meint, dass das Fernsehen eine Verstärkung der Ansichten vorab bei jenen Gruppen bewirkt, die sich zu Recht betroffen fühlen, z.B. Frauen oder Bewohner von Großstädten durch Gewalt. Kritisiert wird, dass dadurch jedes empirische Forschungsresultat im nachhinein entweder als Mainstreaming oder als Resonance interpretiert werden könne, mithin die Kultivierungstheorie gar nicht mehr falsifizierbar sei.

Zusammenfassend betrachtet liegen mittlerweile viele empirische Studien aus unterschiedlichen Ländern und zu verschiedensten Themen vor, welche Kultivierungsphänomene dokumentieren, allerdings auf einem eher geringen Niveau. Als mediatisierende Faktoren machen sich die gesehenen Programmgenres, die Sehmotive der Zuschauer, die Einschätzung der Wirklichkeitsnähe der gesehenen Programme, aber auch Persönlichkeitsaspekte wie Alter, Geschlecht oder Ängstlichkeit bemerkbar.

Praxisrelevanz

Die Praxisrelevanz der Kultivierungsanalyse liegt in Fragen wie: Wie werden Ereignisse oder Personengruppen durch die Medien dargestellt? Welche Aspekte eines Ereignisses bzw. einer Gruppe werden betont? Welche kognitiven Rahmen bzw. Schemata werden gebraucht? Wird z.B. bezüglich einer Demonstration der Gewaltaspekt (Gewalt der Polizei vs. Gewalt der Demonstranten) oder der Sachaspekt (Thema der Demonstration) in den Vordergrund gestellt? Wer erscheint als Täter bzw. Opfer? Schließlich fungiert nach Gerbner das Medium Fernsehen ähnlich wie früher die Religion als gesellschaftliches Kontrollinstrument, indem solche Realitätsbilder Ängstlichkeit kultivieren, was letztlich den Status quo stützt bzw. eine „Law-and Order"-Politik begünstigt.

3.7 Ausblick

Neue qualitative Ansätze

Im Gefolge der Rezeption der sog. „Cultural Studies" (vgl. Bonfadelli/Leonarz/Süss, Abschnitt 2.3) entwickelte sich seit den 1980er Jahren eine nach wie vor recht heterogene Tradition qualitativer Rezeptionsforschung (Jensen/Rosengren 1990; Holly/Püschel 1993; Charlton/Schneider 1997; Hepp 1999). In kritischer Abgrenzung wird der „klassischen" Wirkungsforschung vorgeworfen, einseitig monokausal, mechanistisch sowie nur quantifizierend zu sein und die konkreten Medienbotschaften zu vernachlässigen. Mittels qualitativer Methoden wie narratives Interview oder Gruppengespräch wird untersucht, wie Rezipienten Informationssendungen, wie Fernsehnachrichten, oder Unterhaltungsprogramme, wie z.B. Soap Operas oder Liebesromane, rezipieren oder über Medienthemen in (Tisch-)Gesprächen diskutieren (vgl. Donges/Meier i.d.B.).

Literatur

Bachofner, Gaby (1993): Making a Newspaper More Reader-Friendly. In: ESOMAR (Hg.): Competition in Publishing. Amsterdam, S. 99-118.

Ballstaedt, Steffen-Peter u.a. (1981): Texte verstehen, Texte gestalten. München.

Bentele, Günter (1994): Objektivitätsanspruch und Glaubwürdigkeit. In: Jarren, Otfried (Hg.): Medien und Journalismus 1. Opladen, S. 296-312.

Berg, Klaus/Kiefer, Marie-Luise (1992): Massenkommunikation IV. Eine Langzeitstudie zur Mediennutzung und Medienbewertung 1964-1990. Baden-Baden.

Blumler, Jay G./Katz, Elihu (Hg.) (1974): The Uses of Mass Communications. Current Perspectives on Gratifications Research. Beverly Hills, London.

Bonfadelli, Heinz (1981): Die Sozialisationsperspektive in der Massenkommunikationsforschung. Berlin.

Bonfadelli, Heinz (1983): Der Einfluss des Fernsehens auf die Konstruktion der sozialen Realität: Befunde aus der Schweiz zur Kultivierungshypothese. In: Rundfunk und Fernsehen 31, H. 3-4, S. 415-430.

Bonfadelli, Heinz (1994): Die Wissenskluft-Perspektive. Massenmedien und gesellschaftliche Information. Konstanz.

Bonfadelli, Heinz (1995): EG und EWR: Wie steht es um die Information der Öffentlichkeit in der Schweiz? In: Erbring, Lutz (Hg.): Kommunikationsraum Europa. Konstanz, S. 222-232.

Bonfadelli, Heinz (1998): Books and Television. Competition or Interaction? In: Viehoff, Reinhold/Rusch, Gebhard/Segers, Rien T. (Hg.): Siegener Periodicum zur Internationalen Empirischen Literaturwissenschaft 17, H. 2.

*Bonfadelli, Heinz (1999): Medienwirkungsforschung I: Grundlagen und theoretische Perspektiven. Konstanz.

*Bonfadelli, Heinz (2000): Medienwirkungsforschung II: Anwendungen in Politik, Wirtschaft und Kultur. Konstanz.

Brosius, Hans-Bernd (1991): Schema-Theorie: Ein Ansatz in der Wirkungsforschung? In: Publizistik 36, H. 3, S. 285-297.

Brosius, Hans-Bernd/Berry, Colin (1990): Ein Drei-Faktoren-Modell der Wirkung von Fernsehnachrichten. In: Media Perspektiven, H. 9, S. 573-583.

Brosius, Hans-Bernd/Engel, Dirk (1997): „Die Medien beeinflussen vielleicht die anderen, aber mich doch nicht“: Zu den Ursachen des Third-Person-Effekts. In: Publizistik 42, H. 3, S. 325-345.

Brosius, Hans-Bernd/Esser, Frank (1998): Mythen in der Wirkungsforschung: Auf der Suche nach dem Stimulus-Response-Modell. In: Publizistik 43, H. 4, S. 341-361.

Bryant, Jennings/Zillmann, Dolf (Hg.) (1991): Responding to the Screen: Reception and Reaction Processes. Hillsdale/N.J.

*Bryant, Jennings/Zillmann, Dolf (Hg.) (1994): Media Effects. Advances in Theory and Research. Hillsdale/N.J.

Bucher, Hans-Jürgen (1996): Text-Design – Zaubermittel der Verständlichkeit? Die Tageszeitungen auf dem Weg zum interaktiven Medium. In: Hess-Lüttich, Ernest/Holly, Werner/Püschel, Ulrich (Hg.): Textstrukturen im Medienwandel. Frankfurt/M., S. 31-59.

Cantril, Hadley (1985): Die Invasion vom Mars. In: Prokop, Dieter (Hg.): Medienforschung. Bd. 2: Wünsche, Zielgruppen, Wirkungen. Frankfurt/M., S. 14-28.

Charlton, Michael/Schneider, Silvia (Hg.) (1997): Rezeptionsforschung. Theorien und Untersuchungen zum Umgang mit Massenmedien. Opladen.

DeFleur, Melvin L. (1987): The Growth and Decline of Research on the Diffusion of News. In: Communication Research 14, H. 1, S. 109-130.

*DFG Deutsche Forschungsgemeinschaft (Hg.) (1992): Medienwirkungen. Einflüsse von Presse, Radio und Fernsehen auf Individuum und Gesellschaft. Weinheim.

Donsbach, Wolfgang (1989): Selektive Zuwendung zu Medieninhalten. Einflussfaktoren auf die Auswahlentscheidungen der Rezipienten. In: Kaase, Max/Schulz, Winfried (Hg.): Massenkommunikation. Theorien, Methoden, Befunde. Sonderheft der Kölner Zeitschrift für Soziologie und Sozialpsychologie. Opladen, S. 392-403.

Donsbach, Wolfgang (1998): Mediennutzung in der Informationsgesellschaft. In: Mahle, Walter A. (Hg.): Kultur in der Informationsgesellschaft. München, S. 25-35.

Eichhorn, Wolfgang (1996): Agenda-Setting. Eine theoretische Analyse individueller und gesellschaftlicher Themenstrukturierung. München.

Festinger, Leon (1978): Theorie der kognitiven Dissonanz. Bern.

Früh, Werner (1983): Der aktive Rezipient – neu besehen. Zur Konstruktion faktischer Information bei der Zeitungslektüre. In: Publizistik 28, H. 3, S. 327-342.

Früh, Werner (1991): Medienwirkungen: Das dynamisch-transaktionale Modell. Theorie und empirische Forschung. Opladen.

Gaziano, Cecilie/Gaziano, Emanuel (1996): Theories and Methods in Knowledge Gap Research Since 1970. In: Salwen, Michael B./Stacks, Don W. (Hg.): An Integrated Approach to Communication Theory and Research. Mahwah/N.J., S. 127-143.

Gerbner, George/Gross, Larry (1976): Living With Television: The Violence Profile. In: Journal of Communication 26, H. 2, S. 173-199.

Gerbner, George u.a. (1994): Growing Up With Television: The Cultivation Perspective. In: Bryant, Jennings/Zillmann, Dolf (Hg.): Media Effects. Advances in Theory and Research. Hillsdale/N.J., S. 17-41.

Gerhards, Jürgen (1996): Reder, Schweiger, Anpasser und Missionare: Eine Typologie öffentlicher Kommunikationsbereitschaft und ein Beitrag zur Theorie der Schweigespirale. In: Publizistik 41, H. 1, S. 1-14.

Graber, Doris (1984): Processing the News. How People Tame the Information Tide. New York.

Hasebrink, Uwe (1995): Ergebnisse der Mediennutzungsforschung. In: Jarren, Otfried (Hg.): Medien und Journalismus 2. Opladen, S. 16-50.

Heijnk, Stefan (1997): Textoptimierung für Printmedien. Theorie und Praxis journalistischer Textproduktion. Opladen.

Hepp, Andreas (1999): Cultural Studies und Medienanalysen. Opladen.

Holly, Werner/Püschel, Ulrich (Hg) (1993): Medienrezeption als Aneignung. Methoden und Perspektiven qualitativer Medienforschung. Opladen.

Iyengar, Shanto (1992): Wie Fernsehnachrichten die Wähler beeinflussen. Von der Themensetzung zur Herausbildung von Bewertungsmaßstäben. In: Wilke, Jürgen (Hg.): Öffentliche Meinung. Theorie, Methoden, Befunde. Freiburg, München, S. 123-142.

*Jäckel, Michael (1999): Medienwirkungen. Ein Studienbuch zur Einführung. Opladen.

Jensen, Klaus Bruhn/Rosengren, Karl Erik (1990): Five Traditions in Search of the Audience. In: European Journal of Communication 5, H. 2/3, S. 207-238.

Katz, Elihu/Gurevitch, Michael/Haas, Hadassah (1973): On the Use of the Mass Media for Important Things. In: American Sociological Review, 38, S. 164-181.

Kepplinger, Hans Mathias u.a. (1989): Der Einfluss der Fernsehnachrichten auf die politische Meinungsbildung. Freiburg, München.

Klapper, Joseph T. (1960): The Effects of Mass Communication. New York.

Kunczik, Michael (1994): Gewalt und Medien. Köln.

Langer, Inghard/Schulz von Thun, Friedemann/Tausch, Reinhard (1981): Sich verständlich ausdrücken. München.

Lazarsfeld, Paul/Berelson, Bernard/Gaudet, Hazel (1969): Wahlen und Wähler. Soziologie des Wahlverhaltens. Neuwied.

Lowery, Shearon/DeFleur, Melvin (1983): Milestones in Mass Communication Research: Media Effects. New York, London.

Lutz, Benedikt/Wodak, Ruth (1987): Information für Informierte. Linguistische Studien zu Verständlichkeit und Verstehen von Hörfunknachrichten. Österreichische Akademie der Wissenschaften. Wien.

McCombs, Maxwell E./Bell, Tamara (1996): The Agenda-Setting Role of Mass Communication. In: Salwen, Michael/Stacks, Don (Hg.): An Integrated Approach to Communication Theory and Research. Mahwah/N.J., S. 93-110.

McCombs, Maxwell E./Shaw, Donald Lewis (1972/73): The Agenda-Setting Function of Mass Media. In: Pubic Opinion Quarterly 36, H. 3, S. 176-187.

McLeod, Jack M./Kosicki, Gerald M./Pan, Zhongdang (1991): On Understanding and Misunderstanding Media Effects. In: Curran, James/ Gurevitch, Michael (Hg.): Mass Media and Society. London, New York, S. 235-266.

McLeod, Jack M./Reeves, Byron (1980): On the Nature of Mass Media Effects. In: Withey, S.B./Abeles, Ronald P. (Hg.): Beyond Violence and Children. Hillsdale/N.J., S. 17-54.

Merten, Klaus (1983): Wirkungen der Medien im Wahlkampf. Fakten oder Artefakte? In: Schulz, Winfried/Schönbach, Klaus (Hg.): Massenmedien und Wahlen. München, S. 424-441.

Merten, Klaus (1985): Re-Rekonstruktion von Wirklichkeit durch Zuschauer von Fernsehnachrichten. In: Media Perspektiven, H. 10, S. 753-763.

Merten, Klaus (1999): Gewalt durch Gewalt im Fernsehen? Opladen.

Noelle-Neumann, Elisabeth (1974): The Spiral of Silence: A Theory of Public Opinion. In: Journal of Communication 24, H. 2, S. 43-51.

Noelle-Neumann, Elisabeth (1982): Die Schweigespirale. Öffentliche Meinung – unsere soziale Haut. Frankfurt/M., Wien, Berlin.

Noelle-Neumann, Elisabeth/Schulz, Winfried (1971): Publizistik. Frankfurt/M.

O'Keefe, Daniel J. (1990): Persuasion: Theory and Research. Newbury Park.

Potter, James W. (1993): Cultivation Theory and Research. A Conceptual Critique. In: Human Communication Research 19, H. 4, S. 564-601.

Rayburn, Jay D. (1996): Uses and Gratifications. In: Salwen, Michael B./Stacks, Don W. (Hg.): An Integrated Approach to Communication Theory and Research. Mahwah/N.J., S. 145-163.

Renckstorf, Karsten (1989): Mediennutzung als soziales Handeln. In: Kaase, Max/Schulz, Winfried (Hg.): Massenkommunikation. Theorien, Methoden, Befunde. Opladen, S. 314-336.

Rice, Mabel/Huston, Aletha/Wright, John (1984): Fernsehspezifische Formen und ihr Einfluss auf Aufmerksamkeit, Verständnis und Sozialverhalten der Kinder. In: Meyer, Manfred (Hg.): Wie verstehen Kinder Fernsehprogramme? München, New York, S. 17-49.

Rice, Ronald/Atkin, Charles (Hg.) (1989): Public Communication Campaigns. Beverly Hills, London.

Rogers, Everett M. (1971): Communication of Innovations. New York.

Rosengren, Karl Erik (1974): Uses and Gratifications. A Paradigm Outlined. In: Blumler, Jay G./Katz, Elihu (Hg.): The Uses of Mass Communications. Current Perspectives on Gratifications Research. London, S. 269-286.

Rosengren, Karl Erik/Wenner, Lawrence/Palmgreen, Philip (Hg.) (1985): Media Gratifications Research. Current Perspectives. Beverly Hills, London.

Rössler, Patrick (Hg.) (1998): Online-Kommunikation. Beiträge zu Nutzung und Wirkung. Opladen.

Rubin, Alan (1994): Media Uses And Effects: A Uses-and-Gratifications Perspective. In: Bryant, Jennings/Zillmann, Dolf (Hg.): Media Effects. Hillsdale/N.J., S. 417-436.

Salmon, Charles/Glynn, Carroll (1996): Spiral of Silence: Communication and Public Opinion as Social Control. In: Salwen, Michael B./Stacks, Don W. (Hg.): An Integrated Approach to Communication Theory and Research. Mahwah/N.J., S. 165-180.

Schenk, Michael (1984): Soziale Netzwerke und Kommunikation. Tübingen.

Schenk, Michael/Donnerstag, Joachim/Höflich, Joachim (1990): Wirkungen der Werbekommunikation. Köln, Wien.

Scheufele, Dietram (1999): Framing as a Theory of Media Effects. In: Journal of Communication 49, H. 1, S. 103-122.

Schönbach, Klaus (1983): Werden Wahlen im Fernsehen entschieden? Einige Überlegungen zur politischen Wirksamkeit von Presse und Fernsehen. In: Media Perspektiven, H. 7, S. 462-468.

*Schorr, Angela (2000): Publikums- und Wirkungsforschung. Ein Reader. Wiesbaden.

Sears, David/Kosterman, Rick (1994): Mass Media and Political Persuasion. In: Sheavitt, Sharon/Brock, Timothy (Hg.): Persuasion. Psychological Insights and Perspectives. Boston u.a., S. 251-278.

Signorielli, Nancy/Morgan, Michael (Hg.) (1990): Cultivation Analysis. New Directions in Media Effects Research. Newbury Park, London, New Delhi.

Signorielli, Nancy/Morgan, Michael (1996): Cultivation Analysis. Research and Practice. In: Salwen, Michael B./Stacks, Don W. (Hg.): An Integrated Approach to Communication Theory and Research. Mahwah/N.J., S. 111-126.

Stahlberg, Dagmar/Frey, Dieter (1993): Das Elaboration-Likelihood-Modell von Petty und Cacioppo. In: Frey, Dieter/Irle, Martin (Hg.): Theorien der Sozialpsychologie, Bd. 1: Kognitive Theorien. Bern u.a., S. 327-359.

Tasche, Karl (1999): „Uses and Gratifications" und Stimmungsregulationstheorie: tragfähige Konzepte zur Erklärung der Nutzung von Onlinemedien? In: Wirth, Werner/Schweiger, Wolfgang (Hg.): Selektion im Internet. Opladen, S. 75-94.

Themenheft (1979): The Uses-and-Gratifications-Approach to Mass Communications Research. In: Communication Research 6, H. 1.

Tichenor, Phillip/Donohue, George/Olien, Clarice (1970): Mass Media Flow and Differential Growth in Knowledge. In: Public Opinion Quarterly 34, S. 159-170.

Viswanath, Kasisomayajula/Finnegang, John R. (1996): The Knowledge Gap Hypothesis: Twenty-Five Years Later. In: Burleson, Brant R. (Hg.): Communication Yearbook 19. London u.a., S. 187-237.

Vorderer, Peter (1995): Will das Publikum neue Medien(angebote)? Medienpsychologische Thesen über die Motivation zur Nutzung neuer Medien. In: Rundfunk und Fernsehen 43, H. 4, S. 494-505.

Weinreich, F. (1998): Nutzen- und Belohnungsstrukturen computergestützter Kommunikationsformen. Zur Anwendung des Uses-and-Gratifications-Approach in einem neuen Forschungsfeld. In: Publizistik 43, H. 2, S. 130-142.

Wember, Bernward (1976): Wie informiert das Fernsehen? München.

Wember, Bernward (1993): Die Bauch-Kopf-Schere. Oder: Was machen Menschen mit Informationen? In: Medium spezial, Themenheft „Nachrichten- und Informationsprogramme im Fernsehen", S. 31-36.

*Winterhoff-Spurk, Peter (1999): Medienpsychologie. Eine Einführung. Stuttgart, Berlin, Köln.

Wirth, Werner/Schweiger, Wolfgang (Hg.) (1999): Selektion im Internet. Empirische Analysen zu einem Schlüsselkonzept. Opladen.

* Basisliteratur

Kapitel 6

Medienleistungen und Medienrealität

Medieninhalte

Heinz Bonfadelli/Martina Leonarz/Daniel Süss

1 Medieninhalte als Untersuchungsgegenstand 385

2 Theoretische Perspektiven und ihre Instrumente 386

2.1 Informations-Transfer-Perspektive 389

2.2 Linguistisch-semiotische Perspektive 394

2.3 Cultural Studies Ansatz 400

2.4 Gender-Perspektive 405

Literatur 411

Die Analyse von Medieninhalten steht nicht zuletzt wegen ihrer massenhaften Verbreitung und den damit verknüpften Wirkungsvermutungen seit jeher im Zentrum der empirischen Forschung der Publizistikwissenschaft. Nachfolgend werden vier wichtige Instrumente zur Analyse von Medieninhalten vorgestellt und die dahinterstehenden theoretischen Perspektiven erläutert.

1 Medieninhalte als Untersuchungsgegenstand

Medieninhalte zentral

Der „Medieninhalt" („media content") steht als Untersuchungsgegenstand im Zentrum der Publizistikwissenschaft, weil er als direkt sichtbare und leicht zugängliche Evidenz des Massenkommunikationsprozesses fungiert (McQuail 1987: 235). Darum sind die Bezüge zu anderen Forschungsfeldern, wie Kommunikatoren, Medien, Realität und Rezipienten, besonders eng und vielfältig:

Kommunikatoren:

Auswahl und Beeinflussung

Im Rahmen der Gatekeeperforschung interessiert, wie Kommunikatoren aus der Vielfalt der Ereignisse der Welt jene selektiv auswählen, über die dann aus je anderen Perspektiven in den Massenmedien berichtet wird. Umgekehrt kann gefragt werden: Welche Faktoren (z.B. Interessensgruppen bzw. Öffentlichkeitsarbeit) beeinflussen die Medieninhalte (Shoemaker/Reese 1996: 1; Shoemaker 1987: 6; Kepplinger 1989)?

Medien:

Medienrealität

In Bezug auf die verschiedenen Massenmedien (Zeitungen, Zeitschriften, Fernsehen, Radio, Internet) und ihre medienspezifischen Charakteristika interessiert, welche Inhalte bzw. Genres für ein bestimmtes Medium typisch sind, d.h. inwiefern z.B. Konkurrenz oder Komplementarität bezüglich „Information" und „Unterhaltung" im intermediären Vergleich besteht.

Realität:

Medien als Spiegel der Realität

Seit Anbeginn steht die Frage im Zentrum der Forschung: „Wie verhalten sich Medien und Realität zueinander?" (Schulz 1989: 135). Mittels der Methode der Inhaltsanalyse wird immer wieder neu untersucht, inwiefern Medieninhalte ein Spiegel der Realität sind. Besonders Regierungen, Politiker und andere Interessengruppen werfen den Medien periodisch vor, „einseitig" oder „verzerrt" („bias") über die Realität zu berichten, d.h. nicht „ausgewogen" oder „objektiv" zu sein.

Rezipienten:

Effekte nach Sinnzuschreibung

Mit Bezug auf das Publikum (Leser, Hörer, Zuschauer) interessiert, welche Medieninhalte auf Interesse stoßen und genutzt werden. Darüber hinaus wird im Rahmen der Medienwirkungsforschung untersucht, welche Inhalte bei welchen Rezipienten zu welchen Wirkungen führen. Oder umgekehrt: Wie schreiben Rezipienten den Medienbotschaften aktiv Sinn zu und wie konstruieren sie so eine soziale Realität?

Diese Ausführungen illustrieren, dass Medieninhalte meist in Relation zu den Kommunikatoren, zur Realität oder zu den Rezipienten untersucht werden. Für sich allein bilden sie v.a. einen eigenständigen Gegenstand von quantifizierenden Aussagen- bzw. Inhaltsanalysen oder qualitativen Textanalysen (Hijmans 1996), welche die sog. sekundäre Medienrealität zu erfassen und zu beschreiben versuchen.

2 Theoretische Perspektiven und ihre Instrumente

Perspektiven und Instrumente

Medienaussagen können mittels unterschiedlichen Instrumenten analysiert werden, wobei den jeweiligen methodischen Zugängen meist ganz spezifische theoretische Perspektiven zugrunde liegen. Vereinfacht gesprochen können vier verschiedene wissenschaftliche Denktraditionen oder theoretische Paradigmen unterschieden werden:

Abbildung 1 Perspektiven und Instrumente zur Analyse von Medieninhalten

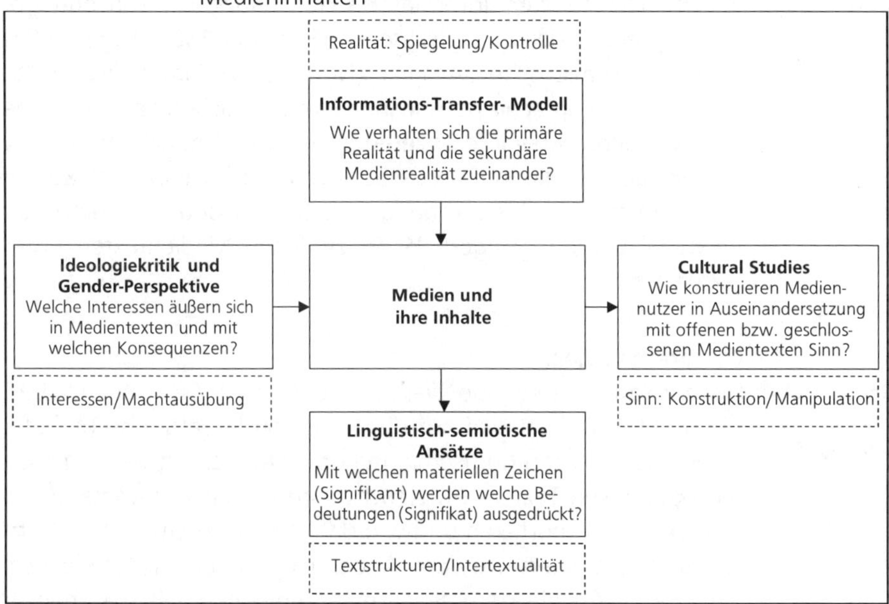

Informations-Transfer-Modell:

Inhalte und Wirkungen

Unter dem Begriff „Medieninhalt" können jene materiellen Medienbotschaften verstanden werden, die als Informationen vom Sender zum Empfänger transportiert werden. Diese sind in gedruckter Form, als Töne oder Bilder physisch fixiert und direkt beobachtbar. Modelltheoretisch entspricht diesem Sachverhalt ein Informations-Transfer-Modell der Kommunikation; in der Wirkungsforschung auch Stimulus-Response-Paradigma genannt (vgl. dazu Bonfadelli, Abschnitt 2.4 i.d.B.). Meist unterliegt den klassischen Propaganda-Studien, z.T. aber auch den orthodoxen ideologiekritischen Manipulationsansätzen, eine solche Sichtweise. Damit korrespondiert auf der methodischen Ebene das Instrument der quantifizierenden Inhaltsanalyse.

Linguistisch-semiotische Ansätze:

Zeichen und Bedeutungen

Im Unterschied zum Informations-Transfer-Modell konzentrieren sich die verschiedenen linguistischen (Strassner 1982; Lüger 1983), aber auch semiotischen Ansätze (Nöth 2000) darauf, wie Bedeutungen durch sprachliche und nonverbale Zeichensysteme dargestellt werden. Dabei interessieren in den meist qualitativen Analysen vielfach die konnotativ-assoziativen Bedeutungen im Zusammenhang mit der Verwendung von Bildern und die komplexen Verweisstrukturen (Siegert 1999) zwischen Medientexten (Intertextualität).

Cultural Studies:

Populärkultur und Ideologien

Diese relativ heterogene Denkschule (Real 1996; Turner 1996; Hepp 1999) befasst sich auf der Basis von literaturwissenschaftlichen, linguistischen und semiotischen Instrumenten vorab mit populärkulturellen Texten. Untersucht wird einerseits, welche Ideologien Texte transportieren und wie dadurch gesellschaftliche Machtverhältnisse tradiert werden. Andererseits interessiert, wie Rezipienten mit populärkulturellen Texten umgehen: Übernehmen sie die in einem Text enthaltene Bedeutung tatsächlich oder sind auch alternative Interpretationen möglich?

Ideologiekritik und Gender-Perspektive:

Medien, Interessen und Macht

Im Rahmen der Beschäftigung mit den Medieninhalten ist von praktischer Relevanz, wie verschiedene Interessengruppen die Medien zur Verbreitung ihrer Anliegen zu instrumentalisieren versuchen. Es gibt sowohl eine Vielzahl von Inhaltsanalysen zur politischen Propaganda (Glasgow Media Group 1976) als auch zunehmend Untersuchungen zur Darstellung von Frauen in den Medien (Velte 1995; Dorer/Klaus 1999).

Nachfolgend werden die oben idealtypisch skizzierten vier theoretischen Zugänge und die dazu korrespondierenden Instrumente zur Analyse von Medieninhalten, die in der Publizistikwissenschaft besonders häufig benutzt werden, vorgestellt und anhand von konkreten Beispielen illustriert.

Vier Zugänge

2.1 Informations-Transfer-Perspektive

2.1.1 Ptolomäische vs. kopernikanische Auffassung

Soziologische Medienanalysen gehen davon aus, dass sich in der Medienberichterstattung die Welt quasi „1:1" spiegelt. Aufgrund der Analyse von Medieninhalten können darum Aussagen über die Gesellschaft und deren Entwicklung formuliert werden. Falls dies nicht der Fall ist, liegt eine verzerrte Berichterstattung vor. Solche Abweichungen können durch einen Vergleich mit externen Indikatoren (Statistiken oder Expertenaussagen) erkannt werden (Best 2000).

Objektivistische Auffassung

Dieser nach Schulz (1989) „naiv" objektivistischen bzw. „ptolomäischen" Auffassung steht der sog. „kopernikanische" Standpunkt gegenüber. Medien sind keine neutralen Beobachter der Welt, sondern müssen als integraler Bestandteil der Gesellschaft betrachtet werden. Medien nehmen am kollektiven Bemühen teil, eine gesellschaftliche Realität zu konstruieren, und sie tun dies nach ihren eigenen spezifischen Regeln: Medienspezifische Nachrichtenwerte und andere Routinen steuern die Aufmerksamkeit der Medien, welche die als nachrichtenwürdig befundenen Ereignisse wiederum nach medienspezifischen Codes interpretieren und präsentieren. Medien konstruieren mithin eine eigene sekundäre Wirklichkeit.

Kopernikanische Auffassung

Klassische Inhaltsanalyse

Manifeste Inhalte

Intersubjektivität

Gemein ist beiden Zugriffsweisen, dass sie sich speziell für die Inhalte der Medien interessieren und diese mit dem Instrument der quantifizierenden standardisierten Inhaltsanalyse untersuchen. Prämisse ist, dass nur die sog. manifesten Inhalte untersucht werden. Darunter wird das verstanden, worüber sich durchschnittliche Rezipienten normalerweise einigen könnten. Um die Intersubjektivität solcher Analysen zu gewährleisten, wird in einem sog. Codebuch möglichst detailliert festgehalten, nach welchen Kriterien Medieninhalte analysiert werden sollen. Idealerweise müssen verschiedene Codierer bezüglich des gleichen Textes zum gleichen Resultat (Reliabilität der Messung) gelangen.

2.1.2 Forschungsfragen

Nachfolgend werden wichtige inhaltsanalytische Forschungsfelder (Shoemaker/Reese 1996: 41ff.) mit den dazu korrespondierenden Fragestellungen skizziert.

Repräsentanz und Stereotypisierung von Bevölkerungsgruppen:

Oft befasste sich die Forschung mit der Frage, wie verschiedene Bevölkerungsgruppen in den Medien repräsentiert werden. Die Häufigkeit der Berichterstattung wird inhaltsanalytisch erhoben und mit Bevölkerungsstatistiken verglichen. Ein klassisches Beispiel stellt die Untersuchung von Minoritäten und Ausländern in Kurzgeschichten populärer amerikanischer Magazine dar (Berelson/Salter 1946). Die Minoritäten waren im Bevölkerungsvergleich unterrepräsentiert und zudem unvorteilhafter dargestellt. Greenberg (1986) und Greenberg/Brand (1994) bestätigen in ihren Literaturüberblicken diese frühen Hinweise auf die stereotypisierende Funktion der Medien. Dieser Befund gilt übrigens auch für die besonders häufig untersuchte Frage nach der Darstellung von Frauen bzw. der Häufigkeit der Darstellung von Frauen und Männern im Fernsehen und in der Werbung.

Minoritäten unterrepräsentiert

Stereotypisierung

Medienkultur und Wertewandel:
Die Frage nach der medialen Repräsentanz von Bevölkerungsgruppen kann thematisch ausgeweitet werden auf das Verhältnis zwischen (Medien-)Kultur und Gesellschaft. Albrecht (1956) beispielsweise untersuchte anhand von Kurzgeschichten in populären Magazinen die Hypothese, Literatur spiegle kulturelle Normen der Gesellschaft. In einer Langzeitperspektive untersuchte Rosengren (1989) die Bedeutung der Grundwerte „Freiheit" und „Gleichheit" in Leitartikeln fünf schwedischer Zeitungen zwischen 1945 und 1975. Wirkungsorientiert verglich er zudem die Berichterstattung über verschiedene Länder mit den sog. „mental maps", d.h. den präferierten Ländern: Bei Knaben mit hohem TV-Konsum im Unterschied zu wenigsehenden Mädchen nahmen die USA einen signifikant höheren Stellenwert ein. Brosius und Staab (1990) untersuchten, ob sich in der Darstellung von Frauen und Männern in der Anzeigenwerbung des „Stern" zwischen 1969 und 1988 emanzipatorische Tendenzen nachweisen lassen.

Medien als Spiegel des Gesellschaftswandels

Gewalt und Kriminalität:
Zahlreiche Inhaltsanalysen dokumentieren den großen Stellenwert von Gewalt und Kriminalität im amerikanischen Fernsehen (Gerbner u.a. 1979; National Television Violence Study 1995; 1997), in den öffentlich-rechtlichen Fernsehprogrammen (Groebel/Gleich 1993) oder im Reality-TV (Krüger 1994) in Deutschland. Im Vergleich zu entsprechenden Kriminalitätsstatistiken vermitteln die Medien sowohl in den fiktionalen als auch in den dokumentarischen Inhalten ein stark verzerrtes Bild gesellschaftlicher Gewalt und Kriminalität. Nach Kunczik (1994: 43) gilt: „Fernsehgewalt ist mit der maskulinen Rolle verbunden und wird zwischen Fremden ausgeführt. Gewalt kann für den Empfänger zwar tödlich sein, ist aber selten schmerzhaft. Gewalt wird von den als gut und als schlecht charakterisierten Protagonisten erfolgreich als Instrument zur Erreichung von Zielen und zur Lösung von Konflikten eingesetzt."

Großer Stellenwert von Mediengewalt

Wissenschaft, Technik und Risiken:

Medien und Technikkritik

Zur Wissenschaftskommunikation sind seit den 1980er Jahren vermehrt Inhaltsanalysen durchgeführt worden. Kepplinger (1991; 1993) konstatiert aufgrund seiner Längsschnittanalysen eine technikkritische Haltung der Presse. Görke, Kohring und Ruhrmann (2000) untersuchen die Gentechnologie in der Presse im Zeitverlauf. Auch Singer und Endreny (1987) bemängeln, dass in der Berichterstattung die negativen Folgen von Wissenschaft und Technik überbetont, während die tatsächlichen Risiken aber nicht angemessen gewichtet würden.

Mediale Konstruktion von Medienereignissen:

Medienereignisse

Zwei weitere klassische Untersuchungen belegen die konstruktive Funktion des Fernsehens: Lang und Lang (1973) verglichen 1951 die Live-Übertragung einer Parade zu Ehren des Korea-Generals McArthur in Chicago mit den unmittelbaren Eindrücken von Beobachtern vor Ort; sie konnten deutliche Unterschiede, ja gar einen Gegensatz zwischen „Fernsehen" und „direkt dabei sein" herausarbeiten. Und Halloran, Elliott und Murdock (1973) analysierten 1968 die Berichterstattung über eine Vietnam-Demonstration. Weil die Medien im Vorfeld einen gewaltorientierten Erwartungsrahmen aufgebaut hatten, war eine adäquate Berichterstattung über die unerwartet friedlich ablaufende Demonstration im Sinne einer „self fulfilling prophecy" offenbar nicht mehr möglich. Allerdings sind es nicht immer nur die Medien selbst, welche die Realität in ihrer Berichterstattung verzerrt wiedergeben. Es gibt auch typische sog. „Medienereignisse" (Dayan/Katz 1992), wie Staatsfeierlichkeiten, Hochzeiten oder Begräbnisse von Royals (z.B. von Prinzessin Diana), welchen eine für die Gesellschaft wichtige rituelle Funktion zukommt und die nach medialen Darstellungserfordernissen inszeniert werden.

Zusammenfassend betrachtet gibt es eine Vielzahl von Studien, welche mehr oder weniger deutliche Abweichungen der Medienrealität im Vergleich zur primären Realität festhalten. Diese Verzerrung wird z.T. als Folge der politischen Haltung der Medienschaffenden oder aber der ideologischen Linie der Medien interpretiert.

Gehalt, Vielfalt, Verständlichkeit, Redundanz:
Neben der Analyse von inhaltlichen Fragestellungen befassen sich weitere Studien eher mit formalen Aspekten der Medienrealität. Untersucht werden Dimensionen wie Informationsgehalt oder Vielfalt und Ausgewogenheit von Themen (Krüger 1996) (vgl. Abb. 2), Textverständlichkeit (Heijnk 1997) oder Redundanz als Gegenpol zur Informationsdichte. In jüngster Zeit haben sich auch die Bemühungen zur Erfassung der Qualität von Medienangeboten (z.B. TV-Nachrichten) verstärkt (McQuail 1992; Meier/Bonfadelli 1996).

Formale Aspekte der Medienrealität

Abbildung 2 Themenvielfalt in Informationsangeboten des Fernsehens

Beitragsdauer	**ARD**	**ZDF**	**RTL**	**SAT.1**	**PRO 7**	**Insg.**
Politik	30	24	3	13	0	17
Wirtschaft	6	5	0	0	0	3
Gesellschaft	24	24	15	21	13	21
Kultur/Wissenschaft	12	12	3	0	0	8
Umwelt/Natur	8	15	0	0	4	7
Freizeit/Sport	2	2	2	2	8	3
Unterhaltung/Medien	7	2	9	5	17	7
Alltag	4	9	19	29	21	14
Boulevard/Sonstiges	7	8	48	28	36	21
Gesamt in %	**100**	**100**	**100**	**100**	**100**	**100**
Beitragsdauer in Min.	1 230	1 804	1 018	792	557	5 401
Untersucht wurden 4 Programmwochen 1995, Prime Time 19-23 Uhr, Untersuchungsgegenstand waren die nichttagesaktuellen Informationssendungen, aber unter Miteinbezug von Infotainment-Sendungen.						

Quelle: Krüger 1996: 367

2.1.3 Möglichkeiten und Grenzen der quantitativen Inhaltsanalyse

Verlässlichkeit auf Kosten von Gültigkeit?

Der große Stellenwert der quantitativen Inhaltsanalyse in der Publizistikwissenschaft ist nach wie vor unbestritten. Nur diese Methode erlaubt verlässliche und quantifizierende Aussagen über große Textmengen, welche für die Massenmedien typisch sind. Dazu sind repräsentative Stichproben notwendig, die sowohl den Vergleich zwischen verschiedenen Medien oder Medienangeboten als auch Trendaussagen im Zeitverlauf ermöglichen. Die Verlässlichkeit wird methodisch durch das standardisierte Vorgehen garantiert, bei dem systematisch bei allen Untersuchungseinheiten (Zeitungsausgaben, Artikel, Bilder, Akteure, Wertungen) aufgrund eines explizierten Kategorienrasters auf die gleiche Weise bestimmte Merkmale erhoben und als Themenfrequenzen oder Wertungstendenzen ausgewertet werden. Die Zuverlässigkeit bzw. Reliabilität solcher quantitativer Analysen geht jedoch oft auf Kosten einer eingeschränkten Gültigkeit (Validität). Zum einen beschränkt sich die Analyse auf manifeste Inhalte, zum anderen wird die Häufigkeit des Auftretens von Themen, Akteuren oder Wertungen meist mit deren Bedeutung gleichgesetzt. Kritisiert wird, den Abwesenheiten und Latenzen sowie den Singularitäten als wichtigen Einzelfällen werde in der traditionellen Inhaltsanalyse zu wenig Bedeutung beigemessen. Ebenfalls werde der Kontext der Aussagenentstehung sowie der Außenrezeption vernachlässigt.

2.2 Linguistisch-semiotische Perspektive

2.2.1 Herkunft und Hintergrund

Linguistik und Semiotik

Die Semiotik hat sich als eigene wissenschaftliche Disziplin auf der Basis der Werke von Charles Sanders Peirce (1839-1914) und Ferdinand de Saussure (1857-1913) zu Beginn des 20. Jahrhunderts etabliert. Semiotik, die allgemeine Theorie der Zeichen und Zeichensysteme, grenzt sich insofern von der Linguistik ab, als dass sie nicht nur sprachliche Zeichen (Laute und Schrift) untersucht, sondern alles, was sich irgendwie auf ein Objekt bezieht und eine „Bedeutung" hat. Die Semiotik interessiert sich also für Kommunikation mittels Zeichen und untersucht alle kulturellen Vorgänge als Kommunikationsprozesse. Zentral in der Semiotik sind somit „Zeichen" („signs") und Zeichensysteme, wobei die Semiotik ihr Funktionieren in der Kommunikation untersucht. Je eher wir die Zeichen und ihre Funktion verstehen, desto besser können wir uns untereinander verständigen.

In den letzten Jahren hat sich eine Tendenz herausgebildet, die Massenkommunikation aus semiotischer Perspektive zu betrachten. Insbesondere für die Analyse von (bewegten) Bildern eignen sich semiotische Ansätze. Aber auch Werbebotschaften und die Darstellung der Geschlechter in den Massenmedien sind geeignete Untersuchungsgegenstände, gerade weil viele Botschaften durch Zeichen, Metaphern, Symbole, Slogans und/oder bloße Andeutungen vermittelt werden.

2.2.2 Begriffe und Definitionen

Semiosphäre

Die Einführung des Begriffs der Semiosphäre (Sottong/Müller 1998: 19) ist ein fruchtbarer Versuch, die „semiotische Welt" zu begreifen. Als Semiosphäre wird die Schicht von Kommunikation bezeichnet, die den menschlichen Lebensraum wie eine unsichtbare Hülle umgibt. Überall im kulturellen Raum bewegen wir uns im Raum der Semiosphäre: Ständig sind wir der Kommunikation ausgesetzt. Dabei soll Kommunikation von Information abgegrenzt werden als die Informationsvermittlung, die von einem Produzenten wahlweise getroffen wird. Ein Wirt kommuniziert in dem Fall mit seiner Menükarte sein Angebot; ein Baum, der saisonbedingt gelbe Blätter trägt, kommuniziert nicht, da der Baum keine Wahl hat.

Semiosphäre:

Kontekt vs. Kotext

Betrachten wir die Semiosphäre, finden wir darin eine Anzahl von Äußerungen. Jede steht in einem gewissen Äußerungsfeld, dem Kontext. Der Kontext ist die Umgebung und die Situation, in der eine bestimmte Äußerung vorkommt. Eine Äußerung erscheint zudem selten alleine, sondern ist begleitet von anderen Äußerungen. Die im Zusammenhang mit dieser Äußerung relevanten Äußerungen werden Kotexte genannt. Für die Interpretation von Äußerungen müssen Kontext und Kotexte berücksichtigt werden.

(An-)Zeichen:

Für die Semiotik sind diejenigen Teile der Äußerungen interessant, die als Zeichen bestimmt werden können. Die Semiosphäre enthält aber nicht nur Zeichen. Von einem Zeichen im semiotischen

Anzeichen

Sinn ist z.B. das Anzeichen abzugrenzen. Ein Anzeichen verweist aufgrund erfahrungsbasierter Schlussfolgerung auf etwas, ist demnach kausal, temporal, materiell und/oder räumlich mit demjenigen Phänomen verknüpft, das wir aus dem Auftreten des Anzeichens folgern: Die Wolke ist ein Anzeichen für Regen, Rauch ist ein Anzeichen für Feuer. Ein Zeichen steht jedoch für etwas

Arbitrarität

anderes, fungiert also als etwas. Ein Zeichen im semiotischen Sinn ist arbiträr (ein Begriff wird einem Zeichen zugewiesen), jederzeit verfügbar, reproduzierbar und allgemein bekannt. Die individuelle Zuordnung einer Bedeutung zu einem bestimmten Phänomen ist damit kein Zeichen. Zeichen werden in Zeichensystemen zusammengefasst. Die Sprache ist das allgemeinste und umfassendste Zeichensystem. Jedes Medium bedient sich unterschiedlich vieler Zeichensysteme. Dabei beansprucht der Film viele: das Zeichensystem der Sprache, des Bildes und des Tons. Zeichen sind Ergebnisse sozialer und kultureller Entwicklungen und Prozesse. Sie wandeln sich, da sie sozialen Konventionen unterlegen sind. Zeichen sind daher nur innerhalb bestimmter Gesellschaften oder kultureller Räume gültig. Die Beziehung von einem Zeichen zu einem anderen Zeichen kann syntaktisch sein (bestimmte Kombinationen von Zeichen werden miteinbezogen) oder paradigmatisch: In diesem

Fall betrifft die Beziehung eines anwesenden Zeichens innerhalb des Zeichensystems sein absentes Gegenteil.

Code:
Mit Hilfe eines Codes werden die Zeichen eines Systems geordnet, ihre Verwendung geregelt und vorgeschrieben, welche neuen Zeichen in das System aufgenommen werden können. Der Code ist also das Regelwerk, das der Benutzung der Zeichen zugrunde liegt. Codes sind kulturspezifisch und beruhen auf kultureller Übereinkunft (Intersubjektivität).

Zeichentypen:
Ikon, Index, Symbol

Das Zeichen kann nach Peirce näher spezifiziert und nach Grad seiner Abstraktion eingeteilt werden: Symbole sind nur durch Konvention definiert und müssen erlernt werden; sie sind gänzlich abstrakt. „Ikonische Zeichen" („icon") hingegen gleichen dem Gegenstand und können erkannt werden, und „indexikalische Zeichen" („index") führen weiter, geben Hinweise über einen Sachverhalt. Äquizeichen sind Zeichen, die nur unter bestimmten kontextuellen Bedingungen verstanden werden. Sie sind primär nur zeichenähnlich. Während echte Zeichen innerhalb einer Gruppe oder einer Kultur immer die gleiche Grundbedeutung haben, unabhängig davon, in welcher Äußerung oder welchem Kontext sie verwendet werden, erhalten Äquizeichen ihre Bedeutung nur in ganz bestimmten Äußerungen und Kontexten: Besonders häufig findet man Äquizeichen in Film, Literatur, Theater. Was im Alltag keine zeichenhafte Funktion hat, kann im Laufe eines Filmes durch die Kombination mit anderen Elementen oder durch den Kontext zu Bedeutung gelangen. Äquizeichen werden oft durch die Massenmedien so penetriert, dass sie alltäglich und allenfalls zu Zeichen werden. Jeans, T-Shirt und Lederjacke aus Filmen der 1950er Jahre waren für eine gewisse Zeit dazu geeignet, als Zeichen für bestimmte Gruppenzugehörigkeit zu funktionieren.

Signifier – Signified:

Zeichenträger und Bedeutung

Ein semiotisches Zeichen besteht aus zwei Komponenten, dem Erscheinungsbild und der Bedeutung. Das physische Erscheinungsbild, der materielle Zeichenträger, wird „Signifikant" genannt (auch: „Signifier", „Zeichenmittel", „Repräsentamen", „Symbol"). Er ermöglicht und sichert die Reproduzierbarkeit und Erkennbarkeit des Zeichens. Mit ihm ist eine bestimmte Bedeutung verknüpft, eine Wissensmenge, die durch das Auftreten des Signifikanten abgerufen wird. Die Bedeutung des Zeichens heißt „Signifikat" (auch: „Signified", „Interpretant", „Bedeutung", „Intension"). Die Relation von Signifikant und Signifikat ist willkürlich gesetzt. Beide weisen mittels Konvention oder Code auf einen Gegenstand in der Welt hin, dem „Referenten" (auch: „Referens", „Objekt", „Gegenstand", „Extension"). Jedes Zeichen schließt somit das Bezeichnete und die Relation zum Bezeichneten mit ein. Diese drei Komponenten führen zu dem semiotischen Dreieck, der Semiose-Triade: Der Signifikant und der Signifikat weisen auf den Referenten in der Welt.

Denotation vs. Konnotation

Die Verbindung zwischen physischer Erscheinung und Bedeutung eines Zeichens und seiner manifesten Referenz in der Realität kann unterschiedlich sein. Eine direkte Verbindung zwischen physischer Erscheinung, Signifikat und Referenz ist die Denotation oder die Bedeutung erster Ordnung. So ist eine schwarze Katze ein bestimmtes Tier in einer bestimmten Farbe. Die Konnotation ist die Bedeutung zweiter Ordnung und betrifft kulturelle Werte und Glauben, welche durch ein Zeichen ausgedrückt werden können. So bedeutet die schwarze Katze in manchen Kulturen Unglück, in anderen Kulturen wiederum fehlt diese Konnotation. Die Analyse von konnotativen Bedeutungen verlangt das Wissen der Kultur, aus welcher das Zeichensystem stammt. Als dritte Ordnung kann die Ideologie genannt werden. Die Konnotation wird als manifester Ausdruck eines Prinzips begriffen, der dominanten Ideologie. Das Denotat ist die erste Komponente des Signifikats und zugleich die allgemeinste Merkmalsmenge. Darauf aufbauend gibt es eventuell Zusatzmengen von Merkmalen, die (fakultativen) Konnotate. Konnotate treten nur in bestimmten Kontexten auf.

2.2.3 Semiotik und Bildanalyse

Bedetung von Text und Bild

Ein Werbeplakat einer deutschen Partei aus dem Jahre 1997 zeigt einen orangefarbenen Kürbis auf blauem Hintergrund (Sottong/ Müller 1998). Der Schriftzug über dem Kürbis lautet: „Wir haben wieder ein starkes Wirtschaftswachstum." Das Bild alleine, der Kürbis bzw. seine Abbildung, besitzt keinen Zeichenstatus. Erst mit der Text-Verknüpfung wird klar, dass das Bild das Wirtschaftswachstum metaphorisch symbolisieren soll. Durch den Kotext (in diesem Falle sprachliche Zeichen) und den Kontext (Werbefläche, Parteiwerbung, zeitlicher Kontext etc.) wird das Bild zum Zeichen und das Signifikat des Bildes klar. Der Kürbis als schnell wachsendes Gemüse (Denotation) steht hier als Zeichen für überdurchschnittliches (wirtschaftliches) Wachstum. Dies wäre eine erste Konnotation, die manifeste Beziehung zwischen Signifikant und Signifikat. Der Kürbis hat aber noch eine andere konnotative Bedeutung, bezieht man den amerikanischen Brauch von Halloween mit ein, bei dem ausgehöhlte und ausgeleuchtete Kürbisse zentral sind. An Halloween ziehen Kinder durch die Nachbarschaft, um Süßigkeiten zu erbetteln oder die Unspendablen zu erschrecken. Unter der Berücksichtigung dieser Konnotation wird der ursprünglichen Bedeutung von Text und Bild eine relevante Bedeutung hinzugefügt. Die Basisinterpretation kann durch den Halloween-Kontext umbewertet werden. Das Wirtschaftswachstum erscheint plötzlich nicht mehr als grundsätzlich erstrebenswert, sondern als unheimlich, erschreckend, allenfalls sogar negativ. Es gilt abzuklären, ob diese „Ambiguität" („Mehrdeutigkeit") auf einer höheren Ebene zu einer neuen, dritten Bedeutung führt, die den Widerspruch aufhebt. Diese zweite Konnotation zeigt, wie wichtig die Berücksichtigung der kulturellen Umstände ist. Ohne die Kenntnis der amerikanischen Kultur ergibt sich keine negative Konnotation. Gleichzeitig zeigt das Beispiel die Grenzen und Gefahren einer semiotischen Analyse. Da sich Zeichensysteme ständig wandeln und kulturellen Veränderungen ausgesetzt sind, ist der Zeitpunkt des massenmedialen Produktes sowie der Analyse äußerst wichtig. In unserem konkreten Beispiel kann noch nicht davon ausgegangen werden, dass Halloween in Mitteleuropa zum allgemeinen Kulturgut gehört. Damit fällt zumindest für einen Teil der Rezipienten die negative Konnotation weg. Vor 20 Jahren, so hier die Behauptung, wäre sie wohl für die analysierende Person kaum relevant gewesen. In weiteren 20 Jahren ist sie allenfalls von zentraler Bedeutung.

2.3 Cultural Studies Ansatz

2.3.1 Cultural Studies und empirische Sozialforschung

Interesse an Cultural Studies steigt

Obwohl die Cultural Studies sich seit den 1970er Jahren mit der Analyse von Medieninhalten befassen, haben sie im deutschsprachigen Raum in den Sozialwissenschaften erst vereinzelt Resonanz gefunden (Holly/Püschel 1993; vgl. auch Donges/Meier, Abschnitt 2.6 i.d.B.). 1997 wurden einige der grundlegenden amerikanischen und britischen Texte erstmals ins Deutsche übersetzt (vgl. Hepp/Winter 1998) und 1999 erschien die erste Monographie (Hepp 1999). Durch die zunehmende Integration von qualitativen und quantitativen Methoden in den Sozialwissenschaften ist zu erwarten, dass die ethnographischen Methoden der Cultural Studies in der Analyse der Bedeutung von Medientexten eine anregende Funktion entfalten werden.

2.3.2 Der Kultur- und Textbegriff

Hoch- vs. Alltagskultur

Kultur wird in den Cultural Studies als „practice of everyday living" verstanden (Brown 1991: 180). Damit soll eine Neudefinition erreicht werden, welche die Trennung von Hochkultur und Trivialkultur aufhebt. Als bedeutsam zur Analyse der Konstruktion von

Bedeutung und Gemeinschaft wird alles betrachtet, was von Menschen dazu eingesetzt wird, sei es Bestandteil einer Elite-, Volks- oder Populärkultur. Alle Errungenschaften der menschlichen Gesellschaft, ob Waren des alltäglichen Gebrauchs oder reine Symbole, können als Text verstanden werden, der gelesen und interpretiert werden kann, der etwas aussagt über die Ideale, Sehnsüchte, Ängste, Machtverhältnisse oder die Rollenbilder einer Gesellschaft oder Gruppe. So analysierte Fiske (1987) die Bedeutung der Jeans für die amerikanische (und schließlich globale) Gesellschaft als ein Symbol für eine klassenlose Gesellschaft, für Freiheit, Sportlichkeit, geschlechterverbindend und zugleich einsetzbar zur Betonung männlicher oder weiblicher Rollenmerkmale. In derselben Weise wurden Medienangebote und ihre Fankulturen untersucht, oft gerade solche, die aus einer elitären Perspektive als trivial bezeichnet werden und daher in anderen Forschungstraditionen einer ernsthaften wissenschaftlichen Analyse gar nicht würdig erscheinen.

Welt als Text

Ein Text kann aus Sicht der Cultural Studies nicht unabhängig vom Rezipienten verstanden werden. Da die Bedeutungskonstruktion durch die Art des Lesens geschieht, welche mit den Hintergründen und Absichten des Rezipienten zusammenhängen, entsteht der Text als Text im Leseprozess immer wieder neu. „I could not, therefore, study the text without also studying myself as viewer, for the text is the text only when I read it, only when I activate its potential in specific ways at a specific moment, only when I actually use the resources it offers me" (Fiske 1987: 59). Diese Sichtweise suggeriert, dass Medientexte in beliebiger Weise rezipiert werden können, da sie in ihrer Bedeutung offen sind (Polysemie), was den Cultural Studies den Vorwurf des „Revisionismus" eingetragen hat. Die im Medientext und seiner Dramaturgie angelegten Interpretationshinweise werden unterschätzt.

Text entsteht beim Lesen

Morley (1992) untersuchte die englische TV-Sendung „Nationwide" und unterschied dabei zwischen drei möglichen Leseweisen von Medientexten:

3 Leseweisen

- „preferred reading": so wie es aufgrund der Hinweise im Text am naheliegendsten erscheint;
- „negotiated reading": die Interpretation als Integration und Kompromiss zwischen vorgezeichneten und eigenwillig eingebrachten Ideen;
- „oppositional reading": die Interpretation löst sich völlig von den Intentionen des Kommunikators und konstruiert möglicherweise das genaue Gegenteil dessen, was beabsichtigt war.

Diese Begriffe beziehen sich zum einen auf das Verhältnis von Textbedeutung aus der Sicht von Kommunikator vs. Rezipient, zum anderen auf unterschiedliche Interpretationsstile zwischen verschiedenen Individuen, Gruppen oder Gesellschaften. Beispielsweise können soziodemographische Variablen wie Geschlecht, Alter, soziale Schicht jeweils unterschiedliche Formen des Decodierens von Bedeutung nahelegen. Dies wird deutlich, wenn man Diskurse zur Frage „unerwünschter" Medieninhalte betrachtet, wie z.B. zu Gewaltdarstellungen oder sexuellen Darstellungen.

Soap Operas im Fernsehen

Im Folgenden soll am Beispiel von Soap Operas im Fernsehen (Allen 1985) aufgezeigt werden, wie die Cultural Studies die Bedeutung von Medientexten erschließen.

2.3.3 Die Analyse von Soap Operas

„Dallas" als Fallbeispiel

Liebes und Katz (1990) haben die amerikanische Soap Opera „Dallas" und ihre Rezeption in verschiedenen Kulturen vergleichend analysiert. Dabei stellten sie fest, dass die Rezipienten je nach ihrem gesellschaftlichen Hintergrund die Bedeutung der Figuren und ihre Konflikte unterschiedlich erleben, abhängig von den Alltagserfahrungen, mit denen sie diese in Beziehung setzen. Nach Livingstone (1990) kann „Dallas" als ein Beispiel des „dynastic model" bezeichnet werden. Es geht um eine patriarchalisch strukturierte Familie respektive einen Clan von Mächtigen, der sich gegen andere Clans durchsetzen muss oder auch interne Intrigen ausfechten muss. Dieser Typ von Soaps ist in der Oberschicht angesiedelt. Dennoch, oder gerade wegen der Distanz, können die Rezipienten, die mehrheitlich nicht aus demselben sozialen Milieu stammen wie die Figuren, ihre eigenen Alltagsthemen in diese Figuren und Handlungen projizieren. Daneben entstanden andere Formen von Soap Operas, die in der Unterschicht angesiedelt sind, nach einem „community model"; dies v.a. bei beliebten Serien aus Großbritannien, wie beispielsweise den „EastEnders" oder im deutschsprachigen Raum die „Lindenstrasse". In jüngerer Zeit entstanden auch Soap Operas nach dem „dyadic model", welche die Situation von modernen Menschen aus der Mittelschicht in den Mittelpunkt stellen und auch unkonventionelle Lebensstile, neue Rollenverhältnisse und Beziehungsformen thematisieren.

Vorwurf: „Kulturimperialismus"

Ang (1986) untersuchte die Leseweisen von „Dallas"-Sehern, indem sie in einer niederländischen Zeitschrift dazu aufrief, ihr Briefe zuzusenden, in denen erklärt werden sollte, weshalb man sich „Dallas" anschaute. Ausgehend von vierzig Briefen wurden qualitative Analysen zu den Konzepten „Vergnügen", „Identität" und „Ideologie" durchgeführt. In der Zeit, in der die Studie durchgeführt wurde, wurde „Dallas" von etwa der Hälfte der niederländischen Bevölkerung gesehen. Ausgestrahlt wurde die Serie in 90 Ländern der Welt und stellte somit bereits einen Bestandteil einer globalen Populärkultur dar. In den öffentlichen Debatten wurde v.a. der Aspekt der Amerikanisierung (Kulturimperialismus) respektive der Gefährdung nationaler Kulturen diskutiert (Stevenson 1995: 103). Ang (1986) wies darauf hin, dass die Bedeutung dieses Textes, der oberflächlich betrachtet voll von traditionellen Rollenbildern, kapitalistischen Idealen der rücksichtslosen Bereicherung und der gewissenlosen Übervorteilung von Konkurrenten ist, praktisch immer ambivalent und widersprüchlich erlebt wurde. Je nach eigener Lebenssituation zeigte sich ein unterschiedliches „Involvement" als Identifikation mit oder Abgrenzung von anderen Figuren. Der Realismus der Serie wurde auf der Ebene der Tiefenstruktur erlebt: Nicht die oberflächlich beschreibbare Handlung war prägend für die Bedeutungskonstruktion durch die Rezipienten, sondern die zugrunde liegenden Themen und Konflikte. Bestimmte „Erlebnismuster" („structures of feelings") und nicht die Handlungsabläufe wurden als authentisch erlebt.

Gender Studies und Soaps

Soap Operas werden mehrheitlich von Frauen gesehen. Das Genre war schon ursprünglich auf die Zielgruppe der Frauen ausgerichtet, da es zunächst im Radio als Unterhaltungsangebot für Hausfrauen eingeführt wurde, finanziert von Seifenherstellern, die damit Imagewerbung für ihre Marke platzieren wollten. Die meisten Soap Operas widerspiegeln auch heute noch traditionelle Geschlechterstereotypen. Es ist daher naheliegend, dass sich insbesondere feministische Forscher mit diesem Genre befasst haben, gerade auch unter der Fragestellung, ob und wie „oppositional reading" stattfinden kann. Brown (1991) untersuchte die Bedeutung von Soaps durch teilnehmende Beobachtung von Gesprächen unter britischen, amerikanischen und australischen Fans sowie durch Einzel- und Gruppeninterviews. In ihrer Analyse der Bedeutung von Soap Operas für weibliche Rezipienten stellte sich heraus, dass Frauen in Gesprächen mit ihren Freundinnen die Inhalte der Soaps spielerisch und kritisch auf ihre eigene Situation rückbeziehen und als Ausgangspunkt nehmen, um auch emanzipierte Standpunkte zu bestätigen. Brown betont, dass Soap Opera Fans sich ein Wissen über spezifische Codes erwerben, mit welchem sie vielfältige Interpretationsansätze entwickeln können, und dass ein besonderes Vergnügen darin besteht, mit diesem Expertenwissen eine eigene Gruppenkultur zu definieren. Dass Soap Operas oft sehr billig produziert werden und sich dies auch offensichtlich zeigt, indem z.B. kaum Außenaufnahmen vorkommen, die Handlung in schlichten und begrenzten Sets spielt, die Beleuchtung und Kameraführung einfach aufgebaut sind, gefährdet die vielschichtige Bedeutung des Genres aus der Rezipientenperspektive nicht. Im Gegenteil: Das beschränkte Set macht es erforderlich, dass die Dialoge im Vordergrund stehen und die Folgen oder Reflexionen von Handlungen wichtiger sind als die Darstellungen der Handlungen selbst. Diese Dialog- und Beziehungsbetonung fordert gerade einen aktiven Zuschauer, der sich im Genre

Zwischen Identifikation und Widerstand

möglichst gut auskennt, um alle bedeutungstragenden Signale wahrnehmen und interpretieren zu können (Allen 1985).

2.4 Gender-Perspektive

Geschlecht sozial konstruiert

Die kommunikationswissenschaftliche Frauen- und Geschlechterforschung beschäftigt sich mit der Situation und Rolle der Frauen in den Medien. Der englische Begriff „gender" („Geschlecht") beschreibt nicht die biologische Differenz von Mann und Frau, sondern die soziale Konstruktion der Kategorie Geschlecht in der Gesellschaft und die verschiedenartigen Ausprägungen geschlechtlicher Identitäten.

Vom Gleichheits- zum Differenzansatz

Der Impuls, Medieninhalte unter einer Geschlechterperspektive zu analysieren, ging von der Frauenbewegung der 1970er Jahre aus, die in der medialen Stereotypisierung von Frauen und ihrer Fixierung auf traditionelle Leitbilder ein Hindernis für ihre Gleichstellung in der Gesellschaft sah. Seitdem hat sich die sozialwissenschaftliche Frauenforschung erweitert und ausdifferenziert. Der damals aktuelle Gleichheitsansatz – im Mittelpunkt stand die Analyse und Darstellung der Diskriminierung der Frau in verschiedenen gesellschaftlichen Bereichen – wurde ab Mitte der 1980er Jahre durch den Differenzansatz ergänzt. Hier wurden verschiedene Ausdrucksformen und Verhaltensweisen von Männern und Frauen sowie die Unterschiede zwischen Frauen thematisiert. Ab den 1990er Jahren hat die Geschlechterforschung an Einfluss gewonnen. Sie geht davon aus, dass Geschlecht nicht etwas von außen Zugewiesenes ist, sondern dass Menschen im Denken und Handeln ihr soziales Geschlecht erschaffen. Dieser Ansatz hinterfragt die bisherigen Grundlagen der Frauenforschung. Die drei Grundorientierungen ergänzen sich, indem sie das soziale Leben und die Gesellschaft mit unterschiedlichen Fragestellungen angehen und insbesondere auch den Massenmedien verschiedene Rollen zuteilen (Klaus 1998: 25ff.).

2.4.1 Methoden der Gender Studies

Forschungsentwicklung

Quantitative Inhaltsanalysen standen lange im Mittelpunkt der Gender Studies. Sie werden allerdings immer mehr durch qualitative Ansätze ergänzt oder ersetzt. Zudem haben Ansätze der Cultural Studies an Relevanz gewonnen, weil sie wichtige Faktoren der Rezeption im kulturellen Kontext berücksichtigen und somit die Art der Gender-Konstruktion eruieren und nicht bloß deren Resultat. Die Erkenntnis, dass die traditionellen Nachrichtenwerte Frauenthemen diskriminieren, offenbart, dass in der Analyse zusätzlich Produktionsbedingungen, Konstellationen in den Redaktionen und die Rolle der Kommunikatoren zu berücksichtigen sind.

Inhaltsanalyse:

Präsenz oder Absenz?

Primär interessieren hier Variablen, die Aufschluss geben über die Präsenz bzw. Absenz der Frau in Medientexten. Die Inhaltsanalyse ermöglicht Aussagen bezüglich Themen, die mit den dargestellten Frauen in Verbindung gesetzt werden. Welche weiblichen Akteure sind in welchen gesellschaftlichen Rollen zu finden? Welche psychologischen und physischen Merkmale besitzen die Frauen? Werden frauenrelevante Themen aufgenommen? Interessant sind diese Fragestellungen hinsichtlich eines Vergleichs mit der tatsächlichen Situation und der Frage, inwiefern die Medien die Realität widerspiegeln oder eben nach eigenen medieninternen Gesetzmäßigkeiten eine „Medien-Realität" skizzieren. Die Inhaltsanalyse ist als einzig angewandtes Instrument insofern unbefriedigend, als sie dem manifesten Inhalt Vorrang gibt, und zwar auf Kosten von latenten oder vieldeutigen Inhalten und Formen. Sie unterstellt zudem, dass Auszählungen von bestimmten Eigenschaften zuverlässige Indikatoren von Bedeutungen sind.

Über- oder Unterrepräsentanz

Semiotische Analyse:

Manifeste vs. latente Bedeutungen

Medienprodukte sind voller Zeichen, welche (manifeste oder latente) Bedeutungen konstruieren und mittels der Semiotik analysiert werden können. Besonders die Analyse von Fernsehinhalten ist unter semiotischen Vorzeichen interessant, da das Bild Symbolcharakter hat. Zudem hat sich die stark auf Zeichen setzende Werbung für die Semiotik als attraktives Feld erwiesen.

Da jedes Zeichen mehrere Bedeutungen hat und eng mit dem kulturellen und situativen Kontext verbunden ist, muss jeder Text prinzipiell als polysemisch eingeschätzt werden. Eine semiotische Analyse generiert nur dann aussagekräftige Resultate, wenn Semiotiker über die jeweilige kulturelle Kompetenz verfügen. Dann greift sie jedoch weiter als eine quantitative Inhaltsanalyse und berücksichtigt gesellschaftliche und kulturelle Kontexte.

Polysemie

Kombinationen von Inhaltsanalysen mit semiotischen Analysen können lohnend sein. Die Inhaltsanalyse dient inventarischen Zwecken manifester Inhalte, die semiotische Analyse gibt Tiefe und illustriert die Gesamtqualität der Resultate.

2.4.2 Relevante Gender Studien und deren Resultate

Fernsehinhalte sind immer wieder unter genderspezifischen Blickpunkten untersucht worden. Die sog. Küchenhoff-Studie (1975) kann als erste repräsentative quantitative Inhaltsanalyse der deutschen TV-Sender ARD und ZDF betrachtet werden. Wegleitend für die feministische Forschungstradition im deutschen Sprachraum war zudem die amerikanische TV-Studie von Gaye Tuchman (1978) „The Symbolic Annihilation of Women by the Mass Media". Was Tuchman als „Verweis in die symbolische Nichtexistenz" beschrieben hat, ist bezeichnend für die meisten genderspezifischen Studien: Die Darstellung der Frau in den Medien dient als Instrument, sie auf ihren traditionellen Plätzen zu behalten und den Männern unterzuordnen. Die Frau ist chronisch unterrepräsentiert, auf wenige Klischees reduziert und die Vielfalt ihrer Lebensentwürfe wird trivialisiert. Das in den Medien konstruierte Frauenbild entspricht nicht der Stellung der Frau in der Gesellschaft. Insbesondere das Fernsehen verbreitet rigide Geschlechtertypisierungen, welche die Frau dem Haus und den Kindern zuordnet, den Mann der Öffentlichkeit. Die Frauenbewegung wird nicht

Einzelne Beispiele

oder nur karikiert thematisiert. Massenmedien sind somit kein progressives Element, sondern widerspiegeln gesellschaftliche Wertvorstellungen mit einem unübersehbaren „kulturellen Lag". Sie bieten veraltete Frauenbilder an und dürften so ihren Beitrag zum Backlash, zur negativen Rückwirkung, geleistet haben, geht man davon aus, dass die Medien als Sozialagenten funktionieren.

Von fiktionalen zu dokumentarischen Texten

Für die gesellschaftliche Position der Frau ist ihre Darstellung in der nonfiktionalen Berichterstattung besonders relevant, da sie hier als aktiv handelnde Person auftritt und ihre Präsenz oder ihre Absenz Auskunft gibt über ihre Rolle in der Öffentlichkeit, über die ihr zugesprochene Kompetenz und Funktion in gesellschaftlichen Entscheidungsprozessen. Trotz Anstieg des Frauenanteils in Dokumentar- und Nachrichtensendungen werden Erfahrung, Wissen und Eigenständigkeit immer noch mehr den Männern zugesprochen. Die Aufgabe der Frauen liegt im Bereich der Moderation und hat dekorativen Charakter. Zudem ist ihre Präsenz eng mit Themen aus den traditionell weiblichen Zuständigkeitsbereichen wie Familie, Erziehung, Kunst und Kultur verbunden, während Männer „hard News" moderieren. Des Weiteren wird moniert, dass frauenspezifische Belange, Probleme der Geschlechterkonflikte etwa, kaum Fernsehthemen sind. Die Benachteiligung der Frauen in Beruf, die Doppelbelastung und Emanzipation sind weitgehend Tabuthemen.

2.4.3 Das Bild der Frau in der Werbung

Stereotypen in der Werbung

Die Werbung ist Bestandteil und Spiegelbild der Kultur und Ausdruck zeitbedingter gesellschaftlicher Werte. Geworben wird für ein Produkt, als Beiwerk wird eine idealisierte Lebenswelt vermittelt. Werbebotschaften sind prägnant, überdeutlich, übertrieben und attraktiv. Um die Verständlichkeit zu gewährleisten und Kommunikationsdefizite zu verhindern, sind Verallgemeinerungen und Reduktionen wichtige Elemente; klischierte und stereotype Menschendarstellungen werden bevorzugt und typologisierende Verkürzungen machen vor dem Geschlecht nicht halt: Die Werbung hat sich schon seit jeher der Frau als Lockmittel bedient und steht damit unter Dauerkritik von feministischer Seite. Ihr wird eine grundsätzliche Frauenfeindlichkeit vorgeworfen, die so selbstverständlich ist, dass sie im Alltag als normal erscheint. Wir sind der Werbung mit ihrer sexistischen Darstellung oder ihrer unterschwelligen Präsentation weiblicher Unterwürfigkeit und Emotionalität permanent ausgesetzt, so dass wir dieses vermittelte Frauenbild kaum noch hinterfragen. Anfang der 1970er Jahre bezeichnete die Frauenbewegung die Werbung als eines der schlechtesten Produkte der Gesellschaft. Mitte der 1980er Jahre reduzierte sich die Diskussion, doch obsolet ist das Thema nicht. Dies zeigt der Bericht des deutschen Werberats von 1999: 40% der eingereichten Beschwerden betrafen den Vorwurf frauenfeindlicher Darstellungen.

Vorwurf der Frauenfeindlichkeit

Die Darstellung der Frau in der Werbung wird als sexuell anzüglich beschrieben. Zudem wird der Emanzipationsbegriff pervertiert und vermarktet: Emanzipation bedeutet nicht viel mehr als einen teuren Geschmack haben. Neben diesen manifesten frauenfeindlichen Darstellungen finden sich zusätzlich latente, welche eindeutig dazu dienen, die Frau zu diskreditieren. Mimik und Gestik der Frau zeigen sie in einer schwachen und unterwürfigen Position; Gleichberechtigung und Kooperation finden keinen Platz (Schmerl 1980).

Weiterentwicklung des Frauenbildes in der Werbung

Analog zu den anderen Medieninhalten hat sich das Bild der Frau in der Werbung weiterentwickelt. So stellen denn auch neuere Studien über TV-Werbespots eine Zunahme in der Darstellung von erwerbstätigen Frauen fest. Die positive Veränderung ist allerdings nur oberflächlich. Genauere Analysen von Gestik, Körperhaltung und Mimik bestätigen gängige geschlechtstypische Unterschiede (Brosius/Staab 1990). Die vermittelten Frauenbilder – Hausfrau, Mutter und Ehefrau, attraktive, junge und verführerische Frau bis hin zur Femme fatale – entsprechen den Befunden in anderen Medien. Zusätzlich aber erfährt die Frau in der Werbung eine Gleichsetzung mit der beworbenen Ware. Wie das Produkt selbst wird die Frau in der Werbung angeboten; bei Erwerb des Produktes ersteht man(n) sich gleichzeitig die Gunst der Frau, lautet die implizite Botschaft. Dennoch haben sich klassische Frauenbilder im Laufe der Zeit tendenziell emanzipiert. So gewinnt die Mutter an Selbstbewusstsein und ist Produktexpertin und Fachperson. Sie tritt dennoch bevorzugt im familiären oder freizeitbezogenen Kontext auf und erfüllt emotionale Funktionen. Die Berufsfrau ist ehrgeizig, erfolgreich, zugleich aber emotional und erotisch (Spiess 1994). Zudem kann ein weiteres Frauenbild eruiert werden, das sich selbstbewusst, bisweilen egoistisch präsentiert. Dieses neue Bild der androgynen Frau, die neben den weiblichen Tugenden, wie Emotionalität und Güte, auch Wut und Aggression besitzt, darf allerdings nicht losgelöst betrachtet werden. Offenbar hat sich parallel dazu das Bild eines neuen Mannes entwickelt, der weibliche Züge zeigt, emotional sein darf und sich kinderliebend gibt. Diese feiner differenzierten Bilder dürfen nicht darüber hinwegtäuschen, dass Werbung nicht als Reflexion der Realität, sondern als Ausdruck einer kapitalistischen Konsumgesellschaft betrachtet werden (van Zoonen 1994) muss. Die „neue Frau" ist hier wesentlich als Konsumentin mit zunehmender Kaufkraft interessant, nicht aber als weibliche Person – die Werbung unterlässt es denn auch, die Frau als solche zu thematisieren.

2.4.4 Fazit und Ausblick

Vom Fernsehen zur Online-Kommunikation

Eine genderfokussierte Auseinandersetzung mit Medientexten ist bedeutend, zumal Massenmedien an der Konstruktion von Geschlechteridentitäten maßgeblich beteiligt sind. Das Medienbild der Frau entspricht nicht ihrer gesellschaftlichen Rolle. Auch heute noch wird die Frau in den Medien diskriminiert. Das duale Rundfunksystem birgt eine Verhärtung der traditionellen Geschlechterzuweisungen und gleichzeitig Berufsmöglichkeiten für Frauen. Als neues Untersuchungsfeld bietet sich das Internet an. Das Online-Verhalten gibt einerseits Auskunft über die Nutzung des Mediums, andererseits kann hier genderspezifische Kommunikation beobachtet werden. Erste Studien deuten darauf hin, dass die Geschlechterhierarchie mit der Einführung dieses neuen Mediums nicht aufgebrochen werden kann (Dorer 1998). Interessante Resultate dürften Textanalysen von vermeintlich weiblichen Usern ergeben. Der „Gender-Switch" ist im Internet möglich, da die Identität nicht überprüfbar ist. Die Inhaltsanalyse hat sich als verlässliches Instrument erwiesen, Aussagen über das Frauenbild zu machen. In jüngerer Zeit wurden allerdings Kritiken gegenüber diesem ausschließlich textbezogenen Zugang laut. Insbesondere Vertreter der Cultural Studies befinden, man könne vom ideologischen Gehalt eines Textes nicht einfach auf dessen Wirkung schließen, denn die Bedeutung des Textes ermittle sich erst im Rezeptionshandeln. Zudem birgt die Untersuchung von Medientexten nach genderspezifischen Argumenten die Gefahr, andere Kategorien zu vernachlässigen. Oft betrifft die Diskriminierung nicht nur Frauen, sondern auch bestimmte Altersgruppen, Ethnien und soziale Klassen. Es sollte zudem bedacht werden, dass Medien, insbesondere das Fernsehen, dazu tendieren, stereotype Menschenbilder zu produzieren, unabhängig von Geschlecht und Status. Abschließend soll zudem die Frage aufgeworfen werden, ob der Vorwurf, Massenmedien reduzieren die Lebenswelten der Frauen auf einige wenige, tatsächlich geltend gemacht werden kann. Ungeachtet der vielfältigen weiblichen Persönlichkeiten muss doch ernüchternd festgestellt werden, dass auch in modernen Gesellschaften die Möglichkeiten der individuellen weiblichen Lebensgestaltungen beschränkt oder zumindest erschwert sind. Die Kritik „frauenfeindlich" kann sich nur partiell an die Massenmedien richten, sie betrifft das gesellschaftliche System schlechthin.

Weibliche Online-User

Literatur

Albrecht, Milton C. (1956): Does Literature Reflect Common Values? In: Am. Sociological Review, H. 21, S. 722-729.

Allen, Robert C. (1985): Speaking of Soaps. Chapel Hill.

Ang, Ien (1986): Das Gefühl Dallas. Zur Produktion des Trivialen. Bielefeld.

Berelson, Bernard/Salter, Patricia (1946): Majority and Minority Americans: An Analysis of Magazine Fiction. In: Public Opinion Quarterly, H. 10, S. 168-190.

Best, Stefanie (2000): Der Intra-Extra-Media-Vergleich – ein wenig genutztes Analyseinstrument und seine methodischen Anforderungen. In: Publizistik 45, H. 1, S. 51-69.

Brosius, Hans-Berns/Staab, Joachim Friedrich (1990): Emanzipation in der Werbung? Die Darstellung von Frauen und Männern in der Anzeigenwerbung des „STERN" von 1969-1988. In: Publizistik 35, S. 292-303.

Brown, Mary Ellen (1991): Knowledge and Power: An Ethnography of Soap Opera Viewers. In: Vande Berg, Leah R./Wenner, Lawrence (Hg.): Television Critisism. London, S. 178-198.

Dayan, Daniel/Katz, Elihu (1992): Media Events: The Live Broadcasting of History. London.

Dorer, Johanna (1998): Identitätskonstruktion und Internet. Eine Forschungsnotiz zur Geschlechterkonstruktion am Beispiel eines Internet-Chats. In: SWS-Rundschau 38, H. 4, S. 399-410.

Dorer, Johanna/Klaus, Elisabeth (1999): Media Studies and Gender. In: Brosius, Hans-Bernd/Holtz-Bacha, Christina (Hg.): The German Communication Yearbook, S. 245-277.

*Fiske, John (1987): Television Culture. London.

Gerbner, George u.a. (1979): The Demonstration of Power: Violence Profile 10. In: Journal of Communication 29, H. 3, S. 177-196.

Glasgow Media Group (1976): Bad News. In: Theory and Society 3, H. 3, S. 339-363.

Görke, Alexander/Kohring, Matthias/Ruhrmann, Georg (2000): Gentechnologie in der Presse. Eine internationale Langzeitanalyse von 1973 bis 1999. In: Publizistik 45, H. 1, S. 20-37.

Greenberg, Bradley S. (1986): Minorities and the Mass Media. In: Bryant, Jennings/Zillmann, Dolf (Hg.): Perspectives on Media Effects. Hillsdale/N.J., S. 165-188.

Greenberg, Bradley S./Brand, Jeffrey E. (1994): Minorities and the Mass Media: 1970 to 1990s. In: Bryant, Jennings/Zillmann, Dolf (Hg.): Media Effects. Advances in Theory and Research. Hillsdale/N.J., S. 273-314.

Groebel, Jo/Gleich, Uli (1993): Gewaltprofil des deutschen Fernsehprogramms. Opladen.

Halloran, James/Elliott, Philip/Murdock, Graham (1973): Politische Demonstration und gesellschaftliche Kommunikation. In: Aufermann, Jörg/Bohrmann, Hans/Sülzer, Rolf (Hg.): Gesellschaftliche Kommunikation und Information, Bd. 2. Frankfurt/M., S. 633-651.

Heijnk, Stefan (1997): Textoptimierung für Printmedien. Theorie und Praxis journalistischer Textproduktion. Opladen.

*Hepp, Andreas (1999): Cultural Studies und Medienanalyse. Opladen.

Hepp, Andreas/Winter, Rainer (Hg.) (1999): Kultur – Medien – Macht. Cultural Studies und Medienanalyse. (2., überarb. und erw. Aufl.) Opladen.

*Hijmans, Ellen (1996): Review Essay. The Logic of Qualitative Media Content Analysis: A Typology. In: Communications 21, H. 1, S. 93-108.

Holly, Werner/Püschel, Ulrich (Hg.) (1993): Medienrezeption als Aneignung. Methoden und Perspektiven qualitativer Sozialforschung. Opladen.

Kepplinger, Hans Mathias (1989): Theorien der Nachrichtenauswahl als Theorien der Realität. In: Aus Politik und Zeitgeschichte, S. 3-16.

Kepplinger, Hans Mathias (1991): Aufklärung oder Irreführung? Die Darstellung von Technikfolgen in der Presse 1965-1986. In: Krüger, Jens/Russ-Mohl, Stephan (Hg.): Risikokommunikation. Technikakzeptanz, Medien und Kommunikationsrisiken. Berlin, S. 109-143.

Kepplinger, Hans Mathias (1993): Technik-Kritik in den Medien. In: Bonfadelli, Heinz/Meier, Werner A. (Hg.): Krieg, AIDS, Katastrophen. Gegenwartsprobleme als Herausforderung der Publizistikwissenschaft. Konstanz, S. 193-211.

*Klaus, Elisabeth (1998): Kommunikationswissenschaftliche Geschlechterforschung. Zur Bedeutung der Frauen in den Massenmedien und im Journalismus. Opladen.

Krüger, Udo Michael (1994): Gewalt in Informationssendungen und Reality-TV. Quanitative und qualitative Unterschiede im öffentlich-rechtlichen und privaten Fernsehen. In: Media Perspektiven, H. 1, S. 72-85.

Krüger, Udo-Michael (1996): Boulevardisierung der Information im Privatfernsehen. In: Media Perspektiven, H. 7, S. 362-374.

Küchenhoff, Erich (1975): Die Darstellung der Frau und die Behandlung von Frauenfragen im Fernsehen. Schriftenreihe des Bundesministers für Jugend, Familie und Gesundheit, Bd. 34. Stuttgart.

Kunczik, Michael (1994): Gewalt und Medien. Köln, Weimar, Wien.

Lang, Kurt/Lang, Gladys (1973): Mac Arthur Day in Chicago: Die Einseitigkeit des Fernsehens und ihre Wirkungen. In: Aufermann, Jörg/ Bohrmann, Hans/Sülzer, Rolf (Hg.): Gesellschaftliche Kommunikation und Information, Bd. 2. Frankfurt/M., S. 498-525.

Liebes, Tamar/Katz, Elihu (1990): The Export of Meaning. Oxford.

Livingstone, Sonia (1990): Making Sense of Television. Oxford.

Lüger, Heinz-Helmut (1983): Pressesprache. Tübingen.

*McQuail, Denis (1987): Mass Communication Theory. An Introduction. London, Thousand Oaks, New Delhi, S. 233-280.

McQuail, Denis (1992): Media Performance. Mass Communication and the Public Interest. London.

Meier, Werner A./Bonfadelli, Heinz (1994): Medienleistungen. In: ZOOM K&M, H. 3, S. 45-53.

Morley, David (1992): Television, Audiences and Cultural Studies. London.

National Television Violence Study (1995): Executive Summary 1994-1995. Studio City/CA.

National Television Violence Study (1997): Executive Summary, Bd. 2. Santa Barbara/CA.

Nöth, Winfried (2000): Handbuch der Semiotik. Stuttgart.

*Real, Michael R. (1996): Exploring Media Culture. A Guide. Thousand Oaks, London, New Delhi.

Rosengren, Karl Erik (1989): Medienkultur: Forschungsansatz und Ergebnisse eines schwedischen Langzeitprojekts. In: Media Perspektiven, H. 6, S. 356-371.

Röser, Jutta (1992): Frauenzeitschriften und weiblicher Lebenszusammenhang. Themen, Konzepte und Leitbilder im sozialen Wandel. Opladen.

Schmerl, Christiane (1980): Frauenfeindliche Werbung. Sexismus als heimlicher Lehrplan. Berlin.

*Schulz, Winfried (1989): Massenmedien und Realität. Die „ptolemäische" und die „kopernikanische" Auffassung. In: Kaase, Max/Schulz, Winfried (Hg.): Massenkommunikation. Theorien, Methoden, Befunde. Kölner Zeitschrift für Soziologie und Sozialpsychologie; Sonderheft 30. Opladen, S. 135-149.

Shoemaker, Pamela (1987): Building a Theory of News Content: A Synthesis of Current Approaches. In: Journalism Monographs 103.

Shoemaker, Pamela/Reese, Stephen D. (1996): Mediating the Message. Theories of Influences on Mass Media Content. White Plains/NY.

Siegert, Gabriela (1999): Selbstreferentialität. In: Latzer, Michael u.a. (Hg.): Die Zukunft der Kommunikation. Phänomene und Trends in der Informationsgesellschaft. Innsbruck, Wien, S. 108-114.

Singer, Eleanor/Endreny, Phyllis (1987): Reporting Hazards: Their Benefits and Costs. In: Journal of Communication 37, H. 3, S. 24-40.

*Sottong, Hermann/Müller, Michael (1998): Zwischen Sender und Empfänger. Einführung in die Semiotik der Kommunikationsgesellschaft. Berlin.

Spiess, Brigitte (1994): Weiblichkeitsklischees in der Fernsehwerbung. In: Merten, Klaus/Schmidt, Siegfried J./Weischenberg, Siegfried (Hg.): Die Wirklichkeit der Medien. Eine Einführung in die Kommunikationswissenschaft. Opladen, S. 408-426.

Stevenson, Nick (1995): Understanding Media Cultures. Social Theory and Mass Communication. London.

Strassner, Erich (1982): Fernsehnachrichten: Eine Produktions-, Produkt- und Rezeptionsanalyse. Tübingen.

Tuchman, Gaye (1978): The Symbolic Annihilation of Woman by Mass Media. In: Tuchman, Gaye/Daniels, Arlene Kaplan/Benét, James (Hg.): Hearth and Home. Images of Women in the Mass Media. New York, S. 3-38.

Turner, Graeme (1996): British Cultural Studies. An Introduction. (2. Aufl.) London.

*Velte, Jutta (1995): Die Darstellung von Frauen in den Medien. In: Fröhlich, Romy/Holtz-Bacha, Christina (Hg.): Frauen und Medien – Eine Synopse der deutschen Forschung. Opladen, S. 181-241.

Weiderer, Monika (1993): Das Frauen- und Männerbild im Deutschen Fernsehen. Eine inhaltsanalytische Untersuchung der Programme von ARD, ZDF und RTLplus. Regensburg.

Zoonen, Liesbet van (1994): Feminist Media Studies. London.

* Basisliteratur

POLITISCHE KOMMUNIKATION

PATRICK DONGES/OTFRIED JARREN

1 Politische Kommunikation als Forschungsgegenstand 419

2 Paradigmen zum Verhältnis Politik und Medien 421

3 Akteure politischer Kommunikation 423

3.1 Akteure des politischen Entscheidungszentrums 423

3.2 Akteure des intermediären Systems 424

4 Politische Kommunikation als Prozess 427

5 Formen politischer Kommunikation: Beispiele 430

5.1 Wahlkämpfe 430

5.2 Ereignis- und Themenmanagement 430

5.3 Symbolische Politik 431

5.4 Politische Kommunikation im Internet 432

6 Besonderheiten der politischen Kommunikation in der Schweiz 433

Literatur 435

1 Politische Kommunikation als Forschungsgegenstand

Trotz eines wachsenden Interesses innerhalb der Sozialwissenschaften als auch einer breiteren Öffentlichkeit kann von einem einvernehmlich und klar definierten wissenschaftlichen Forschungsgegenstand „Politische Kommunikation" keine Rede sein. Politische Kommunikation präsentiert sich als unklar definierter wissenschaftlicher Gegenstand mit unterschiedlichen Forschungsbefunden und -ansätzen (vgl. Blumler/Dayan/Wolton 1990). Angesichts des engen Kontextes zwischen Politik und politischer Kommunikation bestreiten einige Autoren, dass sich politische Kommunikation überhaupt definieren lasse (vgl. Saxer 1998: 22).

Unklar definierter wissenschaftlicher Gegenstand

In vorliegenden Definitionsversuchen wird politische Kommunikation als Raum oder Prozess bezeichnet (vgl. v.a. Perloff 1998: 8; Wolton 1990: 12) und häufig von der „eigentlichen" Politik getrennt. Dem liegt der Gedanke zugrunde, dass analytisch zwischen der Herstellung von Politik (politischer Prozess) und ihrer Darstellung (politische Kommunikation) unterschieden werden könnte (vgl. Sarcinelli 1994: 41). Dieser Sichtweise kann entgegengesetzt werden, dass die Darstellung von Politik nicht nur ein „Anhängsel" politischer Entscheidungen, sondern ein integraler Bestandteil des politischen Prozesses selbst ist (vgl. Jarren/Donges/Weßler 1996). Dies gilt insbesondere dann, wenn Themen, die sich nicht mediengerecht darstellen lassen, gar nicht erst in den politischen Entscheidungsprozess gelangen (vgl. Blumler/Kavanagh 1999: 214).

Aber bereits die Definitionen von „Politik" sind vielfältig. Innerhalb der Politikwissenschaft hat sich eine konzeptionelle Untergliederung von Politik anhand der englischen Begriffe eingebürgert (vgl. Kaase 1998), auch wenn diese empirisch nicht immer voneinander abzugrenzen sind:

Untergliederung von Politik

Polity

- Polity bezeichnet die formale Dimension der oder den Rahmen von Politik, das Institutionen- und Normengefüge.

Politics

- Politics bezeichnet die verfahrensmäßige Dimension, den Prozess und die Konfliktaustragung von Politik, zielt also v.a. auf die Frage, wie einzelne Akteure, wie Parteien, Interessengruppen etc., ihre politischen Interessen und Ziele durchsetzen. Bei der Analyse werden v.a. Machtverhältnisse, Akteurskonstellationen und Konflikte betrachtet.

Policy

- Policy bezeichnet die inhaltliche Dimension von Politik, die Verarbeitung gesellschaftlicher Probleme und fokussiert die Art und Weise, wie Probleme in konkreten Politikfeldern angegangen werden.

Abbildung 1 Dimensionen von Politik: polity, politics und policy

Dimension	**versteht Politik als**	**und verwendet häufig die Begriffe**
Polity	Rahmen	Normen, Regeln, Institutionen, Verfassung, Gesetze
Politics	Prozess	Interessen, Konflikte, Akteure, Macht, Einfluss, Kampf
Policy	Inhalt	Probleme, Politikfelder, Gestaltung, Regelung, Lösung

Politik als soziale Interaktion

Durchgesetzt hat sich ein Politikbegriff, der die unterschiedlichen Perspektiven und Dimensionen von Politik vereinigt und Politik definiert als all jene „sozialen Interaktionen, die auf die Selektion, Durchführung und Durchsetzung kollektiv bindender Entscheidungen ausgerichtet sind" (Münch 1996: 22). Politik wirkt nicht nur auf einzelne soziale Phänomene ein, sondern durch politische Entscheidungen wird immer auch der Rahmen, unter dem politisch gehandelt wird, mit beeinflusst. Begreift man Politik als soziale Interaktionen, so sind Politik und politische Kommunikation untrennbar miteinander verbunden (vgl. Jarren/Sarcinelli 1998: 13).

2 Paradigmen zum Verhältnis Politik und Medien

Die für demokratische Gesellschaften so zentrale Bereitstellung von Themen für die öffentliche Kommunikation wird im Zusammenspiel von Politik und Medien realisiert. In der wissenschaftlichen Diskussion bestehen verschiedene Ansichten darüber, in welchem Verhältnis die beiden Systeme zueinander stehen. Mit solch unterschiedlichen Positionen, nachfolgend kurz skizziert, sind jeweils auch spezifische wissenschaftliche Fragestellungen und Erkenntnisinteressen verbunden (vgl. Sarcinelli 1991; 1994).

Gewaltenteilungsparadigma (Medien als 4. Gewalt):
Diese Sichtweise postuliert, dass sich die Massenmedien im Sinne einer Kontrollinstanz betätigen sollen, die der Legislative, Exekutive und Judikative gegenübergestellt wird. Die Ausübung dieser Kontrollfunktion setzt neben wirtschaftlicher Unabhängigkeit voraus, dass zwischen Politik und Medien ein Verhältnis der Autonomie und Distanz besteht.

Instrumentalisierungsparadigma:
Typisch für diese Sichtweise ist ein Dependenz-Dominanz-Verhältnis zwischen dem Mediensystem und dem politischen System; die dominante Beziehungsform ist die Steuerung des einen über das andere System. Zwei Einflussrichtungen sind bei dieser Steuerung zu unterscheiden:

a) Übermacht der Massenmedien
Die These von der „Übermacht" der Medien gegenüber dem politischen System vertreten v.a. Noelle-Neumann, Kepplinger und Oberreuter. Zwar wird die gegenseitige funktionale Abhängigkeit zwischen den beiden Systemen nicht bestritten, gleichzeitig aber eine wachsende Einflussnahme der Medien, insbesondere des Fernsehens, auf das politische System festgestellt. Die politischen Institutionen seien zunehmend von den Massenmedien abhängig

und die Medien selbst zu einer politischen Macht geworden, die auf das politische System nicht mehr nur reagiere, sondern wesentlich selbst agiere und indirekt mitregiere (vgl. u.a. Kepplinger 1985: 261).

b) Übermacht der Politik

Der konträre Ansatz geht von einem Autonomieverlust des Massenkommunikationssystems gegenüber dem politischen System aus. Aufgrund von Verteil- und sozio-ökonomischen Konflikten stehe das politische System unter einem erhöhten Legitimationsdruck den Bürgern gegenüber und setze daher die Massenmedien als Steuerungsinstrument ein. Zu solchen Instrumentalisierungsversuchen zählen die direkte oder indirekte Einflussnahme auf die Medien, der Ausbau von Pressestellen, die Professionalisierung der politischen Öffentlichkeitsarbeit, die Entwicklung von persuasiven PR-Strategien etc. (vgl. u.a. Schatz 1979; Langenbucher 1983).

Interdependenz und Symbiose:

In der Publizistikwissenschaft dominiert heute die Ansicht, zwischen dem Mediensystem und dem politischen System bestehe eine komplexe Interaktion mit wechselseitigen Abhängigkeiten und Anpassungsprozessen. Grundmodell der Beziehung zwischen dem politischen System und dem Mediensystem ist eine Tauschbeziehung, bei der „Information gegen Publizität – und umgekehrt – eingetauscht wird" (Sarcinelli 1994: 39): Einerseits ist das politische System auf die Massenmedien zur Verbreitung von Informationen angewiesen, andererseits sind die Medien wiederum abhängig von Informationen aus dem politischen System. So entsteht zwischen Politik und Medien ein Handlungssystem, das durch die Akteure und ihre Interaktion konstituiert und durch Rollen und Regeln stabilisiert wird (vgl. u.a. Jarren/Röttger 1999).

Abbildung 2 Paradigmen des Verhältnisses zwischen Medien und Politik

Paradigma	Dominanter Beziehungsmodus	Medien im politischen Prozess
Gewaltenteilung	Autonomie	Neutralität vs. Kontrolle, Kritik („Gegenmacht")
Instrumentalisierung	Steuerung	„Übermacht" der Politik oder „Übermacht" der Medien
Interdependenz/Symbiose	Interaktion	Tauschbeziehung

Quelle: Sarcinelli 1994

3 Akteure politischer Kommunikation

3.1 Akteure des politischen Entscheidungszentrums

Regierungen

Die politische Kommunikation von Regierungen ist durch ihre Rolle als Entscheidungszentrum des politischen Systems geprägt. Gebauer (1998) unterscheidet drei große Ströme der politischen Kommunikation von Regierungen: die Entscheidungsrechtfertigung nach innen und außen, die Politikvorbereitung und – in einem partizipativen Sinne – die Einbeziehung der Bürger im Sinne einer Politikmitgestaltung. Neben diesen drei Strömen ist die politische Kommunikation von Regierungen in hohem Maße bestimmt von den formalen Vorgaben hinsichtlich der administrativen Verfahrensabläufe sowie der spezifischen Zielorientierung bei der Herbeiführung und Vermittlung von Regierungsentscheidungen (vgl. Gebauer 1998: 464). Regierungen dürfen aus normativen Gründen nicht politische Kommunikationsprozesse „von oben" und mit Steuermitteln dominieren. Zudem ist festgelegt, wer sich wann und wem gegenüber verbindlich äußern kann und darf.

Parlamente

Für Parlamente können drei Kommunikationsformen unterschieden werden: Die Arbeitskommunikation vollzieht sich dabei weitgehend unter Ausschluss einer breiteren Öffentlichkeit und ist nach Patzelt (1998) durch Kollegialität und Sachlichkeit geprägt. In der nach innen und außen vollzogenen Durchsetzungskommunikation geht es darum, die Mehrheitsfähigkeit der eigenen Position vorzubereiten. Für die massenmediale politische Kommunikation relevant ist v.a. die Darstellungskommunikation in Form „zweckvolle[r] Zusammenfassungen und Interpretationen tatsächlich abgelaufener Kommunikations- und Entscheidungsprozesse [...]; sie zielt darauf ab, die Attraktivität des eigenen politischen Lagers zu steigern, bezogenen Positionen nachträgliche Zustimmung zu verschaffen und abgelehnte Entscheidungen fragwürdig zu halten" (Patzelt 1998: 437). Empirische Studien weisen bezüglich der Parlamentskommunikation auf eine Reihe von Kommunikationsproblemen hin. Nicht jede Art der politischen Entscheidung ist für die Medien in gleicher Weise relevant: „Nur die restriktiven und extensiven Entscheidungen einerseits und die redistributiven andererseits fordern die Medien zu intensiver Beobachtung und Kommentierung des politischen Entscheidungsprozesses heraus" (Beyme/Weßler 1998: 319). Auch passen Abläufe und Relevanzstrukturen parlamentarischer Willensbildungs- und Entscheidungsprozesse nicht von vornherein – und oft auch gar nicht – zu den Themeninteressen und Prioritäten der Massenmedien. Bis aktuelle Probleme in einen parlamentarischen Vorgang münden, sind sie vom „Bildschirm" der massenmedialen Aufmerksamkeit schon häufig verschwunden. Auch sind die Massenmedien in hohem Maße auf die Plenarsitzungen fixiert, während die – für den Parlamentsbetrieb relevanteren – Sitzungen von Fraktionen, Ausschüssen oder Arbeitsgruppen nur wenig beachtet werden (vgl. Patzelt 1998: 438).

3.2 Akteure des intermediären Systems

Zum intermediären System (Vermittlungssystem) gehören politische Parteien als Akteure der Interessenaggregation sowie Verbände, Vereine, Organisationen der Neuen Sozialen Bewegung als kollektive Akteure der Interessenartikulation und auch die Massenmedien. Vermittlung muss dabei als ein doppelseitiger Prozess aufgefasst werden: von der Gesellschaft zum Staat und vom Staat hin zur Gesellschaft. Ferner findet natürlich auch ein Austausch zwischen den kollektiven Akteuren auf der gesellschaftlichen Ebene statt.

Ebenen kommunikativer Aktivitäten

Kollektive Akteure des intermediären Systems können anhand der folgenden Ebenen bezüglich ihrer kommunikativen Aktivitäten empirisch betrachtet werden:

- Binnenkommunikative Ebene: Wie organisiert und koordiniert sich der Akteur selbst?
- Gesellschaftsbezogene Ebene: Wie wird Einfluss auf die gesellschaftliche Basis genommen (Klientel, Mitgliedschaften etc.)?
- Horizontale Ebene: Welche Kommunikationsbeziehungen bestehen zwischen den intermediären Organisationen (Kooperation, Konkurrenz etc.)?
- Vertikale Ebene: Mit Hilfe welcher Kommunikationsformen wird einerseits versucht, Einfluss auf staatliches Handeln (z.B. durch Konflikt-/Kooperationsstrategien) zu gewinnen und mit Hilfe welcher Kommunikationsformen (und auf Basis welcher Strategien) versucht andererseits das politische System Einfluss auf die gesellschaftliche Ebene zu gewinnen?

Zu den strukturellen Faktoren, die den Akteuren des intermediären Systems spezifische Handlungen ermöglichen oder eben nicht ermöglichen, gehören v.a.: Stellung des Akteurs im intermediären System, normative Verpflichtungen und demokratisch motivierte Selbstbindungen (Grenzen), Nähe oder Distanz zum politischen Entscheidungsprozess, Organisationstyp, Ressourcenoptionen, Mitgliederoptionen, Medienzugangsoptionen etc. Zu den „historischen" und situativen Faktoren gehören: faktische Stellung im intermediären System (Regierung oder Opposition), Verfügbarkeit von Ressourcen, Mitgliederstärke, die Beziehungen zum Mediensystem und „historische Faktoren" im intermediären System (z.B. anhaltende Minoritätenposition).

Parteien

Parteien sind vorrangig Akteure der Interessenaggregation: Sie fassen Interessen zusammen, bündeln diese und sind bestrebt, entsprechende Ziele in den politischen Entscheidungsprozess einzubringen. Parteien sind damit zum einen Mitglieder- und Willensbildungsorganisationen auf freiwilliger Basis, zum anderen aber auch professionelle Machterwerbsorganisationen (vgl. Wiesendahl 1998). So bestehen Parteien aus ehrenamtlich tätigen Mitgliedern und solchen Personen, die „Berufspolitiker" sind oder aufgrund ihrer Parteizugehörigkeit öffentliche, administrative Ämter innehaben. Diese heterogene Struktur ist es v.a., die politische Kommunikation von und in Parteien kennzeichnet. In ihrer Binnenkommunikation sind sie sowohl territorial als auch sozial vielfach gegliedert: Es handelt sich bei Parteien um komplexe Kommunikationsnetzwerke, die zunehmend durch hauptamtliches Personal koordiniert werden. Die Präsenz auf allen Ebenen macht die politischen Parteien zu Schlüsselorganisationen in der politischen Kommunikation und für politische Entscheidungen. Ihre Medienzugangsmöglichkeiten sind im Unterschied zu den anderen Akteuren grundsätzlich besser.

Verbände

Verbände (synonym: Interessengruppen, organisierte Interessen) sind „freiwillig gebildete, soziale Einheiten mit bestimmten Zielen und arbeitsteiliger Gliederung (Organisationen), die individuelle, materielle und ideelle Interessen ihrer Mitglieder im Sinne von Bedürfnissen, Nutzen und Rechtfertigungen zu verwirklichen suchen. Sie tun dies innerhalb der sozialen Einheit [...] und/oder gegenüber anderen Gruppen, Organisationen und Institutionen" (Alemann 1987: 30). Verbände sind also nicht auf bestimmte Aufgaben allein festzulegen und dementsprechend ist ihre Kommunikation insgesamt vielfältig und kann sich laufend ändern. Da Verbände nur sehr wenigen normativen Verpflichtungen unterliegen, sind sie auch in der politischen Kommunikation hoch flexibel. Verbände, die über ausreichend finanzielle Ressourcen und das benötigte Expertenwissen verfügen, werden sich in der Artikulation ihrer Interessen vorwiegend nicht öffentlicher Kommunikationsformen (z.B. Lobbying) bedienen. Verbände, die über diese Ressourcen nicht verfügen, sind hingegen auf die öffentliche und massenmediale Form der politischen Kommunikation angewiesen (vgl. Hackenbroch 1998: 484).

Soziale Bewegungen

Eine soziale Bewegung kann definiert werden als „ein auf gewisse Dauer gestelltes und durch kollektive Identität abgestütztes Handlungssystem mobilisierter Netzwerke von Gruppen und Organisationen, welche sozialen Wandel mittels öffentlicher Proteste herbeiführen, verhindern oder rückgängig machen will" (Rucht 1994a: 338f.). Organisationen innerhalb sozialer Bewegungen sind zumeist durch eine spezifische kollektive Identität und geteilte Überzeugungen gekennzeichnet. Zur Neuen Sozialen Bewegung werden die Ökologiebewegung, die Anti-Atomkraft-Bewegung, die Friedensbewegung oder die Frauenbewegung gezählt. Dabei handelt es sich um höchst unterschiedliche Organisationen bezüglich ihrer Organisationsformen, ideologischen Ausrichtung und Ziele. Konstitutiv für soziale Bewegungen sind Formen des kollektiven, öffentlichen Protestes. Dies führt dazu, dass soziale Bewegungen noch stärker als andere Akteursgruppen in der politischen Kommunikation auf mediale Vermittlung angewiesen sind (vgl. Schmitt-Beck 1998: 476). Zugleich wird durch die öffentliche Kommunikation und Interaktion die kollektive Identität einer sozialen Bewegung immer wieder neu hergestellt.

4 Politische Kommunikation als Prozess

Problemartikulation

Für die Betrachtung des politischen Prozesses ist es sinnvoll, diesen idealtypisch in seine unterschiedlichen Phasen einzuteilen: In der Phase der Problemartikulation formulieren Individuen oder gesellschaftliche Gruppen Probleme, die sie gelöst wissen möchten. In dieser Phase sind die Medien von zentraler Bedeutung, weil sie durch Thematisierung oder eben Nicht-Thematisierung wesentlich darüber entscheiden, ob Interessen oder Probleme allgemein öffentlich werden. Die Medien wirken hier sowohl als Filter und auch als Verstärker.

Abbildung 3 Phasenmodell des politischen Prozesses

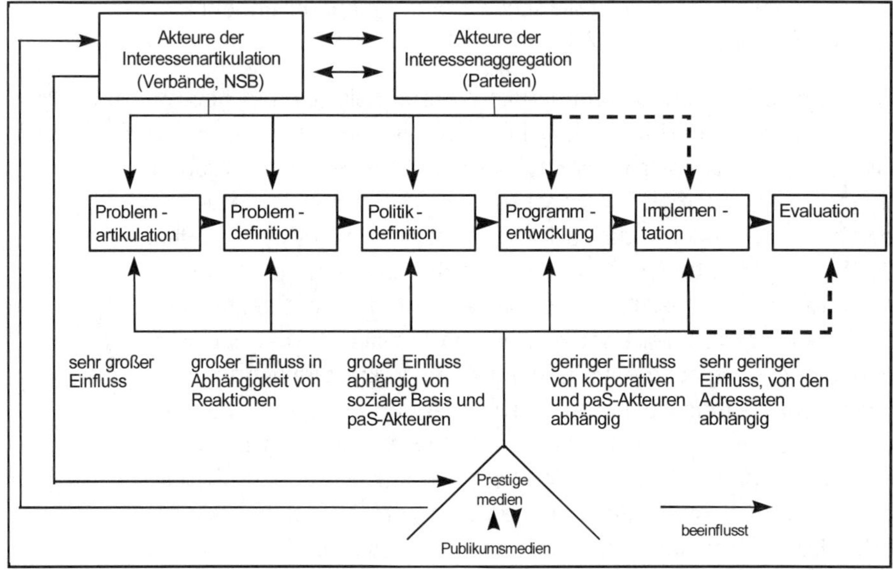

(paS: politisch-administratives System)

Quelle: Jarren/Donges/Weßler 1996: 13

Problem-definition

In der Phase der Problemdefinition werden die artikulierten Probleme für das politische System bearbeitbar gemacht. In dieser Phase der Problemdefinition ist der Einfluss der Medien auch noch relativ groß, v.a. dann, wenn die Akteure der Interessenaggregation sich daran beteiligen – z.B. weil sie sich Wahlchancen durch das Aufgreifen von Problemen versprechen oder durch das Umdeuten von Problemen Wahlchancen erhalten wollen.

Politik-definition

In der Phase der Politikdefinition verlässt ein politisches Problem die allgemeine Öffentlichkeit, weil nun v.a. die Akteure der Interessenaggregation sich des Problems und seiner Lösung annehmen. Da sie dies aber vielfach in Konkurrenz zueinander tun und zumeist auch die Problembenennungsakteure weiterhin aktiv sind, werden diese Vorgänge von Fall zu Fall wieder allgemein öffentlich. Der Medieneinfluss ist eher gering und abhängig davon, ob das Thema und die Problembearbeitung kontrovers erfolgt.

Programm-entwicklung

Die Programmentwicklung, z.B. in Form eines Gesetzgebungsprozesses, ist im hohen Maße von politischen Institutionen und ihren Akteuren bestimmt. Die deutliche Mehrzahl dieser Prozesse vollzieht sich in Ausschüssen der Parlamente und im Parlament selbst. Durch spezifische Verfahren, wie Vernehmlassungsverfahren, Anhörungen etc., wird Öffentlichkeit auf der Ebene organisierter Interessen ermöglicht. In der Regel werden diese Prozesse von den Medien eher in einem protokollarischen Sinn beobachtet und verfolgt, eine Thematisierung erfolgt v.a. dann, wenn relevante politische Akteure Problemstellungen aus den Verhandlungen zum öffentlichen Thema machen.

Politikimplementation

Die Politikimplementation ist zumeist ein Vorgang, von dem die allgemeine Öffentlichkeit nur sehr vereinzelt Notiz nehmen kann: Die administrative Umsetzung von Politik ist Sache der Verwaltung. Falls jedoch ein Gesetz, eine Verordnung oder eine administrative Maßnahme sich in der Evaluation als Problem für Betroffene herausstellt, so kann die Problemlösung zu einer erneuten Problemartikulation führen. Und damit kann ein erneuter politischer Prozess „ausgelöst" werden.

Evaluation

Aus Abbildung 3 wird ersichtlich, dass die unterschiedlichen Akteursgruppen in den einzelnen Phasen höchst verschiedene Möglichkeiten zur Beeinflussung von Entscheidungen haben. Für das Einflusspotential ist wiederum der Zugang zu den Medien und das mediale Interesse zur Thematisierung relevant.

5 Formen politischer Kommunikation: Beispiele

5.1 Wahlkämpfe

Wahlkämpfe sind Kommunikationsereignisse, in denen sich die politische Kommunikation verdichtet. Sie stellen Handlungssysteme aus Parteien, Medien und Wählern dar, die jeweils spezifische Beziehungen untereinander aufweisen. Alle diese Akteure und Gruppen haben „in den letzten Jahren strukturelle Veränderungen durchlaufen, von denen angenommen werden kann, dass sie das Kommunikationsverhalten der jeweils anderen Akteure beeinflussen" (Klingemann/Voltmer 1998: 396).

Begriff der „Amerikanisierung"

Diese Veränderungen sind in den letzten Jahren unter dem Stichwort „Amerikanisierung" diskutiert worden. Schulz (1997) nennt als Merkmale einer „Amerikanisierung" Personalisierung der Kampagne, Wahlkampf als Kandidaten-Wettstreit, Angriffswahlkampf, Professionalisierung, Marketing-Ansatz sowie Ereignis- und Themenmanagement (vgl. Schulz 1997: 186f.). Hingegen geht der Ansatz der Modernisierung davon aus, dass die genannten Veränderungen v.a. auf endogene Ursachen zurückzuführen und damit Konsequenzen eines anhaltenden gesellschaftlichen Strukturwandels sind, der auf deren funktionaler Differenzierung beruht (vgl. Plasser 2000; Donges 2000a; Negrine/Papathanassopoulos 1996).

5.2 Ereignis- und Themenmanagement

Typen von Ereignissen

Bei der Analyse politischer Kommunikation werden idealtypisch vier Typen von Ereignissen unterschieden (vgl. Kepplinger 1989; Schmitt-Beck/Pfetsch 1994):

- Genuine Ereignisse sind durch ihre Funktionalität im politischen Entscheidungsprozess charakterisiert.

- Mediatisierte Ereignisse sind hingegen kommunikationsstrategisch eingerichtet, etwa Parteitage, die zwar im politischen Entscheidungsprozess eine wichtige Funktion haben, deren Verlauf aber auf die Medienberichterstattung hin ausgerichtet wird.
- Pseudoereignisse sind gekennzeichnet durch eine Politikdarstellung ohne Politikherstellung und werden von politischen Akteuren ausschließlich herbeigeführt, um die Aufmerksamkeit der Medien auf sich zu ziehen und Berichterstattung zu stimulieren. Beispiele hierfür sind Pressekonferenzen oder Stellungnahmen politischer Akteure, Demonstrationen, Kundgebungen oder „Aktionen".
- Medieninszenierte Ereignisse schließlich sind solche, die von den Medien selbst geschaffen werden. Hierzu zählen z.B. Reaktionen von Medien auf Berichte anderer Medien oder auch Interviews und Gespräche mit politischen Akteuren.

Abbildung 4 Typen von Ereignissen

Ereignistyp	**Kennzeichen**	**Beispiel**
Genuine Ereignisse	Funktionalität im politischen Prozess	Sitzungen Bundesrat, Ständerat
Mediatisierte Ereignisse	Kommunikationsstrategisch ausgerichtet	Parteitage
Pseudoereignisse	Ausschließlich für Medien herbeigeführt	Pressekonferenz, Statement, „Aktion"
Medieninszenierte Ereignisse	Von Medien herbeigeführt	Berichterstattung über andere Medien, Fernsehdiskussionen

Quellen: Kepplinger 1989; Schmitt-Beck/Pfetsch 1994

5.3 Symbolische Politik

Symbolische Politik

Für Pseudoereignisse hat sich der Begriff der „symbolischen Politik" etabliert, der als Steuerungsinstrument der Politik ein „politisch-strategisches Handeln unter bewusster Verwendung symbolischer Mittel" (Sarcinelli 1994: 23) mit dem Ziel der Loyalitätssicherung und Unterstützung bezeichnet. Ursachen symbolischer Politik liegen in einem zunehmend engeren Handlungsspielraum für politische Akteure, wodurch ihnen nur noch in begrenztem Maße die Möglichkeit offen steht, durch materielle Gratifikationen Wählersympathien und damit Legitimation zu sichern. Durch die symbolische Verdichtung wird gleichzeitig auch die für den Bürger kaum verständliche Komplexität politischer Sachverhalte auf eine überschaubare Realität reduziert.

5.4 Politische Kommunikation im Internet

Umstritten ist, inwieweit das Internet eine Bedeutung innerhalb der politischen Kommunikation erlangen wird. Ein Argument für einen „starken" und positiven Einfluss des Internets auf die politische Kommunikation besteht in der Annahme, dass durch die Netzkommunikation eine quantitativ höhere und zugleich auch qualitativ bessere Teilnahme einzelner Individuen an (politischen) Willlensbildungs- und Entscheidungsprozessen möglich sei. Die Argumentation geht im Kern davon aus, dass der Grund der bisherigen Nicht-Teilnahme bestimmter Bevölkerungskreise an politischen Prozessen v.a. ein technisches Problem war, das durch die neue Technik gelöst werden könne (vgl. Street 1997: 31). Ein zweites, stärker medienbezogenes Argument geht davon aus, dass das Internet deshalb einen positiven Einfluss auf die politische Kommunikation haben werde, weil durch das Netz die – häufig als „Medien-" oder „Medien-Eliten-Macht" negativ konnotierte – Selektionsleistung des Mediensystems entfalle (vgl. Geser 1998).

Vertreter einer skeptischen Haltung weisen hingegen auf soziale Faktoren hin, die der Netzkommunikation Grenzen setzen: das für den Mediengebrauch begrenzte Zeitbudget, die Möglichkeiten der Finanzierung, die Knappheit der angebotenen, relevanten Inhalte, die begrenzte Aktivität der Nutzer etc. (vgl. Jarren 1998: 14). Zwar ergeben sich durch das Netz verbesserte Formen zur Bereitstellung, Verteilung und Beschaffung von Informationen, aber nur dann, wenn innerhalb bereits bestehender politischer Organisationen bereits gegebene Themen verhandelt werden (Binnenkommunikation) oder die Themen von etablierten politischen Akteuren aufgegriffen werden (vgl. Donges 2000b; Donges/Jarren 1999; Marschall 1998: 54).

6 Besonderheiten der politischen Kommunikation in der Schweiz

Die charakteristischsten Besonderheiten des politischen Systems der Schweiz haben vielfältige Auswirkungen auf die politische Kommunikation. Linder (1999a) nennt als diese Charakteristika die direkte Demokratie, den nicht-zentralisierten Föderalismus mit hoher Autonomie von Gemeinden und Kantonen sowie den Politikstil der Konkordanz durch proportionale Machtteilung, Beteiligung aller größeren Gruppen an den Entscheidungsprozessen und Konfliktlösung durch Kompromiss (vgl. Linder 1999a: 21).

Bundesrat geprägt durch Konkordanz

- Die politische Kommunikation des Bundesrates ist v.a. durch die Konkordanz geprägt (vgl. u.a. Klöti 1999). Gleichzeitig können Entscheide sowohl der Regierung als auch des Parlaments in Initiativen und Referenden immer wieder rückgängig gemacht werden. Dies führt dazu, dass referendumsfähige Gruppen bereits frühzeitig an der Planung politischer Entscheidungen berücksichtigt und in die Regierungskommunikation eingebunden werden. Eine große Bedeutung in der Regierungskommunikation der Schweiz hat die Broschüre „Erläuterungen des Bundesrates" im Vorfeld von Volksabstimmungen, in der die Regierung jeweils ihren Standpunkt darlegt und die, hinter Presse, Fernsehen und Radio, das viertwichtigste Informationsmedium der Abstimmenden ist (vgl. Kriesi 1994).

Parlament geprägt durch Unabhängigkeit

- Das schweizerische Parlament ist von einer relativ unabhängigen Stellung gegenüber der Regierung geprägt. Mitglieder des Bundesrates dürfen dem Parlament nicht angehören, umgekehrt kann die Mehrheit des Parlaments in bestimmten Fragen gegen die Regierung entscheiden, ohne dass dies ihren Sturz zur Folge hätte. Auch gegenüber der Judikative ist das Parlament angesichts der fehlenden Verfassungsgerichtsbarkeit weitgehend unabhängig. Aufgrund des Konkordanzprinzips kennt das schweizerische Parlament keine institutionalisierte Opposition – und damit auch keine „Oppositionskommunikation" –, sondern nur eine „fallweise Opposition" (vgl. Lüthi 1999).

Parteien geprägt durch schwache Stellung

- Auch Parteien haben in der Schweiz nicht den Stellenwert, den sie innerhalb der intermediären Systeme anderer Länder aufweisen (vgl. Ladner 1999). Das schweizerische Parteiensystem gilt mit über 180 kantonalen Parteien als das am stärksten fragmentierte in Europa (vgl. Linder 1999b: 81ff.). Der ausgeprägte Föderalismus der Schweiz verhindert die Herausbildung starker und zentralistisch nationaler Parteiorganisationen. Die finanziellen Ressourcen der Schweizer Parteien liegen, was sowohl die Höhe als auch die Zuwachsraten anbelangt, deutlich unter denen der Parteien anderer Länder. Das Schweizer Parteiensystem baut im Wesentlichen auf dem Milizsystem auf, die Anzahl der Personen, die sich hauptberuflich mit Politik – und mit politischer Kommunikation – befassen, ist nach wie vor sehr gering. Und die direkte Demokratie schwächt die Stellung der Parteien im politischen Prozess und ermöglicht finanz- und aktionskräftigen Interessenverbänden und Organisationen der Neuen Sozialen Bewegungen stärker als in anderen Ländern auf politische Entscheidungsprozesse Einfluss zu nehmen.

Literatur

Alemann, Ulrich von (1987): Organisierte Interessen in der Bundesrepublik. Opladen.

*Beyme, Klaus von/Weßler, Hartmut (1998): Politische Kommunikation als Entscheidungskommunikation. In: Jarren, Otfried/Sarcinelli, Ulrich/Saxer, Ulrich (Hg.): Politische Kommunikation in der demokratischen Gesellschaft. Ein Handbuch mit Lexikonteil. Opladen, Wiesbaden, S. 312-323.

Blumler, Jay G./Dayan, Daniel/Wolton, Dominique (1990): West European Perspectives on Political Communication: Structures and Dynamics. In: European Journal of Communication 5, H. 2-3, S. 261-284.

*Blumler, Jay G./Kavanagh, Denis (1999): The Third Age of Political Communication: Influences and Features. In: Political Communication 16, H. 3, S. 209-230.

Donges, Patrick (2000a): Amerikanisierung, Professionalisierung, Modernisierung? Anmerkungen zu einigen amorphen Begriffen. In: Kamps, Klaus (Hg.): Trans-Atlantik, Trans-Portabel? Die Amerikanisierungsthese in der politischen Kommunikation. Wiesbaden, S. 27-40.

Donges Patrick (2000b): Technische Möglichkeiten und soziale Schranken elektronischer Öffentlichkeit: Positionen zur elektronischen Öffentlichkeit und ihr Bezug zu Öffentlichkeitsmodellen. In: Jarren, Otfried/Imhof, Kurt/Blum, Roger (Hg.): Zerfall der Öffentlichkeit? Mediensymposium Luzern, Bd. 6. Wiesbaden, S. 255-265.

Donges, Patrick/Jarren, Otfried (1999): Politische Öffentlichkeit durch Netzkommunikation? In: Kamps, Klaus (Hg.): Elektronische Demokratie? Perspektiven politischer Partizipation. Opladen, Wiesbaden, S. 85-108.

Gebauer, Klaus-Eckart (1998): Regierungskommunikation. In: Jarren, Otfried/Sarcinelli, Ulrich/Saxer, Ulrich (Hg.): Politische Kommunikation in der demokratischen Gesellschaft. Ein Handbuch mit Lexikonteil. Opladen, Wiesbaden, S. 464-472.

Geser, Hans (1998): Auf dem Weg zur Neuerfindung der politischen Öffentlichkeit. Das Internet als Plattform der Medienentwicklung und des sozio-politischen Wandels. (Version 2.0, März 1998). In: http://socio.ch/intcom/t_hgeser06.htm (10.01.2000).

Hackenbroch, Rolf (1998): Verbändekommunikation. In: Jarren, Otfried/Sarcinelli, Ulrich/Saxer, Ulrich (Hg.): Politische Kommunikation in der demokratischen Gesellschaft. Ein Handbuch mit Lexikonteil. Opladen, Wiesbaden, S. 482-488.

Jarren, Otfried (1998): Internet – neue Chancen für die politische Kommunikation? In: Aus Politik und Zeitgeschichte, H. 40, S. 13-21.

*Jarren, Otfried/Donges, Patrick/Weßler, Hartmut (1996): Medien und politischer Prozess. Eine Einleitung. In: Jarren, Otfried/Schatz, Heribert/Weßler, Hartmut (Hg.): Medien und politischer Prozess. Politische Öffentlichkeits- und massenmediale Politikvermittlung im Wandel. Opladen, S. 9-37.

Jarren, Otfried/Röttger, Ulrike (1999): Politiker, politische Öffentlichkeitsarbeiter und Journalisten als Handlungssystem. Ein Ansatz zum Verständnis politischer PR. In: Rolke, Lothar/Wolff, Volker (Hg.): Wie die Medien die Wirklichkeit steuern und selber gesteuert werden. Opladen, Wiesbaden, S. 199-221.

Jarren, Otfried/Sarcinelli, Ulrich (1998): "Politische Kommunikation" als Forschungs- und als politisches Handlungsfeld: Einleitende Anmerkungen zum Versuch der systematischen Erschließung. In: Jarren, Otfried/Sarcinelli, Ulrich/Saxer, Ulrich (Hg.): Politische Kommunikation in der demokratischen Gesellschaft. Ein Handbuch mit Lexikonteil. Opladen, Wiesbaden, S. 13-20.

Kaase, Max (1998): Politische Kommunikation – Politikwissenschaftliche Perspektiven. In: Jarren, Otfried/Sarcinelli, Ulrich/Saxer, Ulrich (Hg.): Politische Kommunikation in der demokratischen Gesellschaft. Ein Handbuch mit Lexikonteil. Opladen, Wiesbaden, S. 97-113.

Kepplinger, Hans Mathias (1985): Systemtheoretische Aspekte politischer Kommunikation. In: Publizistik 30, H. 2+3, S. 247-264.

Kepplinger, Hans Mathias (1989): Theorien der Nachrichtenauswahl als Theorien der Realität. In: Aus Politik und Zeitgeschichte, H. 15, S. 3-16.

Klingemann, Hans Dieter/Voltmer, Katrin (1998): Politische Kommunikation als Wahlkampfkommunikation. In: Jarren, Otfried/Sarcinelli, Ulrich/Saxer, Ulrich (Hg.): Politische Kommunikation in der demokratischen Gesellschaft. Ein Handbuch mit Lexikonteil. Opladen, Wiesbaden, S. 396-405.

Klöti, Ulrich (1999): Regierung. In: Klöti, Ulrich u.a. (Hg.): Handbuch der Schweizer Politik. Zürich, S. 159-185.

*Kriesi, Hanspeter (1994): Die Herausforderung direkter Demokratie durch die Transformation der Öffentlichkeit. In: Neidhardt, Friedhelm (Hg.): Öffentlichkeit, öffentliche Meinung, soziale Bewegungen. Kölner Zeitschrift für Soziologie und Sozialpsychologie, Sonderheft 34. Opladen, S. 234-260.

Ladner, Andreas (1999): Das Schweizer Parteiensystem und seine Parteien. In: Klöti, Ulrich u.a. (Hg.): Handbuch der Schweizer Politik. Zürich, S. 213-260.

Langenbucher, Wolfgang R. (1983): Gegenwärtige Trends der politischen Kommunikation. In: Saxer, Ulrich (Hg.): Politik und Kommunikation. Neue Forschungsansätze. München, S. 38-41.

Linder, Wolf (1999a): Politische Kultur. In: Klöti, Ulrich u.a. (Hg.): Handbuch der Schweizer Politik. Zürich, S. 13-33.

Linder, Wolf (1999b): Schweizerische Demokratie. Institutionen, Prozesse, Perspektiven. Bern, Stuttgart, Wien.

Lüthi, Ruth (1999): Parlament. In: Klöti, Ulrich u.a. (Hg.): Handbuch der Schweizer Politik. Zürich, S. 131-157.

Marschall, Stefan (1998): Netzöffentlichkeit – eine demokratische Alternative? In: Gellner, Winand/Korff, Fritz von (Hg.): Demokratie und Internet. Baden-Baden, S. 43-54.

Münch, Richard (1996): Risikopolitik. Frankfurt/M.

Negrine, Ralph/Papathanassopoulos, Stylianos (1996): The "Americanization" of Political Communication. A Critique. In: Press/Politics 1, H. 2, S. 45-62.

Patzelt, Werner J. (1998): Parlamentskommunikation. In: Jarren, Otfried/Sarcinelli, Ulrich/Saxer, Ulrich (Hg.): Politische Kommunikation in der demokratischen Gesellschaft. Ein Handbuch mit Lexikonteil. Opladen, Wiesbaden, S. 431-441.

Perloff, Richard M. (1998): Political Communication. Politics, Press and Public in America. Mahwah/N.J., London.

Plasser, Fritz (2000): "Amerikanisierung" der Wahlkommunikation in Westeuropa: Diskussions- und Forschungsstand. In: Bohrmann, Hans u.a. (Hg.): Wahlen und Politikvermittlung durch Massenmedien. Opladen, Wiesbaden, S. 49-67.

Rucht, Dieter (1994): Modernisierung und neue soziale Bewegungen. Deutschland, Frankreich und USA im Vergleich. Frankfurt/M., New York.

*Sarcinelli, Ulrich (1991): Massenmedien und Politikvermittlung – eine Problem- und Forschungsskizze. In: Rundfunk und Fernsehen 39, H. 4, S. 469-486.

Sarcinelli, Ulrich (1994): Mediale Politikdarstellung und politisches Handeln: analytische Anmerkungen zu einer notwendigerweise spannungsreichen Beziehung. In: Jarren, Otfried (Hg.): Politische Kommunikation in Hörfunk und Fernsehen. Elektronische Medien in der Bundesrepublik Deutschland. Gegenwartskunde, Sonderheft 8. Opladen, S. 35-50.

Saxer, Ulrich (1998): System, Systemwandel und politische Kommunikation. In: Jarren, Otfried/Sarcinelli, Ulrich/Saxer, Ulrich (Hg.): Politische Kommunikation in der demokratischen Gesellschaft. Ein Handbuch mit Lexikonteil. Opladen, Wiesbaden, S. 21-64.

Schatz, Heribert (1979): Ein theoretischer Bezugsrahmen für das Verhältnis von Politik und Massenkommunikation. In: Langenbucher, Wolfgang R. (Hg.): Politik und Kommunikation. München, S. 81-92.

Schmitt-Beck, Rüdiger (1998): Kommunikation (Neuer) Sozialer Bewegungen. In: Jarren, Otfried/Sarcinelli, Ulrich/Saxer, Ulrich (Hg.): Politische Kommunikation in der demokratischen Gesellschaft. Ein Handbuch mit Lexikonteil. Opladen, Wiesbaden, S. 473-481.

Schmitt-Beck, Rüdiger/Pfetsch, Barbara (1994): Politische Akteure und die Medien der Massenkommunikation. Zur Generierung von Öffentlichkeit in Wahlkämpfen. In: Neidhardt, Friedhelm (Hg.): Öffentlichkeit, öffentliche Meinung, soziale Bewegungen. Kölner Zeitschrift für Soziologie und Sozialpsychologie, Sonderheft 34. Opladen, S. 106-138.

*Schulz, Winfried (1997): Politische Kommunikation. Theoretische Ansätze und Ergebnisse empirischer Forschung. Opladen, Wiesbaden.

Street, John (1997): Remote Control? Politics, Technology and 'Electronic Democracy'. In: European Journal of Communication 12, H. 1, S. 27-42.

Wiesendahl, Elmar (1998): Parteienkommunikation. In: Jarren, Otfried/Sarcinelli, Ulrich/Saxer, Ulrich (Hg.): Politische Kommunikation in der demokratischen Gesellschaft. Ein Handbuch mit Lexikonteil. Opladen, Wiesbaden, S. 442-449.

Wolton, Dominique (1990): Political Communication: The Construction of a Model. In: European Journal of Communication 5, H. 1, S. 9-28.

* Basisliteratur

RISIKOKOMMUNIKATION

LUCIE HRIBAL

1 Risikokommunikation als Wissenschaftsobjekt ... 441
1.1 Problematik des Risikobegriffs ... 442
1.2 Zentrale Forschungsperspektiven ... 444
2 Funktionen der Risikokommunikation ... 445
2.1 Ziele der Risikokommunikation ... 445
2.2 Aktivitätsphasen der Risikokommunikation ... 446
3 Akteure der Risikokommunikation ... 449
3.1 Kommunikatoren ... 449
3.2 Zielpublika ... 450
4 Strukturen der Risikokommunikation ... 451
4.1 Aussagen über Risiken ... 451
4.2 Kommunikationskanäle ... 452
5 Medienleistungen im Risikokontext ... 454
5.1 Funktionen der Risikoberichterstattung ... 454
5.2 Umgang mit Risikoinformationen ... 455
6 Zusammenfassung ... 457
Literatur ... 458

Lucie Hribal

1 Risikokommunikation als Wissenschaftsobjekt

Sozialwissenschaftliche Perspektive

Die Risikokommunikation wird aus verschiedenen Perspektiven beurteilt und erforscht. Die lebensweltliche Alltagsoptik versteht die Risikokommunikation als eine präventive Auseinandersetzung mit Gefahren oder Wagnissen. Der sozialwissenschaftliche Standpunkt dagegen hebt ihren konstituierenden, bewertenden und funktionalen Charakter hervor. Konstituierend agiert die Risikokommunikation insofern, als dass für die meisten Menschen oder Institutionen ein Risiko erst dann sichtbar wird, wenn darüber kommuniziert wird. Bewertend wirkt sich die Risikokommunikation aufgrund unterschiedlicher Wahrnehmungsprozesse aus, unabhängig davon, auf welche Weise ein Risiko erkannt und als solches beurteilt wird. Seine Wahrnehmung unterliegt v.a. der Einschätzung seiner Ursache und seines Schadenpotentials.

Als Risikoursache gilt neben technisch oder gesellschaftskulturell bedingten Sachverhalten auch die Entscheidung, diese Voraussetzungen herbeizuführen. Somit schließt der Bewertungscharakter der Risikokommunikation die Frage nach der Verantwortung für das Risiko ein. Die funktionale Ausrichtung der Risikokommunikation beruht auf der Tatsache, dass an der Wahrnehmung von Risiken und an der Verständigung über Ursachen und Verursacher Akteure mit unterschiedlichen Bedürfnissen beteiligt sind. Ihre Interaktionen entsprechen verschiedenen Funktionen der Risikokommunikation und werden vom jeweiligen Rezeptionsraum, dem Entwicklungsstadium des Risikoverlaufs sowie den beanspruchten Kommunikationsinhalten und Kommunikationsstrukturen bestimmt.

Interdisziplinäres Forschungsfeld

Die publizistik- und kommunikationswissenschaftliche Erschließung der Risikokommunikation erfolgt interdisziplinär und beruft sich auch auf Erkenntnisse und Befunde technischer Wissenschaften und der Naturwissenschaften, Rechts- und Politikwissenschaften sowie der Psychologie und Soziologie. Die herangezogenen Theorien und Modelle vermögen jeweils nur einzelne Elemente oder Zusammenhänge der Risikokommunikation zu beschreiben oder zu erklären, es besteht für sie kein Gesamtmodell und keine eigene Theorie.

1.1 Problematik des Risikobegriffs

Die wissenschaftliche Auseinandersetzung mit Risiken oblag bis vor wenigen Jahrzehnten naturwissenschaftlich argumentierenden Disziplinen. Seit Beck (1986) Risiken als Begleiterscheinungen der technologischen und gesellschaftlichen Modernisierung bezeichnet hat, kommt ihnen auch die Aufmerksamkeit der Sozialwissenschaften zu. Für Beck ist die Selbstgefährdung der Gesellschaft durch Weiterentwicklung das zentrale Merkmal der heutigen „Risikogesellschaft". Von bisherigen Gesellschaftsmodellen unterscheidet sich die Risikogesellschaft aufgrund ihrer Reflexivität und des Wertewandels in Richtung Individualisierung und funktionale Differenzierung.

Risikogesellschaft

Die heutigen großen Technologierisiken, deren potentielles Schadensausmaß nicht einmal Experten mehr einschätzen können, haben die bisherigen Vorstellungen über die maximierbare Sicherheit ins Wanken gebracht und den Umgang mit Risiken erschwert. Heute werden das Risikomanagement und die Risikodiskussion von individuellen und partikularen Interessen bestimmt. Dabei fordern die einzelnen Gesellschaftsmitglieder Selbstbestimmung und Mitspracherecht; gleichzeitig sind Politik, Wirtschaft und Wissenschaft für Koordinationsleistungen und Problemlösungen über ihren Interessenhorizont hinaus immer seltener zuständig. Das Individuum interpretiert seine von Modernisierungsrisiken geprägte Situation daher zunehmend allein und versucht sich mittels selbst erworbenem Wissen und Handeln zu schützen.

Der Risikobegriff unterliegt häufig der Missdeutung. Die Begriffe „Gefahr" und „Wagnis" werden fälschlicherweise gleichbedeutend mit Risiko verwendet und auch seine Auslegung als Gegenbegriff zu „Sicherheit" erweist sich als nicht präzise. Um Gefahr handelt es sich bei einem bevorstehenden Ereignis dann, wenn über ihr Eintreten nicht der potentiell Betroffene selber entscheiden kann. Entschließt sich ein Betroffener trotz der erkannten Möglichkeit, dass es zu einem Schaden kommen kann, für eine riskante Handlung, geht er ein Wagnis ein. Der Risikobegriff besitzt je nach Perspektive sowohl einen Wagnis- als auch einen Gefahrencharakter. Aufgrund der impliziten Wagnismöglichkeit kann auch Sicherheit nicht als Gegensatz aufgefasst werden; sie bildet vielmehr den Gegenbegriff zu Gefahr (vgl. Luhmann 1991; Beck 1986).

Problematischer Risikobegriff

Risiken werden von psychologischen, soziologischen oder auch kulturellen Perspektiven qualitativ definiert, wobei unterschiedliche Wahrnehmungsmerkmale hervorgehoben werden. Im Gegensatz dazu argumentieren technokratische und versicherungsmathematische Risikodefinitionen rein quantitativ und konzentrieren sich auf die Beziehung zwischen Eintrittswahrscheinlichkeit und potentiellem Schadensausmaß eines Risikos.

Definition von Risiko

Im Hinblick auf die interdisziplinäre Analyse von Risikokommunikation empfiehlt sich eine Risikodefinition wie diejenige Renns (1981), die sowohl qualitative als auch quantitative Querbezüge ermöglicht: Risiko ist die Wahrscheinlichkeit von negativen oder positiven Konsequenzen, die sich aus der Realisation eines Ereignisses oder einer Handlung ergeben können (ebd.: 61).

Die Bewertung der Konsequenzen eines Ereignisses oder einer Handlung sowie der Umstände, welche zu ihrer Realisation führen, stützt sich weder auf absolute noch auf allgemein gültige Maßstäbe, sie ist vielmehr wahrnehmungsabhängig. Grundsätzlich wird zwischen der Wahrnehmung von Laien und Experten unterschieden. Laien beurteilen Risiken qualitativ, emotional und mittels ihrer subjektiven Alltagserfahrung. Experten beurteilen sie quantitativ und verstehen ihre Risikoabschätzung als objektiv und rational (vgl. Slovic 1992). Die Risikowahrnehmung ist überdies von der Rechenschaftsproblematik gekennzeichnet: Als Verursacher

Wahrnehmungsdifferenzen von Laien und Experten

der negativen oder positiven Konsequenzen gilt jener Akteur, dem die Entscheidung zur Realisation eines Ereignisses oder die Beteiligung daran zugerechnet wird, unabhängig von seinem tatsächlichen Handeln. Erst durch diese perspektivenabhängige Zurechnung von Verantwortung konstituieren sich das Beteiligtsein an der Risikoerschaffung und das Betroffensein von ihr (vgl. Luhmann 1991).

Definition von Risikokommunikation

Bezugnehmend auf den variablen und konstitutiven Charakter der Einflussgrößen Wahrnehmung, Bewertung und Entscheidung lässt sich die Risikokommunikation wie folgt definieren: Die Risikokommunikation ist die über verschiedene Kanäle verlaufende und diverse Rezeptionsräume umfassende Kommunikation über Ereignisse und Handlungen, deren mögliche Konsequenzen aufgrund subjektiver, kommunikativ vermittelter oder wissenschaftlich belegter Wahrnehmung als schädigend und unerwünscht gelten, mit dem Ziel der Durchsetzung gesellschaftlicher oder partikularer Interessen im Zusammenhang mit den unerwünschten Sachverhalten.

1.2 Zentrale Forschungsperspektiven

Die sozialwissenschaftliche Forschung setzt sich mit der Risikokommunikation im Rahmen der vier Hauptkontexte Funktionen, Aktivitätsphasen, Akteure sowie Kommunikationsprozesse und Kommunikationsinhalte auseinander. Die analytische Reflexion über Elemente und Eigenschaften der Risikokommunikation berücksichtigt zumeist auch an gesellschaftlichen Normen orientierte Erkenntnisinteressen und besitzt einen starken Anwendungsbezug. Nicht selten verwischt sich dadurch die Grenze zwischen wissenschaftlichen Erkenntnissen und normativen Ansprüchen und Appellen.

Funktionen:

Risikokontexte

Der Risikokommunikation werden kontextabhängige Funktionen zugeschrieben. Die drei wichtigsten Verwendungskontexte sind das mit potentiellen Risikofolgen behaftete Ereignis und die Direktbetroffenen, die über Produktion und Verringerung von Risiken mitentscheidende Gesellschaft sowie der wahrgenommene oder angenommene Verursacher (vgl. Renn 1991).

Aktivitätsphasen:

Risikoverlauf

Die Risikokommunikation durchläuft vier Phasen. Die Präventions-, Bewältigungs-, Reparations- und Diskussionsphase entsprechen der jeweiligen, vom Verlauf der Manifestierung eines Risikos in einem Schaden bestimmten Situation (vgl. Hribal 1999).

Akteure:

Problemperspektiven

An der Risikokommunikation beteiligen sich der Verursacher, Experten, Betroffene, Medien und andere Vermittler sowie Kontrollorgane. Alle sind von ihrer sozialen und risikospezifischen Positionierung sowie von psychologischen Faktoren geprägt und interagieren gemäß ihrem Problembewusstsein, Aktivitätspotential und Kommunikationsverhalten (vgl. Palmlund 1992).

Kommunikationsprozesse und Inhalte:

Effizienzfaktoren

Inhaltlich und formal richtet sich die Risikokommunikation nach den Zielen der Kommunikatoren und dem Nutzungsverhalten der Rezipienten. Als effizienzbestimmend gelten hier verschiedene am Zielpublikum orientierte Faktoren der Aussagengestaltung, die Glaubwürdigkeit von Informationsquellen und Kommunikatoren sowie situativ angepasste Kombinationen von Kommunikationskanälen (vgl. Gutteling/Wiegmann 1996).

2 Funktionen der Risikokommunikation

2.1 Ziele der Risikokommunikation

Hauptfunktionen der Risikokommunikation

Die verschiedenen wahrnehmungs- und verhaltenspsychologischen, soziologischen und naturwissenschaftlichen Beiträge zur Funktionalität der Risikokommunikation heben unterschiedliche Leistungen und Ziele hervor. Zusammengefasst handelt es sich um neun Hauptfunktionen: Recht auf Wissen, Vorbereitung auf Notfälle, Aufklärung, Risikominimierung, Einbezug ins Risikomanagement, Partizipation zur Konfliktlösung, Legitimation, Verhaltensänderung, Veränderung von Einstellungen. Sie werden der Ereignis-, Gesellschafts- und Verursacherperspektive zugeordnet (Renn/Levine 1991: 178) (vgl. Abb. 1).

Abbildung 1 Hauptfunktionen der Risikokommunikation

	Ereignis-perspektive	**Gesellschafts-perspektive**	**Verursacher-perspektive**
Recht auf Wissen	X		
Vorbereitung auf Notfälle	X		
Aufklärung	X	X	
Risikominimierung	X	X	
Einbezug ins Risikomanagement	X	X	
Partizipation zur Konfliktlösung	X	X	X
Legitimation	X		X
Verhaltensänderung	X		X
Veränderung von Einstellungen		X	

Quelle: Hribal 1999: 174; vgl. Renn/Levine 1991

2.2 Aktivitätsphasen der Risikokommunikation

Die Auseinandersetzung mit Risiken entwickelt sich im Rahmen der vier Aktivitätsphasen Prävention, Bewältigung, Reparation und Diskussion, in denen unterschiedliche Funktionen der Risikokommunikation im Vordergrund stehen. Die Entwicklung geht mit der Manifestierung eines Risikos in einem Schaden einher und verläuft im (normativen) Idealfall zyklisch (vgl. Abb. 2). Das folgende Modell sieht ein chronologisches Aufeinanderfolgen der Aktivitätsphasen vor; diese gehen durch die wachsende bzw. abklingende Prominenz der jeweiligen Aktivitäten ineinander über.

Abbildung 2 Aktivitätsphasen der Risikokommunikation

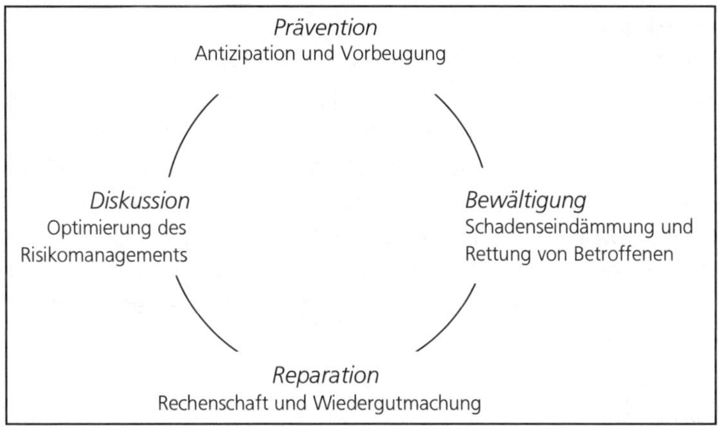

Quelle: Vgl. Hribal 1999: 161ff.

Prävention:

Informationsvermittlung

Im Hinblick auf die Antizipation von Risiken und Vorbeugung werden die an Risikoproduktion und -regulierung beteiligten Akteure aktiv. Zwischen Verursachern, Experten und Kontrollorganen werden Risikoinformationen auf hoch formalisierte Art und Weise ausgetauscht. Betroffene werden identifiziert und über die entsprechenden Risiken mittels Broschüren, an Veranstaltungen oder durch Medienbeiträge informiert. Zu den präventiven Maßnahmen zählt auch die Erstellung von Notfallszenarien, in denen Prioritäten und Vorgehensweisen festgelegt werden. Die präventive Risikokommunikation zielt auf Veränderung des Verhaltens gefährdeter Personen oder die Aufklärung von Stimmbürgern im Hinblick auf bevorstehende Entscheidungsverfahren (vgl. Covello 1990). Diese Informationsaktivitäten zählen häufig zum Repertoire unternehmerischer oder behördlicher Public Relations, die durch strategische Selbstdarstellung versuchen, die Beteiligung der Organisation an der Produktion des Risikos zu legitimieren. Entsprechend werden diese Kommunikationen als Risiko-PR oder Krisen-PR betrachtet (vgl. Burkart/Probst 1991; Kunczik/Heintzel/Zipfel 1995).

Bewältigung:

Handlungsanleitung

Im Mittelpunkt dieser Aktivitätsphase steht der rasche Handlungsbedarf, der durch die Wahl optimaler Kommunikationskanäle begünstigt werden soll. Hat sich ein Störfall, Großunfall oder eine Naturkatastrophe ereignet, gilt es, den Schaden einzudämmen und gleichzeitig Betroffene über Schutz- und Rettungsmöglichkeiten zu informieren. Für Industrie- und bekannte Großrisiken bestehen institutionalisierte Kommunikationsstrukturen, die nur in Notfällen benutzt und durch Meldungen der Massenmedien ergänzt werden.

Reparation:

Wiedergutmachungsfragen

Die Klärung von Schuld- und Wiedergutmachungsfragen ist oft ideologie- und moralgefärbt. Verursacher, Betroffene und ihre Vermittler handeln dabei mit Hilfe der Kontrollorgane allfällige Reparationsleistungen aus. Die Interaktionen zwischen Verursachern und Kontrollorganen verlaufen entlang regulatorischen Richtlinien. Schadensfälle von großer sozialer und publizistischer Tragweite sind meist Auslöser für neue Regulierungsmaßnahmen oder setzen Exempel für den Umgang mit Schadenersatzforderungen. Viele dieser Kommunikationsfunktionen werden der Verursacherperspektive zugeordnet, allerdings berufen sich die anklagenden Betroffenen dabei oft auf einen gesellschaftlichen Zusammenhang ihrer Situation.

Diskussion:

Gesellschaftlicher Risikodiskurs

Gegenstand des gesellschaftlichen Risikodiskurses sind hier zum einen konkrete, sozial relevante Risiken und ihre Auswirkungen auf Menschen, Natur und gesellschaftskulturelle Werte. Zum anderen geht es um das Aushandeln der Bedingungen ihrer Herstellung und Verringerung sowie um die Optimierung der Aktivitäten des Risikomanagements. Diese Aktivitätsphase ist als konstituierendes Merkmal der reflexiven und folgenbewussten Risikogesellschaft chronologisch nicht abgrenzbar. Trotzdem die Publizität einzelner Risiken und des entsprechenden Risikomanagements die öffentliche Diskussion inhaltlich mitbestimmt und die vom Alltagsgeschehen losgelöste Reflexion verdrängt, wird vom Phasencharakter ausgegangen.

3 Akteure der Risikokommunikation

3.1 Kommunikatoren

Risikoexperten als Informationsquelle

Die Risikoverursacher und Experten sind entweder tatsächlich an der Risikoproduktion beteiligt oder die Mitverantwortung daran wird ihnen aufgrund Indizien zugeschrieben. Letzterer Fall tritt insbesondere im Umweltbereich auf, wo Aktivisten im Namen der Öffentlichkeit auf Zusammenhänge zwischen Industrie und Umweltbelastung aufmerksam machen. Im Rahmen der Risikokommunikation interagieren Verursacher mit den übrigen Akteuren immer in Abhängigkeit von angestrebten Kommunikationszielen und dem Lebenszyklus des Risikos. Aus Fallstudien geht hervor, dass zwischen den Akteuren oft Dissens über Zielsetzungen herrscht und die Effizienz der Risikokommunikation beeinträchtigt wird. Zwar bestehen positive Erfahrungen mit Verfahren, in denen Verursacher, Behörden und Bevölkerung zu Konsens gelangt sind (vgl. Renn/Webler 1995), diese beschränken sich aber auf planbare Industrierisiken. Ein wichtiges Konfliktpotential auf der Akteursebene bildet der öffentlich ausgetragene Expertenstreit: Risikospezialisten urteilen quantitativ, rational und an der Besorgnis von Laien vorbei, sie sind zudem individuellen Auftraggebern und damit partikularen Interessen verpflichtet (vgl. Ruhrmann 1992).

Medien als Vermittler von Informationen

Die Massenmedien tragen durch die Bereitstellung von Kommunikationsstrukturen sowie die Selektion, Herstellung und Aufbereitung von Informationen zur gesellschaftlichen Risikodiskussion bei. Während sie sich kontinuierlich mit Ereignissen und Sachverhalten auseinander setzen, sind ihre Beziehungen zu den Akteuren der Risikokommunikation von Interdependenzen geprägt. Sie beziehen Informationen über Produktion, Wahrnehmung und Regulierung von Risiken von Verursachern, Experten, Kontrollorganen, Vermittlern und Betroffenen. Gleichzeitig verschaffen sie diesen Akteuren Publizität, kommentieren und beurteilen ihre Anliegen und Aktivitäten. Geht es um gesellschaftlich relevante Risiken, entsteht an die Medien der Anspruch, über Selektions-, Interpretations- und Vermittlungsfunktion hinaus zur Lösung von Risikoproblemen beizutragen (vgl. Lichtenberg/MacLean 1991).

3.2 Zielpublika

Risikobetroffenheit auf gesundheitlicher und sozialer Ebene

Die Risikobetroffenen, die in ihrem Namen auftretenden Vermittler und die allgemeine Öffentlichkeit stellen im Rahmen der Risikokommunikation die Rezipientenseite und damit Zielpublika von Verursachern und Massenmedien dar. Bei den Betroffenen handelt es sich um Individuen oder Gruppen, deren Gesundheit, soziale Funktion oder materieller Besitz bedroht werden. Die Vermittler werden im Namen der Betroffenen, der Natur oder der Gesellschaftskultur aktiv. Hierunter fallen Gewerkschaften, Umweltaktivisten oder andere Interessengruppierungen. Manche dieser Kollektiva nutzen ihren Einsatz zugunsten der Betroffenen strategisch zur Erhöhung ihrer eigenen Macht und Geltung oder aus ideologischen Gründen.

Kommunikationsverhalten von Risikobetroffenen

Die allgemeine Öffentlichkeit besteht aus verschiedenen Teilöffentlichkeiten, die als Stimmbürger, Konsumenten oder Aktivisten am Risikodiskurs teilnehmen. Die Identifikation spezifischer Zielpublika der Risikokommunikation basiert auf der Art ihrer Risikobetroffenheit, ihrem sozialen und psychischen Hintergrund sowie der Charakteristik ihrer Interaktionen. Aus derartigen Identifikationsmerkmalen lässt sich einerseits die Notwendigkeit von Kommunikationen bestimmen, andererseits werden daraus Anhaltspunkte zu deren Planung und Gestaltung gewonnen (vgl. Jungermann/Slovic 1993; Fischhoff 1989; Grunig/Hunt 1984).

4 Strukturen der Risikokommunikation

4.1 Aussagen über Risiken

Glaubwürdigkeit der Informationsquelle

Ebenso wie die Wahrnehmung von Risiken wird auch der Umgang mit Aussagen über Risiken stark von emotionalen Faktoren beeinflusst. Abgesehen von den Interaktionen zwischen Verursachern, Experten und Kontrollorganen, die hoch formalisierte Informationen in (gesetzlich vorgeschriebenen oder selbst auferlegten) Rechenschaftsberichten austauschen, werden im Rahmen der Risikokommunikation an Laien gerichtete Inhalte verarbeitet. Besondere Bedeutung kommt hier vertrauensbildenden Aussageelementen und der Glaubwürdigkeit der Informationsquelle zu. Großunfälle und Naturkatastrophen haben gezeigt, dass das Vertrauen von Rezipienten zu Informationen und Handlungsanleitungen unter Zeitdruck eine entscheidende Rolle spielt und die Chancen erhöht, das Schadensausmaß zu verringern. Auch die Bereitschaft, sich konstruktiv am Risikodiskurs zu beteiligen, steigt mit zunehmendem Vertrauen zu den Diskurspartnern (vgl. Renn/Levine 1991).

Die auf die Vertrauensbildung ausgerichtete Orientierung am Laienpublikum fällt insbesondere den Experten schwer, die häufig die einzige Informationsquelle auch für die übrigen Kommunikatoren darstellen. Aus wahrnehmungspsychologischen Untersuchungen z.B. geht hervor, dass Aussagen über Risiken von den Rezipienten weitaus besser akzeptiert werden, wenn sie ihnen verständlich, vollständig und überprüfbar erscheinen und im Alltag umgesetzt werden können. An die Kommunikatoren entsteht somit der Anspruch, eine fachlich komplexe Thematik einfach darzustellen, statistische Daten wegzulassen und besorgniserregende Aussagen zu vermeiden. Letztere Forderung zielt auf die Eindämmung des Emotionalisierungs- und Einschüchterungspotentials von Risikoinformationen. Dieses verringert die Fähigkeit der Betroffenen, sich vor Risiken zu schützen, und erschwert den gesellschaftlichen Risikodiskurs (vgl. Slovic 1986; Covello 1990).

4.2 Kommunikationskanäle

Effizienz von Kommunikationskanälen

Die Risikokommunikation nimmt je nach Aktivitätsphase und angestrebter Funktion eine große Vielfalt von Kommunikationskanälen in Anspruch. Die Risikokommunikatoren wählen die Kanäle anhand von Annahmen über das Kommunikationsverhalten der Zielpublika sowie mittels Faktoren, die sich auf das konkrete Risiko beziehen, beispielsweise die Erreichbarkeit möglichst vieler Betroffener. Darüber hinaus erweisen sich die Kommunikationskanäle entsprechend ihrer Artikulationsart und Aussagekraft in bestimmten Situationen als mehr oder weniger effizient (vgl. Sorensen/ Mileti 1991) (vgl. Abb. 3). Die hohen Ansprüche an die Kanäle der Risikokommunikation stehen im Widerspruch zu den heutigen Leistungen der Massenkommunikation. Unterhaltungstendenzen bergen die Gefahr, dass risikospezifische Aussagen unvollständig wiedergegeben, missverstanden oder als wenig interessant betrachtet werden. Demgegenüber erörtern auf Nachrichten spezialisierte Medien häufig nur politische Zusammenhänge oder Konflikte zwischen den am Risikomanagement beteiligten Akteuren.

Die Forschung zur Risikokommunikation attestiert, dass sich einseitige Kommunikationskanäle in erster Linie dank der Erreichbarkeit vieler Zielpublika und der Möglichkeiten sowohl zur Vertiefung als auch zur schnellen, fakten- oder personenorientierten Information als effizient erwiesen haben. Sobald es darum geht, auf Individuen einzugehen, Verhalten zu beeinflussen oder Entscheidungen herbeizuführen, versagen allerdings diese Mechanismen und die zweiseitigen Kommunikationskanäle treten in den

Vordergrund. Zu deren Nachteilen wiederum zählen neben der Ausrichtung auf lediglich kleine Teile der Öffentlichkeit auch die Kostenfrage und – im Fall von Veranstaltungen – die schwierige Aufrechterhaltung ihrer Kontinuität.

Abbildung 3 Kommunikationskanäle der Risikokommunikation

Einseitige Kommunikation		
	Vorteile	*Nachteile*
Massenmedien	Erreichbarkeit vieler Betroffener (auch in Notfällen), darstellerische Vielfalt	Zweifel an Vollständigkeit, Gefahr von Fehlinterpretationen, Konfliktbetonung
Werbung, Hintergrundmaterial	Zielgruppengerechte inhaltliche und formale Aufbereitung	mangelnde Verständlichkeit und Umsetzbarkeit der Information
Veranstaltungen ohne Dialogcharakter	Erreichbarkeit eines Großpublikums, Erlebnischarakter des Anlasses	geringe Berücksichtigung unterschiedlicher Kapazitäten zur Informationsverarbeitung
Zweiseitige Kommunikation		
	Vorteile	*Nachteile*
Diskussion mit Experten	Eingehen auf individuelle Bedürfnisse, höhere Umsetzbarkeit der Informationen	wenige Betroffene und nur aktive Teilöffentlichkeiten erreichbar
Veranstaltungen mit Dialogcharakter	höhere Umsetzbarkeit der Informationen, bei Betriebsbesichtigungen „Kennenlernen" von Risiken	wenige Betroffene und nur aktive Teilöffentlichkeiten erreichbar (könnte durch das Internet relativiert werden)
Interpersonale Kommunikation	vertrauter Interaktionsrahmen, gemeinsames Problembewusstsein	Gefahr von Fehlinterpretationen und Emotionalisierung
organisierter Diskurs	Einigung unterschiedlicher Interessen oder ungleicher Interessenvertretungen	nur aktive Teilöffentlichkeiten erreichbar

Quelle: Vgl. Arkin 1989; Keeney/von Winterfeldt 1986; Sorensen/Mileti 1991

5 Medienleistungen im Risikokontext

5.1 Funktionen der Risikoberichterstattung

Doppelrolle der Medien

Angesichts der berufskulturellen Verpflichtung zur sach- und publikumsgerechten Darstellung von Risiken und Risikokontroversen sowie der Notwendigkeit, wettbewerbs- und absatzorientiert zu arbeiten, müssen die Massenmedien einer Doppelrolle gerecht werden. Als gesellschaftlicher Vermittler machen sie die Öffentlichkeit auf Risikothemen aufmerksam; die meisten Menschen nehmen Risiken ausschließlich über ihre Vermittlung wahr. Bei Schadensentwicklungen mit Katastrophenpotential fungieren die elektronischen Medien als Kommunikationskanäle für Notfallinformationen. In den letzten Jahren spielt auch das Internet mit seinen kurzen Distributionszeiten, darstellerischen Vielfalt und Möglichkeiten für Interaktivität eine immer wichtigere Rolle. Handelt es sich um gesellschaftlich relevante oder stark umstrittene Gefahren, wachsen Bedeutung und Verantwortung der Medien – beispielsweise vermag eine zwar wertfreie, aber häufige Berichterstattung über eine bestimmte Technologie bereits das Gefahrenbewusstsein der Medienrezipienten zu steigern (vgl. Lichtenberg/ MacLean 1991).

Die gesellschaftlichen Erwartungen an die Massenmedien als Akteure der Risikokommunikation sind Gegenstand zahlreicher normativer Dispute. Im Sinne der Vermittlerrolle soll das Mediensystem ein Forum für den öffentlichen Risikodiskurs bereitstellen und das Recht auf Wissen der allgemeinen Öffentlichkeit garantieren. Gleichzeitig werden aber emotionale und rationale Ausgewogenheit der Berichterstattung oder auch systematische Opposition und Anwaltschaft der Medien gefordert (vgl. Meier/Schanne 1996; Russ-Mohl 1991). Die Erwartungen entsprechen den Funktionen der Risikokommunikation aus der Gesellschaftsperspektive.

5.2 Umgang mit Risikoinformationen

Informationsquellen:

Abhängigkeit von Fremdinformationen

Im Risikokontext ist die Abhängigkeit der Medien von Fremdinformationen besonders ausgeprägt, was allerdings ihre Quellenkritik und Objektivitätsansprüche verstärkt. Die Quellen – Verursacher, Behörden oder Vermittler – sind auf gesellschaftliche Akzeptanz und Publizität angewiesen und versuchen deshalb Einfluss auf die Berichterstattung zu nehmen. Diese wechselseitige Abhängigkeit entspricht dem Verhältnis, das die Medien generell zu Public Relations als Informationsquelle besitzen. Die Bereitstellung und Aufbereitung von Risikoinformationen geschieht auch häufig im Rahmen von Risiko- oder Krisen-PR, die sich formal an redaktionellen Anforderungen orientieren (vgl. Kunczik/ Heintzel/Zipfel 1995). Auf den Umgang der Medien mit Quellen wirken sich auch situative Faktoren aus. In Situationen, in denen Journalisten keinen Zugang zu einem „Ereignisherd" oder wenig Zeit für Eigenrecherchen haben, ziehen sie autoritative Informationsquellen, wie Kontrollorgane, vor. Um den Konfliktcharakter eines Risikos und seines Managements hervorzuheben, holen die Medien Zweitmeinungen bei Experten ein, die gegenüber Verursachern oder Kontrollorganen keine Verpflichtungen haben. Zur Herstellung des Alltagsbezugs und zur Betonung der menschlichen Seite der Risikoberichte werden auch Betroffene oder Augenzeugen als Informationsquellen beigezogen.

Themenselektion:

Selektion und Transformation von Risikothemen

In die Berichterstattung fließen auf der einen Seite rationale, quantitative und faktische, auf der anderen Seite emotional und anekdotisch gefärbte sowie kontextbezogene Informationen ein. Die Verarbeitung und Präsentation dieser Vorgaben richtet sich nach den jeweilig angestrebten Vermittlungs- und Transformationsleistungen der Medien. Die entsprechenden Transformationskonzepte – beispielsweise die unverzerrte Wiedergabe von Originalaussagen oder die Hervorhebung von Themen, die dann öffentlich stärker wahrgenommen werden (Agenda-Setting) – zielen auf eine bestimmte Taktik der Themenauswahl. Sie unterscheiden sich in der Aktivität oder Passivität der Medien im Rahmen ihrer gesellschaftlichen Vermittlerrolle und in den zugrunde liegenden Annahmen über die Interessen und Bedürfnisse von Rezipienten (vgl. Renn 1991; Ruhrmann 1992). Die konkrete Themenauswahl basiert auf Aufmerksamkeitsstrukturen, die sich auf die im Risikokontext relevanten Nachrichtenwerte stützen und zugleich den Wissensbestand der Redakteure zum konkreten Risikothema reflektieren.

Nachrichtenwerte von Risikoinformationen

Aus Inhaltsanalysen geht hervor, dass Frequenz, Überraschung, Kontinuität und Negativismus die in der Risikoberichterstattung am häufigsten zutreffenden Nachrichtenwerte darstellen. Die Medien stellen Katastrophen, Dissense, Konflikte und unerwünschte Konfliktverläufe in den Mittelpunkt, was aber sowohl als Orientierung an absatzwirksamen Inhalten wie auch als Versuch der Darstellung aller Seiten einer Kontroverse ausgelegt wird (vgl. Gutteling/Wiegman 1996; Singer/Endreny 1987; Ruhrmann 1992). Die über Risiken berichtenden Journalisten versuchen, die absoluten Aussagen der Akteure der Risikokommunikation zu objektivieren, für die Medienrezipienten zu vereinfachen und in einen Alltagsbezug zu setzen. Es ist umstritten, inwiefern sie diesem Anspruch gerecht werden. Einzelne, auf bestimmte Risikothemen bezogene Untersuchungen stellen einen krassen Mangel an Fachwissen bei Journalisten fest, die nicht über Risiken, sondern über politische Konflikte des Risikomanagements berichten. Gleichzeitig heben normative Ansätze die Beschränkung auf Zusammenhänge, Verfahrensaspekte und Akteursrollen bei Risikomanagement und Risikodiskurs positiv hervor. Im Rahmen der Rezipientenorientierung wählen Medienorganisationen Themen aus, denen möglichst hohe öffentliche Aufmerksamkeit zukommt. Dabei gehen sie von Annahmen über den sozialen, psychologischen und risikospezifischen Hintergrund ihrer Rezipienten aus (vgl. Wilkins/Patterson 1987; Saxer u.a. 1986).

6 Zusammenfassung

Wahrnehmungsdifferenzen als wichtiger Einflussfaktor

Die Risikokommunikation präsentiert sich als ein interdisziplinäres Arbeits- und Forschungsfeld, das stets an einen bestimmten gesellschaftlichen und politischen Kontext gebunden ist. Ihr Gegenstand Risiko, definiert als potentielle Konsequenz eines Ereignisses, wird in der Öffentlichkeit unterschiedlich wahrgenommen und bewertet. Insbesondere die Bewertungsdifferenzen zwischen Laien und Experten üben einen wichtigen Einfluss auf die Funktionalität, Ausgestaltung und Effizienz der Risikokommunikation aus. In funktionaler Hinsicht werden ihr aus den Perspektiven der Direktbetroffenen, des Verursachers sowie der Gesellschaft verschiedene Zielsetzungen im Rahmen der Verständigung über den Umgang mit Risiken zugeordnet. Diesen Funktionen kommt situativ eine unterschiedliche Bedeutung zu: Je nachdem wie weit ein Risiko sich in einem Schaden manifestiert hat, entsprechen die jeweiligen Interaktionen entweder der Präventions-, Bewältigungs-, Reparations- oder der Diskussionsphase der Risikokommunikation. Es beteiligen sich an ihr verschiedene Akteure, auf der Kommunikatorseite Verursacher und Experten, auf Rezipientenseite die vom Risiko Betroffenen sowie Teilöffentlichkeiten, die im Namen von Betroffenen oder der Umwelt auftreten.

Zielgruppengerechte Vermittlung von Risikoinformationen

Die Her- und Bereitstellung sowie Distribution von Risikoinformationen orientieren sich an bestimmten inhaltlichen und formalen Kriterien. Entscheidend sind hier die effiziente Identifikation relevanter Zielpublika, zielgruppengerechte Aussagengestaltung, optimale Kombination von Kommunikationskanälen sowie die Orientierung an organisational-redaktionellen Anforderungen der Medien. Die Massenmedien agieren als Vermittler zwischen Risikokommunikatoren und Risikobetroffenen. Sie machen gemäß ihrer journalistischen Konzepte auf Risikothemen öffentlich aufmerksam, verfolgen damit aber auch Absatzinteressen. Mit den Risikokommunikatoren stehen sie in wechselseitiger Abhängigkeit, indem sie auf Informationen seitens der Verursacher angewiesen sind und gleichzeitig deren Publizität und gesellschaftliche Akzeptanz beeinflussen können.

Literatur

Arkin, Elaine B. (1989): Translation of Risk Information for the Public: Message Development. In: Covello, Vincent T./McCallum, David B./ Pavlova, Maria (Hg.): Effective Risk Communication. The Role and Responsibility of Government and Nongovernment Organizations. Contemporary Issues in Risk Analysis 4. New York, S. 127-135.

Bayerische Rück (Hg.) (1993): Risiko ist ein Konstrukt. Wahrnehmungen zur Risikowahrnehmung. Gesellschaft und Unsicherheit, Bd. 2. München.

Bechmann, Gotthard (Hg.) (1993): Risiko und Gesellschaft. Grundlagen und Ergebnisse interdisziplinärer Risikoforschung. Opladen.

Beck, Ulrich (1986): Risikogesellschaft. Auf dem Weg in eine andere Moderne. Frankfurt/M.

Burkart, Roland/Sabine Probst (1991): Verständigungsorientierte Öffentlichkeitsarbeit: Eine kommunikationstheoretisch begründete Perspektive. In: Publizistik 36, H. 1, S. 56-76.

Covello, Vincent T. (1990): Ten Rules for Reporting About Risks. In: Columbia Journalism Review, H. 3-4, S. 46.

Covello, Vincent T./McCallum, David B./Pavlova, Maria (Hg.) (1989): Effective Risk Communication. The Role and Responsibility of Government and Nongovernment Organizations. Contemporary Issues in Risk Analysis 4. New York.

Fischhoff, Baruch (1989): Helping the Public Make Health Risk Decisions. In: Covello, Vincent T./McCallum, David B./Pavlova, Maria (Hg.): Effective Risk Communication. The Role and Responsibility of Government and Nongovernment Organizations. Contemporary Issues in Risk Analysis 4. New York, S. 111-116.

Grunig, James E./Hunt, Todd (1984): Managing Public Relations. New York.

Gutteling, Jan M./Wiegman, Oene (1996): Exploring Risk Communication. Dordrecht.

*Hribal, Lucie (1999): Public Relations-Kultur und Risikokommunikation. Organisationskommunikation als Schadensbegrenzung. Konstanz.

Jungermann, Helmut/Rohrmann, Bernd/Wiedemann, Peter M. (Hg.) (1991): Risikokontroversen: Konflikte, Kommunikation. Berlin.

Jungermann, Helmut/Slovic, Paul (1993): Die Psychologie der Kognition und Evaluation von Risiko. In: Bechmann, Gotthard (Hg.): Risiko und Gesellschaft. Gesellschaft. Grundlagen und Ergebnisse interdisziplinärer Risikoforschung. Opladen, S. 167-207.

Kasperson, Roger E./Stallen, Pieter-Jan M. (Hg.) (1991): Communicating Risks to the Public: International Perspectives. Technology, Risk and Society 4. Dordrecht.

Keeney, Ralph L./Winterfeldt, Detlof von (1986): Improving Risk Communication. In: Risk Analysis 6, S. 417-424.

Kunczik, Michael/Heintzel, Andrea/Zipfel, Astrid (1995): Krisen-PR. Unternehmensstrategien im umweltsensiblen Bereich. Köln.

Lichtenberg, Judith/MacLean, Douglas (1991): The Role of the Media in Risk Communication. In: Kasperson, Roger E./Stallen, Pieter-Jan M. (Hg.): Communicating Risks to the Public: International Perspectives. Technology, Risk and Society 4. Dordrecht, S. 157-173.

Luhmann, Niklas (1991): Soziologie des Risikos. Berlin.

Meier, Werner A./Schanne, Michael (1996): Gesellschaftliche Risiken in den Medien. Zur Rolle des Journalismus bei der Wahrnehmung und Bewältigung gesellschaftlicher Risiken. Zürich.

Palmlund, Ingar (1992): Social Drama and Risk Evaluation. In: Krimsky, Sheldon/Golding, Dominic (Hg.): Social Theories of Risk. Westport/CT, S. 197-212.

Renn, Ortwin (1981): Zur Theorie der Risikoakzeptanz. Forschungsansätze und Modelle. Wahrnehmung und Akzeptanz technischer Risiken, Bd. 1: Spezielle Berichte der Kernforschungsanlage. Jülich.

Renn, Ortwin (1991): Risk Communication and the Social Amplification of Risk. In: Kasperson, Roger E./Stallen, Pieter-Jan M. (Hg.): Communicating Risks to the Public: International Perspectives. Technology, Risk and Society, Bd. 4. Dordrecht, S. 287-324.

Renn, Ortwin/Levine, Debra (1991): Credibility and Trust in Risk Communication. In: Kasperson, Roger E./Stallen, Pieter-Jan M. (Hg.): Communicating Risks to the Public: International Perspectives. Technology, Risk and Society, Bd. 4. Dordrecht, S. 175-218.

Renn, Ortwin/Webler, Thomas (1995): Der kooperative Diskurs: Theorie und praktische Erfahrungen mit einem Deponieprojekt im Aargau. Stuttgart.

*Ruhrmann, Georg (1992): Risikokommunikation. In: Publizistik 37, H. 1, S. 5-24.

Russ-Mohl, Stephan (1991): Free Flow versus Hiding Hand. Anregungen zur zielgruppengerechten Risikokommunikation. In: Krüger, Jens/Russ-Mohl, Stephan (Hg.): Risikokommunikation. Technikakzeptanz, Medien und Kommunikationsrisiken. Berlin, S. 221-243.

Saxer, Ulrich u.a. (1986): Massenmedien und Kernenergie. Journalistische Berichterstattung über ein komplexes, zur Entscheidung anstehendes, polarisiertes Thema. Bern.

Scherler, Patrik (1996): Management der Krisenkommunikation: Theorie und Praxis zum Fall Brent Spar (Greenpeace gegen Royal Dutch/ Shell). Basel.

*Singer, Eleanor/Endreny, Phillis (1987): Reporting Hazards: Their Benefits and Costs. In: Journal of Communication 37, H. 3, S. 10-26.

Slovic, Paul (1992): Perception of Risk: Reflections on the Psychometric Paradigm. In: Krimsky, Sheldon/Golding, Dominic (Hg.): Social Theories of Risk. Westport/CT, S. 117-152.

Sorensen, John H./Mileti, Dennis (1991): Risk Communication in Emergencies. In: Kasperson, Roger E./Stallen, Pieter-Jan M. (Hg.): Communicating Risks to the Public: International Perspectives. Technology, Risk and Society 4. Dordrecht, S. 367-392.

Wilkins, Lee/Patterson, Philipp (1987): Risk Analysis and the Construction of News. In: Journal of Communication 37, H. 3, S. 80-92.

Withers, John (1988): Major Industrial Hazards. Their Appraisal and Control. New York.

* Basisliteratur

Das Internet als Untersuchungsgegenstand der Publizistikwissenschaft

Urs Dahinden

1 Einleitung ... 463

2 Begriffsbestimmung: Was ist das Internet? ... 464

3 Forschungsfelder und erste Befunde ... 467

3.1 Technik: Konvergenz ... 468

3.2 Nutzung des Internets: Konkurrenz oder Komplementarität zu alten Medien? ... 468

3.3 Wissensproduktion und Wissensvermittlung ... 470

3.4 Wirtschaft ... 472

3.5 Privatheit ... 474

4 Methodologie der Internetforschung ... 475

5 Fazit und Ausblick ... 478

Literatur ... 480

Anhang ... 484

Empfehlenswerte Materialien im Internet ... 484

Glossar ... 484

1 Einleitung

Kontroverse Auseinandersetzung über ein neues Medium

Neue Medien wecken Hoffnungen und Befürchtungen, rufen Euphoriker und Skeptiker auf den Plan, deren Vorstellungen über mögliche Szenarien umso intensiver debattiert werden, je stärker sie sich auf die ferne, empirisch nicht erfassbare Zukunft beziehen. Das ist beim Internet nicht anders. Dieses Muster der kontroversen Auseinandersetzung über ein neues Medium ist nicht neu (Meier/Bonfadelli 1987), sondern allgemein typisch bei der Einführung neuer Technologien. Was kann die Publizistikwissenschaft zu dieser polarisierten Debatte beitragen? Vor dem Risiko von Fehleinschätzungen und falschen Prognosen ist die Publizistikwissenschaft ebenso wenig gefeit wie andere Disziplinen, die sich mit dieser Thematik beschäftigen. Die Publizistikwissenschaft kann allerdings mit Hilfe ihrer begrifflichen und empirischen Instrumentarien zu einer Strukturierung der Diskussion beitragen und so mithelfen, die typischen Irrwege und Fehler (Neverla 2000: 177), wie z.B. die systematische Überschätzung der Diffusionsgeschwindigkeit von neuen Medien (Stipp 2000), zu vermeiden.

Im ersten Abschnitt des Beitrages wird eine genauere Begriffsbestimmung von Internet vorgenommen. Der zweite Teil gibt eine Übersicht über die verschiedenen Forschungsfelder (Internetnutzung, Wissensproduktion und -vermittlung, Wirtschaft und Privatheit), in denen vielfältige Formen des Wandels durch das Internet ausgelöst werden. Die Methodologie der Internetforschung wird im dritten Abschnitt angesprochen, insbesondere die vielfältigen neuen Möglichkeiten der Datenerhebung. Der vierte Abschnitt schließt die Diskussion mit einem Ausblick auf Trends, die für die Zukunft des Internets von Bedeutung sein könnten, ab.

2 Begriffsbestimmung: Was ist das Internet?

Internet als sozio-technisches System

Das Internet kann als sozio-technisches System beschrieben werden (Jasanoff 1995; Rammert 1993; Neverla 1998). Mit dieser Begriffsbestimmung soll zum Ausdruck gebracht werden, dass das Internet nicht auf seine technischen Komponenten (Computer, Netzwerke, Software etc.) reduziert werden kann, sondern vielmehr auch in entscheidender Weise durch soziale Komponenten, z.B. die Intentionen und das Verhalten der Entwickler und Anwender des Internets, geprägt wird. Die noch junge Geschichte macht deutlich, dass sich die soziale Konstruktion des Internets (Neverla 1998) stark verändert. Zu Beginn (1958-1969) war das Internet ein rein militärisches Projekt, dessen Anwendung sich in einer zweiten Phase (1969-1992) auf den akademischen Bereich ausweitete und schließlich ab 1993 einer allgemeineren Öffentlichkeit zugänglich wurde und seither zunehmend von kommerziellen Interessen dominiert wird (Winter 1998: 281-291).

Veränderung der sozialen Konstruktion des Internets

„Netz der Netze"

Technisch wird das Internet im Allgemeinen als das „Netz der Netze" beschrieben, was nichts anderes sagen will, als dass mit dem Internet ein gemeinsamer technischer Standard (das sog. TCP/IP Protokoll (Winter 1998: 275)) geschaffen wurde. Damit ist Kommunikation zwischen verschiedenen Computernetzwerken, unabhängig von der jeweiligen Soft- und Hardware, möglich. Für die Publizistikwissenschaft ist die Tatsache von Bedeutung, dass dieser Standard eine Grundlage für sehr unterschiedliche Kommunikationsformen bildet.

Internet ≠ World Wide Web

Abbildung 1 soll verdeutlichen, dass das Internet nicht gleichzusetzen ist mit dem World Wide Web (WWW), sondern dass sich die Kommunikationsformen innerhalb des Internets fundamental voneinander unterscheiden (Weischenberg 1998). Es gibt im Internet eine ganze Reihe von Bereichen (z.B. E-Mail, Chat oder Newsgroups) die textbasiert sind und sich v.a. für die Individual- und Gruppenkommunikation eignen. Im WWW ist dagegen die

Möglichkeit einer technologischen Konvergenz zwischen Inhalten aus den alten Medien (Text, Ton, Bild, Film) gegeben, weshalb hier von einem Multimedium gesprochen werden kann. Diese Multimedialität ist aber nicht nur additiv, als Summe aller Darstellungsformen aus den alten Medien, zu verstehen, sondern beinhaltet auch neue mediale Formen wie z.B. Hypertext. Ein weiteres definierendes Merkmal des Internets ist seine von Beginn an vorhandene Globalität. Diese ist ein wichtiger Grund für die Schwierigkeiten, dieses Medium einer wirksamen gesetzlichen Regulierung zu unterwerfen.

Abbildung 1 Merkmale verschiedener Internet-Dienste

Internet-Dienste	**Zeit**	**Medien-inhalt**	**Teilnehmer-struktur**	**Grad der Öffentlichkeit**	**Analogie**	**Medien-typ**
Word Wide Web (WWW)	asynchron	multi-medial	Masse (1-m)	hoch	Monolog	Massen-medium
Newsgroup (auch Usenet, NetNews)	asynchron	Text	Gruppe (m-m)	mittel	Diskurs (Polylog)	Gruppen-medium
Chat	synchron	Text	Gruppe (m-m)	mittel	Diskurs (Polylog)	Gruppen-medium
MUD (**M**ulti **U**ser **D**ungeons**,** Online-Adventure Spiele)	synchron	multi-medial	Gruppe (m-m)	mittel	Diskurs (Polylog)	Gruppen-medium
E-Mail	asynchron	v.a. Text	Sowohl Individual als auch Gruppe, Masse	tief	Dialog	v.a. Individual-medium

Quelle: eigene Darstellung, in Anlehnung an Winter 1998: 277 und Rössler 1998: 29. Winter verwendet zur Bezeichnung von Internet-Diensten den Begriff des „Online-Mediums" , Rössler den Begriff des „Kommunikationsmodus".

Die Frage, ob das Internet ein Massenmedium ist oder nicht, kann nicht pauschal beantwortet werden. Vielmehr müssen verschiedene Bereiche differenziert werden. Wichtig ist dafür zunächst, den Begriff des Massenmediums genauer zu definieren: Maletzke (1963; 1998) versteht unter Massenkommunikation jene Form der Kommunikation, bei der Aussagen öffentlich, durch technische Verbreitungsmittel, indirekt und einseitig an ein disperses Publikum vermittelt werden. Das WWW entspricht in weiten Teilen dieser Definition von Massenkommunikation, welche den Akzent auf die Einwegkommunikation vom Sender (= Verfasser der Web-Seite) zum Empfänger (= Leser der Web-Seite) auszeichnet, auch wenn es den Benutzern vielfältigere Selektionshilfen und damit die Möglichkeit einer stark individualisierten Mediennutzung bietet. In allen anderen Bereichen des Internets ist dagegen der Rollentausch zwischen Sender und Empfänger grundsätzlich möglich, was wiederum dialogische oder diskursive Kommunikationsformen ermöglicht. Vielfältig einsetzbar ist insbesondere das E-Mail, das sowohl als Individualmedium (ein Sender, ein Empfänger) als auch diskursiv im Sinne eines Gruppenmediums (z.B. E-Mail-Liste, auf der alle mit allen kommunizieren können) als auch massenmedial genutzt werden kann (z.B. Werbemail von einem Sender an viele Empfänger).

Kommunikationsformen des Internets: je unterschiedliche Medientypen

Diese Ausführungen sollten deutlich machen, dass die verschiedenen Kommunikationsformen innerhalb des Internets aus einer publizistik- und kommunikationswissenschaftlichen Perspektive nicht einen einzigen, sondern je unterschiedliche Medientypen darstellen. Die gemeinsame Basistechnologie innerhalb des Internets (TCP/IP-Protokoll) schafft ebenso wenig ein identisches Medium, wie dies bei anderen medialen Basistechnologien der Fall ist. Als Illustration für solche medialen Basistechnologien kann das Papier dienen, welches sowohl in dialogischen (z.B. Brief) als auch monologischen Kommunikationsformen (z.B. Zeitung) verwendet wird, oder die Elektrizität, die sowohl zur Individualkommunikation (z.B. Telefon) als auch zur Massenkommunikation (z.B. Radio und Fernsehen) genutzt wird.

Abbildung 2 Gegensätze von traditioneller Massenkommunikation und Internet-Kommunikation

Traditionelle Massenkommunikation	Internet-Kommunikation
Monomedial	Multimedial
Massenpublikum	Individual- bzw. Zielgruppenpublika
Lokale bis nationale Reichweite	Globale Reichweite
Hohe Eintrittsbarrieren (Kosten) auf der Angebotsseite	Tiefe Eintrittsbarrieren (Kosten) auf der Angebotsseite
Geringe Interaktivität (hohe formale und zeitliche Vorstrukturierung des Angebots)	Hohe Interaktivität (geringe formale und zeitliche Vorstrukturierung des Angebots)
Tiefe Eigenaktivität des Rezipienten	Hohe Eigenaktivität des Rezipienten

Quelle: in Anlehnung an Bonfadelli 2000a: 189

Das Internet unterscheidet sich von Massenmedien

Betrachtet man die Gegenüberstellung von traditioneller Massenkommunikation und Internet-Kommunikation (vgl. Abb. 2), so wird deutlich, dass sich das Internet in vielen Dimensionen grundlegend von Massenmedien unterscheidet.

3 Forschungsfelder und erste Befunde

Fünf Forschungsfelder

Der aktuelle Stand der sozialwissenschaftlichen Internetforschung wird nicht durch systematische und theoriegeleitete Untersuchungen geprägt, sondern ist vielmehr deskriptiv und problemorientiert. Im Vordergrund steht dabei meist die Frage nach dem sozialen Wandel in den unterschiedlichsten Formen, welcher durch das Internet ausgelöst oder gefördert wird. Vereinfachend können grob die folgenden fünf Forschungsfelder unterschieden werden: Nutzung des Internets, Wissensproduktion und -vermittlung, Wirtschaft, Privatheit sowie Politik (für das Forschungsfeld Politik vgl. Donges/Jarren, Abschnitt 5.4 i.d.B.).

3.1 Technik: Konvergenz

Konvergenz: Zusammenwachsen von Telekommunikation, Medien und Computer

Mit Konvergenz wird das Phänomen beschrieben, dass die bislang getrennten Bereiche Telekommunikation, Medien und Computer immer mehr zusammenwachsen. Für die Publizistikwissenschaft, welche die beiden Bereiche Telekommunikation und Computer bislang vernachlässigt hat, ergeben sich dadurch neue Fragestellungen: Inwiefern führt die medientechnische Konvergenz zur Integration der Endgeräte (TV und Computer verschmelzen zu einem Gerät), zur Angleichung von Programmen (Infotainment), zu neuen journalistischen Arbeitsweisen (Online-Journalismus) und zu veränderten Medienfunktionen.

3.2 Nutzung des Internets: Konkurrenz oder Komplementarität zu alten Medien?

Wer nutzt eigentlich das Internet? Und welche Angebote innerhalb des Internets erhalten am meisten Beachtung? Diese rein beschreibenden Fragen stehen bei einigen Untersuchungen im Vordergrund. Ausgewählte Befunde dazu sind:

Rasche Diffusion:
Der Prozess der Ausbreitung des Internets ist noch nicht abgeschlossen, sondern in vollem Gange. Im internationalen Vergleich ist die Verbreitung des Internets sehr unterschiedlich: Zu Beginn waren die USA klar führend (Zerdick u.a. 1999: 294), in den vergangenen Jahren haben allerdings die europäischen Länder aufgeholt und die USA z.T. bereits überholt. So benutzten im Jahr 2000 beispielsweise bereits 45% der Schweizer Bevölkerung das Internet (WEMF 2000). Für die USA wurde dieser Wert für denselben Zeitpunkt bei 42% veranschlagt (Prognose aus dem Jahr 1999) (vgl. Jupiter Communications, zit. nach Stipp 2000: 128) und für Deutschland bei 29% (Van Eimeren/Gerhard 2000: 339).

Vergleicht man die Diffusionsgeschwindigkeit des Internets mit derjenigen älterer Medien, so ist diese wesentlich höher. Das Radio benötigte für eine mehrheitliche Durchdringung des Marktes rund 25 Jahre und auch das Fernsehen war erst nach 15 Jahren in einer Mehrheit der Haushalte vorhanden (Wartella/Reeves 1985).

Online-Nutzer sind anders, werden aber immer durchschnittlicher:
Der typische Internet-Nutzer konnte in der Anfangsphase der Mediennutzung folgendermaßen beschrieben werden: jung, männlich, überdurchschnittlich gebildet und voll berufstätig. Personen, auf die ein oder mehrere dieser Merkmale zutreffen, sind auch heute noch in der Gruppe der Online-Nutzer überproportional vertreten. Durch die zunehmende Verbreitung des Internets bei anderen sozialen Gruppen verflacht dieses Profil des typischen Internet-Nutzers aber zunehmend (WEMF 2000; ARD/ZDF-Arbeitsgruppe Multimedia 1999; Oehmichen/Schröter 2000).

Online-Nutzer-Profile

E-Mail an erster Stelle bei der Internet-Nutzung:
Die verschiedenen Länderstudien stimmen darin überein, dass die große Mehrheit der Online-Nutzer sich des Internet-Dienstes E-Mail bedient. In der ARD/ZDF-Studie (1999) wird zudem festgestellt, dass bei den weiteren Online-Einsatzmöglichkeiten insbesondere diejenigen bedeutsamer werden, die einen unmittelbaren Nutz- und Gebrauchswert, wie z.B. Reise- und Wetterinformationen, Adressen, aber auch Online-Shopping (ARD/ZDF-Arbeitsgruppe Multimedia 1999; Oehmichen/Schröter 2000) etc., aufweisen.

Starke Nutzung des E-Mail-Dienstes

Der Grund des großen Interesses an solchen rein deskriptiven Nutzungsdaten kann im Konkurrenzkampf zwischen alten und neuen Medien (hier das Internet) gesehen werden. Die Aufmerksamkeit ist knapp (Franck 1998) und äußert sich im Medienbereich u.a. in einer konkurrierenden Nachfrage der Medien um die Nutzungszeit der Rezipienten.

Unabhängiges Medium

Die vorliegenden Resultate von Nutzerbefragungen deuten allerdings eher darauf hin, dass sich mit dem Internet ein zusätzliches, von den klassischen Medien weitgehend unabhängiges Medium entwickelt hat (ARD/ZDF-Arbeitsgruppe Multimedia 1999: 412). Das Internet beansprucht zwar zu einem gewissen Grade Nutzungszeit zu Lasten anderer Medien, da es aber andere und individueller bestimmbare Nutzwerte aufweist, tritt es nicht als Konkurrent im Markt um massenmediale Aufmerksamkeit auf, sondern erschließt neue und ergänzende Kommunikationsmärkte. Ein relativ neues Phänomen ist in diesem Zusammenhang auch die gleichzeitige Nutzung von Fernsehen und Internet (Stipp 2000: 132; zu interaktivem Fernsehen auch: Zimmer 2000). Das Internet bedroht denn auch nicht die Rolle der traditionellen Massenmedien, wie Zeitung, Radio und Fernsehen, sondern übernimmt innerhalb des bestehenden Medienangebots Komplementärfunktionen, die sogar zu einer Erhöhung des Zeitbudgets für Mediennutzung führen (ARD/ZDF-Arbeitsgruppe Multimedia 1999; Oehmichen/Schröter 2000).

Riepl'sches Gesetz

Dieser Befund stimmt überein mit dem sog. Riepl'schen Gesetz (Riepl 1913, zit. nach Hagen 1998), wonach alte Medien durch neue Medien nicht verdrängt und ersetzt werden, sondern es zu einer Funktionsverlagerung zwischen den einzelnen Medien kommt. Aufgrund des aktuellen Erkenntnisstands scheint dies auch beim Internet der Fall zu sein.

3.3 Wissensproduktion und Wissensvermittlung

Veränderungen in der Wissensproduktion und -vermittlung

Das Internet ist wesentlich durch Institutionen (Universitäten, staatliche und private Forschungseinrichtungen), die für die gesellschaftliche Wissensproduktion und -vermittlung zuständig sind, entwickelt worden. Das Internet kann als zentrale technische Infrastruktur einer zukünftigen Wissensgesellschaft bezeichnet werden, in der nicht mehr materielle Güter, sondern Information und Wissen die zentralen Produktionsfaktoren darstellen (Görke/

Kollbeck 1999; Loosen 1999; Meckel 1999). Es ist daher wahrscheinlich, dass das Internet in allen Bereichen der Wissensproduktion und -vermittlung zu bedeutenden Veränderungen führen wird, die unter dem Stichwort „Cyberscience" zusammengefasst werden (Nentwich 2000). Als Beispiele sollen hier das wissenschaftliche Publikationswesen sowie die Wissensvermittlung diskutiert werden.

Wissenschaftliche Publikationswesen

Das traditionelle wissenschaftliche Publikationswesen (Fachzeitschriften, aber auch Bücher) zeichnet sich durch hohe Kosten und eine relativ tiefe Geschwindigkeit aus. Das Internet kann hier zu einer Kostensenkung wie auch zu einer Beschleunigung führen (Online-Fachzeitschriften, Publishing-on-Demand) (Nentwich 2000), wobei auch hier die wissenschaftlichen Prüfverfahren (Peer-Review) angewendet werden müssen. Neben diesen eher quantitativen Auswirkungen ist auch mit Veränderungen in Bezug auf die Qualität – genauer gesagt: die Form und den Inhalt – wissenschaftlicher Publikationen zu rechnen. Elektronische Dokumente können als Hyptertexte nicht nur linear geschrieben und gelesen werden, der Autor wie auch der Leser kann sogar denselben Gesamttext auf verschiedenen Pfaden durchschreiten, die sich u.a. nach den individuellen Erkenntnisinteressen oder notwendigen Vorkenntnissen unterscheiden.

Neue Ausbildungsmöglichkeiten

Das Internet bietet für die traditionellen Institutionen der Wissensvermittlung (Schulen und Universitäten) neue Möglichkeiten der Ausbildung. Räumliche oder zeitliche Präsenz, wie sie in traditionellen Lehrveranstaltungen üblich ist, kann mindestens teilweise durch medial vermittelte Präsenz ersetzt werden. Die individualkommunikativen Bereiche des Internets (E-Mail, Newsgroups) ermöglichen den Online-Austausch zwischen Lernenden und Lehrenden. Dadurch werden neue Formen des Fernunterrichts möglich, die sowohl als Ergänzung als auch als vollständiger Ersatz der traditionellen Ausbildungsgänge dienen (Schulmeister 1997).

Wissensvermittlung außerhalb formalisierter Ausbildungsgänge

Schließlich bietet das Internet auch ganz neue Chancen der Wissensvermittlung außerhalb formalisierter Ausbildungsgänge. Das Internet kommt dem Ideal einer globalen Bibliothek nahe, in der das gesamte Weltwissen gesammelt und relativ einfach abrufbar ist. Theoretisch eröffnen sich dadurch neue Bildungschancen für breite Bevölkerungskreise. Die Übervertretung der höheren Ausbildungsschichten unter den Internetnutzern lässt allerdings eher vermuten, dass die Feststellung einer wachsenden Wissenskluft, wie sie bereits bei traditionellen Medien eingetroffen ist (Tichenor u.a.; Bonfadelli 1994), auch für das Internet zutreffen könnte (Wirth/Schweiger 1999; Beck/Glotz/Vogelsang 2000: 86ff.). Erste empirische Untersuchungen deuten darauf hin, dass die Wissensklüfte bezüglich Internet-Zugang größer sind als bezüglich Internet-Nutzung (Bonfadelli 2000b).

3.4 Wirtschaft

New Economy

Nach Einschätzung verschiedener Autoren (Zerdick u.a. 1999: 155ff.) führt das Internet im Bereich der Wirtschaft zu einer eigentlichen Umkehrung gängiger Vorstellungen über Märkte, die zur Entstehung einer „New Economy" führen, welche auch Netzwerk- oder Internet-Ökonomie genannt wird (Shapiro/Varian 1998). Beschränkt man die Diskussion zunächst auf materielle Güter, so fällt aus einer publizistikwissenschaftlichen Perspektive auf, dass das Internet nicht nur ein neues Informationsmedium ist, sondern wegen seiner Interaktivität auch Handelstransaktionen (Käufe und Verkäufe, sog. E-Commerce) ermöglicht. Die Bedeutung des elektronischen Handels wird von einer Reihe Experten (Beck/Glotz/Vogelsang 2000: 119) als zentral für die Weiterentwicklung des Internets, aber auch für die gesamte Wirtschaft und Gesellschaft, eingeschätzt. Die quantitative Bedeutung des E-Commerce wird nach einer ersten Phase der Euphorie gegenwärtig wieder konservativer beurteilt. So warnt etwa Jeff Bezos, Gründer und Geschäftsführer von Amazon, dem weltweit größten Online-Buchversand, dass „in 10 Jahren maximal 15% des Einzelhandels über das Netz abgewickelt werden, nicht mehr" (Internet-World

1999, zit. nach Beck/Glotz/Vogelsang 2000: 120). Zudem bestehen große branchenspezifische Unterschiede in Bezug auf die Abschätzung des Potentials für E-Commerce (Beck/Glotz/Vogelsang 2000: 123-131).

Wegfall von Zwischenhandelsstufen

Welche Besonderheiten hat E-Commerce im Vergleich zu traditionellen Vertriebsformen? Durch das Internet können Produzent und Konsument direkt miteinander verbunden werden, was zu einer Ausschaltung aller Formen von Zwischenhandel und damit einer Erhöhung der betriebs- und volkswirtschaftlichen Effizienz führt.

Globalisierung und Spezialisierung

Durch das Internet werden zudem sowohl Globalisierung als auch Spezialisierung gefördert, denn das Medium bietet einen kostengünstigen Zugang zu internationalen Märkten, der v.a. auch für spezialisierte kleine und mittlere Unternehmen von Interesse ist (Zerdick u.a. 1999).

Weitet man die Betrachtung auf die immateriellen Güter aus (z.B. Computersoftware, aber auch Medieninhalte), so kommt eine Reihe weiterer Besonderheiten des Internets zum Tragen. Immaterielle Güter können im Internet nicht nur gehandelt, sondern auch rasch und kostengünstig international transportiert und gelagert werden. Im Gegensatz zu Gütern der „alten Ökonomie" tendieren bei immateriellen Gütern die Grenzkosten zur Produktion einer zusätzlichen Einheit (z.B. einer zusätzlichen Kopie einer Software) gegen Null. Das Verschenken von Produkten ist innerhalb des Internets denn auch eine typische Preisstrategie, mit der innerhalb kurzer Zeit eine kritische Masse von Kunden geschaffen werden kann (Kelly 1999). Erlöse werden erst in einem zweiten Schritt durch den Verkauf von Komplementärleistungen (z.B. Beratung) geschaffen. Entscheidend für den Wettbewerbserfolg innerhalb des Internets sind denn auch nicht die Preise, sondern die Geschwindigkeit, mit der Märkte besetzt werden können (Zerdick u.a. 1999).

Ausbau der Internetpräsenz traditioneller Medien

Die Herausforderungen dieser rasanten Entwicklung sind allerdings auch nicht zu übersehen. Für die traditionellen Massenmedien erscheint die Zunahme von E-Commerce und die damit verbundene Abwanderung von Werbegeldern ins Internet als bedrohlich, denn ihre Finanzierung beruht zum größten Teil auf Werbeeinnahmen. Vor diesem Hintergrund erstaunt es nicht, dass die traditionellen Massenmedien nach anfänglichem Zögern ihre Internetpräsenz massiv ausbauen.

3.5 Privatheit

Neues Verhältnis zwischen Öffentlichkeit und Privatheit

Moderne Gesellschaften zeichnen sich durch eine klare Trennung von Öffentlichkeit und Privatheit aus. Öffentlichkeit wird wesentlich durch Massenmedien hergestellt, während sich die Kommunikation im privaten Bereich anderer Medien bedient (z.B. Gespräch, Telefon, Brief etc.). Das Internet durchbricht diese klare Trennung, in dem es sowohl Massen-, Gruppen- als auch Individualkommunikation erlaubt. Diese neuen Grenz- und Übergangsbereiche zwischen Öffentlichkeit und Privatheit sind vielfältig und werden widersprüchlich beurteilt.

Positive Erwartungen

Einerseits sind positive Erwartungen mit den durch das Internet gebotenen Möglichkeiten zur Bildung von virtuellen Gemeinschaften – also der Vernetzung von Individuen mit gemeinsamen Interessen, die bisher u.a. durch Raum und Zeit voneinander getrennt waren – verbunden. Positiv bewertet wird in aller Regel auch, dass im Internet die eigene Identität spielerisch erweitert und verändert werden kann, etwa im Rahmen der virtuellen Rollenspiele, wie sie in MUDs stattfinden (Turkle 1998). Andererseits gibt es im Gegensatz zu diesen positiven Erwartungen auch eine ebenso vielfältige Liste von negativen Auswirkungen, die das Internet auf den gesellschaftlichen und privaten Bereich haben könnte. Hier ist an erster Stelle der Rückzug aus Beziehungen außerhalb des Internets (sog. Offline-Kontakte) zu nennen (Kraut u.a. 1998; HomeNet-Project 1999), der sich in extremen Fällen sogar zur Internetsucht (Young 1998) entwickeln kann. Aber auch die uneingeschränkte Zugänglichkeit von Pornographie im Internet stößt auf breite Ablehnung. Schließlich ermöglicht das Internet vielfältige Möglichkeiten des Zugriffs auf private Daten, die sowohl freiwillig (z.B. durch die Installation von Web-Cams) als auch unfreiwillig erfolgen (z.B. die automatische Analyse des Benutzerverhaltens). Diese zunehmende Aufhebung der Trennung zwischen öffentlicher und privater Sphäre ist zumindest als ambivalent zu beurteilen.

Vielfalt und Breite des Diskurses

Diese hier stark vereinfachte Aufzählung von Wirkungsbereichen des Internets soll zum einen die Vielfalt und Breite des wissenschaftlichen und gesellschaftlichen Diskurses über die Folgen deutlich machen. Zum anderen wird aber einsichtig, dass es für eine fundierte Diskussion der hier aufgeworfenen Fragen unverzichtbar ist, die Internetinhalte, wie auch das Verhalten der Benutzer, empirisch zu untersuchen.

4 Methodologie der Internetforschung

Große Herausforderung

Das Internet stellt für die Entwicklung und Anwendung von empirischen Forschungsmethoden eine große Herausforderung dar. Einerseits müssen traditionelle Methoden wie Befragung und Inhaltsanalyse den Besonderheiten des Internets angepasst werden. Andererseits ermöglicht das Internet durch seine vollständige Einbettung in eine Computerumgebung vielfältige Möglichkeiten der automatisierten Datenerhebung und damit auch die Entwicklung von neuen Erhebungsmethoden, die einen sehr detaillierten Einblick in das Internetnutzungsverhalten erlauben. Die Diskussion über Forschungsmethoden im Internet ist dabei nicht nur von akademischem Interesse, sondern auch von großer ökonomischer Bedeutung für die gesamte Medienlandschaft: Durch eine standardisierte und allgemein akzeptierte Messung der Benutzerzahlen im Internet kann auch eine Grundlage für die Festsetzung von Werbekosten geschaffen werden.

Automatisierte Datenerhebung

Entwicklung neuer Erhebungsmethoden

Im folgenden Abschnitt werden verschiedene Methoden der Datenerhebung für das WWW vorgestellt. Auf eine Diskussion der Methodologie für die Internetbereiche E-Mail, Chat und MUD, welche vorwiegend Individual- und Gruppenkommunikation ermöglichen, muss hier aus Platzgründen verzichtet werden. In Anlehnung an Diem (1998) lassen sich die folgenden fünf Formen empirischer Methoden im WWW unterscheiden:

Abbildung 3 Methoden der Datenerhebung zum Internet

Methode	**Definition**
A. Offline-Befragungen	Alle traditionellen Befragungsformen außerhalb des Internets (persönliche, telefonische und schriftliche Befragungen)
B. Online-Befragungen	Befragung innerhalb des Internets (E-Mail-Fragebogen oder Fragebogen auf Web-Seite)
C. Benutzerzentrierte Messungen	Panel von Freiwilligen, deren Internet-Verhalten automatisch aufgezeichnet wird
D. Serverzentrierte Messungen (Abfragestatistik)	Automatische Erfassungen aller Lesevorgänge auf einer Web-Seite
E. Inhaltsanalyse von Web-Seiten	Manuelle oder automatische Erfassung des Inhalts von Web-Seiten (unabhängig von deren Beachtung durch Benutzer)

Quelle: in Anlehnung an Diem 1998

Die Methoden A (Offline-Befragungen) und E (Inhaltsanalyse von Webseiten) können am ehesten als Anpassung und Weiterentwicklung von bestehenden Methoden, bezogen auf das Internet, definiert werden. Die anderen drei Methoden (B, C, D) hingegen sind als eigentliche Innovationen zu bezeichnen. Die angeführten Literaturangaben bieten einen guten Zugang zu der Vielzahl von Publikationen zu den erwähnten Methoden (vgl. Abb. 4). Auf detailliertere Ausführungen soll hier verzichtet werden und nur der allgemeinen Frage nachgegangen werden: Welche Vor- und Nachteile haben diese verschiedenen Methoden?

Abbildung 4 Vor- und Nachteile verschiedener Datenerhebungsmethoden zum Internet

Methode	**Vorteile**	**Nachteile**
A. Offline-Befragungen	• Auch Nicht-Internet-Benutzer erreichbar • Hohe Kontrolle der Befragungssituation (Stichprobenziehung)	• Hohe Kosten • Keine detaillierten Erhebungen zum Benutzerverhalten möglich
B. Online-Befragungen (Janetzko 1999; ZUMA 2000)	• Tiefe Kosten • Sehr schnelle Datenerhebung möglich	• Nur Internet-Benutzer erreichbar • Keine detaillierten Erhebungen zum Benutzerverhalten möglich • Selbstrekrutierung der Teilnehmer macht systematische Stichprobenziehung schwierig • Geringe Teilnahmebereitschaft
C. Benutzerzentrierte Messungen (Panel) (Custer 1999; Mediametrix 2000; ZUMA 2000)	• Detaillierte Erhebungen des Benutzerverhaltens möglich • Verbindung von Personendaten (Soziodemographie, Benutzermotive etc.) mit Inhaltsdaten	• Hohe Kosten (Aufbau eines Panels notwendig) • Nur Internet-Benutzer erreichbar • Panels sind methodisch problematisch (Reaktivität, Repräsentativität etc.)
D. Serverzentrierte Messungen (Bürlimann 1999: 198-237; ZUMA 2000)	• Tiefe Kosten • Detaillierte Erhebungen des Benutzerverhaltens möglich	• Noch mangelnde Standardisierung (unterschiedliche Indikatoren z.B. Hits, PageViews etc.) • Keine Informationen über die Personen (Soziodemographie, Benutzermotive etc.)
E. Inhaltsanalyse von Webseiten	• Systematische Beschreibung des Inhalts von Webseiten • Vergleichsmöglichkeiten zwischen verschiedenen Web-Angeboten möglich	• Hohe Kosten, da manuelle Codierung notwendig • Keine Informationen über die Beachtung der einzelnen Inhalte (Benutzerverhalten) • Keine Informationen über die Personen (Soziodemographie, Benutzermotive etc.)

Diese kurze Gegenüberstellung der Vor- und Nachteile macht deutlich, dass das WWW trotz der neuen technischen Möglichkeiten nicht die Lösung aller methodischen Probleme bietet. Gerade wegen der Leichtigkeit, mit der Daten erhoben werden können, ist ein sorgfältiges und theoriegeleitetes Vorgehen bei der methodischen Gestaltung eines Forschungsprojektes umso wichtiger. (Erste Hinweise hierzu vgl. Dahinden/Hättenschwiler i.d.B.).

5 Fazit und Ausblick

Herausforderung an die wissenschaftliche Erforschung

Das Internet ist ein junges Medium und ebenso jung ist seine sozial- und publizistikwissenschaftliche Erforschung. Dieser Beitrag sollte aufzeigen, dass die Herausforderungen der wissenschaftlichen Erforschung des Internets sowohl terminologisch-theoretischer als auch empirisch-methodologischer Natur sind. Wegen der Neuheit und Vielfalt der Kommunikationsformen im Internet ist eine theoriegeleitete präzise Beschreibung von Internetphänomen von größter Wichtigkeit (December 1996). Methodologisch steht die Entwicklung einer Reihe von Erhebungsmethoden an, mit denen Internetinhalte und -benutzerverhalten systematisch verglichen werden können. Neben den theoretischen und methodologischen Herausforderungen ist auch die hohe Dynamik der technischen Entwicklung (Zerdick u.a. 1997; 1999) als weitere Schwierigkeit zu nennen, in diesem Feld kontinuierliche und kumulative Forschung zu betreiben.

Dynamik der technischen Entwicklung

Die rasante und sehr dynamische Entwicklung des Internets macht es schwierig, detaillierte und verlässliche Aussagen über seine mittel- und langfristige Zukunft zu machen (Beck/Glotz/Vogelsang 2000). Die folgenden, relativ allgemein umschriebenen Entwicklungen sind aber für die nähere Zukunft mit einiger Wahrscheinlichkeit von Bedeutung:

Kostensenkungen

Neue technische Zugangswege

Für die Benutzer ist mit weiteren Kostensenkungen zu rechnen, und zwar sowohl bei den Investitionskosten (Computerhardware) als auch bei Betriebskosten (Abonnementsgebühren, Telekommunikationskosten). Neue technische Zugangswege ins Internet werden an Bedeutung gewinnen, zu denen einerseits die Mobiltelefonie, andererseits auch der Zugang über Fernseher und Kabelfernsehnetz gehören. Da die Verbreitungsrate von Fernsehgeräten, aber auch Mobiltelefonen um einiges höher liegt als die von Heimcomputern, kann durch diese neuen technischen Zugangswege eine raschere Diffusion des Internets eingeleitet werden.

Auf der Angebotsseite lassen sich im Internet die folgenden Trends erkennen: Traditionelle Medienunternehmen treten nach einer anfänglichen Zurückhaltung vermehrt und selbstbewusst im Internet auf. Diesen Prozess hat mit einiger Wahrscheinlichkeit auch die Erkenntnis gefördert, dass gerade in der grenzenlosen Informationsflut des Internets ein bekannter Markenname (Brand), der für Erfahrung und Kompetenz im Bereich der Informationsverarbeitung bürgt, ein entscheidender Wettbewerbsvorteil gegenüber neuen und unbekannten Anbietern sein kann. Traditionelle Medienunternehmen geben allerdings wegen ihren zunehmenden Internetaktivitäten nicht ihr herkömmliches Geschäftsfeld auf, vielmehr entwickeln sie Strategien des Cross-Media-Publishing, also der gezielten Kombination von Aktivitäten im Internet und im traditionellen Medium.

Cross-Media-Publishing

Ein weiterer Trend, der an Bedeutung gewinnen könnte, ist der Versuch, sog. Portale zu etablieren. Damit sind Einstiegsseiten ins WWW gemeint, die hohe Benutzerzahlen aufweisen. Ein Portal kann, in Analogie zum Zeitungsaufbau, als Frontseite des Internets bezeichnet werden und bietet einen Überblick und Einstieg für die weitere, vertiefende Lektüre. Der Aufbau eines erfolgreichen Portals bedingt jedoch oft die Kooperation von mehreren Unternehmen, welche sowohl Inhalte (z.B. von traditionellen Medienunternehmen) als auch potentielle Internetnutzer (z.B. Kunden eines Internet Service Provider) miteinander verbinden.

Portal: Frontseite des Internets

Auf der Nachfrageseite sind Trends noch schwieriger zu identifizieren, weil einerseits eine Vielzahl von Akteuren das Internet nutzt, andererseits diese Akteure im Gegensatz zu Medienanbietern ihr Verhalten nicht langfristig planen. Trotz dieser Unsicherheiten können die folgenden Entwicklungen als relativ wahrschein-

Anhaltende Diffusion

lich bezeichnet werden: Die Diffusion des Internets wird anhalten, u.a. auch wegen den sinkenden Kosten und den neuen technischen Zugangswegen. Es wird eine stark individualisierte Nutzung des Internets zu beobachten sein, welche als Folge von unterschiedlichen individuellen Interessen sowie der Notwendigkeit der individuellen Selektion (Wirth/Schweiger 1999) von Inhalten im Internet resultiert.

Individualisierte Nutzung

Grenzen traditioneller Regulierungsinstanzen

Betrachtet man das Internet als sozio-technisches System, so ist dessen Entwicklung nicht ausschließlich durch die Technik determiniert, sondern ebenso zentral durch Verhalten der sozialen Akteure bestimmt. Traditionelle Regulierungsinstanzen (z.B. Nationalstaaten) stoßen durch die Internationalität, aber auch durch die rasche technische Entwicklung und die Konvergenz von Medien an Grenzen ihrer Leistungsfähigkeit (Zerdick u.a. 1999). Die Gestaltung des Internets erfolgt denn auch weniger im Rahmen von demokratischen Regulierungsverfahren, als vielmehr in verschiedensten Formen der Selbstregulierung, z.B. der Entwicklung von technischen und inhaltlichen Qualitätsstandards, der freiwilligen Kennzeichnung von Web-Seiten etc. (Dyson 1999: 191-246), die alle das Ziel haben, sowohl negative Auswüchse zu begrenzen als auch wünschenswerte Entwicklungen zu fördern.

Literatur

ARD/ZDF-Arbeitsgruppe Multimedia (1999): Wird Online Alltagsmedium? Nutzung von Onlinemedien in Deutschland. In: Media Perspektiven, H. 8, S. 401-429.

Beck, Klaus/Glotz, Peter/Vogelsang, Gregor (2000): Die Zukunft des Internet. Konstanz.

Bonfadelli, Heinz (1994): Die Wissenskluft-Perspektive – Massenmedien und gesellschaftliche Information. Konstanz.

*Bonfadelli, Heinz (2000a): Online-Kommunikation. In: Bonfadelli, Heinz: Medienwirkungsforschung II: Anwendungen in Politik, Wirtschaft und Kultur. Konstanz, S. 187-224.

Bonfadelli, Heinz (2000b): Von der Wissenskluft zur digitalen Kluft zwischen Informationsreichen und Informationsarmen. Tagungsbeitrag zur 3. Fachtagung der Deutschen Gesellschaft für Medienwirkungsforschung e.V. (DGMF), 1. und 2. Oktober 2000. Stuttgart, Hohenheim, Zürich.

Bürlimann, Martin (1999): Web Promotion – Professionelle Werbung im Internet. St. Gallen, Zürich.

Custer, Ueli (1999): Aktenzeichen www.ungeloest.ch – Problematische Erforschung der Internetnutzung. In: media Trend Journal, H. 6, S. 38-40.

December, John (1996): Units of Analysis for Internet Communication. In: Journal of Communication 46, H. 1, S. 14-38.

Diem, Peter (1998): Methods to Measure Internet and Other Online Use. In: http://www.peter-diem.at/paper4.htm (20.11.2000).

Dyson, Esther (1999): Release 2.1. München.

Franck, Georg (1998): Ökonomie der Aufmerksamkeit: ein Entwurf. München.

Görke, Alexander/Kollbeck, Johannes (1999): Wie bitte, Wissensgesellschaft? Ein systemtheoretischer Zwischenruf. In: Medien Journal, H. 3, S. 20-29.

Hagen, Lutz M. (1998): Online-Nutzung und Nutzung von Massenmedien – Eine Analyse von Substitutions- und Komplementärbeziehungen. In: Rössler, Patrick (Hg.): Online-Kommunikation – Beiträge zu Nutzung und Wirkung. Opladen, S. 105-122.

HomeNet-Project (1999): http://homenet.andrew.cmu.edu/progress/index.html (20.11.2000).

Janetzko, Dietmar (1999): Statistische Anwendungen im Internet – In Netzumgebungen Daten erheben, auswerten und präsentieren. München.

Jasanoff, Sheila/Markle, Gerald E./Peterson, James C. (Hg.) (1995): Handbook of science and technology studies. Thousand Oaks.

Kelly, Kevin (1999): New Rules for the New Economy: 10 Radical Strategies for a Connected World. New York.

Kraut, Robert u.a. (1998): Internet Paradox – A Social Technology That Reduces Social Involvement and Psychological Well-Being? In: American Psychologist 53, H. 9, S. 1017-1031.

Loosen, Wiebke (1999): Suchmaschinen – "Informations- und Wissensverwalter" im World Wide Web. In: Medien Journal, H. 3, S. 42-48.

Maletzke, Gerhard (1963): Psychologie der Massenkommunikation. Opladen.

Maletzke, Gerhard (1998): Kommunikationswissenschaft im Überblick. Opladen.

*Meckel, Miriam (1999): Vom Wissen zum Meta-Wissen – Informatisierung und Orientierung (in) der modernden Gesellschaft. In: Medien Journal, H. 3, S. 30-41.

Mediametrix (2000): In: http://www.mediametrix.com (20.11.2000).

Meier, Werner/Bonfadelli, Heinz (1987): „Neue Medien" als Problem der Publizistikwissenschaft. In: Rundfunk und Fernsehen 35, H. 2, S. 169-184.

Nentwich, Michael (2000): Scholarly Research in the Age of Information and Communication Technologies. In: http://www.oeaw.ac.at/ita/d1-3.htm. (20.11.2000).

*Neverla, Irene (1998): Das Medium denken – Zur sozialen Konstruktion des Netz-Mediums. In: Neverla, Irene (Hg.): Das Netz-Medium – Kommunikationswissenschaftliche Aspekte eines Mediums in Entwicklung. Opladen, S. 17-36.

Neverla, Irene (2000): Das Netz – eine Herausforderung für die Kommunikationswissenschaft. In: Medien und Kommunikationswissenschaft 48, H. 2, S. 175-187.

Oehmichen, Ekkehart/Schröter, Christian (2000): Fernsehen, Hörfunk, Internet: Konkurrent, Konvergenz oder Komplementarität? – Schlussfolgerungen aus der ARD/ZDF-Online Studie 2000. In: Media Perspektiven, H. 8, S. 359-368.

Rammert, Werner (1993): Technik aus soziologischer Perspektive: Forschungsstand, Theorieansätze, Fallbeispiele: Ein Überblick. Opladen.

Riepl, Wolfgang (1913): Das Nachrichtenwesen des Altertums mit besonderer Berücksichtigung auf die Römer. Leipzig.

*Rössler, Patrick (1998): Wirkungsmodelle: die digitale Herausforderung – Überlegungen zu einer Inventur bestehender Erklärungsansätze der Medienwirkungsforschung. In: Rössler, Patrick (Hg.): Online-Kommunikation – Beiträge zu Nutzung und Wirkung. Opladen, S. 17-46.

Schulmeister, Rolf (1997): Grundlagen hypermedialer Lernsysteme. Theorie – Didaktik – Design. München.

Shapiro, Carl/Varian, Hal R. (1998): Information Rules: A Strategic Guide to the Network Economy. Cambridge.

Stipp, Horst (2000): Nutzung alter und neuer Medien in den USA – Neue Erkenntnisse über die Wechselwirkung zwischen Online- und Fernsehkonsum. In: Media Perspektiven, H. 3, S. 127-134.

Tichenor, Philip/Donohue, George/Olien, Clarice (1970): Mass Media Flow and Differential Growth in Knowledge. In: Public Opinion Quarterly, H. 3-4, S. 159-179.

Turkle, Sherry (1998): Leben im Netz: Identität in Zeiten des Internet. Reinbek bei Hamburg.

Van Eimeren, Birgit/Gerhard, Heinz (2000): ARD/ZDF-Online-Studie 2000: Gebrauchswert entscheidet über Internetnutzung. In: Media Perspektiven, H. 8, S. 338-349.

Wartella, Ellen/Reeves, Byron (1985): Historical Trends in Research on Children and the Media 1900-1960. In: Journal of Communication 35, H. 2, S. 118-133.

Weischenberg, Siegfried (1998): Pull, Push und Medien-Pfusch – Computerisierung kommunikationswissenschaftlich revisited. In: Neverla, Irene (Hg.): Das Netz-Medium – Kommunikationswissenschaftliche Aspekte eines Mediums in Entwicklung. Opladen, S. 37-61.

WEMF (AG für Werbemedienforschung) (2000): MA Comis 2000: Markt- und Medienstudie zu den Themen Internet, E-Commerce und Telekommunikation. In: http://www.wemf.ch/de/produkte/comis.html (20.11.2000).

Winter, Carsten (1998): Internet/Online-Medien. In: Faulstich, Werner (Hg.): Grundwissen Medien. München, S. 274-295.

Wirth, Werner (1999): Neue Wissenskluft durch das Internet? In: Medien Journal, H. 3, S. 3-19.

*Wirth, Werner/Schweiger, Wolfgang (Hg.) (1999): Selektion im Internet – Empirische Analysen zu einem Schlüsselkonzept. Opladen.

Young, Kimberly S. (1998): Caught in the Net: How to Recognize the Signs of Internet Addiction – And a Winning Strategy for Recovery. New York.

Zerdick, Axel u.a. (1999): Die Internet-Ökonomie – Strategien für die digitale Wirtschaft. European Communication Council Report 1999. Berlin.

Zerdick, Axel u.a (1997): Exporing the Limits – Europes Changing Communication Environment. European Communication Council Report 1997. Berlin.

Zimmer, Jochen (2000): Interaktives Fernsehen – Durchbruch via Internet? Entwicklungsstand und Perspektiven interaktiver Fernsehanwendungen in Deutschland. In: Media Perspektiven, H. 3, S. 110-126.

* Basisliteratur

Anhang

Empfehlenswerte Materialien im Internet

Titel	Beschreibung	URL
zuma (Zentrum für Umfragen, Methoden und Analysen – Online Research)	Umfangreiche Linkliste mit Hinweisen zu anderen Meta-Listen sowie thematisch fokussierten Links zu Online-Umfragen, Online-Panels, Web-Experimenten, Zeitschriften, Organisationen, Vokabular etc.	http://www.or.zuma-mannheim.de/
Yahoo	Metaverzeichnis von unterschiedlichsten Internet-Themen (u.a. Chat-Verzeichnisse, Dictionaries, History, Statistics, Search and Demographics etc.) mit sehr vielen weiterführenden Links	http://dir.yahoo.com/Computers_and_Internet/Internet/
Journal of Computer-Mediated Communication	Wissenschaftliche Fachzeitschrift, die sich auf Internet-Themen spezialisiert hat	http://www.ascusc.org/jcmc/
Internet Research	Wissenschaftliche Fachzeitschrift, die sich auf Internet-Themen spezialisiert hat	http://www.mcb.co.uk/intr.htm

Glossar

Begriff	Erläuterung
Asynchron	ungleichzeitig
Browser	Programm zur Darstellung von HTML-Seiten und anderen Ressourcen. (z.B.: Microsoft Explorer oder Netscape Navigator)
Chat	(„Schwatz"). Online-Konferenz, zu der sich mehrere Personen zu einer synchronen Unterhaltung über Tastatur und Modem auf einem Internet-Server treffen
Client	Programme, die Daten von einem Server über ein Computernetzwerk beziehen und weiterverarbeiten (z.B. Mailclient zum Empfang von E-Mail, Browser für HTML-Dokumente)

E-Mail	elektronische Post; auf Computern erstellter Text und/oder Dateien, die über Computernetzwerke/Internet versandt werden. Es handelt sich hierbei um einen asynchronen Kommunikationsdienst, so dass Sender und Empfänger nicht Online sein müssen
HTML	**H**yper**T**ext **M**arkup **L**anguage, seitenbeschreibende Programmiersprache zur Erstellung von Hypertexten
Hypertext	nicht linearer (Bildschirm-)Text; die Aktivierung hervorgehobener Textstellen führt zur sofortigen Darstellung der funktional verknüpften Textabschnitte
Internet-Service-Provider (ISP)	Anbieter von internetspezifischen Dienstleistungen Internet-Access-Provider: Anbieter von Internet-Zugängen Content-Provider: Anbieter von Informationsangeboten im Internet
MUD	**M**ulti **U**ser **D**ungeon**s** („Verlies"), das D steht oft auch für Dialog, Dimension etc., Erweiterung herkömmlicher textbasierter Adventure-Spiele auf eine Vielbenutzer-Umgebung
Offline	Gegensatz von Online
Online	Bezeichnung für eine aktive Verbindung zu einem Computernetzwerk Gegensatz: Offline
Portal	Einstiegsseiten ins WWW, die hohe Benutzerzahlen aufweisen
Server	Computer, der mit Hilfe einer speziellen Software Speicher- und Verarbeitungsaufgaben für andere Computer (sog. Clients) zur Verfügung stellt
Synchron	gleichzeitig
TCP/IP	die Kommunikation zwischen Servern erfolgt im Internet auf Basis des **T**ransmission **C**ontrol-**P**rotocol und **I**nternet-**P**rotocol
Newsgroup (auch Usenet, NetNews)	weltweit, offenes Konferenzsystem mit mehr als 16 000 Diskussionsgruppen, aufgeteilt in Themengebiete, in denen Leser ihre Meinungen/Fragen als Artikel ablegen
URL	**U**niform/Universal **R**esource **L**ocator, dient der eindeutigen Beschreibung der Adresse einer WWW-Seite. Vor dem Doppelpunkt wird das Übertragungsprotokoll definiert (z.B. http:, ftp: etc.) Zum Beispiel: http://www.impz.unizh.ch
Virtuell	allgemeiner Begriff für „im Netz", häufig auch als Gegensatz benutzt zu „real"
Web-Cam	Videokamera, mit der über das Internet Bilder übertragen werden können
World Wide Web	**W**orld **W**ide **W**eb, ein grafisch orientiertes Informationssystem im Internet, das auf dem Prinzip des Hypertextes basiert

Quelle: ZUMA 2000

Kapitel 7

Medienforschung: Qualitative und quantitative Methoden

FORSCHUNGSMETHODEN IN DER PUBLIZISTIKWISSENSCHAFT

URS DAHINDEN/WALTER HÄTTENSCHWILER

1 Wissenschaft und Gesellschaft 491

1.1 Was ist Wissenschaft? 491
1.2 Alltagswissen und wissenschaftliches Wissen........... 491
1.3 Wissenschaftssprache 493
1.4 „Wissenschaftswissenschaft" 494
1.5 Auffassungen von Sozialwissenschaft...................... 495
1.6 Paradigmen der Wissenschaft 496

2 Quantitatives vs. qualitatives Paradigma 497

2.1 „Quantitatives" Paradigma..................................... 498
2.2 „Qualitatives" Paradigma 499

3 Methodenpraxis beim quantitativen Ansatz..................... 500

3.1 Ansprüche an die „Wissenschaftlichkeit" 500
3.2 Begriffe, Definitionen, Operationalisierung 503
3.3 Hypothesen 504
3.4 Typen von Untersuchungsanlagen........................... 506
3.5 Datenerhebungsmethoden 507
3.6 Stichproben 511

3.7 Datenauswertung 512
3.8 Übersicht über die Phasen des Forschungsprozesses 515

4 Methodenpraxis beim qualitativen Ansatz 517
4.1 Forschungsablauf 517
4.2 Erhebungsverfahren 519
4.3 Aufbereitungsverfahren 520
4.4 Auswertungsverfahren 520
4.5 Gütekriterien qualitativer Forschung 522

5 Kombination von quantitativen und qualitativen Verfahren 524

Literatur 526

Urs Dahinden/Walter Hättenschwiler

1 Wissenschaft und Gesellschaft

1.1 Was ist Wissenschaft?

In einer Gesellschaft kann zwischen „materiellen" und „ideellen" Beständen unterschieden werden (Böhme 1980: 28). Materielle Bestände wären z.B. Häuser, Fernsehgeräte, Bücher etc. Der ideelle Bestand dazu wäre dann das Wissen, wie diese Gegenstände hergestellt und bedient werden. Wissenschaft gehört zweifellos zu den ideellen Beständen der Gesellschaft. Sie ist eine besondere Form von Wissen, wie wir noch sehen werden.

Materielle und ideelle Bestände der Gesellschaft

Wieso braucht es Wissenschaft? Eine Antwort verweist auf den praktischen Nutzen von Wissenschaft für den Einzelnen und die Gesellschaft: Sie soll Probleme lösen, Fortschritt ermöglichen, Kommunikation in der Gesellschaft verbessern etc. Demgegenüber steht die theoretische Natur der wissenschaftlichen Tätigkeit: Formulierung von Hypothesen und Theorien.

Funktionen von Wissenschaft

Wissenschaft könnte somit allgemein als Erarbeitung von gesellschaftlich nutzbarem Wissen durch Theoriebildung, Forschung und Anwendung ihrer Erkenntnisse begriffen werden.

Definition von Wissenschaft

1.2 Alltagswissen und wissenschaftliches Wissen

Wissen ist nicht nur das, was in Büchern steht oder was Lehrer, Professoren und Wissenschaftler erzählen. Wir alle haben im Laufe unserer Sozialisation viele Erfahrungen (Lebenserfahrungen) gemacht, z.T. zufällige und ziemlich unsystematische. Personen gelten als weise, wenn sie über viele solcher Lebenserfahrungen verfügen.

Alltagswissen durch Lebenserfahrung

Alltagswissen als Vorwissen für Wissenschaft

Beispielsweise nutzen wir alle in unserem Alltag Medien, lesen Zeitung, schauen fern oder surfen im Internet. Gelegentlich sprechen wir auch mit anderen über die Nutzungserfahrungen, die wir mit Medien machen. Solches Alltagswissen ist eine notwendige Voraussetzung für eine wissenschaftliche Auseinandersetzung mit Medien. Alltagswissen allein ist aber nicht hinreichend für einen publizistikwissenschaftlichen Umgang mit diesem Gegenstand, denn es unterscheidet sich in einer Reihe von Punkten von wissenschaftlichem Wissen.

Alltagswissen hat die Funktion, bei der Lösung von Alltagsproblemen behilflich zu sein, die sich durch Entscheidungs- und Zeitdruck auszeichnen. Es muss in erster Linie für den Handelnden hilfreich sein, ist deshalb auch geleitet von den subjektiven Werten und Interessen des jeweiligen Wissensträgers und ist deshalb auch individuell verschieden. Schließlich ist Alltagswissen oft nicht in sprachlich expliziter Form vorhanden, sondern implizit, z.B. in Form von Handlungsroutinen.

Common Sense

Alltagswissen ist nicht etwa gleichzusetzen mit dem sog. „gesunden Menschenverstand" („Common Sense"). Dieser geht nämlich davon aus, dass neue Ideen gleich auszusehen haben wie alte, und ist somit selektiv bestätigend. Aus diesem Grund ist er kein geeigneter Maßstab für die Bewertung von Erkenntnissen.

Wissenschaftliches Wissen kann relevant sein für Entscheidungen, dies muss aber nicht direkt sein. Da die Produktion von wissenschaftlichem Wissen selber zeitintensiv ist, besteht nur ein mittel- bis langfristiger Zeitdruck. Wissenschaftliches Wissen soll intersubjektiv gültig sein, d.h. mehr als nur die Werte und Interessen des Forschenden bzw. der Beforschten darstellen. Diese Intersubjektivität wird durch ein methodisch kontrolliertes und auch explizites Vorgehen bei der Wissenserarbeitung gewährleistet.

Abbildung 1 Alltagswissen vs. wissenschaftliches Wissen

	Alltagswissen	wissenschaftliches Wissen
Grundlagen	Weisheitswissen	an Natur- und Geisteswissenschaften orientiert
Zugang	Verknüpfung zwischen Wissen und Person Voraussetzung: Vertrauen, persönliche Reife, moralische Qualitäten, Bildung der Person	entscheidende Trennung von Wissen und Person prinzipiell jedem zugänglich (keine an die Person gebundene Voraussetzungen)
Erwerb	Entscheidungs- und Zeitdruck hoch subjektiv Erfahrungswissen: Wissen durch Handeln (learning by doing); „Erfahren" = weit herumgekommen sein, Selbsterfahrung Wissen als Resultat von (zufälliger) Alltagserfahrung	nur mittel- bis langfristig intersubjektiv Erfahrung ist mitteilbar, sinnliche Erfahrung nicht zwingend vorausgesetzt unter standardisierten Bedingungen gewonnen, Resultat von methodisch kontrolliertem Vorgehen
Verwendung	Traditionswissen: Bewahrung von Bräuchen	innovativ: auf Fortschritt ausgerichtet
Vermittlung	Alltagssprache oder Handlungsroutinen, unsystematisch, Sozialisation	Wissenschaftssprache

Quelle: Maier-Rabler u.a. 1991: 26, erweitert durch die Autoren

1.3 Wissenschaftssprache

Ungenaue Umgangssprache

Umgangssprache ist oft ungenau und mehrdeutig. Sie lebt z.T. gerade von diesen Mehrdeutigkeiten (Metaphern). Außerdem variieren Bedeutungen von Begriffen geografisch sehr kleinräumig und es gibt oft keine adäquaten Begriffe für neue Phänomene.

Begriffe erklären

In der Wissenschaftssprache müssen häufig Alltagsbegriffe geklärt und neue Begriffe definiert werden. Wissenschaftssprache dient dazu, Sachkundigen Erkenntnisse präzis und effizient zu vermitteln.

Das heißt aber nicht, dass möglichst viele Fremdwörter gebraucht werden sollen. Die Fachsprache hat nicht zum Zweck, Außenstehende und Laien auszuschließen. Wenn aber wissenschaftliche Erkenntnisse einer weiteren Öffentlichkeit zugänglich gemacht werden sollen, so müssen Forschungsberichte in der Regel durch Wissenschaftsjournalisten umgesetzt werden.

1.4 „Wissenschaftswissenschaft"

Metawissenschaften

Wissenschaft ist oft auch selbst Untersuchungsobjekt. Solche Wissenschaften, die sich mit der Wissenschaft selbst beschäftigen, nennt man auch „Metawissenschaften".

Wissenssoziologie

Die Wissenschaft, die sich mit den praktischen Wurzeln der Wissenschaft beschäftigt, nennt man Wissenssoziologie. Sie stellt Fragen etwa folgender Art: Welche sozialen Probleme werden durch Wissenschaft zu einer bestimmten Zeit und in einer bestimmten gesellschaftlichen Situation untersucht oder eben nicht? Wie beeinflussen gesellschaftliche und individuelle Faktoren die Erkenntnisinteressen der Wissenschaft? Welche wissenschaftlichen Vorgehensweisen setzen sich durch und wieso? Wie ist Forschung organisiert und wie beeinflusst die Forschungsorganisation wiederum die Resultate der Forschung? Was beeinflusst die Umsetzung von wissenschaftlichem Wissen in die Praxis (etwa Wissenschaftsjournalismus)?

Wissenschaftstheorie

Der Gegenstand, mit dem sich die Wissenschaftstheorie beschäftigt, wird durch die theoretische Natur von Wissenschaft bestimmt: Welchen Kriterien haben Wissen und Theorien allgemein zu genügen, um als wissenschaftlich gelten zu können? Was sind wissenschaftliche Erklärungen? Wie ist die Struktur von Theorien? etc.

Methodologie

Geht es um Fragen der Forschung und der im Forschungsprozess verwendeten Instrumente, dann spricht man von Methodologie. Welche Methoden werden bei der Datengewinnung verwendet?

Welchen Standards haben sie zu genügen? Aus welchen Einzelschritten besteht der Forschungsprozess? etc.

Oft wird die Reflexion auf Wissenschaft, d.h. Wissenschaftssoziologie, Wissenschaftstheorie und Methodologie zusammen, mit dem Begriff Wissenschaftswissenschaft bezeichnet.

Wissenschaftswissenschaft

1.5 Auffassungen von Sozialwissenschaft

Im Vergleich zu den Naturwissenschaften gehen die Auffassungen darüber, was Sozialwissenschaft sei und wie sie vorzugehen habe, sehr viel stärker auseinander. Grob gesehen können drei Hauptrichtungen unterschieden werden (vgl. Donges/Meier, Abschnitt 2.3 i.d.B.):

Keine Einheit in den Sozialwissenschaften

Die marxistische oder historisch-dialektische Wissenschaftsauffassung basiert auf der entsprechenden Gesellschaftstheorie. Für ihre spezifische Wissenschaftstheorie ist v.a. ein enges und wechselseitiges Theorie-Praxis-Verhältnis von Bedeutung: Wissenschaft kann aus dieser Perspektive nie „neutral" oder „objektiv" sein; das methodische Vorgehen ist ebenfalls nicht vom theoretischen Ansatz zu trennen. Für die Publizistikwissenschaft von Bedeutung sind dabei v.a. die Arbeiten der Kritischen Theorie, d.h. des Neo-Marxismus der Frankfurter-Schule (Horkheimer, Adorno, Habermas u.a.), die auch ihre publizistikwissenschaftlichen Vertreter hat: Prokop, Aufermann, Dröge, Holzer u.a.

Marxismus

Um die Jahrhundertwende (19./20. Jh.) sind, ausgehend von der Geschichtswissenschaft und als Reaktion auf die Erfolge der Naturwissenschaften, die Grundlagen für ein geisteswissenschaftliches Verständnis der Sozialwissenschaften gelegt worden. Kernpunkt der Argumentation ist die Prämisse von der prinzipiellen Andersartigkeit des Gegenstandes der Sozialwissenschaften: Die Natur begreift man, den Menschen und die Gesellschaft versteht man (Dilthey 1961: 136). Diese Überlegungen sind in der Phänomenologie weiterentwickelt und später in der modernen Hermeneutik durch H.G. Gadamer in der existentiellen Sprachlichkeit des Men-

Phänomenologie und Hermeneutik

schen verankert worden. Der hermeneutische Ansatz bildet die Grundlage für die eher qualitativen Ansätze der Sozialforschung.

Empirisch-analytisches Wissenschaftsverständnis

Die den modernen, empirisch arbeitenden Sozialwissenschaften amerikanischer Prägung zugrunde liegende Wissenschaftstheorie orientiert sich an der empirisch-analytischen Philosophie. Prinzipiell gibt es dabei keinen Unterschied im wissenschaftlichen Vorgehen zwischen den Natur- und den Sozialwissenschaften. Für beide gilt die Trennung zwischen Forscher und Gegenstand, das Formulieren von Hypothesen und Theorien, die dann mittels objektiver und intersubjektiv überprüfbarer Methoden an der Realität zu testen sind. Kernpunkt ist der Gedanke der Falsifizierbarkeit der Theorie durch die Empirie (Karl Popper 1934).

Die folgenden Ausführungen orientieren sich am empirisch-analytischen Wissenschaftsverständnis und an der Hermeneutik, soweit dies die qualitativen Ansätze betrifft.

1.6 Paradigmen der Wissenschaft

Gemeinsames Verständnis von Wissenschaftlichkeit

Der Begriff des Paradigmas ist von Thomas S. Kuhn in seinem Werk „Die Struktur wissenschaftlicher Revolutionen" (1967) eingebracht worden. Mit Paradigmen meint er das allgemein akzeptierte Vorgehen (Modus Operandi) von wissenschaftlichen Disziplinen einschließlich eines gemeinsamen Verständnisses von Wissenschaftlichkeit.

Gemeinsame Regeln und Normen

„Menschen, deren Forschung auf gemeinsamen Paradigmata beruht, sind denselben Regeln und Normen für die wissenschaftliche Praxis verbunden. Diese Bindung und die offenbare Übereinstimmung, die sie hervorruft, sind Voraussetzungen für eine normale Wissenschaft, d.h. für die Entstehung und Fortdauer einer bestimmten Forschungstradition" (ebd.: 26). Und: „Die Erwerbung eines Paradigmas und der damit möglichen esoterischen Art der Forschung ist ein Zeichen der Reife in der Entwicklung jedes besonderen wissenschaftlichen Fachgebietes" (ebd.: 6).

Der Vorteil eines Paradigmas ist, dass eine gewisse Abgrenzung der wissenschaftlichen Gruppe stattfindet. Wenn die einzelnen Wissenschaftler ein Paradigma als gegeben betrachten können, so brauchen sie nicht mehr ständig zu versuchen, das Fachgebiet von den Grundprinzipien her zu rechtfertigen. Das kann den Verfassern eines Lehrbuches überlassen bleiben. Ist ein Lehrbuch vorhanden, so kann der schöpferische Wissenschaftler dort beginnen, wo dieses aufhört und sich den subtileren Phänomenen zuwenden.

Paradigmenwechsel

Nach Kuhn ist der Paradigmenwechsel eine Art des wissenschaftlichen Fortschritts. Er bezeichnet den Paradigmenwechsel auch als „Wissenschaftliche Revolution". Paradigmenwechsel werden eingeleitet, wenn Befunde auftreten, die nicht mehr so recht ins Bild der bestehenden Wissenschaft passen. Wenn sich dann diese Anomalien häufen, kommt es zur Krise mit dem bestehenden Paradigma und die Kritik wird fundamental. Ansätze einer grundsätzlich neuen Denk- und Vorgehensweise verdichten sich und es bildet sich ein neues Paradigma, das solange bestehen bleibt, bis ein erneuter Wechsel nötig ist.

2 Quantitatives vs. qualitatives Paradigma

Zwei zentrale Paradigmen

In den Sozialwissenschaften, zu denen nach unserem Verständnis auch die Publizistikwissenschaft gehört, lassen sich zwei zentrale Paradigmen unterscheiden: Auf der einen Seite das „quantitative" Paradigma, das sich in seiner Grundorientierung an die Naturwissenschaften anlehnt. Auf der anderen Seite das „qualitative" Paradigma, das den Geisteswissenschaften nahe steht. Die Unterschiede zwischen diesen beiden Ansätzen sind zahlreich und lassen sich an einer Reihe von zentralen Punkten darstellen. Diese Gegenüberstellung ist dabei extremtypisch gedacht. In der Forschungspraxis treffen wir vielfach Kombinations- oder Mischformen an (vgl. Abschnitt 5).

Extremptypische Gegenüberstellung

2.1 „Quantitatives" Paradigma

Abbildung einer objektiv existierenden Realität

Ähnlich wie bei den Naturwissenschaften wird im quantitativen Ansatz angenommen, dass eine objektiv existierende Realität vorhanden sei und die Sozialwissenschaft diese im Sinne eines Abbildes mit Hilfe ihres theoretischen und methodischen Instrumentariums erfassen könne. Das Selbstverständnis des Forschers ist dabei das eines möglichst distanzierten und unabhängigen Beobachters, dessen wissenschaftliche Aussagen frei von Werturteilen sein sollten.

Kritischer Rationalismus

Das quantitative Paradigma basiert auf der wissenschaftstheoretischen Position des auf Karl Popper zurückgehenden „kritischen Rationalismus" (Karl Popper 1934). Empirisch gehaltvolle Theorien werden durch Deduktion, also logische Ableitung von allgemeinen zu speziellen Aussagen, erzeugt. Theorien müssen nicht nur intern logisch aufgebaut sein, sondern sich auch der Überprüfung an der Realität „bewähren". Das Erkenntnisziel ist die Bestimmung von möglichst universell gültigen Gesetzen des sozialen Verhaltens. In der empirischen Forschung werden Daten in standardisierter Form erhoben und anschließend mit Hilfe von statistischen Verfahren ausgewertet. Diese empirische Prüfung ist ein nie abgeschlossener Prozess, da Theorien nie „verifiziert" werden können, weil Verifikation auf einen Induktionsschluss hinausläuft, bei dem unzulässigerweise von einer begrenzten Anzahl spezieller Ereignisse auf Allgemeingültigkeit geschlossen wird.

Die Alternative dazu ist, empirisch ein Faktum zu finden, das dem Allgemeingültigkeitsanspruch einer Theorie widerspricht. Von der Logik her genügt es, ein einziges Ereignis zu finden, das der Theorie widerspricht. Die Grundidee des „kritischen Rationalismus" ist die systematische Eliminierung von falschen Theorien durch empirische Falsifikation. Eine Theorie gilt also solange als „wahr" (bewährt), als sie nicht falsifiziert werden kann. Theorien, die wir heute als gültig betrachten, können schon morgen durch neue empirische Erkenntnisse überholt sein.

Falsifikation

Theorien, die falsifiziert werden, müssen nicht zwangsweise fallengelassen werden, denn oft können sie in ihrem „Wenn-Teil" erweitert werden. Theoriemodifikationen durch Ausdehnung des Wenn-Teils nennt man Exhaustion. Der Geltungsbereich der Theorie wird damit natürlich eingeschränkt.

Exhaustion

2.2 „Qualitatives" Paradigma

Der qualitative Ansatz unterscheidet sich grundlegend vom quantitativen. Die wissenschaftliche Grundorientierung lehnt sich im qualitativen Ansatz an die Geisteswissenschaften an, d.h. Textwissenschaften, deren wissenschaftstheoretischer Hintergrund mit dem Begriff der Hermeneutik zusammengefasst werden kann. Soziale Realität wird im qualitativen Ansatz nicht als objektiv existierend angenommen, sondern vielmehr als sozial konstruiert (Berger/ Luckmann 1969). Diese Realität erschließt sich dem Sozialforscher denn auch nicht durch distanzierte Beobachtung, sondern bedingt Nähe zum untersuchten Kontext, d.h. Teilnahme an den sozialen Prozessen im untersuchten Feld. Wegen der sozialen Konstruktion von Wirklichkeit kann das Erkenntnisziel auch nicht kontextunabhängige, universell gültige Gesetze, sondern vielmehr kontextgebundene Regeln sein.

Soziale Konstruktion von Wirklichkeit

Das Verhältnis von Theorie und Empirie ist im qualitativen Ansatz ebenfalls anders als im quantitativen: Theorien werden im qualitativen Ansatz nicht durch Deduktion in einem Top-Down-Verfahren erzeugt, sondern vielmehr durch Induktion (Bottom-Up-Verfahren) von der empirischen Realität hin zu abstrakteren Konzeptionen. Die Rolle der empirischen Forschung ist also nicht die der Theorieprüfung, sondern vielmehr die der Theorieentwicklung. Die erhobenen Daten sind nicht standardisiert, sondern haben die Form von sprachlichen, visuellen oder filmischen Texten, die durch Interpretation ausgewertet werden.

Abbildung 2 Polaritäten des qualitativen und quantitativen Ansatzes

	Quantitativer Ansatz	**Qualitativer Ansatz**
Grundorientierung	naturwissenschaftlich	geisteswissenschaftlich
Wissenschaftstheoretischer Hintergrund	Kritischer Rationalismus	Hermeneutik
Wirklichkeitsverständnis	objektiv existierende Wirklichkeit	symbolisch-sozial konstruierte Wirklichkeit
Erkenntnisziel	universell gültige Gesetze	kontextgebundene Regeln
Entwicklung von Theorien	deduktiv (von der Theorie zur sozialen Realität)	induktiv (von der sozialen Realität zur Theorie)
Rolle der empirischen Forschung	Testen von Theorien	Entwicklung von Theorien
Art der Daten	standardisiert	nicht standardisiert (Texte in Form von Sprache, Bild, Film)
Wichtigste Auswertungsverfahren	Statistische Verfahren	Interpretation
Selbstverständnis des Sozialforschers	distanzierter, unabhängiger Beobachter	Teilnehmer, auch Advokat oder Aufklärer

Quelle: Lamnek 1995a: 244; eigene Zusammenstellung

3 Methodenpraxis beim quantitativen Ansatz

3.1 Ansprüche an die „Wissenschaftlichkeit"

Drei wichtige Ansprüche werden an wissenschaftliches Arbeiten gestellt (Maier-Rabler u.a. 1991: 34):

- moralische Ansprüche
- Ansprüche an die Methoden
- formale Ansprüche

In erster Linie ist die intellektuelle Redlichkeit als moralischer Anspruch zu nennen. Besonders gefährdet ist sie bei der Auftragsforschung, wo sich gerne die Haltung „wes Brot ich ess – des Lied ich sing" durchdrückt.

Intellektuelle Redlichkeit

Redlichkeit beinhaltet auch, die eigene Leistung von jener anderer zu trennen. In der Praxis heißt das: Es sind nicht nur direkt entnommene Textstellen zu belegen (zu zitieren), sondern alle Ideen, Interpretationen und Resultate von andern, die zu den Ergebnissen der eigenen Arbeit beigetragen haben.

Wissenschaftliche Methoden, die dem Anspruch der Redlichkeit gerecht werden sollen, müssen folgenden drei Voraussetzungen genügen:

1. Objektivität
2. Reliabilität
3. Validität

Objektivität

Den Begriff der „Objektivität" können wir in seiner ganzen Bedeutungsvielfalt nicht diskutieren (z.B. „Wahrheit"). Hier begreifen wir Objektivität als technische Objektivität, als Regeln, die für den wissenschaftlichen Prozess und sein Produkt gelten. „Objektivität wird hier im Sinne von ‚Intersubjektivität' begriffen. Und Intersubjektivität verlangt, dass die gemachte Aussage für jeden überprüfbar ist, dass sie hinsichtlich ihrer Ausgangslage sowie ihres Zustandekommens in allen Schritten nachvollzogen werden kann und dass sie dabei für jeden, der von derselben Ausgangslage ausgehend, denselben Weg in derselben Weise beschreitet, auch dasselbe Ergebnis ergibt" (Petersson 1988: 25, zit. nach Maier-Rabler u.a. 1991: 36).

Intersubjektivität

Reliabilität

Bei der „Reliabilität" geht es um die Zuverlässigkeit oder Verlässlichkeit, die von wissenschaftlichen Arbeiten zu fordern sind. Für Messverfahren bedeutet Reliabilität, dass sie stabil sind, dass sie z.B. bei mehrmaliger Anwendung bei demselben Personenkreis immer wieder dieselben Resultate erbringen. Eine reliable Messung setzt drei Dinge voraus:

1. Es muss Eindeutigkeit der Zuordnung eines Phänomens zu einer Merkmalsausprägung bestehen (verschiedene oder derselbe Coder sollten in einer Inhaltsanalyse einen Zeitungsartikel auf einer Dimension immer derselben Ausprägung zuordnen).
2. Ausschließlichkeit: Ein Phänomen sollte immer nur einer Merkmalsausprägung zugeordnet werden können; die Merkmalsausprägungen dürfen sich nicht überlappen.
3. Vollständigkeit: Alle vorgefundenen Phänomene müssen durch die Merkmalsausprägungen abgedeckt sein; es gibt keine nicht-zuordnungsbaren Phänomene.

Validität

„Validität" („Gültigkeit") meint, die Forschungsfrage durch den Forschungsprozess so umzusetzen, dass wirklich das erforscht oder gemessen wird, was vorgegeben wird. Im Prinzip geht es darum, das gestellte Thema durch den Forschungsprozess nicht zu verfehlen, dass tatsächlich am Thema gearbeitet wird, dass der Forscher mit seinem Vorgehen wirklich die eingangs aufgestellten Hypothesen überprüft. Die Frage ist also: Messe ich das, was ich zu messen vorgebe?

Interne und externe Validität

Bei der Validität werden oftmals interne und externe unterschieden. Mit interner Validität ist gemeint, dass der Forscher die Untersuchungsanlage so ausgestaltet, dass sich möglichst eindeutige Aussagen über den postulierten Zusammenhang ergeben. Das heißt, dass möglichst alle Störfaktoren beseitigt oder wenigstens unter Kontrolle gehalten werden. Die höchste interne Validität wird in der Regel in Experimenten erreicht. Bei der externen Validität stellt sich die Frage, ob so – u.U. in isolierter, künstlicher Umgebung – gefundene Zusammenhänge auch in der Realität existieren und von Bedeutung sind.

Formale Ansprüche

Nebst moralischen und methodischen Ansprüchen ist auch formalen Ansprüchen zu genügen. Die Erkenntnisse müssen in einer sauberen Orthografie, Zeichensetzung und Grammatik sowie in einer klaren Wissenschaftssprache dokumentiert werden. Außerdem sind die formalen Regeln bezüglich der Zitierung von Literatur einzuhalten.

3.2 Begriffe, Definitionen, Operationalisierung

Begriffe erklären

Begriffe stammen natürlicherweise aus der Alltagssprache. Um Hypothesen und andere wissenschaftliche Aussagen zu formulieren, müssen Begriffe geklärt werden, sofern sie nicht schon in der Alltagssprache eindeutig sind. Je abstrakter Begriffe sind, desto sorgfältiger müssen sie geklärt werden. Am einfachsten ist es, Dinge zu definieren, auf die gezeigt werden kann („Maus" vs. „Aggression").

Definitionen

Definitionen sind Verknüpfungen zwischen sprachlichen Zeichen im Sinne einer Gleichung. Es gibt drei Möglichkeiten zu definieren: Man kann erstens bekannt machen, in welcher Weise ein Begriff gebraucht wird (Mitteilung über die Verwendungsweise). Zweitens kann man einen Vorschlag machen, einen Begriff in einer bestimmten Weise zu verwenden, und drittens kann man eine Identitätsbehauptung zwischen Klassen von Dingen aufstellen, d.h. feststellen, dass jedes Ding mit gewissen Eigenschaften zu einem Ding von einer bestimmten Art (einer Klasse) gehört.

Typen von Definitionen
(in Anlehnung an Borz/Döring 1995: 59ff.)

Realdefinition:
Eine Realdefinition legt die Bedeutung eines Begriffes durch direkten Verweis auf konkrete reale Sachverhalte, also Objekte, Tätigkeiten etc., fest. Sie verweisen auf geeignete Beispiele. Oft werden Realdefinitionen auch gebildet, indem man die übergeordnete Gattung angibt und auf den artbildenden Unterschied verweist (z.B. Publizistikwissenschaft ist eine Sozialwissenschaft, die sich mit der Institutionalisierung und den Prozessen der Massenkommunikation befasst).

Nominaldefinition:
Eine Nominaldefinition führt einen neuen Begriff unter Verwendung und Verknüpfung bereits definierter Begriffe ein.

Real- und Nominaldefinitionen können weder wahr noch falsch sein. Sie sind lediglich eine Konvention bzw. Regel für die Verwendung einer Zeichenfolge (wie z.B. verschiedene Sprachen).

Analytische Definition:
Sie klärt einen Begriff durch die Analyse seiner Semantik und seiner Gebrauchsweise. Bedeutungsanalysen erfolgen empirisch, da sie kommunikatives Geschehen erfassen und systematisieren sollen. Bei der analytischen Definition handelt es sich nicht um das Festlegen von Konventionen, sondern um Aussagen, die empirisch überprüfbar sein sollen.

Operationale Definition:
Sie standardisiert einen Begriff durch die Angabe der Operationen, die zur Erfassung des durch den Begriff bezeichneten Sachverhaltes notwendig sind, oder durch Angabe der messbaren Ereignisse, die das Vorliegen dieses Sachverhaltes anzeigen (Indikatoren). Eine operationale Definition setzt eine ausführliche Bedeutungsanalyse des zu definierenden Begriffes voraus.

Operationalisierung

Unter Operationalisierung eines Begriffes versteht man seine Übersetzung in die Form der konkreten Verwendbarkeit im Rahmen von Forschungsoperationen, d.h. in der Regel in eine Form der Messbarkeit (z.B. Aggression = Verletzung mit Worten oder Gegenständen → Verletzende Worte? Verletzende Gegenstände?).

3.3 Hypothesen

Hypothesen sind Aussagen, keine Fragen

Unter Hypothesen werden Aussagen verstanden, in denen der Mensch versucht, etwas Beobachtbares zu klären (Seiffert 1983: 158). Hypothesen sind immer Aussagen, nicht Fragen. Ihre Funktion ist es, die Erklärung von Phänomenen einer systematischen

Prüfung zugänglich zu machen. Nach Borz und Döring (1995: 7) können wir von einer wissenschaftlichen Hypothese sprechen, wenn drei Kriterien erfüllt sind:

1. Eine wissenschaftliche Hypothese ist eine allgemeingültige, über den Einzelfall oder ein singuläres Ereignis hinausgehende Behauptung (All-Satz).
2. Einer wissenschaftlichen Hypothese muss zumindest implizit die Formalstruktur eines sinnvollen Konditionalsatzes („Wenn-dann-Satz" bzw. „Je-desto-Satz") zugrunde liegen.
3. Der Konditionalsatz muss potentiell falsifizierbar sein, d.h., es müssen Ereignisse denkbar sein, die dem Konditionalsatz widersprechen.

Aussagen über die Beziehung von Variablen

Implizit heißt das, dass erstens richtig aufgestellte Hypothesen eine Aussage über die Beziehung(en) zwischen zwei oder mehr Variablen (Dimensionen) enthalten. Zweitens müssen die behaupteten Beziehungen überprüfbar (operationalisierbar, falsifizierbar) sein. Außerdem müssen drittens auch alle in einer Hypothese vorkommenden Begriffe eindeutig sein (z.B. Zeitungen mit hoher Auflage erbringen mehr Eigenleistung als solche mit kleiner Auflage).

Logischer Operator

Hypothesen enthalten immer einen logischen Operator: „wenn-dann"; „je-desto". Sie dürfen aber nicht als Werturteile formuliert sein, d.h., die Beziehung zwischen den Variablen sollten nicht mit „besser" oder „schlechter" ausgedrückt werden (Problem der „Messlatte", der Norm).

Nur All-Sätze sind falsifizierbar

Sämtliche „Es gibt"-Formulierungen sind gemäß den Kriterien von Bortz und Döring keine wissenschaftlichen Hypothesen: Es sind keine „All-Sätze" (Kriterium 1) und sie sind in der Praxis auch nicht falsifizierbar (z.B. „Es gibt Journalisten, die nie lügen."). Auch sämtliche „Kann-Sätze" sind nicht falsifizierbar. Beispielsweise der Satz „Wer am Fernsehen viel Gewaltakte beobachtet, kann selbst gewalttätig werden" ist nicht falsifizierbar, weil jedes Ereignis mit dem Satz übereinstimmt. Er müsste formuliert werden: „Wenn

Menschen am Fernsehen viele Gewaltakte beobachten, so ist die Wahrscheinlichkeit größer, dass sie selbst gewalttätig werden, als bei Menschen die am Fernsehen wenig Gewaltakte beobachten."

Bewährung und Schwächung von Hypothesen

Hypothesen können nie endgültig verifiziert werden. Solange eine Hypothese nicht verworfen werden kann, gilt sie als richtig. Kommen weitere Forscher zum gleichen Ergebnis, so wird sie weiter gestützt („wahrer"; „sicherer"; „bewährter"). Eine Hypothese kann aber auch geschwächt werden, wenn andere Forscher diese nicht annehmen können.

Eine Forschungsfrage ist oft nicht mit Einzelhypothesen überprüfbar. Oft müssen ganze Hypothesengebilde erstellt werden.

3.4 Typen von Untersuchungsanlagen

Das spezifische Zusammenspiel von Forschungsfrage, zu erhebenden Dimensionen, Methoden der Stichprobe und Datenerhebung wird mit dem Begriff der Untersuchungsanlage oder des Forschungsdesigns beschrieben. Dabei kommen oft folgende Typen vor:

Deskriptive vs. erklärende Studien

Wenn nur Tatsachenfeststellungen gemacht werden sollen, spricht man von einer deskriptiven Studie. Erst wenn durch die Untersuchung explizit formulierte Hypothesen getestet werden, kann man von einer erklärenden Studie sprechen.

Fallstudien

Fallstudien beschränken sich auf die Analyse eines mehr oder weniger typischen Falles (z.B. eine bestimmte Zeitung) und sind darum nicht zu verallgemeinern.

Explorativstudien

Wenn vor Beginn der Untersuchung das Problem noch sehr unklar ist und erst einmal der Problembereich strukturiert und ausgelotet werden muss, empfiehlt sich die Durchführung von Explorativ- oder Vorstudien, die dann oft mit qualitativen Methoden ausgeführt werden.

Querschnitt-Untersuchungen liefern eine Momentaufnahme zu einem bestimmten Zeitpunkt. Werden Daten zu mehreren verschiedenen Zeitpunkten erhoben, um den zeitlichen Verlauf von Phänomenen zu erfassen, spricht man von Längsschnitt-, Longitudinal- oder auch Trendanalysen. Einen Spezialfall davon bildet die sog. Panel-Befragung, bei der immer dieselben Personen zu mehreren Zeitpunkten befragt werden.

Querschnitt- vs. Längsschnittstudie

Panel-Befragung

Angesichts der steigenden Kosten für Datenerhebungen werden häufiger Daten, die zu einem anderen Zeitpunkt und einem andern Zweck (Primäranalyse) erhoben wurden, reanalysiert. Man spricht dann von Sekundäranalysen.

Primär- vs. Sekundärstudie

Um eine Replikation handelt es sich, wenn eine einmal gemachte Untersuchung in gleicher oder ähnlicher Weise an einer anderen Population wiederholt wird.

Replikation

Die Abklärung von kausalen Zusammenhängen erfordert hoch formalisierte und standardisierte Versuchsbedingungen, bei denen außer nur ganz wenigen variablen Dimensionen die übrige Situation möglichst konstant gehalten wird. Dies erfordert oft eine Laborsituation mit Stimulusbedingung und Kontrollgruppe.

Experiment

Bei einer Feldstudie werden die Untersuchungsobjekte in ihrer normalen, natürlichen Umgebung studiert. Bei Fachleuten hört man oft, dass eine Studie „ins Feld" gehe, wenn sie soweit fortgeschritten ist, dass man die Datenerhebung durchführen kann.

Feldstudie

3.5 Datenerhebungsmethoden

Prinzipiell gibt es drei Möglichkeiten, Daten kontrolliert über den sozialwissenschaftlichen Untersuchungsgegenstand zu erheben: Befragung, Beobachtung und Inhaltsanalyse. Jede davon hat ihre spezifischen Vor- und Nachteile. Wichtig ist, diese gegeneinander abzuwägen, d.h. von der Forschungsfrage und nicht von der Methode auszugehen.

Reaktivität

Datenerhebungsmethoden unterscheiden sich auch bezüglich ihrer Reaktivität, d.h. inwieweit der Vorgang der Datenerhebung die natürliche Situation um das Forschungsobjekt verändert und so die Messung zwingend verfälscht (vgl. auch „Heisenberg'sche Unschärfebeziehung" in der Physik). In den Sozialwissenschaften sind immer wieder sog. nicht-reaktive Verfahren diskutiert worden, z.B. die „Lost-Letter"-Technik, die das Image von Institutionen messen soll.

3.5.1 Befragung

Die Datenerhebungsmethode der Befragung wird in den Sozialwissenschaften am häufigsten verwendet, weil sie durch den Forscher leicht und kontrolliert eingesetzt werden kann.

Bei der Befragung kann jede Frage als Reiz (Stimulus) und die Antwort als Reaktion (Response) verstanden werden. Jede Frage erfordert vom Befragten ein Urteil darüber, wie er Umweltobjekte bzw. seine eigenen Haltungen gegenüber diesen Objekten erlebt (vgl. Abb. 3). Hauptproblem der Befragung ist, ob aus den Antworten, die oft auf der Einstellungsebene erfolgen, auch auf konkretes Verhalten geschlossen werden kann.

Abbildung 3 Befragungssituation

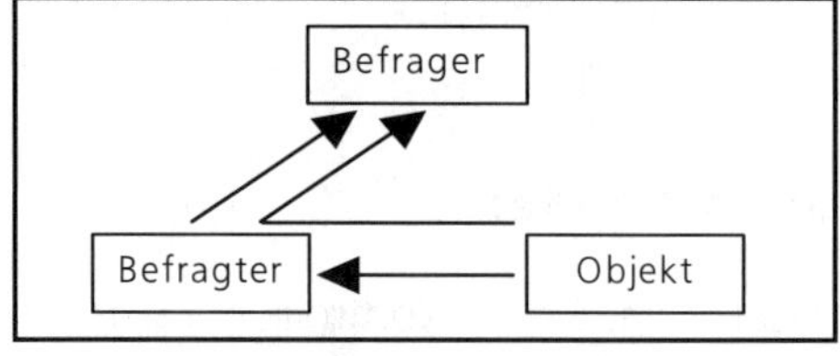

Mündlich vs. schriftlich

Befragungen können mündlich oder schriftlich erfolgen. Bei der mündlichen Form stellt ein Befrager die Fragen und leitet durch das Interview. Das kann in einer „Face-to-Face"-Situation oder auch telefonisch erfolgen. Bei der schriftlichen Form füllen die Befragten den Fragebogen selbst aus, ohne die Assistenz einer zweiten Person.

Standardisiert vs. nichtstandardisiert

Befragungen können relativ frei nach einem groben Leitfaden durchgeführt werden. Den Interviewern sind dann nur die inhaltlichen Punkte vorgegeben, die das Gespräch aufzugreifen hat. Bei der standardisierten Form hingegen sorgt man dafür, dass die ganze Befragungssituation möglichst genormt ist und die Antwortmöglichkeiten jeweils fest vorgegeben sind.

3.5.2 Beobachtung

Problem der Interaktionseffekte

Die Beobachtung des Untersuchungsgegenstandes ist eine weitere sehr fruchtbare Möglichkeit der Datenerhebung. Das Hauptproblem dabei ist, die Beobachtung so zu gestalten, dass möglichst keine Interaktionseffekte zwischen Beobachtern und Beobachteten auftreten (vgl. Reaktivität). Je verdeckter die Beobachtung stattfindet, desto größer sind aber die ethischen Probleme der „Überwachung".

Hoher Zeitaufwand

Die Methode der Beobachtung hat in der Publizistikwissenschaft nie die Bedeutung erlangt wie die anderen Methoden. Nebst dem Reaktivitätsproblem hat dafür sicher v.a. der dafür notwendige hohe Zeitaufwand eine Rolle gespielt. Frühere Anwendungen finden wir in Redaktionsstudien der Gatekeeper-Forschung, neuere in der Beobachtung des Familienverhaltens vor dem Fernseher respektive in ethnographischen Studien, in denen Mediennutzung als normatives Verhalten oder als modernes „Brauchtum" studiert wird.

3.5.3 Inhaltsanalyse

Stellenwert

Die Inhaltsanalyse ist in der Publizistikwissenschaft von großer Bedeutung als Forschungstechnik für die objektive, systematische und quantitative Beschreibung des manifesten Inhalts einer Kommunikation in Form von Texten, Sendungen oder aufgezeichneten bzw. transkribierten Gesprächen.

Vorteile

Als Vorteil der Inhaltsanalyse gilt, dass sie auf Material beruht, das unabhängig vom Forscher – u.U. auch routinemäßig, wie z.B. Zeitungsartikel – produziert wird, also nicht erst auf Intervention des Forschers hin anfällt, wie etwa bei der Befragung. Dadurch wirkt die Inhaltsanalyse meistens nicht reaktiv. Dies bringt aber auch den Nachteil mit sich, dass das Material nicht für den Analyseprozess vorstrukturiert ist. Dadurch wird die Kategorienbildung oft schwierig und mit zunehmender Tiefe der Analyse wird z.T. die Reliabilität der Vercodung problematisch. Durch die Art und Verfügbarkeit des Materials ist aber die Inhaltsanalyse zeitlich und örtlich weniger gebunden als andere Datenerhebungsverfahren. Weitere Probleme ergeben sich aus dem Anspruch, die Intersubjektivität des Codierungsprozesses zu gewährleisten.

Nachteile

Definitionen

„Die Inhaltsanalyse ist eine empirische Methode zur systematischen, intersubjektiv nachvollziehbaren Beschreibung inhaltlicher und formaler Merkmale von Mitteilungen" (Früh 1991: 24).

„Inhaltsanalyse ist eine Methode zur Erhebung sozialer Wirklichkeit, bei der von Merkmalen eines manifesten Textes auf Merkmale eines nichtmanifesten Kontextes geschlossen wird" (Merten 1995: 59).

Zielsetzung

Das Ziel der Inhaltsanalyse besteht in der Reduktion von Komplexität und Vielfalt bzw. Menge der vorliegenden Information, insofern an den untersuchten Texten nur wenige, aber hypothesenrelevante Merkmale betrachtet werden: Selektivität und Perspektive. Im Unterschied zu Früh betont Merten nicht nur die Deskription, sondern auch die Inferenz als Zielsetzung der Inhaltsanalyse: Sie soll Schlussfolgerungen vom Text auf den Kommunikator, auf den Rezipienten und auf den Kontext ermöglichen.

Das Spektrum der Typen der Inhaltsanalyse erstreckt sich von stark quantitativ ausgerichteten (nur manifeste Inhalte registrierende) bis zu stark qualitativ interpretierenden Typen (zur Analyse von Medienprodukten vgl. Bonfadelli/Leonarz/Süss i.d.B.).

3.6 Stichproben

Die Beweiskraft der Alltagserfahrung ist gering, weil sie nur auf beschränkten und v.a. unsystematisch gemachten Erfahrungen beruht. Es ist darum notwendig, zuerst den Geltungsbereich von Theorie und Hypothesen möglichst genau festzulegen.

Geltungsbereich

In einem zweiten Schritt muss überlegt werden, welche Grundgesamtheit, oder bei Befragungen welche Population, auf der Ebene der Daten diesem Geltungsbereich entspricht; z.B. das fest angestellte Redaktionspersonal der deutschsprachigen Tageszeitungen der Schweiz.

Grundgesamtheit

Außer in kleinen Grundgesamtheiten ist eine Vollerhebung meistens nicht sinnvoll, es sei denn, dies sei gerade der Zweck der Erhebung, wie z.B. bei der eidgenössischen Volkszählung. Oft liefern Vollerhebungen sogar weniger präzise Daten, weil die einzelnen Arbeitsschritte nicht so sorgfältig durchgeführt werden können. Beispielsweise können Interviewer unzureichend ausgebildet sein, ihre Arbeit kann weniger gut überwacht werden, Ausfälle können nicht nachbearbeitet werden usw. In den meisten empirischen Untersuchungen wird darum mit Teilerhebungen gearbeitet.

Voll- vs. Teilerhebung

Eine Teilerhebung erfordert die Bildung einer Stichprobe. In der Regel soll die Stichprobe ein repräsentatives, also verkleinertes Muster der Grundgesamtheit erzeugen. Die Stichprobentheorie, die im Wesentlichen auf der Wahrscheinlichkeitstheorie basiert, liefert die Grundlagen und die Anweisungen dazu.

Stichprobe

Wahrscheinlichkeitsauswahlen (Zufallsauswahlen) ermöglichen den statistischen Repräsentativschluss von der Stichprobe auf die Grundgesamtheit. Es können Fehlertoleranzen (Vertrauensbereiche) berechnet werden, die zum Schluss auf die Grundgesamtheit zu

Wahrscheinlichkeitsauswahlen

berücksichtigen sind. Andere Auswahlverfahren, die nicht auf dem systematischen Zufallsprinzip beruhen, z.B. Quotastichproben, entbehren jeder statistischen Grundlage, womit kein gültiger Repräsentativschluss mehr möglich ist.

Stichprobengröße

Die Genauigkeit der Resultate hängt in erster Linie von der Stichprobengröße ab. Der Stichprobenfehler verkleinert sich nicht etwa linear zur Größe, sondern im Verhältnis zur Quadratwurzel. Eine Verdoppelung der Stichprobengröße erhöht also die Genauigkeit nur rund um den Faktor 1.4. In der Praxis spielen auch noch andere Faktoren eine Rolle für die Festlegung der Stichprobengröße, so etwa forschungsökonomische Aspekte und die nötige Aufgliederung des Zahlenmaterials. Es ist auch auf das Problem zu verweisen, dass fast immer mit Ausfällen bei der Erhebung des Datenmaterials zu rechnen ist: Bei Befragungen handelt es sich um Verweigerungen, Abwesenheiten, Todesfälle etc., bei Inhaltsanalysen um nicht greifbares Material, nicht gefundene Artikel zum untersuchten Thema etc.

3.7 Datenauswertung

Die Daten werden unter Anwendung adäquater Messinstrumente bei der gewählten Stichprobe erhoben. Wenn nicht bereits bewährte Messinstrumente verwendet werden, so ist die Durchführung eines Pretests angezeigt.

Datenerfassung

Vercodung

Die Forschung endet nicht mit der Sammlung von Daten. Diese müssen auf computerlesbare Datenträger übertragen werden. Bei diesem Schritt der Datenübertragung erfolgt in der Regel eine Zuordnung von Zahlen zu den Kategorien.

Data-Cleaning

Index-Bildung

Es folgt dann der Schritt des „Data-Cleaning": Prüfung auf richtige Datenerfassung, Fehlersuche durch logische Tests etc. Die einzelnen Indikatoren müssen zu den entsprechenden Indices zusammengefasst werden (Datentransformation, Skalenanalyse). Diese Arbeiten müssen sehr sorgfältig gemacht werden, denn Fehler in dieser Phase wirken sich systematisch und nicht zufällig auf die Ergebnisse der Untersuchung aus.

Messen in den Sozialwissenschaften bedeutet in seiner einfachsten Form: Zuordnung von Werten zu Sachverhalten. Damit unterscheidet es sich von der Alltagsvorstellung von Messen: Anlegen eines Maßstabes, Messen von Zeit mit der Uhr etc. Sozialwissenschaftliche Skalen können unterschiedliche Informationsniveaus haben. Folgende Skalenniveaus werden unterschieden: Datenniveau

Nominal:
Die Zuordnung von Zahlen ist willkürlich. Die Ausprägungen schließen sich nur logisch aus. Das Kriterium ist: Gleichheit – Verschiedenheit.

Zum Beispiel: (1) Ja – (0) Nein; (1) männlich – (2) weiblich.

Ordinal:
Die Ausprägungen lassen sich inhaltlich in eine Rangordnung bringen. Das Kriterium ist: größer – kleiner.

Zum Beispiel: (0) nie (1) selten (2) häufig.

Intervall:
Zusätzlich zu den Bedingungen der Ordinalskala müssen die Abstände zwischen den Ausprägungen gleich groß sein. Kriterium ist die Gleichheit der Intervalle, wobei der Nullpunkt willkürlich gesetzt wird.

Zum Beispiel: Intelligenzquotient, Grad Celsius.

Ratio:
Zusätzlich zu den Bedingungen der Intervallskala kommt ein Nullpunkt dazu, der einen empirischen Sinn hat.

Zum Beispiel: Alter, Gewicht, Zeit, Artikelfläche.

Es ist nun unerlässlich, dass man sich spätestens an diesem Punkt klar wird über das Skalenniveau der zu analysierenden Daten. Statistische Verfahren dürfen nur auf das adäquate Datenniveau an- Klarheit über das Datenniveau gewandt werden. Beispielsweise hat es keinen Sinn, ein arithmetisches Mittel zu berechnen, wenn es sich um Ordinaldaten handelt, denn dessen Anwendung bedingt mindestens Intervalldaten, also Äquidistanz der Ausprägungen.

Datenauswertung

Deskriptive Analyse

Jede Analyse von Daten beginnt mit der Deskription. Zuerst werden die Verteilungen der Werte auf den einzelnen Variablen studiert (Mittelwerte, Streuungsmaße). Weiter werden Beziehungen zwischen den Variablen untersucht (Korrelationskoeffizienten) und durch Drittvariablen entstehende oder verdeckte Zusammenhänge transparent gemacht.

Schließende Statistik

Handelt es sich um Daten aus einer Stichprobe, so muss mittels sog. schließender Statistik auf die Grundgesamtheit zurückgeschlossen werden (Signifikanztests, Vertrauensintervalle). Oft geht es auch um den Vergleich verschiedener Stichproben: Können festgestellte Unterschiede durch die Zufälligkeiten der Stichprobenziehung entstanden sein oder sind sie derart signifikant, dass man mit großer Sicherheit annehmen kann, diese bestehen auch in der Grundgesamtheit?

Multivariate Verfahren

Oftmals haben wir es mit sehr vielen Dimensionen mit vielfältigen bivariaten Zusammenhängen zu tun. Eine Gruppe von Analysetechniken hilft, diese Zusammenhänge zu ordnen. Faktorenanalyse und MDS (Multidimensionale Skalierung) sind empirische Verfahren, die helfen, dahinterliegende, allgemeinere Dimensionen aufzudecken und Gruppen von Variablen auf diese Dimensionen zu reduzieren. Clusteranalysen helfen, ähnliche und unähnliche Untersuchungseinheiten oder Variablen zu gruppieren oder zu trennen. Viele der multidimensionalen Verfahren erlauben auch eine räumliche Darstellung der Resultate.

Generell müssen die statistischen Techniken als Mittel betrachtet werden. Ziel der Analysen ist immer zu zeigen, ob und wie die erhobenen Daten die formulierten Hypothesen stützen oder nicht. Im negativen Fall ist in Form einer Interpretation in einem letzten Schritt zu überprüfen, wieso es etwa zu abweichenden Resultaten hat kommen können und welche praktischen und theoretischen Konsequenzen sich daraus ergeben.

3.8 Übersicht über die Phasen des Forschungsprozesses

Alltagsprobleme und Wissenschaft

Wissenschaftliches Handeln als Forschung steht im Zusammenhang von sozialen Problemen, zu deren Verständnis und Lösung es beitragen soll. Soziale Probleme liegen dann vor, wenn ein Widerspruch zwischen gesellschaftlichen Zielvorstellungen (Soll-Zustand) und der tatsächlich vorhandenen sozialen Situation (Ist-Zustand) besteht und auch wahrgenommen wird. Problembewusstsein und Änderungswille führen zu Fragen nach den Ursachen des Problems als Erklärungsversuch und zur Suche nach Problemlösungen. Oft auch ist Forschung nicht durch ein Problem, sondern durch einen Auftrag (angewandte Auftragsforschung) oder durch primär theoretisches Interesse (Grundlagenforschung) initiiert.

Phasen des Forschungsprozesses

Betrachtet man den idealtypischen Ablauf eines empirischen Forschungsprojektes wie er in Abbildung 4 dargestellt ist, so sind drei wichtige Phasen zu unterscheiden:

1. Entdeckungszusammenhang
2. Begründungszusammenhang
3. Verwertungszusammenhang

Entdeckungszusammenhang

Der Entdeckungszusammenhang besteht aus dem Ausgangspunkt der Forschung, z.B. einem sozialen Problem und der darauf folgenden Suche nach Ursachen und Erklärungsmöglichkeiten. Diese Phase ist kreativ und mündet in der Formulierung von Hypothesen, die zusammen eine Theorie bilden.

Abbildung 4 Forschungsablauf

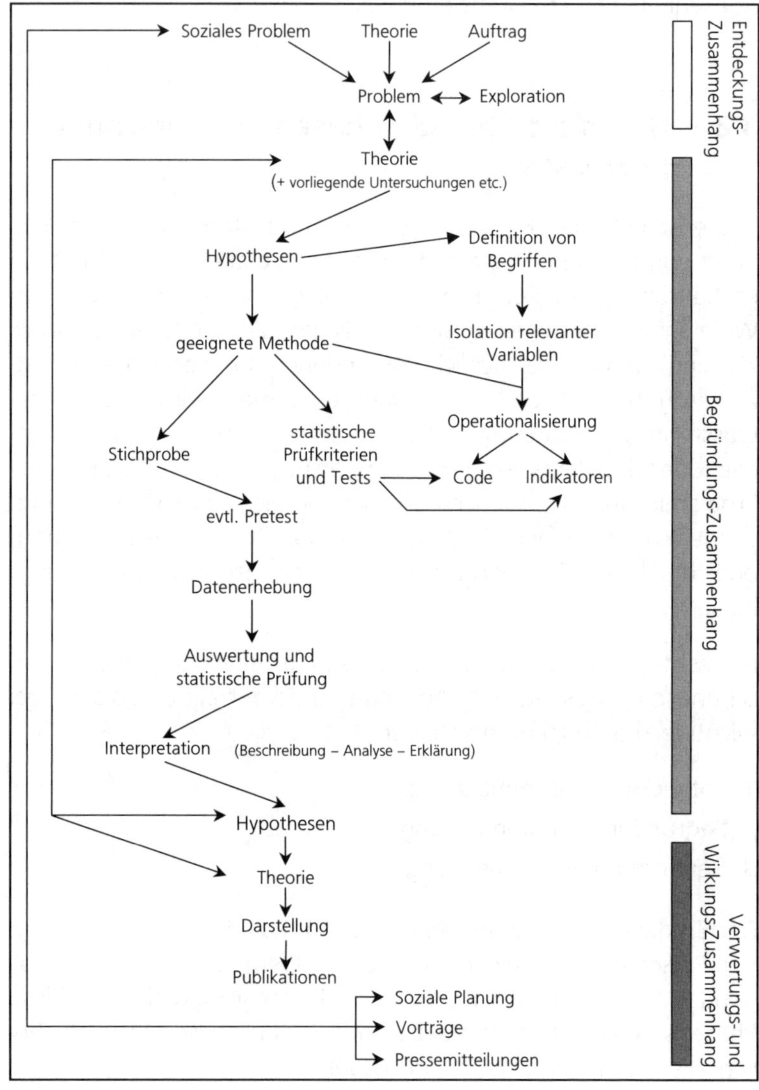

Quelle: Friedrichs 1990

In einem zweiten Schritt, dem Begründungszusammenhang, müssen Hypothesen und Theorie so in Beziehung zur Empirie gesetzt werden (Operationalisierung), dass mittels geeigneter Methoden anhand einer bestimmten Stichprobe die Hypothesen überprüft werden können. In dieser Phase geschieht die ganze Grob- und Feinplanung des Forschungsprojektes bis hin zur Datenerfassung und -auswertung.

Begründungszusammenhang

Der letzte Schritt im Forschungsablauf besteht aus dem Erstellen des Forschungsberichts. Immer wichtiger wird auch die Planung von Öffentlichkeit und die Umsetzung der Erkenntnisse in die konkrete Praxis.

Verwertungszusammenhang

Der Forschungsablauf spiegelt sich dementsprechend im Forschungsbericht respektive in der Publikation. Alle wichtigen Forschungsschritte sind dabei zu dokumentieren, um das Postulat der intersubjektiven Überprüfbarkeit zu gewährleisten.

Forschungsbericht

4 Methodenpraxis beim qualitativen Ansatz

4.1 Forschungsablauf

Qualitative Verfahren zeichnen sich im Gegensatz zu quantitativen durch erhöhte Offenheit gegenüber dem untersuchten Gegenstand aus. Dieser Anspruch wirkt sich auch auf die Methodenpraxis, d.h. den konkreten Ablauf eines Forschungsprojekts, aus. Entdeckungs-, Begründungs- und Verwertungszusammenhang sind nicht klar zeitlich getrennt, sondern gehen ineinander über, können sogar innerhalb eines Forschungsvorhabens in mehreren Schleifen durchlaufen werden. Offenheit gegenüber dem untersuchten Gegenstand bedingt auch Offenheit beim methodischen Vorgehen.

Offenheit

Die Methodenpraxis, d.h. der konkrete Ablauf eines Forschungsprojektes, sieht innerhalb des qualitativen Ansatzes anders aus als

Ablauf beim qualitativen Vorgehen

im quantitativen. Flick (1995: 172) gliedert den Ablauf eines qualitativen Forschungsprojekts in die folgenden acht Stationen, bei denen Entscheidungen vorgenommen werden müssen:

1. Klärung des Verhältnisses von Theorie und Gegenstand
2. Entwicklung der Fragestellung und der Forschungsperspektiven
3. Annäherung an das Feld
4. Sammlung der Daten (Datenerhebung)
5. Fixierung der Daten (Datenaufbereitung)
6. Interpretation der Daten (Datenauswertung)
7. Geltungsbegründung
8. Forschung als Diskurs

Klärung der Beziehung von Theorie und Gegenstand

In einem ersten Schritt geht es um die Klärung des Verhältnisses von Theorie und Gegenstand, also um die Entscheidung, ob erste explizite Hypothesen entwickelt oder eher mit „sensibilisierenden Konzepten" („sensitizing concepts") (Denzin 1970) gearbeitet werden soll, von denen angenommen wird, dass sie für den untersuchten Kontext von Bedeutung sind. Anschließend müssen die genaue Fragestellung sowie mögliche Forschungsperspektiven entwickelt werden. Im dritten Schritt nähert sich der Forscher dem zu untersuchenden Feld und handelt seine Rolle im Feld, d.h. seinen Status als Fremder, aus. Im vierten Schritt geht es um die Sammlung der Daten, also die Entscheidung für eine bestimmte Methode der Datenerhebung, z.B. Beobachtung, Gruppendiskussion, Interview. Die Daten werden im fünften Schritt durch Aufzeichnung und evtl. Transkription fixiert. Der dadurch entstandene Text ist nun die neue Realität, welche im sechsten Schritt interpretiert und deren Geltungsbegründung im siebten Schritt erarbeitet, d.h. vor dem Hintergrund von Gütekriterien diskutiert wird. Das Projekt wird mit dem achten Schritt abgeschlossen, bei dem den Beforschten eine Rückmeldung gegeben wird über die gewonnen Erkenntnisse (kommunikative Validierung). Aus diesem Diskurs mit den Beforschten kann die Interpretation noch einmal verändert werden. Zur achten Phase des Forschungsprozesses gehört auch die Dokumentation des gesamten Forschungsablaufs sowie die Reflexion darüber.

4.2 Erhebungsverfahren

Sowohl im quantitativen als auch im qualitativen Ansatz lassen sich die methodischen Verfahren unterteilen in Erhebungsverfahren, Aufbereitungsverfahren sowie Auswertungsverfahren. Diese Gruppierung lässt sich weiter verfeinern (Mayring 1999):

Erhebungsverfahren:

- Interview
- Gruppendiskussionen (Fokusgruppen)
- Beobachtung
- Inhaltsanalyse

Aufbereitungsverfahren:

- Protokollierung
- Transkription
- Kategorisierung

Auswertungsverfahren (nur Auswahl):

- Gegenstandsbezogene Theoriebildung („Grounded Theory")
- Objektive Hermeneutik
- Typenbildung

Die Datenerhebungsverfahren wurden bereits in Abschnit 3.5 beschrieben, weshalb sie hier nicht weiter ausgeführt werden. Eine Übersicht gibt auch Lamnek (1995b).

4.3 Aufbereitungsverfahren

Im Rahmen der oben beschriebenen Datenerhebungsverfahren müssen durch geeignete Dokumentationsverfahren sog. Rohdaten erhoben werden. Solche Rohdaten können einerseits durch Technik quasi automatisch erhoben (Ton- und Bildaufnahmen) oder andererseits durch die Forschenden manuell aufgenommen werden, z.B. in Form von Feldnotizen. Diese Rohdaten müssen durch Aufbereitungsverfahren in einen neuen, einfacher handhabbaren Datentypus überführt werden. Bei all diesen Aufbereitungsverfahren findet eine Reduktion der Daten auf die Elemente statt, die für das Erkenntnisziel von Bedeutung sind. Das Ausmaß der Datenreduktion ist am größten, wenn die Rohdaten direkt bestimmten Kategorien, z.B. eines Beobachtungsschemas, zugeordnet werden. Eine mittlere Datenreduktion findet bei der Protokollierung statt, d.h. einer zusammenfassenden Niederschrift. Die geringste Datenreduktion stellt die Transkription dar, d.h. die vollständige Abschrift eines Diskussionsverlaufs.

Zunehmende Abstraktion

Protokolle und Transkriptionen sind Texte, welche für weitere Aufbereitungs- und Auswertungsschritte zur Verfügung stehen. Im qualitativen Ansatz erfolgt dies in der Regel durch ein schrittweises Vorgehen, bei dem zentrale Aussagen paraphrasiert, d.h. aus der situations- und interviewspezifischen Formulierung in eine allgemeinere Form gebracht werden. Das schrittweise Vorgehen ist verbunden mit einer zunehmenden Abstraktion vom Forschungskontext und einer zunehmenden Reduktion des Datenmaterials.

4.4 Auswertungsverfahren

Große Datenmengen zu reduzieren

Qualitative Verfahren können sehr schnell große Datenmengen erzeugen. Dies ist die Herausforderung für die Auswertung, bei der das umfangreiche Datenmaterial auf wenige zentrale Dimensionen reduziert werden muss. Zur Auswertung von qualitativen Daten sollen im Folgenden drei Verfahren vorgestellt werden.

4.4.1 Gegenstandsbezogene Theoriebildung („Grounded Theory")

Bei gegenstandsbezogener Theoriebildung (Glauser/Strauss 1967) werden bereits während der Datenerhebung Schritte der Konzept- und Theorieentwicklung vorgenommen. Zentrales Arbeitsinstrument sind dabei „Merkzettel" („Memos"), die während der Feldarbeit angefertigt werden. Die Handlungsanweisung an die Forschenden heißt denn auch „stop and memo": ein immer wieder vorgenommener Rückzug aus der Teilnehmerrolle in die des distanzierten Beobachters, der über die beobachtete Situation reflektiert. Memos können weiterverarbeitet werden als Grundlage für die Bildung von Kategorien sowie als Impuls für die gezielte weitere Datenerhebung.

„stop and memo"

4.4.2 Typenbildung

Typenbildung ist ein Verfahren, das eine lange Tradition in den Sozialwissenschaften hat. Bereits um die Jahrhundertwende (19./ 20.Jh.) hat der Soziologe Max Weber wesentliche Teile seines Werks mit Hilfe der Methode des Idealtypus ausgearbeitet (Weber 1904). In der empirischen Forschung geht es in der Regel weniger um die Identifikation von Ideal- als vielmehr um Realtypen, die im wirklichen Leben zu beobachten und zu befragen sind.

Die Bildung von Typen (Personen, Situationen, Verhaltensweisen etc.) hat dabei die Funktion der Datenreduktion. Kriterien zur Typenbildung können unterschiedlicher Art sein und sich auf die Häufigkeit (häufig vs. selten), die Übereinstimmung mit theoretischen Vorstellungen und Idealtypen, aber auch der Grad der Extremität auf einer bestimmten Dimension sein. Typenbildung muss kontrolliert erfolgen, d.h., die Dimensionen der Typenbildung müssen in einem ersten Schritt festgelegt und anschließend beim Durchgang durch das empirische Material überprüft und verfeinert werden.

4.4.3 Objektive Hermeneutik

Objektive Sinnstrukturen erschließen

Ziel der objektiven Hermeneutik nach Oevermann (1979, zitiert nach Mayring 1999: 98 ff.) ist es, die hinter den subjektiven Bedeutungen stehenden objektiven Sinnstrukturen zu erschließen.

Ausgehend von einer bestimmten Fragestellung wird das zu untersuchendende Material in einer sequentiellen Feinanalyse in Interakte unterteilt, die einzeln interpretiert werden. Bei jedem Interpretationsvorgang werden Gedankenexperimente eingebaut, d.h. unabhängig vom empirischen Material werden alle möglichen Bedeutungen festgehalten. Im folgenden Schritt wird dann der nächste Interakt untersucht und aus den vorher erarbeiteten möglichen Bedeutungen eine begrenzte Zahl von tatsächlichen Bedeutungen ausgewählt. Durch dieses Vorgehen kann mehr und mehr abstrahiert werden von der Subjektivität der Handelnden, aber auch des Forschenden, und die objektive Struktur der untersuchten Handlung kann identifiziert werden. Um die Intersubjektivität der Auswertung zu gewährleisten, wird das Verfahren der objektiven Hermeneutik in einer Gruppe von mehreren Interpreten durchgeführt. Das Verfahren ist sehr zeitintensiv und führt zu Interpretationen, die wesentlich umfangreicher sind als es der interpretierte Text selber ist. Zentral ist deshalb auch die Frage, welcher Ausschnitt aus den in der Regel umfangreichen Rohdaten überhaupt einem solchen intensiven Interpretationsverfahren unterworfen werden soll.

4.5 Gütekriterien qualitativer Forschung

Eigene Gütekriterien

Qualitative Verfahren stehen in kritischer Distanz zu den Gütekriterien der quantitativen Verfahren und haben aus diesem Grund auch eigene Gütekriterien entwickelt. Mayring (1999: 119) unterscheidet die folgenden sechs Gütekriterien, die allgemein für qualitative Forschung angewandt werden können:

a) Verfahrensdokumentation

Da in qualitativen Untersuchungen nicht standardisierte Methoden verwendet werden, sondern Methoden dem jeweiligen Gegenstand angepasst werden, ist eine detaillierte und auch für Außenstehende nachvollziehbare Verfahrensdokumentation notwendig.

b) Argumentative Interpretationsabsicherung

Interpretationen spielen eine entscheidende Rolle in qualitativ orientierten Ansätzen. Interpretationen können zwar nicht bewiesen werden, ihre Qualität muss aber dennoch nachvollziehbar sein. Dazu gehört die Offenlegung des Vorverständnisses, die Schlüssigkeit der Interpretation sowie die Diskussion von möglichen Alternativdeutungen.

c) Regelgeleitetheit

Qualitative Forschung zeichnet sich zwar durch Offenheit gegenüber dem untersuchten Gegenstand aus. Das methodische Vorgehen muss aber dennoch geplant und systematisch durchgeführt werden. Ausnahmen und Weiterentwicklungen der selbst auferlegten Regeln müssen dokumentiert und begründet werden.

d) Nähe zum Gegenstand

Qualitative Forschung bemüht sich um Nähe zum Gegenstand, zur Alltagswelt der Beforschten. Da qualitative Forschung häufig bei konkreten sozialen Problemen ansetzt, ist denn auch die Nützlichkeit der Forschung für die Betroffenen ein wichtiges Qualitätskriterium, dessen Erreichung überprüft werden sollte.

e) Kommunikative Validierung

Legt man die Forschungsergebnisse und Interpretationen den Beforschten vor und diskutiert mit ihnen deren Gültigkeit, so wird dieses Vorgehen unter dem Begriff der kommunikativen Validierung zusammengefasst. Dieses kann nicht das einzige Kriterium sein, da sonst Sozialforschung bei den subjektiven Bedeutungsstrukturen der Betroffenen stehen bleiben würde. Allerdings drückt sich in diesem Vorgehen eine Grundhaltung qualitativer Forschung aus, welche die Betroffenen nicht als Datenlieferanten, sondern wie der Forscher selber als denkende Subjekte betrachtet.

f) Triangulation

Der Begriff der Triangulation als Gütekriterium qualitativer Forschung wurde von Denzin (1970) im Sinn einer Metapher eingeführt. Im nicht-metaphorischen Sprachgebrauch wird in der Geometrie unter Triangulation jenes Verfahren verstanden, bei dem mit Hilfe von mehreren Messungen innerhalb eines Dreiecks die Lage eines Punktes genau bestimmt werden kann. Im übertragenen Sinne wird damit in der Sozialforschung der Versuch verstanden, durch die Einnahme mehrerer Forschungsperspektiven (Erhebungsmethoden, Auswertungsverfahren, Interpretationen etc.) den untersuchten Gegenstand in seiner Vielfalt besser charakterisieren zu können (vgl. auch Triangulation zu quantitativen Verfahren).

5 Kombination von quantitativen und qualitativen Verfahren

Oft kombinierte Verfahren

Dieser Beitrag hat einen Überblick gegeben zu den quantitativen und den qualitativen Forschungsmethoden, die zwei wesentliche Paradigmen innerhalb der Sozialwissenschaft bilden. Wir haben allerdings bereits am Anfang festgehalten, dass in der Forschungspraxis die hier vorgenommene klare Trennung vielfältig durchbrochen wird und dass quantitative und qualitative Verfahren durchaus miteinander kombiniert werden. Im Wesentlichen lassen sich zwei Formen der Kombination unterscheiden, nämlich das Phasenmodell und das Triangulationsmodell (Kelle/Erzberger 1999).

Phasenmodell

Im Phasenmodell werden qualitative und quantitative Verfahren hintereinander geschaltet. Qualitative Verfahren kommen dabei in der Explorationsphase (Entdeckungszusammenhang) zum Einsatz, während quantitative Verfahren nach wie vor im Begründungszusammenhang eingesetzt werden. Die Kombination der zwei Verfahrenstypen geschieht aus der Einsicht heraus, dass Sozialforschende häufig über zu wenig Alltagskenntnisse und Vertrautheit mit einem zu untersuchenden sozialen Feld verfügen, als dass sie in der Lage wären, sinnvolle Hypothese zu bilden, welche quantitativ überprüft werden sollten. Durch die Vorschaltung von qualitativen Verfahren, z.B. Tiefeninterviews, wird der Prozess der Theorie- und Hypothesenbildung angeregt und – im Sinne der gegenstandsbezogenen Theoriebildung (Glaser/Strauss 1967) – auch empirisch besser verankert.

Eine konsequente Anwendung des Phasenmodells muss zweifelsohne als Fortschritt in der oft unfruchtbaren Auseinandersetzung zwischen den zwei Ansätzen gewertet werden. Allerdings beschränkt sich im Phasenmodell die Beschreibung der angewandten qualitativen Verfahren oft auf weniger als das notwendige Minimum, indem nur gerade erwähnt wird, dass solche Verfahren eingesetzt wurden, ohne irgendwelche Hinweise zum methodischen Vorgehen zu machen.

Triangulation

Im Gegensatz zum Phasenmodell werden im Triangulationsmodell qualitative und quantitative Verfahren als gleichwertige Forschungsinstrumente eingesetzt. Der Begriff der Triangulation ist dabei vieldeutig: Wird mit der Triangulation eine gegenseitige Validierung der beiden Messverfahren angestrebt, so muss mit beiden Verfahren derselbe Aspekt desselben Gegenstands untersucht werden. In diesem Fall kommen die jeweiligen Forschungsinstrumente mehr oder weniger gleichzeitig zum Einsatz. Triangulation kann aber auch in dem Sinne definiert werden, dass von demselben Forschungsgegenstand mit Hilfe von quantitativen und qualitativen Verfahren unterschiedliche Aspekte erhoben werden. Ähnlich wie in der Architektur wird dabei der untersuchte Gegenstand aus verschiedenen Perspektiven betrachtet. Bildlich gesprochen ist der Wechsel der Perspektive vergleichbar mit dem Austausch der jeweiligen Methodenbrille, wodurch Einblicke in blinde Flecken der jeweils anderen Perspektive gewonnen werden können. Diese Perspektiven stehen nicht in einem Konkurrenzverhältnis zueinander, in dem Sinne, dass eine Perspektive wirklichkeitsnäher wäre als die andere, sondern vielmehr in einem Komplementaritätsverhältnis, d.h., sie ergänzen sich gegenseitig.

Literatur

Bellwald, Waltraut/Hättenschwiler, Walter/Würsch, Roman (1991): Blätterwald Schweiz. Zahlen und Fakten zur Zeitungsstruktur. Zürich.

Berger, Peter L./Luckmann, Thomas (1969): Die gesellschaftliche Konstruktion der Wirklichkeit. Frankfurt/M.

Böhme, Gernot (1980): Alternativen der Wissenschaft. Frankfurt/M.

**Bortz, Jürgen (1999): Statistik für Sozialwissenschaftler. (5. Aufl.) Berlin u.a.

**Bortz, Jürgen/Döring, Nicola (1995): Forschungsmethoden und Evaluation. Berlin, Heidelberg.

**Deacon, David u.a. (1999): Researching Communications. A Practical Guide to Methods in Media and Cultural Analysis. London.

Denzin, Norman K. (1970): The Research Act. New York.

**Denzin, Norman K./Lincoln, Yvonna S. (1998a): The Landscape of Qualitative Research: Theories and Issues. London.

**Denzin, Norman K./Lincoln, Yvonna S. (1998b): Collecting and Interpreting Qualitative Materials. London.

**Denzin, Norman K./Lincoln, Yvonna S. (Hg.) (1994): Handbook of Qualitative Research. London.

Diltey, Wilhelm (1961): Die Philosophie des Lebens. Eine Auswahl aus seinen Schriften. Stuttgart, Göttingen.

*Flick, Uwe (1995): Stationen des qualitativen Forschungsprozesses. In: Flick, Uwe u.a. (Hg.): Handbuch Qualitative Sozialforschung. Grundlagen, Konzepte, Methoden und Anwendungen. Weinheim, S. 148-173.

Friedrichs, Jürgen (1990): Methoden empirischer Sozialforschung. Opladen.

Früh, Werner (1991): Inhaltsanalyse. Theorie und Praxis. München.

Glaser, Barney G./Strauss, Anselm L. (1967): The Discovery of Grounded Theory. Strategies for Qualitative Research. Chicago.

*Hornig Priest, Susanna (1996): Doing Media Research. An Introduction. Thousand Oaks.

Kelle, Udo/Erzberger, Christian (1999): Integration qualitativer und quantitativer Methoden. Methodologische Modelle und ihre Bedeutung für die Forschungspraxis. In: Kölner Zeitschrift für Soziologie und Sozialpsychologie 51, H. 3, S. 509-531.

*Knieper, Thomas (Hg.) (1993): Statistik. Eine Einführung für Kommunikationsberufe. München.

Kuhn, Thomas S. (1967): Die Struktur wissenschaftlicher Revolutionen. Frankfurt/M.

*Kumar, Ranjit (1999): Research Methodology. A Step by Step Guide for Beginners. London.

**Lamnek, Siegfried (1995a): Qualitative Sozialforschung. Bd. 1: Methodologie. (3., korrig. Aufl.) München.

**Lamnek, Siegfried (1995b): Qualitative Sozialforschung. Bd. 2: Methoden und Techniken. München.

Maier-Rabler, Ursula u.a. (1991): Einführung in das kommunikationswissenschaftliche Arbeiten. München.

*Mayring, Philipp (1999): Einführung in die qualitative Sozialforschung. (4. Aufl.) Weinheim.

Merten, Klaus (1995): Inhaltsanalyse. Einführung in Theorie, Methode und Praxis. Opladen.

**Merten, Klaus/Teipen, Petra (1991): Empirische Kommunikationsforschung. Darstellung – Kritik – Evaluation. München.

*Noelle-Neumann, Elisabeth/Petersen, Thomas (1996): Alle, nicht jeder. Einführung in die Methoden der Demoskopie. München.

Popper, Karl (1934): Die Logik der Forschung. Tübingen.

**Rogge, Klaus-Eckart (Hg.) (1995): Methodenatlas. Berlin.

*Schnell, Rainer/Hill, Paul B./Esser, Elke (1995): Methoden der empirischen Sozialforschung. München, Wien.

Seiffert, Helmut (1983): Einführung in die Wissenschaftstheorie. München.

*Silverman, David (2000): Doing Qualitative Research. A Practical Handbook. London.

**Vogt, Paul W. (1993): Dictionary of Statistics and Methodology. A Nontechnical Guide for the Social Sciences. London.

Weber, Max (1904): Die „Objektivität" sozialwissenschaftlicher und sozialpolitischer Erkenntnis. In: Winckelmann, Johannes (Hg.): Gesammelte Aufsätze zur Wissenschaftslehre, Bd. 1. Tübingen, S. 146-214.

* Basisliteratur

** Literaturempfehlung und Handbücher für fortgeschrittene Studierende

AUTORENVERZEICHNIS

Heinz *Bonfadelli*, Dr. phil., geb. 1949, Ordentlicher Professor für Publizistikwissenschaft am IPMZ – Institut für Publizistikwissenschaft und Medienforschung der Universität Zürich.
Arbeitsgebiete: Nutzung und Wirkung der Medien, Heranwachsende und Medien, Medien und ihre Inhalte, Neue Medien.
E-Mail: h.bonfadelli@ipmz.unizh.ch.

Urs *Dahinden*, Dr. rer. pol., geb. 1963, Oberassistent am IPMZ – Institut für Publizistikwissenschaft und Medienforschung der Universität Zürich.
Arbeitsgebiete: Politische Kommunikation, Wissenschafts- und Risikokommunikation, Neue Informations- und Kommunikationstechnologien, empirische Forschungsmethoden.
E-Mail: u.dahinden@ipmz.unizh.ch.

Patrick *Donges*, dipl. pol., geb. 1969, Wissenschaftlicher Assistent am IPMZ – Institut für Publizistikwissenschaft und Medienforschung der Universität Zürich.
Arbeitsgebiete: Medienstrukturen und Medienregulierung, Politische Kommunikation, Medientheorien.
E-Mail: donges@ipmz.unizh.ch.

Walter *Hättenschwiler*, Dr., geb. 1947, Wissenschaftlicher Mitarbeiter am IPMZ – Institut für Publizistikwissenschaft und Medienforschung der Universität Zürich und Lehrbeauftragter der Universität Zürich.
Arbeitsgebiete: Forschungsmethoden, Publikums- und Leserschaftforschung.
E-Mail: w.haettenschwiler@ipmz.unizh.ch.

Lucie *Hribal*, Dr. phil., geb. 1962, Oberassistentin am IPMZ – Institut für Publizistikwissenschaft und Medienforschung der Universität Zürich.
Arbeitsgebiete: Transformationsforschung mit Schwerpunkt Medienstrukturen, Wissenschafts- und Risikokommunikation.
E-Mail: hribal@ipmz.unizh.ch.

Kurt *Imhof*, Dr. phil., geb. 1956, Ordentlicher Professor für Publizistikwissenschaft und Soziologie an der Universität Zürich.
Arbeitsgebiete: Öffentlichkeitstheorien, Öffentlichkeitsgeschichte, Mediensoziologie, Minderheitensoziologie, Soziologie sozialen Wandels.
E-Mail: imhofk@access.unizh.ch.

Otfried *Jarren*, Dr. phil., geb. 1953, Ordinarius für Publizistikwissenschaft am IPMZ – Institut für Publizistikwissenschaft und Medienforschung der Universität Zürich. Nebenamtlicher Direktor am Hans-Bredow-Institut der Universität Hamburg und Direktor des Swiss Centre for Studies on the Global Information Society (SwissGIS) der Universität Zürich.
Arbeitsgebiete: Kommunikations- und Medienpolitik, Politische Kommunikation, Medien und gesellschaftlicher Wandel, Medien und politische Kultur.
E-Mail: o.jarren@ipmz.unizh.ch.

Martina *Leonarz*, lic. phil., geb. 1965, Wissenschaftliche Assistentin am IPMZ – Institut für Publizistikwissenschaft und Medienforschung der Universität Zürich.
Arbeitsgebiete: Medieninhalte, Risikokommunikation, Gender Studies.
E-Mail: leonarz@ipmz.unizh.ch.

Werner A. *Meier*, Dr. phil., geb. 1952, Wissenschaftlicher Mitarbeiter am IPMZ – Institut für Publizistikwissenschaft und Medienforschung der Universität Zürich.
Arbeitsgebiete: Mediensoziologie, Medienökonomie, Medienpolitik.
E-Mail: wameier@ipmz.unizh.ch.

Ulrike *Röttger*, Dr. phil., geb. 1966, Oberassistentin am IPMZ – Institut für Publizistikwissenschaft und Medienforschung der Universität Zürich.
Arbeitsgebiete: Public Relations/Organisationskommunikation, Geschlechterforschung.
E-Mail: roettger@ipmz.unizh.ch.

Michael *Schanne*, geb. 1948, Geschäftsleiter der Arbeitsgruppe für Kommunikationsforschung & -beratung (AGK) Zürich.
Arbeitsgebiete: Projekte der Auftragsforschung zu unterschiedlichen Fragestellungen. Die Grundlagenforschung betreffend: Wissenschafts- und Risikokommunikation bzw. Probleme von Wissen, Wissenserwerb, Wissensvermittlung und publizistische Medien.
E-Mail: agk@dial.eunet.ch.

Heike *Scholten-Reichlin*, M.A., geb. 1971, Wissenschaftliche Mitarbeiterin bei economiesuisse – Verband der Schweizer Unternehmen.
Arbeitsgebiete: Medienpolitik und Medienstrukturen, Öffentlichkeitsforschung.
E-Mail: heike.scholten@economiesuisse.ch.

Daniel *Süss*, Dr. phil., geb. 1962, Oberassistent am IPMZ – Institut für Publizistikwissenschaft und Medienforschung der Universität Zürich, Dozent für Medienpädagogik an der Universität Bern und Hauptdozent an der Hochschule für Angewandte Psychologie in Zürich.
Arbeitsgebiete: Mediensozialisation, Mediennutzung und -wirkung, Medienkompetenz, Kommunikationspsychologie.
E-Mail: dsuess@fh-psy.ch.

Josef *Trappel*, Dr., geb. 1963, Projektleiter bei Prognos AG, Bereich Medien und Kommunikation.
Arbeitsgebiete: Medienpolitik, Neue Technologien, Online-Medien, Technologiefolgenabschätzung.
E-Mail: josef.trappel@prognos.com.

Rolf H. *Weber*, Dr. jur., geb. 1951, Ordentlicher Professor für Privat-, Wirtschafts- und Europarecht am Rechtswissenschaftlichen Institut der Universität Zürich.
Arbeitsgebiete: Informations- und Kommunikationsrecht, Internetrecht, Kartell- und Wettbewerbsrecht.
E-Mail: weberr@rws.unizh.ch.

Vinzenz *Wyss*, lic. phil., geb. 1965, Wissenschaftlicher Assistent am IPMZ – Institut für Publizistikwissenschaft und Medienforschung der Universität Zürich und Bereichsleiter im Studiengang Fachjournalismus und Unternehmenskommunikation an der Zürcher Hochschule Winterthur.
Arbeitsschwerpunkte: Journalismus- und Kommunikatorforschung, Journalistische Qualität und Qualitätssicherung, Redaktionsforschung, Journalistische Ausbildung.
E-Mail: vwyss@ipmz.unizh.ch.

Sachwortregister

A

Agenda-Setting-Theorie 360
Akademisierung 277
Akteur 90, 108, 148, 297
- gesellschaftlicher 147
- medienpolitischer 242
- politischer Kommunikation 423
- staatlicher 148

Arbeitsrolle 271
Arbeitsteilung 61
Aufmerksamkeit 357
Ausbildung
- journalistische 278

Aussagengestaltung 445
Auswertungsverfahren 519
Autonomie 42
Autonomieverlustes 271

B

BAKOM 208, 212
Basistechnologie 466
Befragung 361, 476, 508
Benutzerzentrierte Messungen 476
Beobachtung 509
Berichterstattungsmuster 274
Berufsforschung
- journalistische 262, 277

Berufsrollen 300
Beschleunigungsgesetz 53
Betriebe 147

C

Code 23, 397
Computer Assisted Reporting 273
Cross-Media-Publishing 479
Cultural Studies 92, 388, 400

D

Data-Cleaning 512
Datenerhebung 475
Datenerhebungsmethoden 475, 507
Datenniveau 513
Datenschutzrecht 225
Deduktiv 74, 499
Definition 503
- analytische 504
- operationale 504

Demokratie 91, 163, 172
Demokratisierung 56
Deregulierung 233
Determinierungshypothese 303
Dialog 293
Diskursmodelle 112
Drei-Ebenen-Modell 213

E

E-Commerce 472
Ehrenkodizes 270
Eigentumskonzentration 172
Einstellungen 347
Einzelmedia-Forschung 317
E-Mail 469
Entscheidungsprogramme 156, 265, 271
Entscheidungsverfahren 447
Ereignismanagement 430

Erhebungsverfahren 519
Europäische Union 202
Europarat 201
Exhaustion 499

F

Fallstudien 506
Falsifikation 498
Fankulturen 401
Feedback 30
Fernmeldegesetz 208
Fernmelderecht 207
Fernsehforschung 320
Filmfreiheit 206
Forschungsprozesses 515
Frankfurter Schule 83
Frauen im Journalismus 278
Frauen und Medien 42

G

Gatekeeperforschung 264, 385
Gegendarstellung 223
Gegendarstellungsrecht 223
Gender 278, 302, 388, 405
Geschlechterstereotypen 404
Gewalt 391
Gewaltenteilungsparadigma 421
Glaubwürdigkeit 445, 451
Grounded Theory 519
Grundgesamtheit 511
Gütekriterien qualitativer Forschung 522

H

Handeln
- journalistisches 158
- kommunikatives 81
- soziales 314

Hermeneutik 495
- objektive 519

Hörerforschung 320
Hypothesen 504

I

Idealismus 41
Idealtypus
- Methode des 521

Ideologiekritik 388
Image 295
Induktiv 73, 499
Information 19, 22
Informationsfreiheit 203, 269
Informationsgesellschaft 330
Informationsquellen 445
Infotainment 324
Inhalte 390
Inhaltsanalyse 361, 386, 476, 509
Instrumentalisierungsparadigma 421
Integrationsfunktion 42
Integrationswissenschaft 10
Interaktion
- symbolische 19

Interdependenz 23, 41, 422
Intereffikation 304
Interessengruppen 44
Intermedia-Forschung 317
Internet 432
Internet-Nutzer 469
Internetsucht 474
Intersubjektivität 492, 522
Invasion from Mars 346

J

Journalismus 64, 158, 302
Journalismusforschung 261
Journalismus-Konzeptionen 274
Journalisten
- Fachwissen von 456

Journalistik 6

K
Kategorisierung 519
Kohortenanalyse 325
Kommerzialisierung 59, 172
Kommunikation 19, 22
- Funktion der 25
- Leistung der 25
- öffentliche 10
- politische 248

Kommunikationsformen
- dialogische 466
- diskursive 466

Kommunikationskanäle
- einseitige 452
- zweiseitige 452

Kommunikationsmodelle 26
Kommunikationsphänomene 32
Kommunikationspolitik 235
Kommunikationsrecht 199
Kommunikationsverhalten 452
Kommunikationswissenschaft 5
Kommunikatorforschung 261
Konformität 43
Konnotation 398
Kontext 396
Konvergenz 21, 172, 468
Konzession 212
Krisen-PR 448, 455
Kritische Theorie 83
Kultivierungsanalyse 370
Kultur 400
Kulturindustrie 85
Kuppelprodukte 173

L
Langzeitstudie 324
Lasswel-Formel 27
Leistungsauftrag 213, 269
Leserschaftsforschung 320
Linguistisch-semiotische Ansätze 388

M
Makroebene 9, 13, 74, 290, 367
Maletzke-Modell 34
Management 300
Marketing 288
Markt 166
Marktanteile 318
Markteintrittsbarrieren 181
Marktversagen 166
Massenkommunikation 22, 33, 39
Massenmedien 450, 454, 466
- Funktion der 76
- Wirkung der 339

Materialismus 41
Materialobjekt 7
Medialisierung 122
Medien
- Funktionen der 38

Medienallmacht 346
Medienarbeitsrecht 225
Medienausstattung 321
Medienbegriff 142
Medienereignisse 392
Medienethik 249, 270
Medienfreiheit 204, 269
Mediengewalt 340
Medienindustrie 171
Medieninhalte 385
Medienkartellrecht 216
Medienkompetenz 328
Medienkonzentration 216
Medienlauterkeitsrecht 218
Medienmacht 340
Mediennutzung 313
Medienökonomie 164
Medienorganisation 117, 140, 147
Medienpolitik 233
Medienrecht 199

Medienstraf- und Medienzivilrecht 220
Medienstruktur 147, 149
Medienunternehmen 151, 171
Medienverfassungsrecht 202
Medienwirkungen 339
Medienwissenschaft 7
Meinung 202
• öffentliche 105
Meinungsfreiheit 202
Merkmale
• soziodemographische 277
Mesoebene 9, 42, 74, 290
Metatheorien 72
Methodologie 494
Mikroebene 9, 42, 75, 291, 367
Mitgliedsrolle 271
Monopol 183
Multimedialität 465
Multivariate Verfahren 514

N

Nachrichtenauswahl 60
Nachrichtenbeschaffung 57
Nachrichtenübermittlung 58
Nachrichtenwerte 456
Nachrichtenwert-Theorie 273
Netzpolitik 241
Neue Medien 34
New Economy 472
Normativität 24
Nutzenansatz 315

O

Objektivität 501
Öffentlichkeit 114
• Begriff der 103
• Ebenen der 106
• Rollen der 108
Öffentlichkeitsarbeit 287
Ökonomie
• neue politische 167
• politische 88, 170
Online-Kommunikation 273, 476
Online-Medien 330
Operationalisierung 504
Organisationsanalyse 139, 150
Organisationsbegriff 143
Organisationsethik 250
Organisationstypen 140

P

Panelstudien 321
Paradigma 496
• qualitatives 497, 499
• quantitatives 497
Paradigmenwechsel 497
Partizipation 446
Periodika 62
Periodizität 58
Personalisierung 126
Persönlichkeitsschutz 222
Phänomenologie 495
Phasenmodell
• des politischen Prozesses 428
Policy-Netzwerk 236
Politik
• Dimensionen 420
• symbolische 431
Politikfeld 237
Politikfeldanalyse 237
Portal 479
Presse 269
Pressekonzentration 239
Presseordnung 209
Pressepolitik 239
Presserat 252, 270
Priming-Effekte 362
Privatisierung 126
PR-Kommunikatorforschung 298
PR-Manager 300
PR-Techniker 300

Profession 299
Professionalisierung 299
Programmdirektion 153
Propaganda 346
Public Relations 287
Publikum 33
Publikumskonzeptionen 313

Q

Qualität
- journalistische 275

Qualitative Forschung 522
Qualitätssicherung 272
Qualitätssicherungsansätze 153
Querschnittstudien 320

R

Radio- und Fernsehgesetz (RTVG) 209, 269
Radiounternehmen 156
Rationalismus
- kritischer 498

Realdefinition 503
Redaktionen 151
Redaktionsforschung 264
Redaktionsmanagement 265, 272
Redaktionsmarketing 271
Redaktionssysteme 273
Reflexivität 24
Reichweite 318
Reliabilität 394, 501
Ressort 151, 156
Reziprozität 23
Risikobegriff 442
Risikodefinition 443
Risikodiskurs 450
Risikogesellschaft 442
Risikoinformationen
- Emotionalisierung von 452

Risikokommunikation 441, 444
- Aktivitätsphasen 446
- Hauptphasen 445

Risikomanagement 442
Risiko-PR 448, 455
Risikowahrnehmung 443
Rollenselbstbild 279
Routineprogramme 265, 273
Rundfunk 205
Rundfunkordnung 212, 233
Rundfunkpolitik 240
Rundfunkrecht 207
Rundfunkunternehmen 152

S

Sachgerechtigkeitsgebot 214
Schematheorie 359
Schramm-Modell 36
Schweigespiralen-Modell 368
Schweizerische Radio- und Fernsehgesellschaft (SRG) 277
Selbststeuerung 247
Semiotik 394
Shannon/Weaver-Modell 28
Skandal 126
Soap Operas 326, 402
Soziale Bewegungen 124
Sozialisation 264
Spiegelmodelle 111
Sprache 23
S-R-Modell 346
Statistik 514
Stereotypisierung 390
Steuerung
- politische 244

Stichproben 511
Stichprobengröße 512
Strafprozessrecht 221
Strukturanalyse 139, 145, 150
Strukturen
- redaktionelle 139, 156

Strukturwandel 118
Symbiose 422
Symbole 397
System 146, 297
- intermediäres 424
- sozio-technisches 464
Systemtheorie 40, 77, 147, 265, 271

T

Tageszeitungsredaktion 151
Telefon 55
Text 401
Text-Bild-Schere 359
Themenmanagement 363, 430
Theoriebildung 519
Theorieentwicklung 499
Theorien mittlerer Reichweite 13
Theorienpluralismus 12
Theorieprüfung 499
Third-Person-Phänomen 340
Transkription 519
Transnationalisierung 185
Typenbildung 519

U

Unternehmen 147
Unternehmenskommunikation 295
Untersuchungsanlagen 506
Unverdrängbarkeitsgesetz 52
Urheberrecht 226
Uses-and-Gratifications-Ansatz 352

V

Validierung 523
Validität 394
Verbände 147
Vereinte Nationen 199
Vermittler 454
Verständigung 24
Verständlichkeit 393
Verstehen 357
Vertrauensbildung 451
Vielfalt 393
Vielseher 328

W

Wahlforschung 349
Wahlkampf 430
Wahrscheinlichkeitsauswahl 511
Werbung 288, 408
Wertschöpfungskette 186
Wettbewerb 188
Wirklichkeit 499
Wirkungsphänomene 342
Wirtschaftsfreiheit 207
Wissen
- Alltags- 492, 493
- wissenschaftliches 492, 493
Wissenschaftssprache 493
Wissenschaftstheorie 494
Wissenschaftsverständnis 496
- empirisch-analytisches 496
Wissenschaftswissenschaft 495
Wissenskluft-Perspektive 364
Wissensproduktion 470
Wissenssoziologie 494
Wissensvermittlung 470

Z

Zielgruppen 44, 315
Zweckprogramme 265
Zwei-Stufen-Fluss-Modell 350